A-Z SOUTH YOR...

C000226309

CONTENTS

REFERENCE

Motorway	**M1**
Proposed	
A Road	A19
Under Construction	
Proposed	
B Road	B6059
Dual Carriageway	
One-way Street	→
Traffic flow on A Roads is also indicated by a heavy line on the driver's left.	→
Restricted Access	
Pedestrianized Road	
Track & Footpath	
Residential Walkway	
Railway	Station, Heritage Sta., Level Crossing, Tunnel
Supertram	Stop
The boarding of Supertrams at stops may be limited to a single direction, indicated by the arrow.	
Built-up Area	LLOYD ST
Local Authority Boundary	
National Park Boundary	
Posttown Boundary	
Postcode Boundary (within Posttown)	

Map Continuation	8 Large Scale City Centre 4
Car Park (selected)	P
Park & Ride	P+
Church or Chapel	†
Fire Station	■
Hospital	Ⓗ
House Numbers (A & B Roads only)	13 8
Information Centre	🛈
National Grid Reference	⁴30
Police Station	▲
Post Office	★
Toilet	▽
with facilities for the Disabled	♿
Viewpoint	☀
Educational Establishment	
Hospital or Hospice	
Industrial Building	
Leisure or Recreational Facility	
Place of Interest	
Public Building	
Shopping Centre or Market	
Other Selected Buildings	

SCALE

Map Pages 6-143   1:19,000

0   ¼   ½   ¾ Miles

0   250   500   750   1000   1250 Metres

3⅓ inches (8.47 cm) to 1 mile   5.26 cm to 1 km

Map Pages 4-5   1:7,454

0   ⅛   ¼ Miles

0   250   500 Metres

8½ inches (21.59 cm) to 1 mile   13.42 cm to 1 km

Copyright of Geographers' A-Z Map Company Limited

Head Office:
Fairfield Road, Borough Green, Sevenoaks, Kent, TN15 8PP
Telephone 01732 781000 (General Enquiries & Trade Sales)

Showrooms:
44 Gray's Inn Road, London, WC1X 8HX
Telephone 020 7440 9500 (Retail Sales)

www.a-zmaps.co.uk

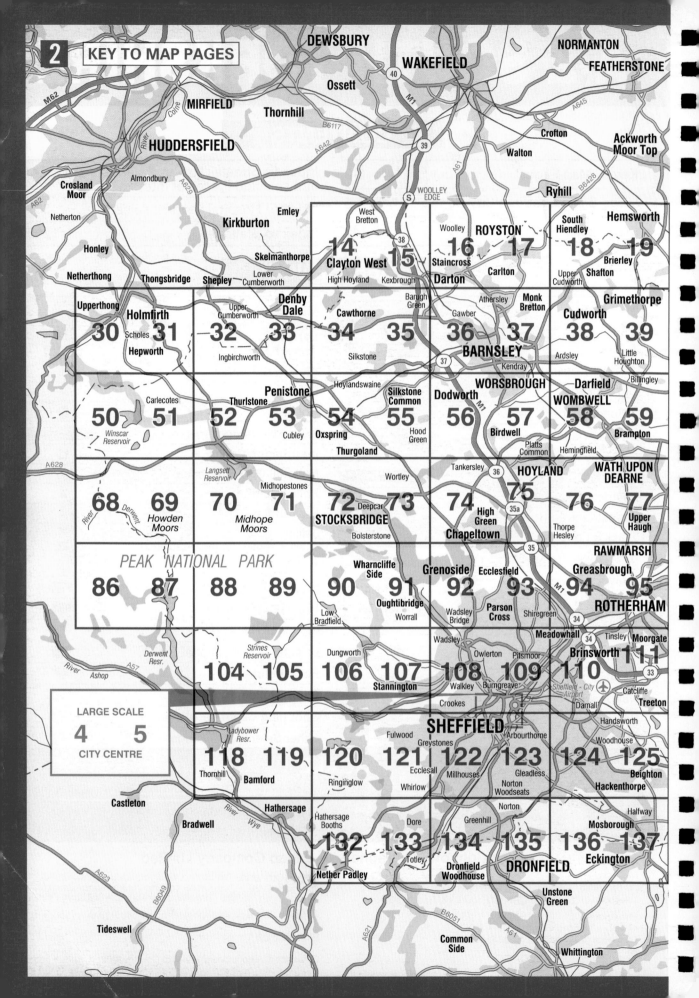

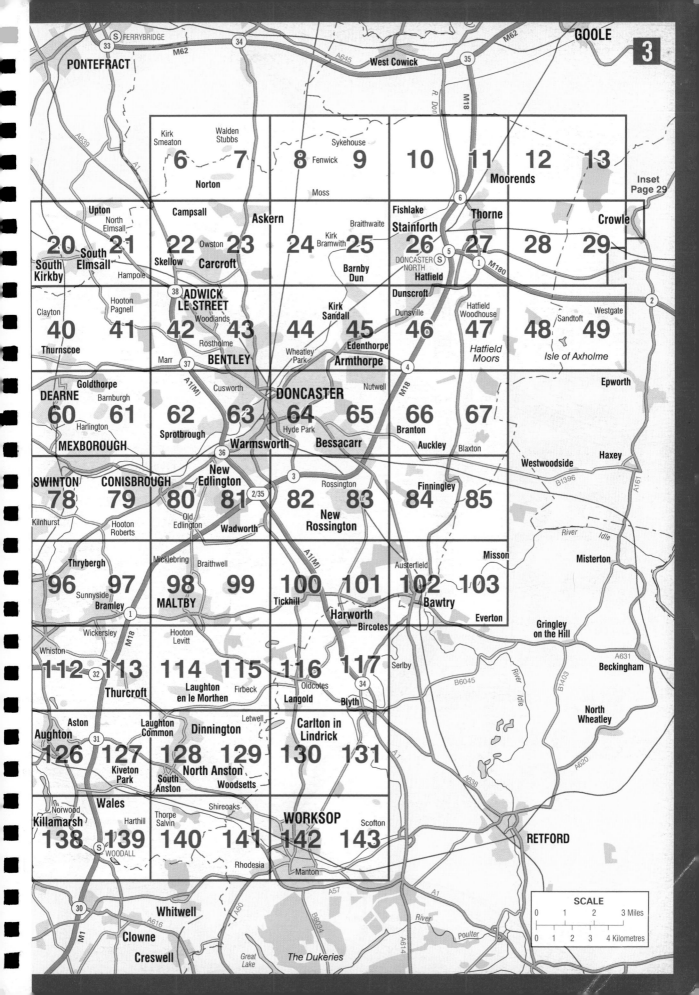

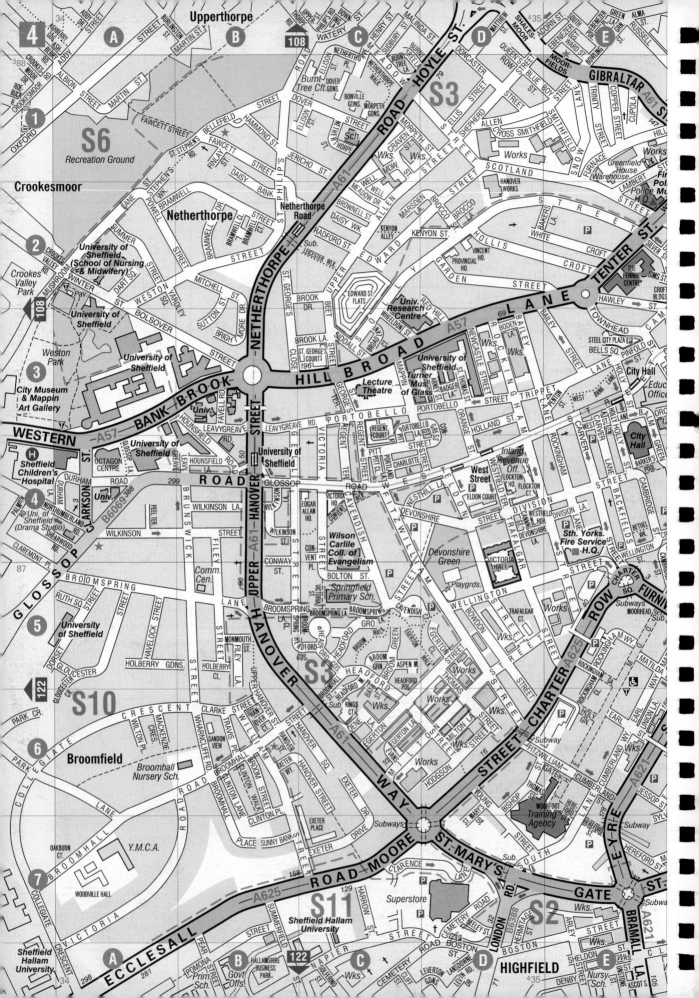

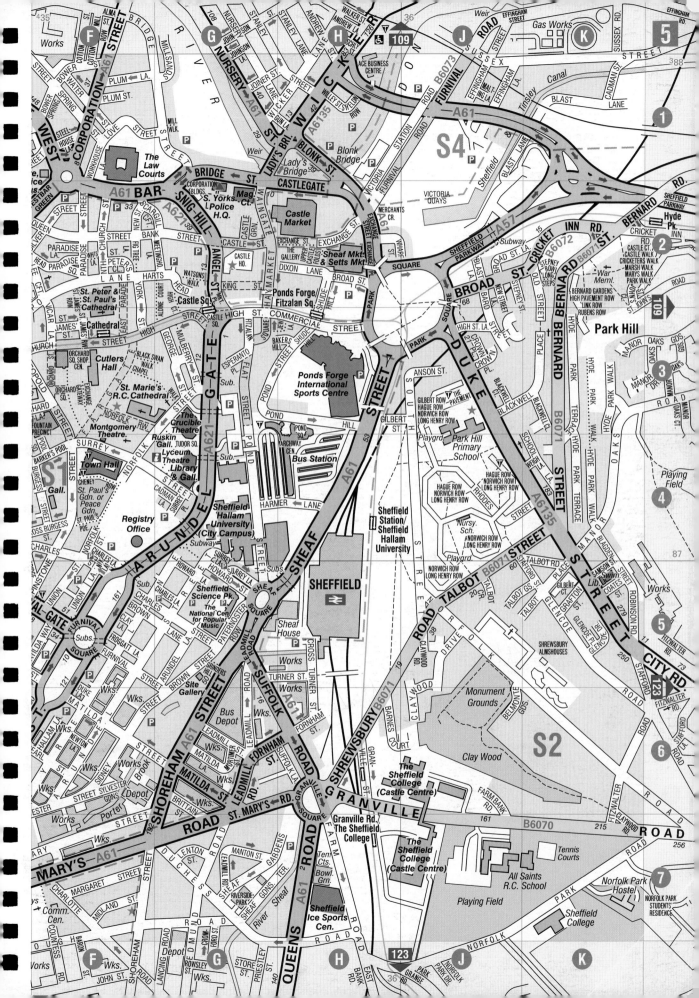

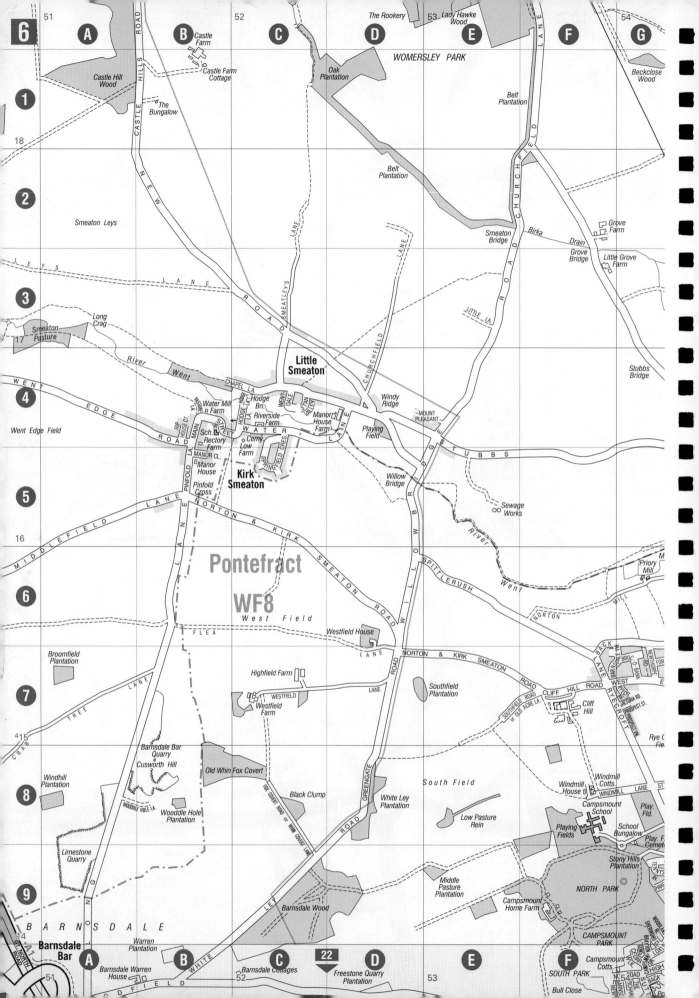

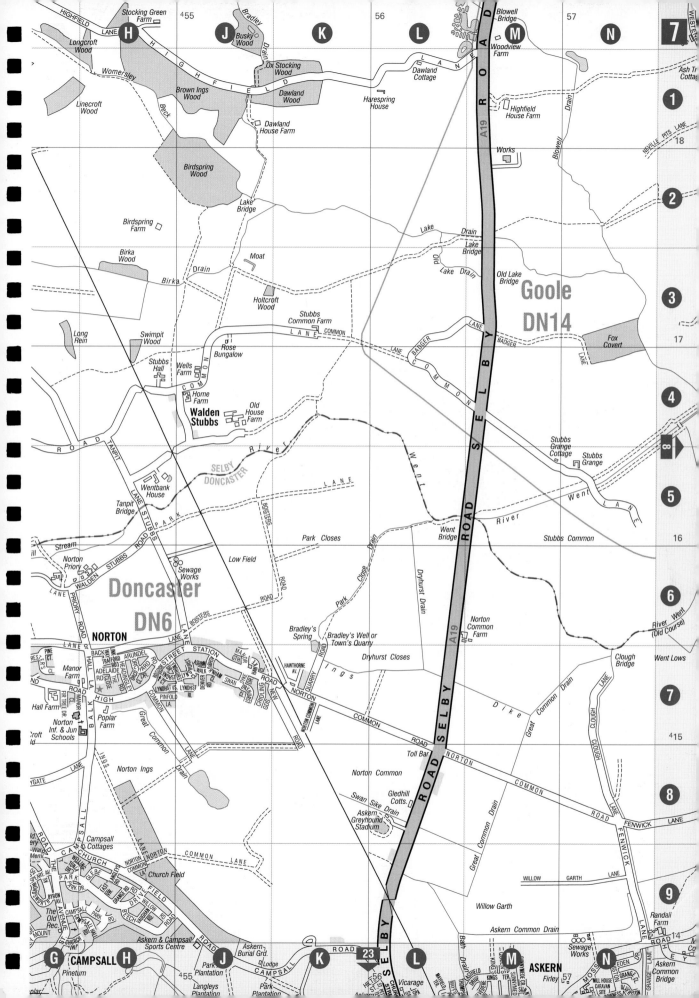

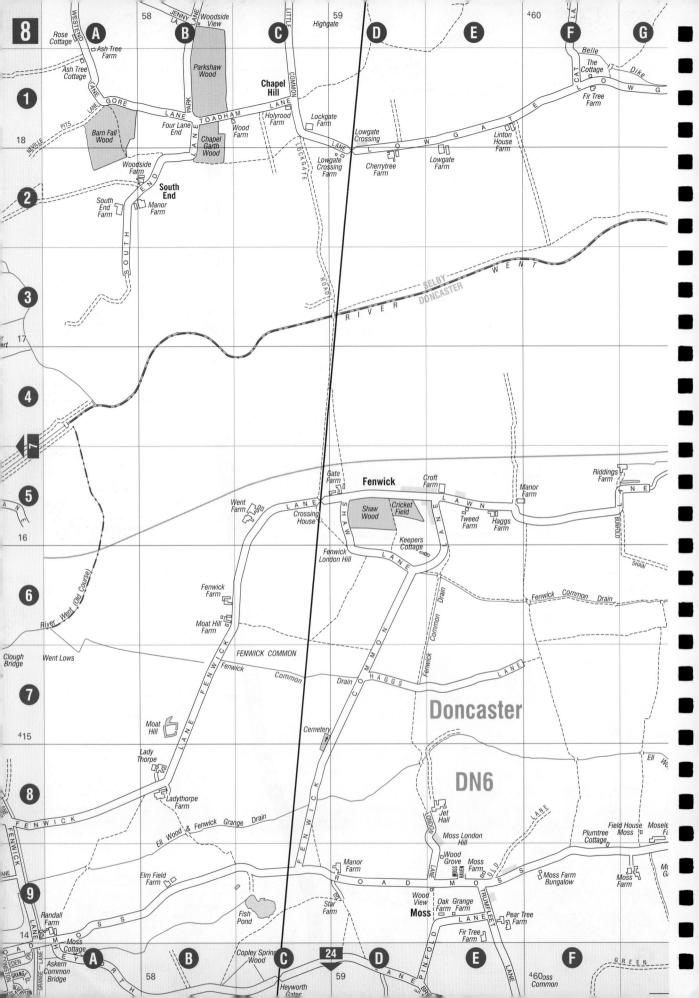

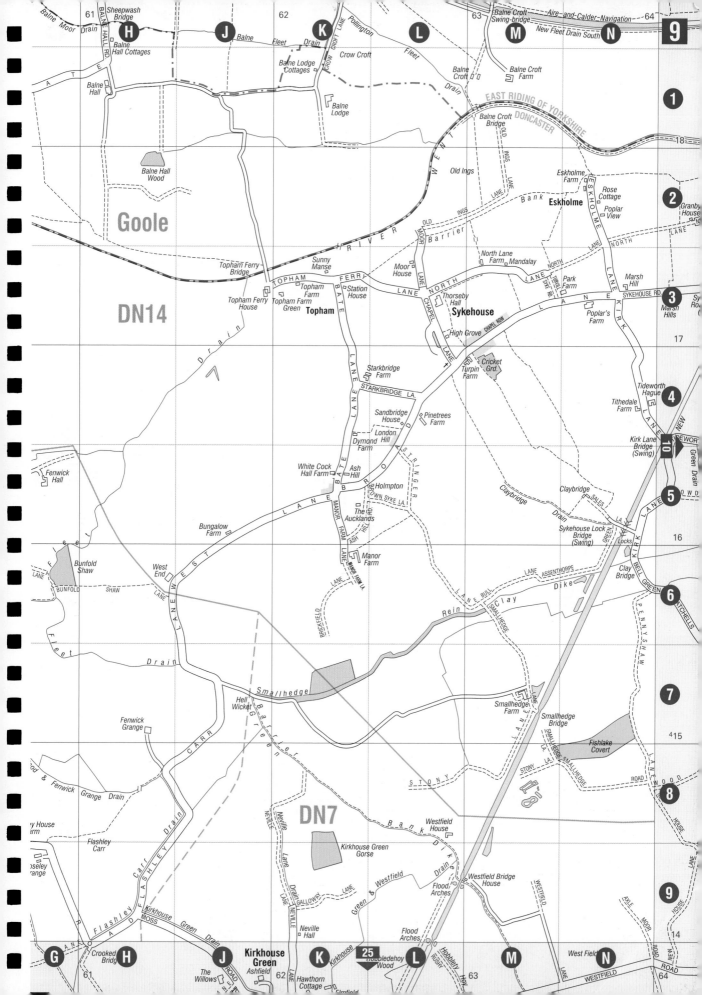

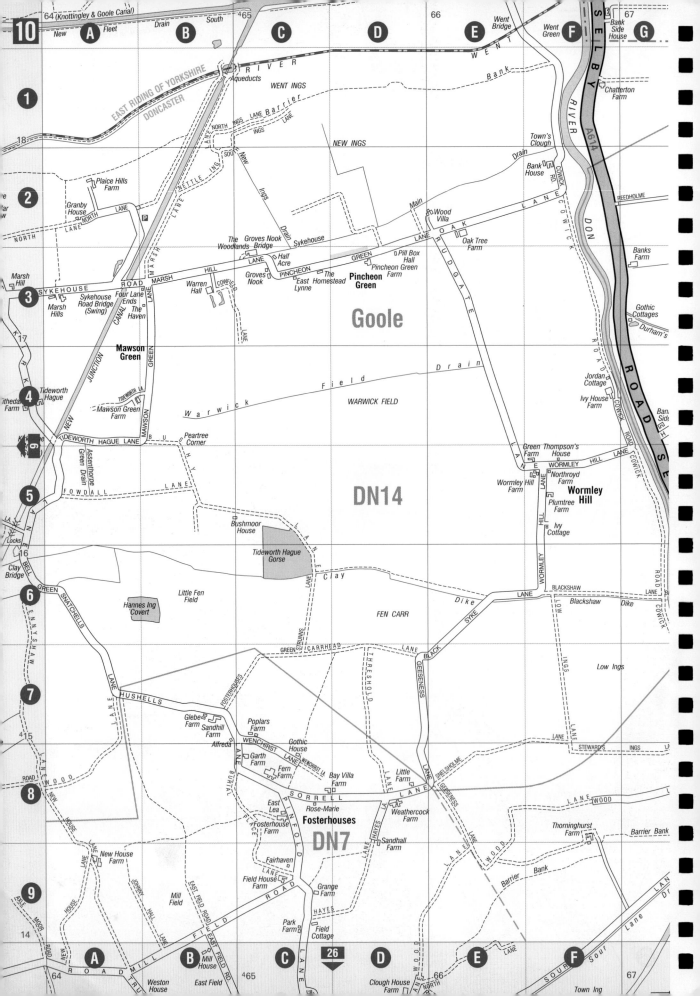

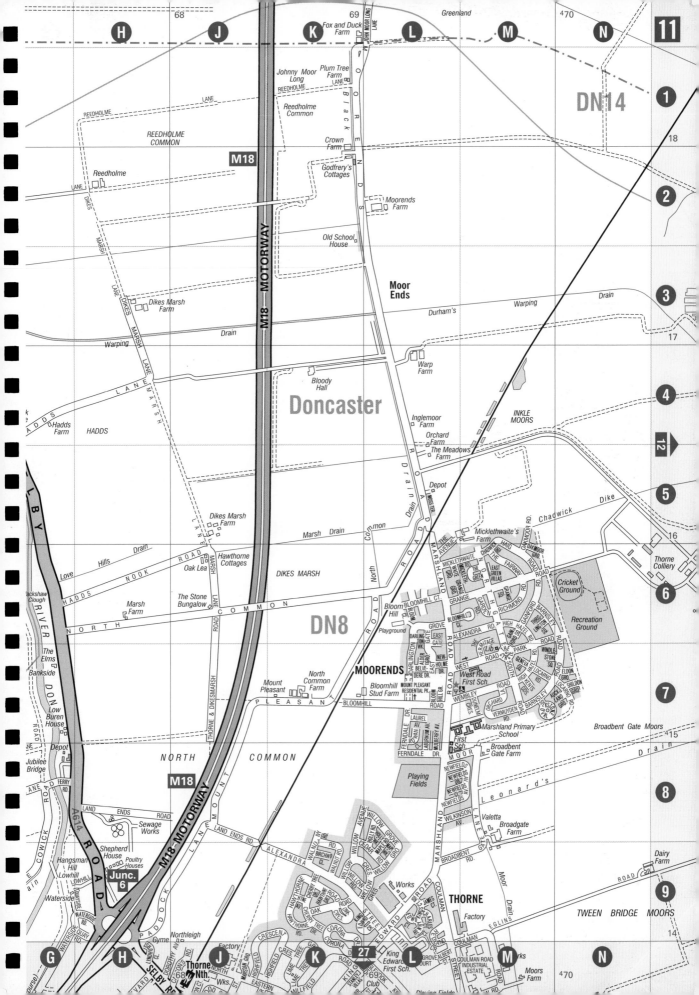

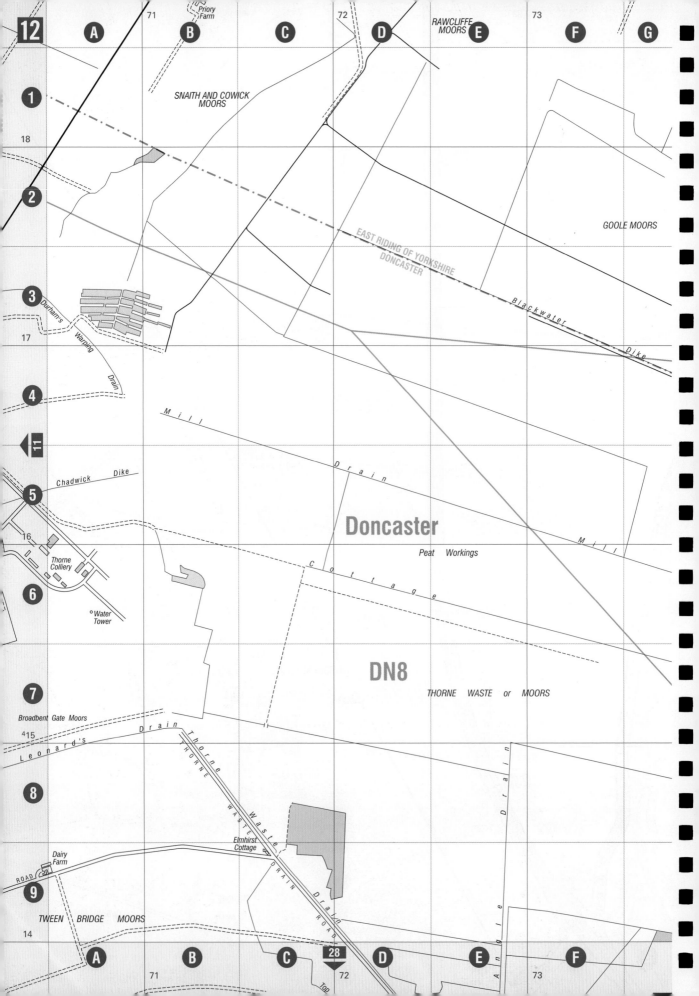

A 71 B C 72 D RAWCLIFFE E 73 F G
MOORS

1

SNAITH AND COWICK
MOORS

18

2

GOOLE MOORS

EAST RIDING OF YORKSHIRE
DONCASTER

3

Durham's

Blackwater

17

Warping

Dike

Drain

4

M i l l

11

D r a i n

M i l l

Chadwick   Dike

5

Doncaster

16

Peat   Workings

Thorne
Colliery

C o t t a g e

6

° Water
Tower

D r a i n

DN8

7

THORNE   WASTE   or   MOORS

Broadbent Gate Moors

D r a i n

⁴15

Drain

Thorne

D r a i n

Leonard's

THORNE

8

WASTE

Elmhirst
Cottage

DRAIN

A n g l e

Dairy
Farm

ROAD

ROAD

9

TWEEN   BRIDGE   MOORS

TOD

14

A 71 B C 72 28 D E 73 F

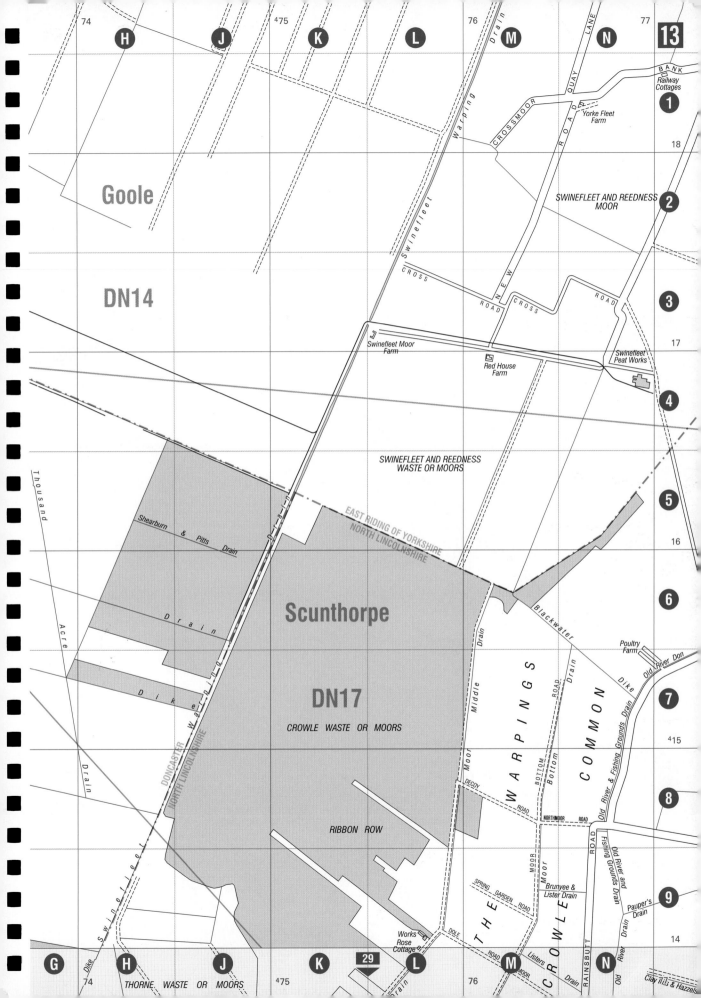

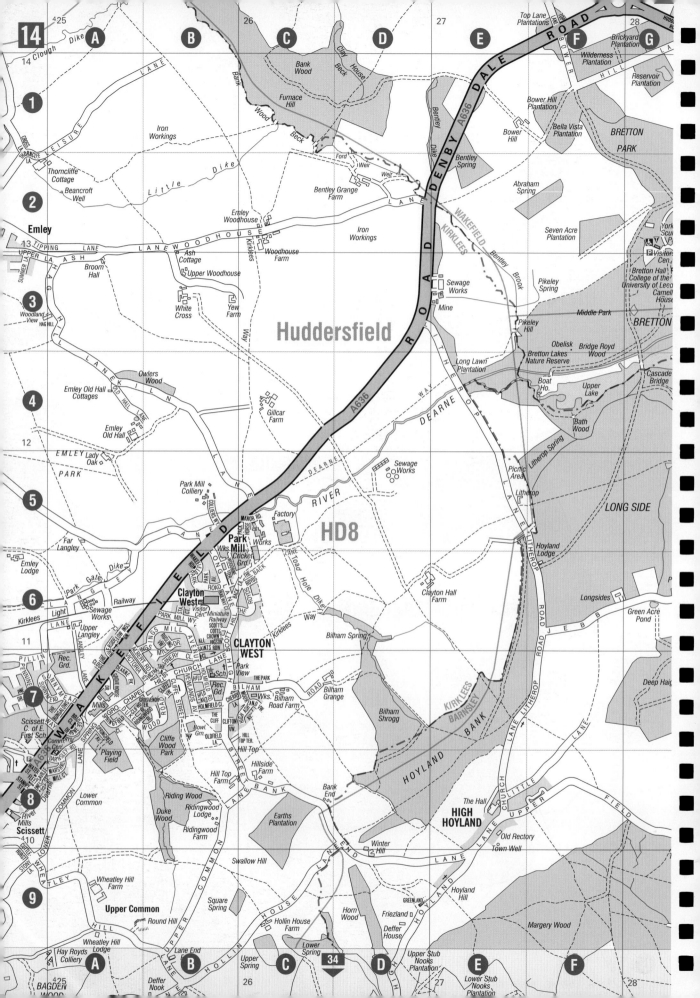

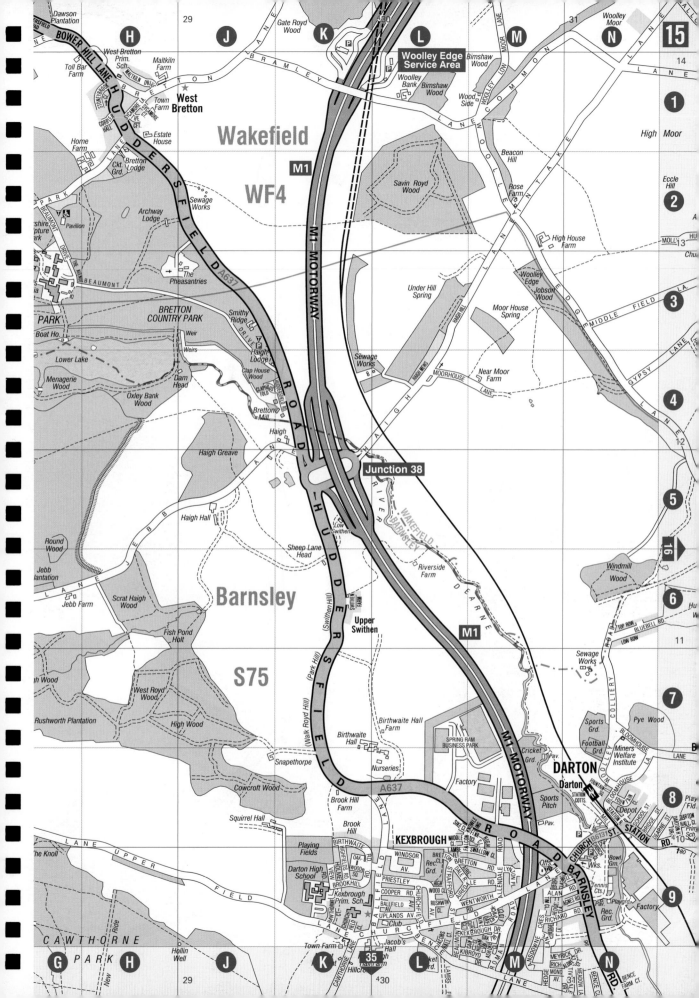

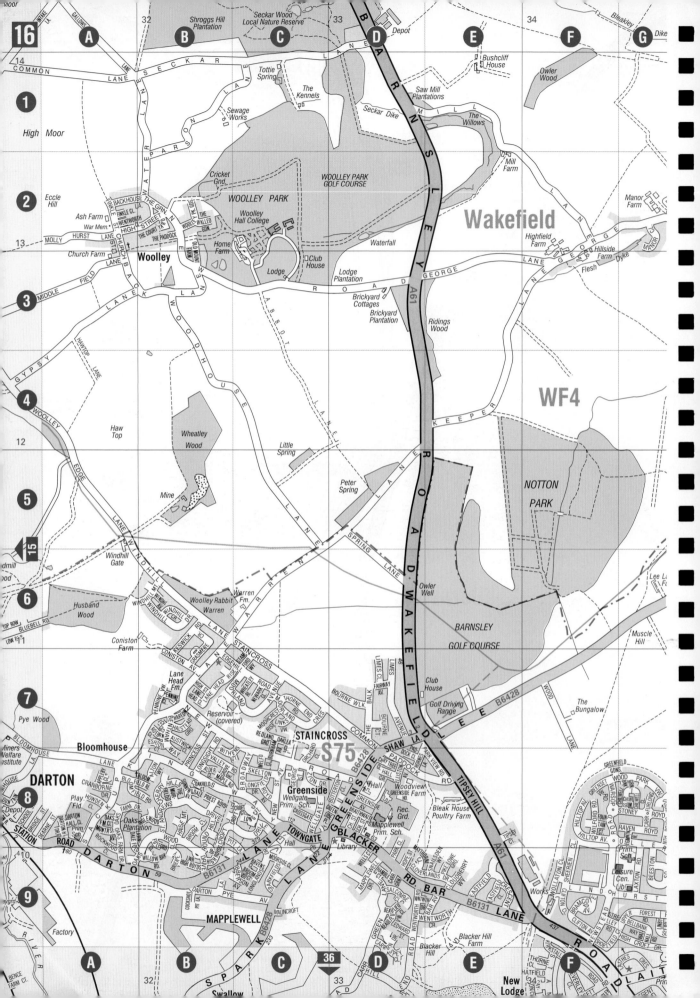

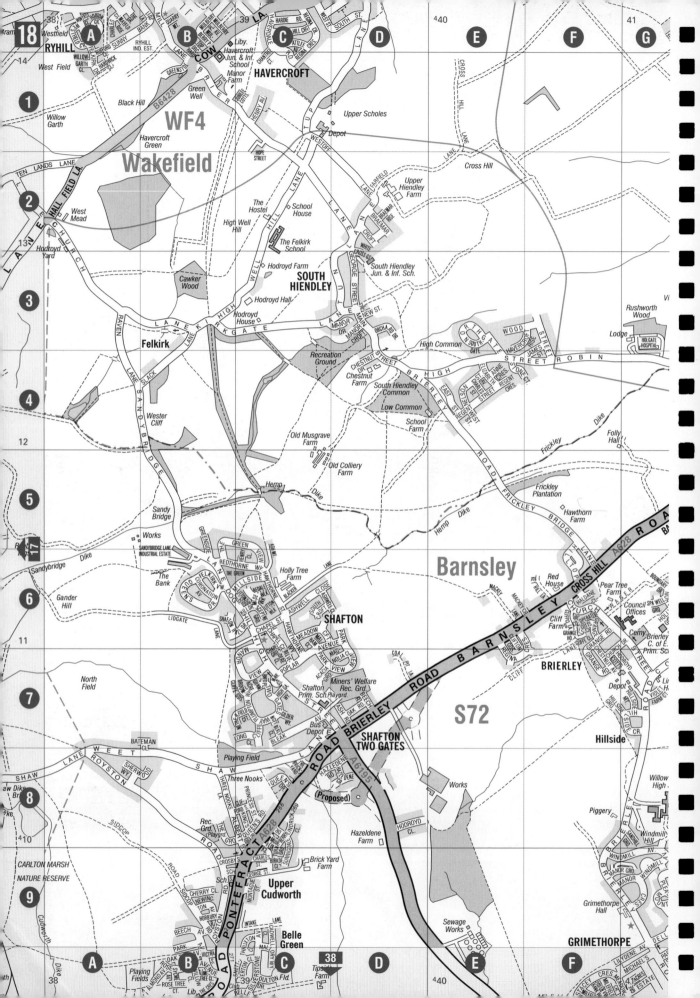

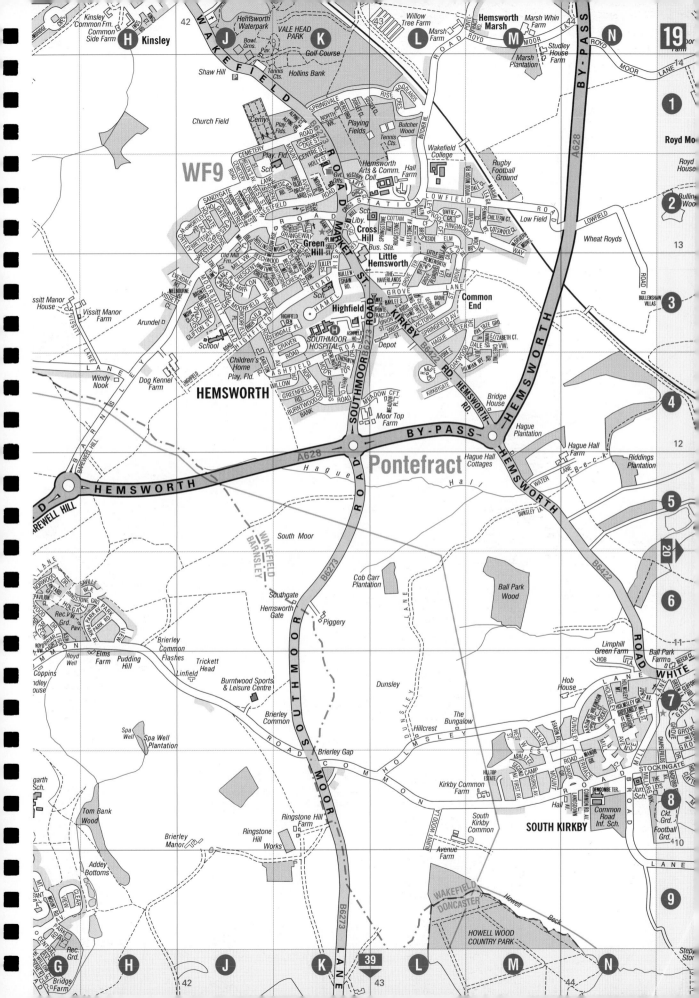

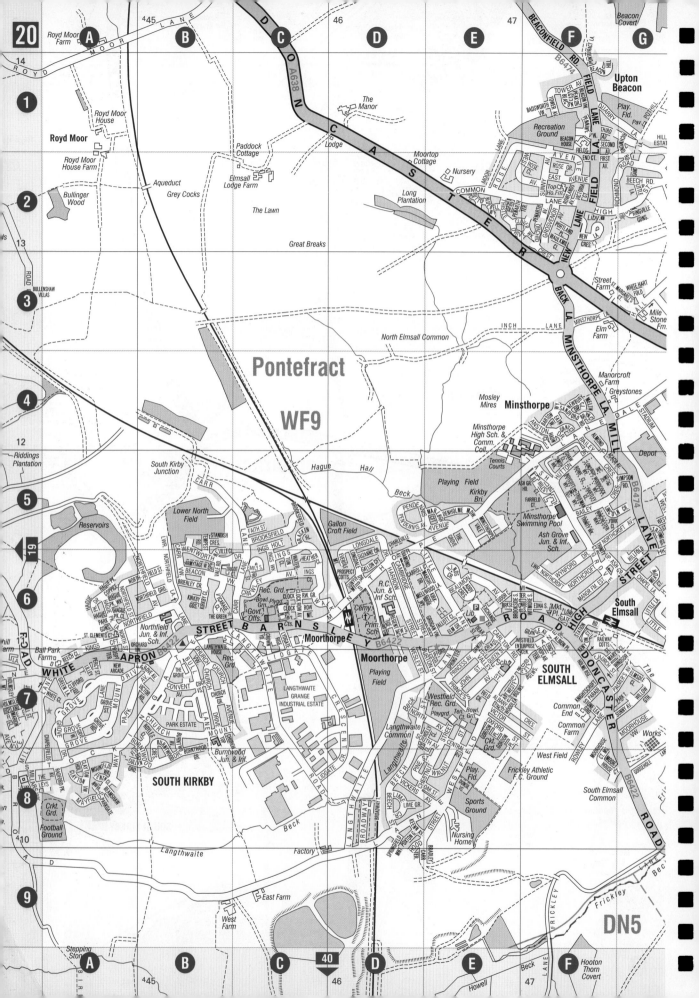

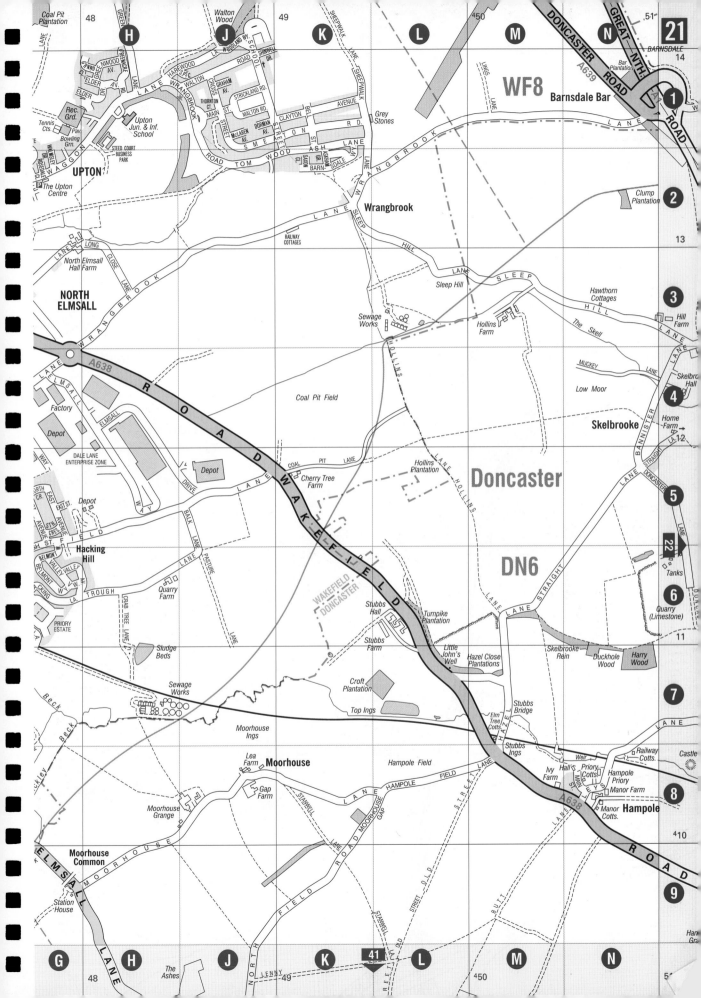

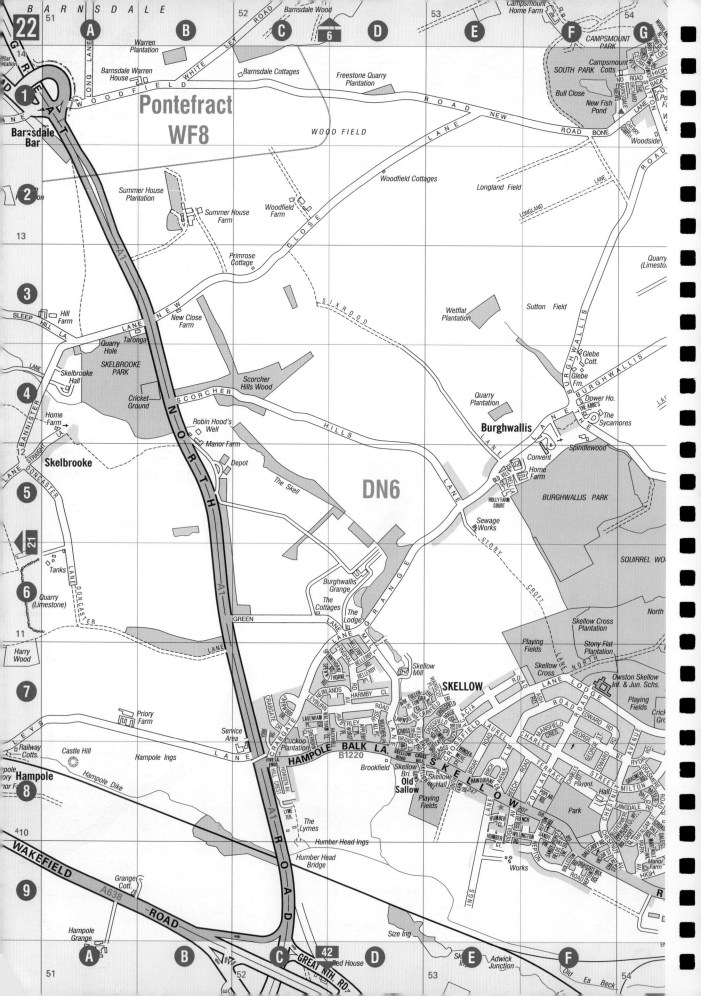

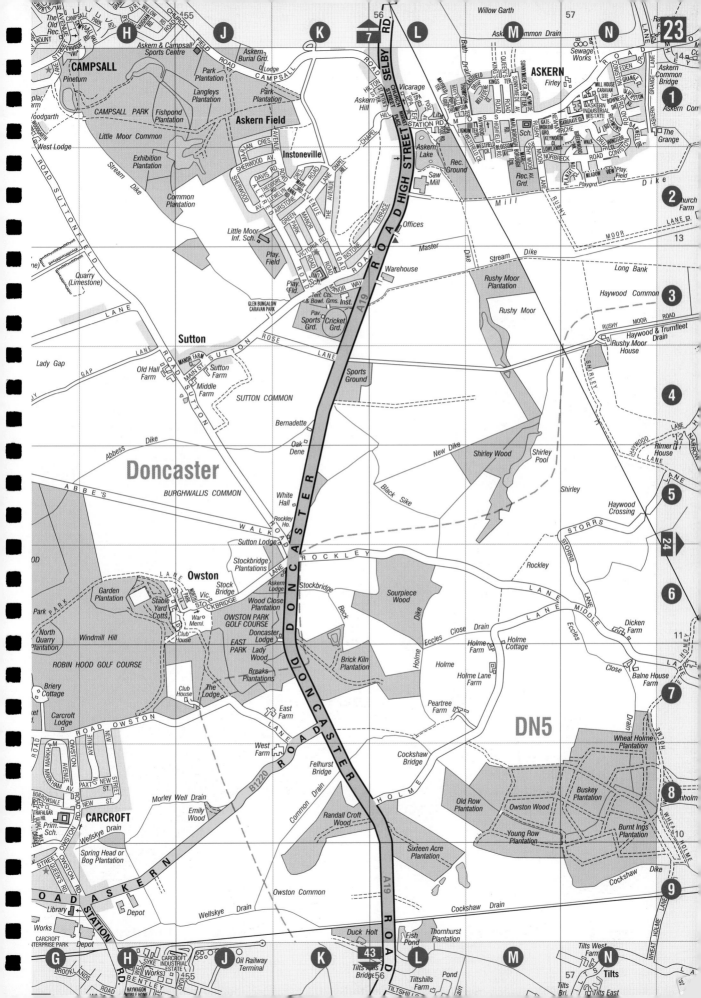

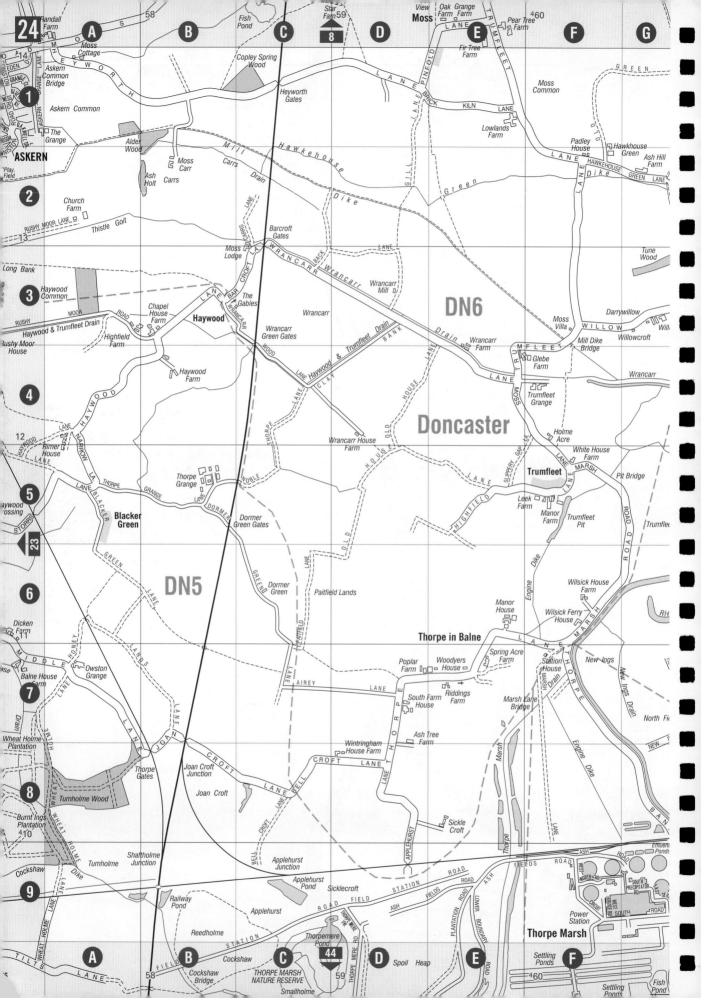

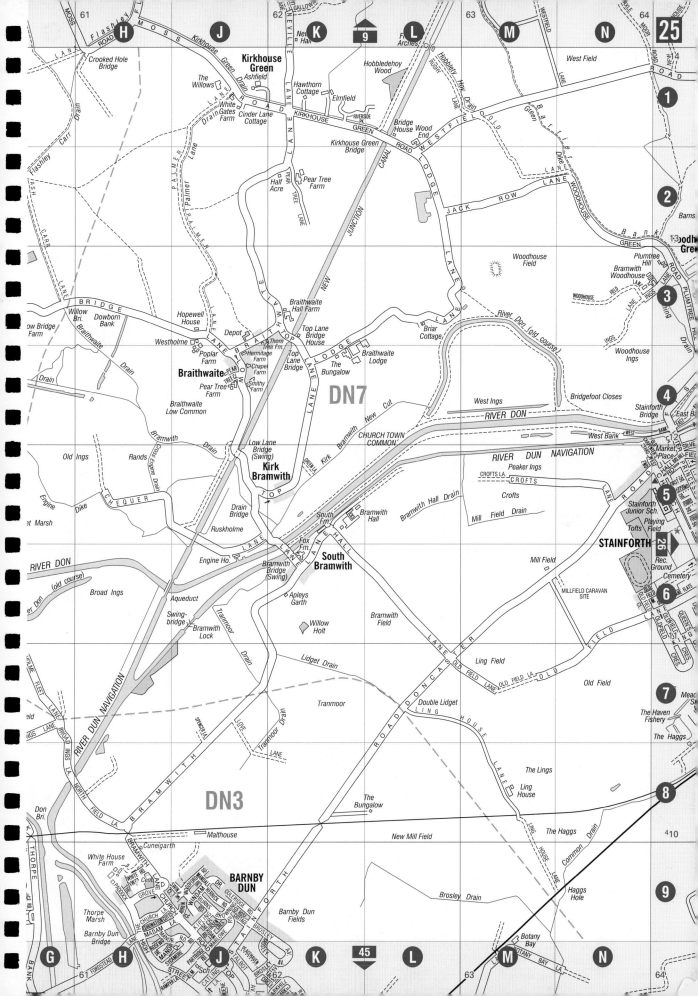

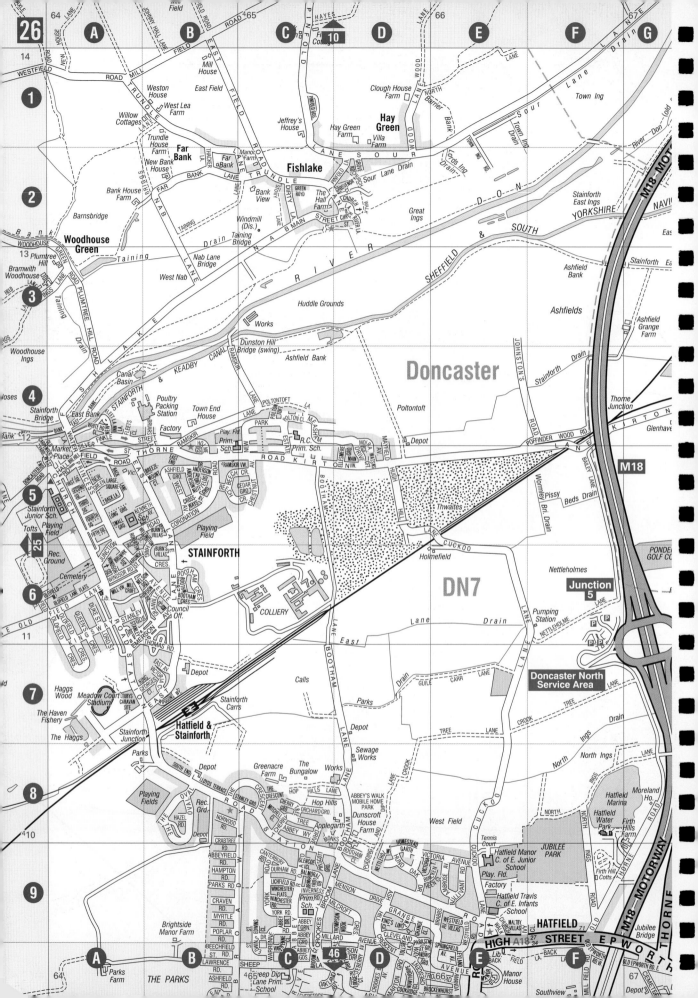

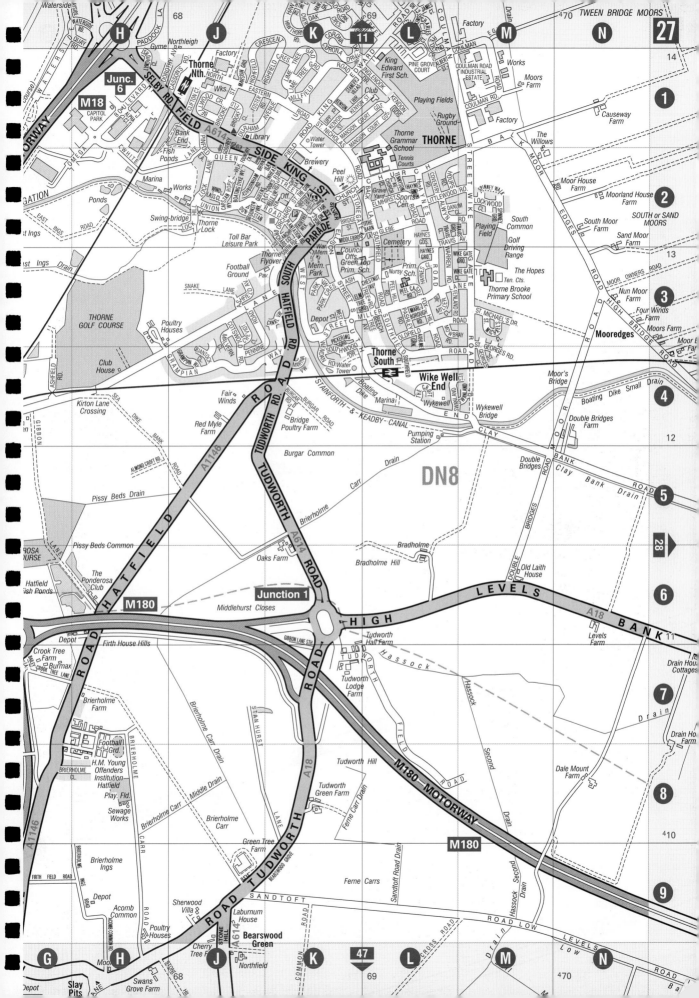

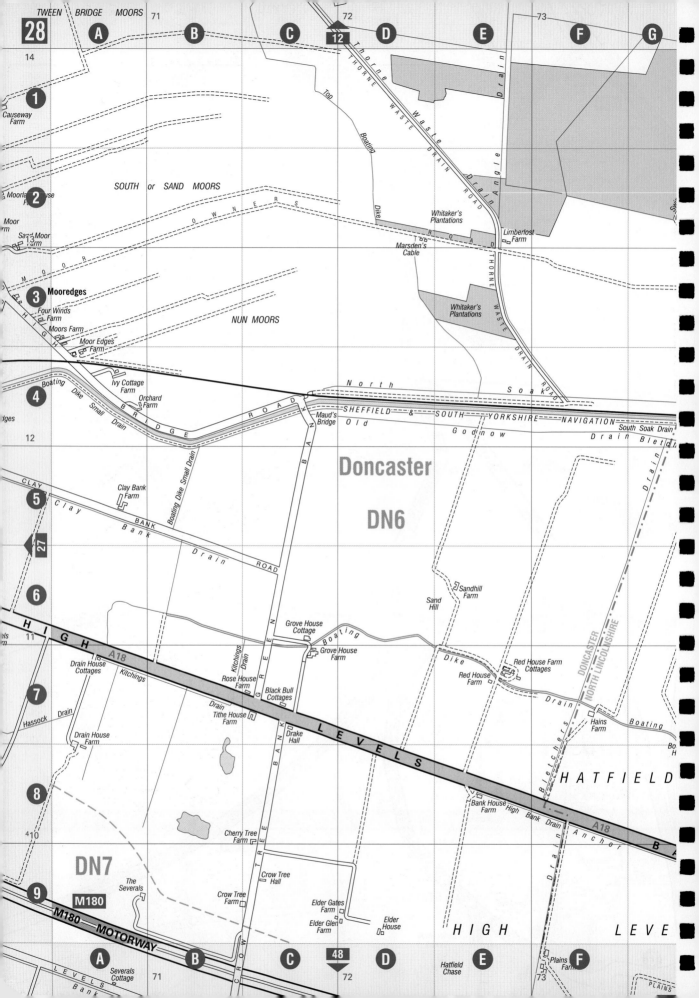

A 71 B C 12 D E 73 F G

14

1 Causeway Farm

SOUTH or SAND MOORS

2 Moorland House Farm
Moor
Sand Moor Farm

3 Mooredges
Four Winds Farm
Moors Farm
Moor Edges Farm

NUN MOORS

Whitaker's Plantations
Limberlost Farm
Marsden's Cable
Whitaker's Plantations

THORNE WASTE DRAIN ROAD

Top
Boating
Dike
Thorne Waste Drain Angle
Thorne Waste Drain Road

4 Boating
Dike Small Drain
Ivy Cottage Farm
Orchard Farm
BRIDGE ROAD
Maud's Bridge
North Soak Road
SHEFFIELD & SOUTH YORKSHIRE NAVIGATION
Old Godnow Drain Bletch
South Soak Drain

12

Doncaster

DN6

5 CLAY
Clay
Clay Bank Farm
BANK ROAD
BANK Drain
Boating Dike Small Drain

27

6 Sandhill Farm
Sand Hill
Grove House Cottage
Boating
Grove House Farm
Dike
Red House Farm Cottages
Red House Farm

DONCASTER NORTH LINCOLNSHIRE

HIGH A18
11 Drain House Cottages
Kitchings
Kitchings Drain
Rose House Farm
Black Bull Cottages

7 Hassock Drain
Drain House Farm
Drain
Tithe House Farm
Drake Hall
LEVELS
Drain
Bank House Farm
High Bank Drain
Hains Farm
Boating
Bletchers
A18

8 410
Cherry Tree Farm
HATFIELD
Bo
Anchor

DN7

The Severals

9 M180
M180 MOTORWAY
Crow Tree Hall
Crow Tree Farm
Elder Gates Farm
Elder Glen Farm
Elder House
HIGH LEVE

LEVELS Bank

A 71 B C 48 D E 73 F
Severals Cottage
72
Hatfield Chase
Plains Farm
PLAINS

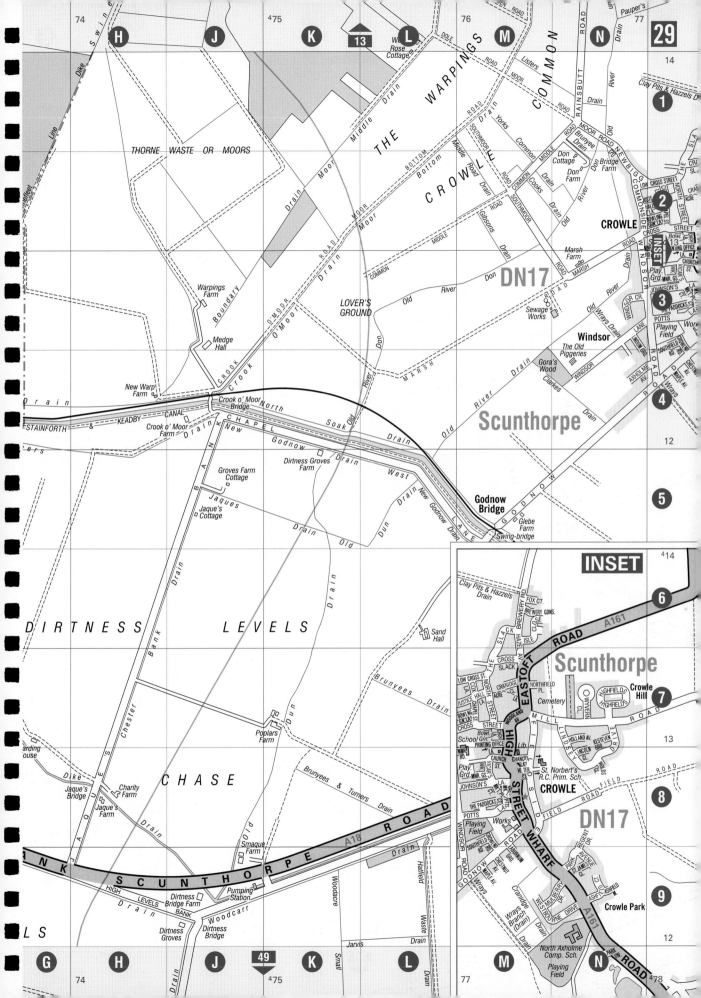

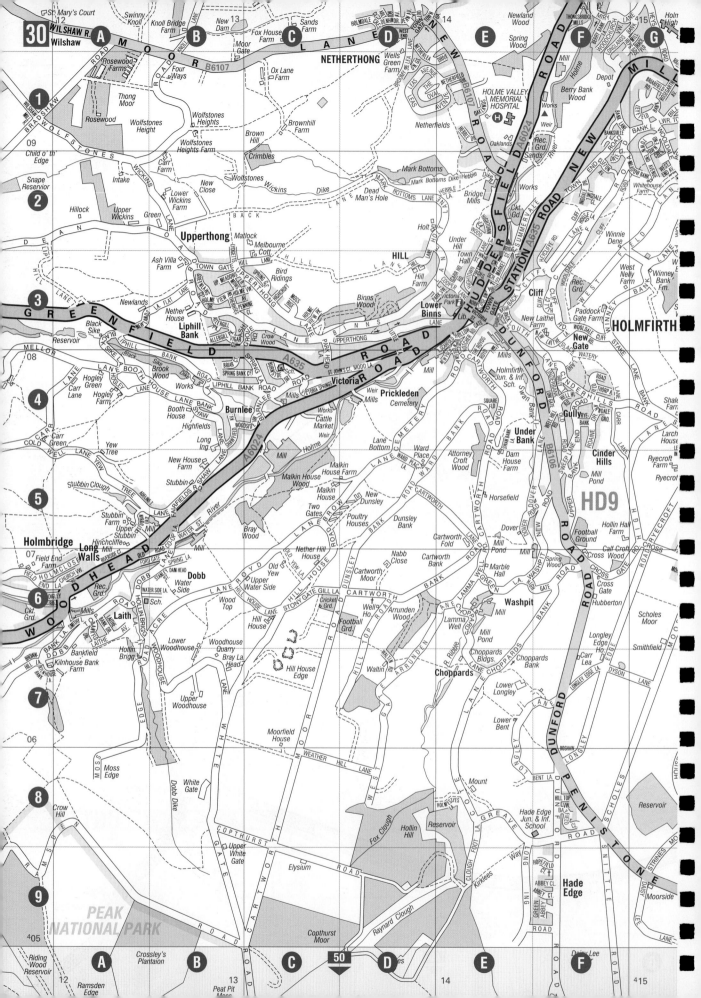

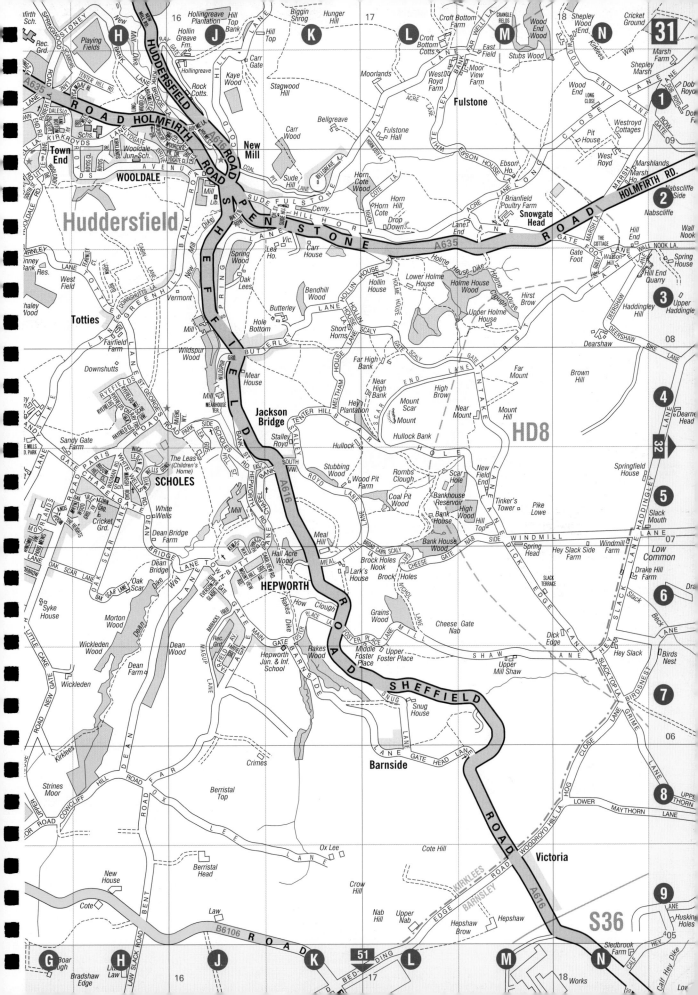

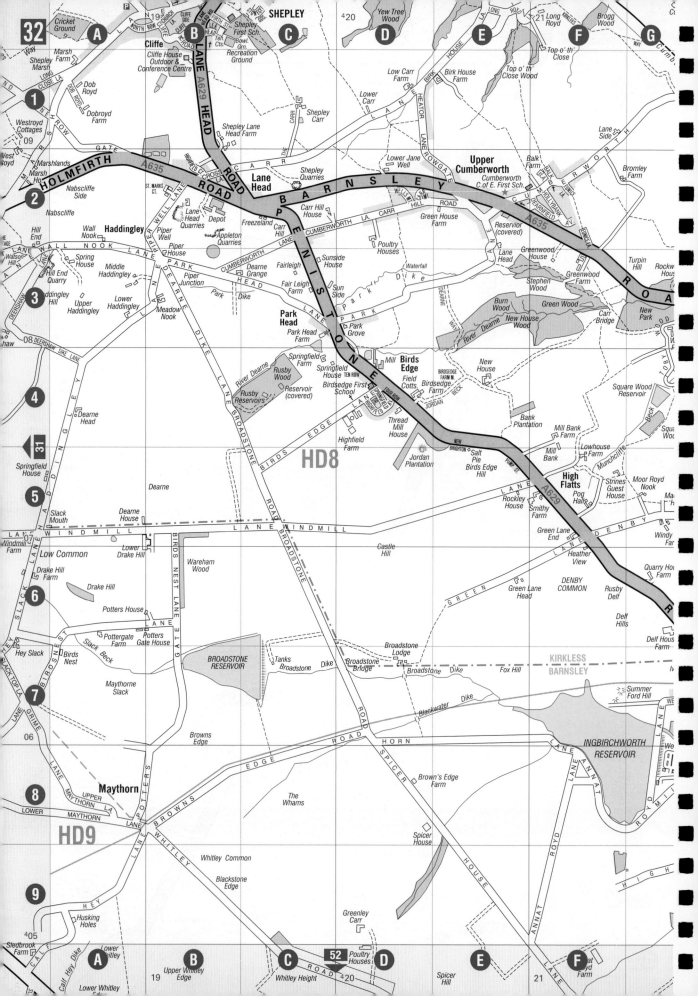

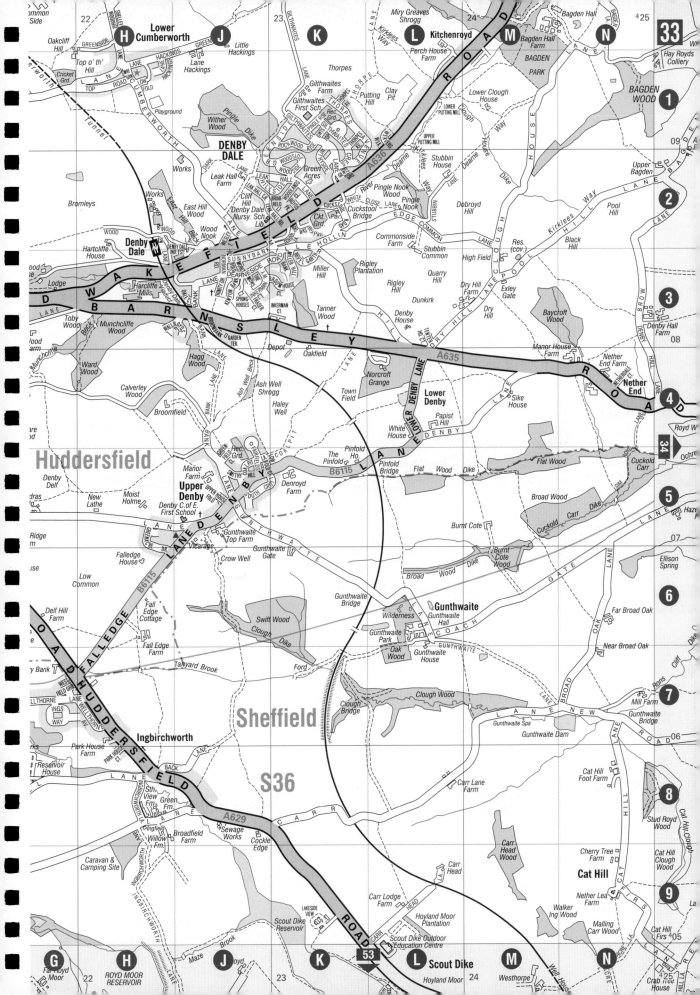

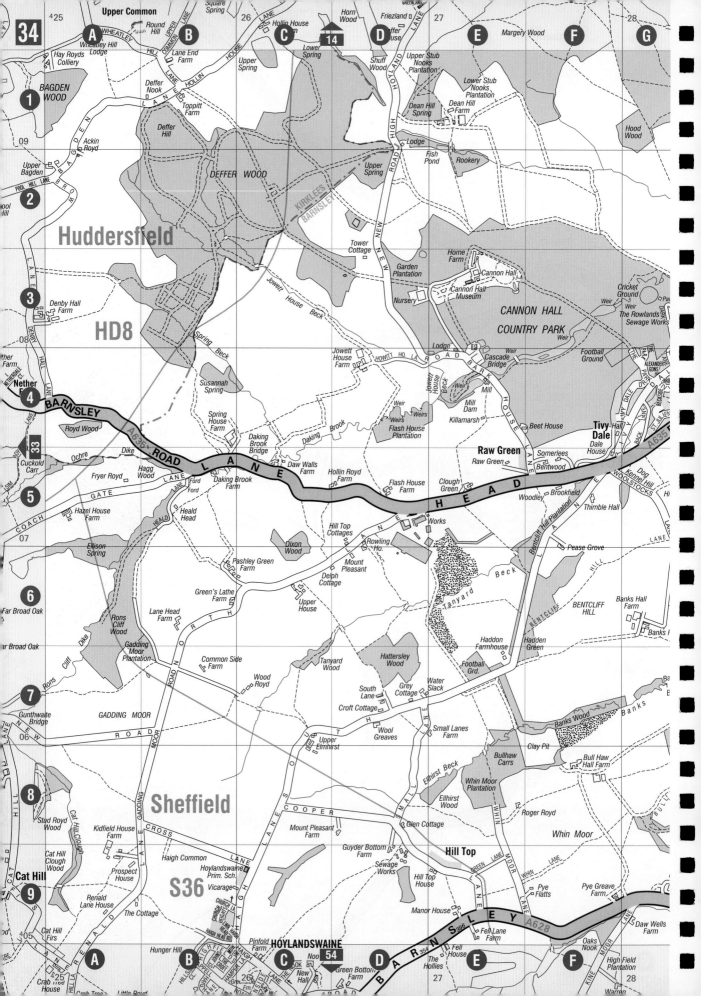

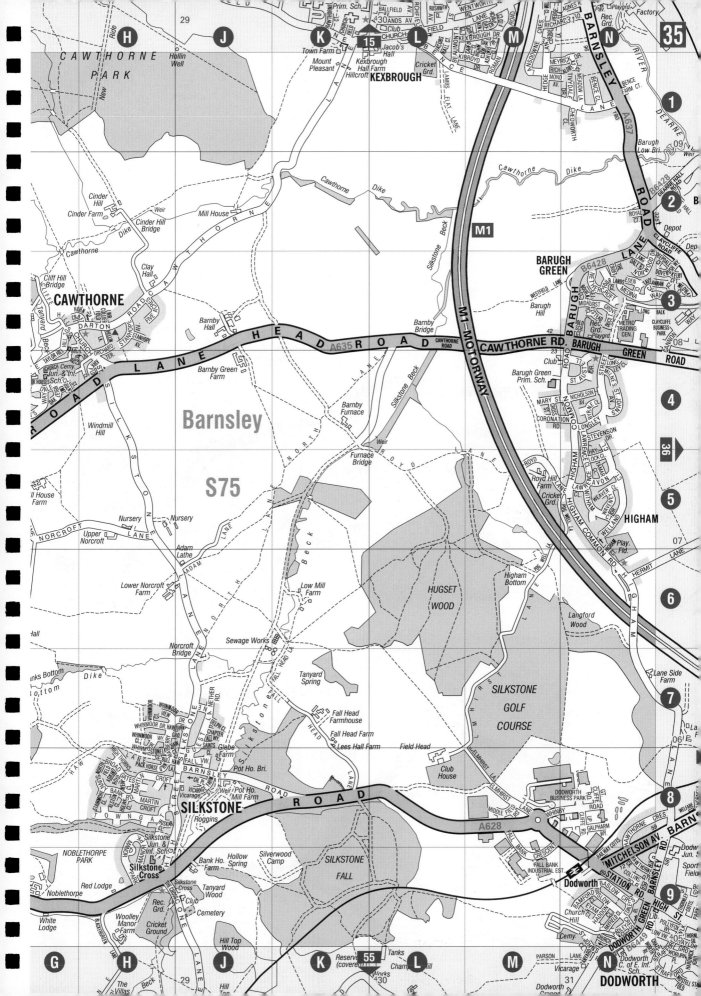

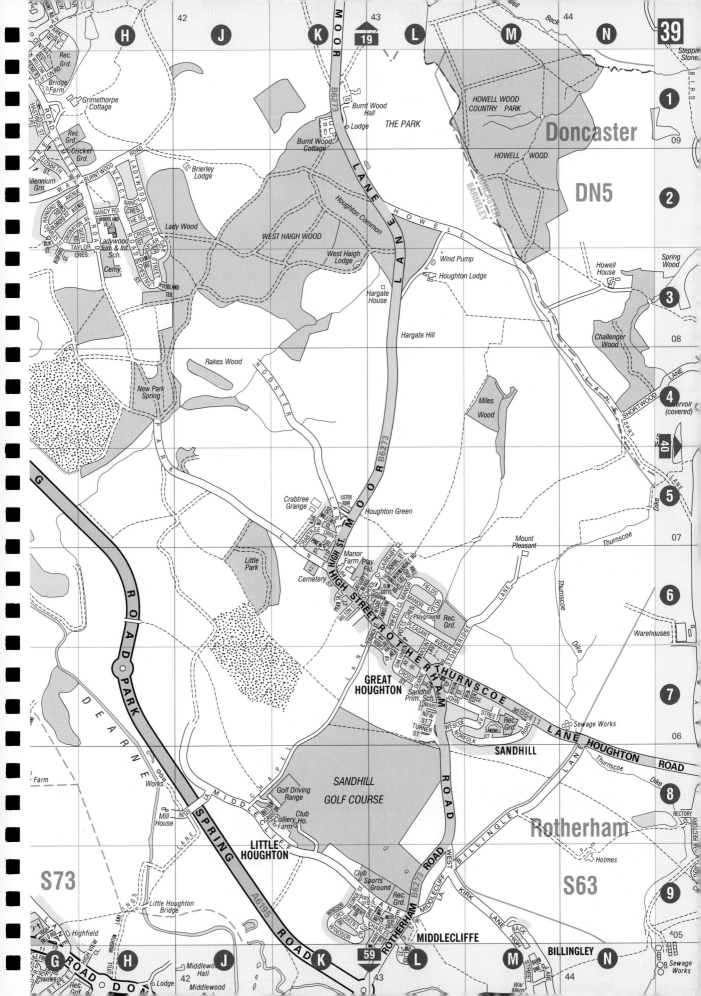

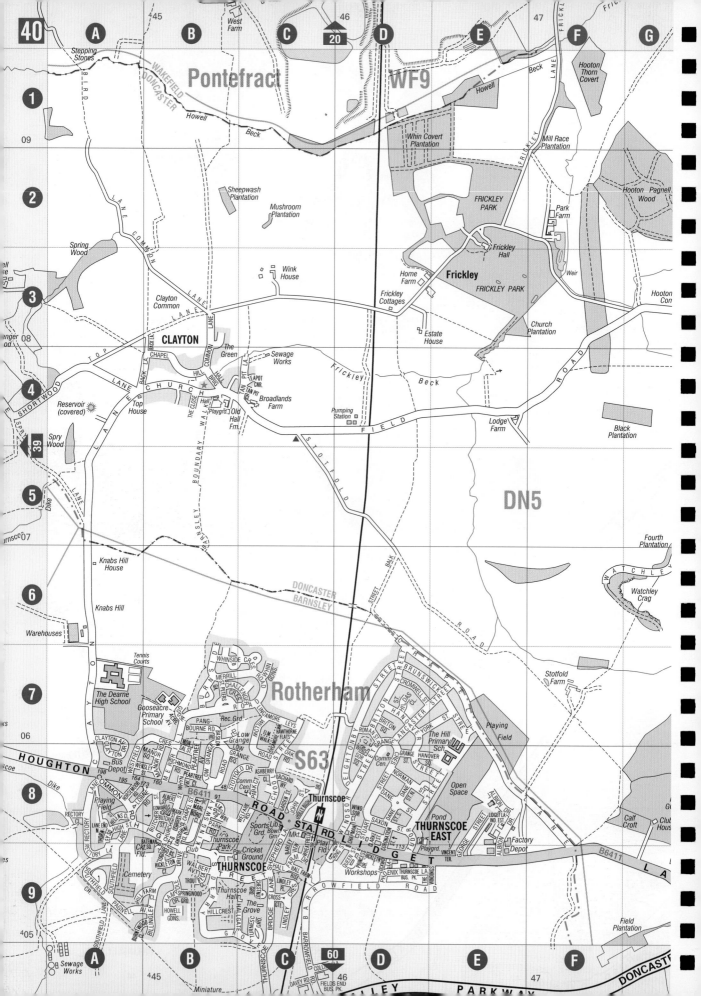

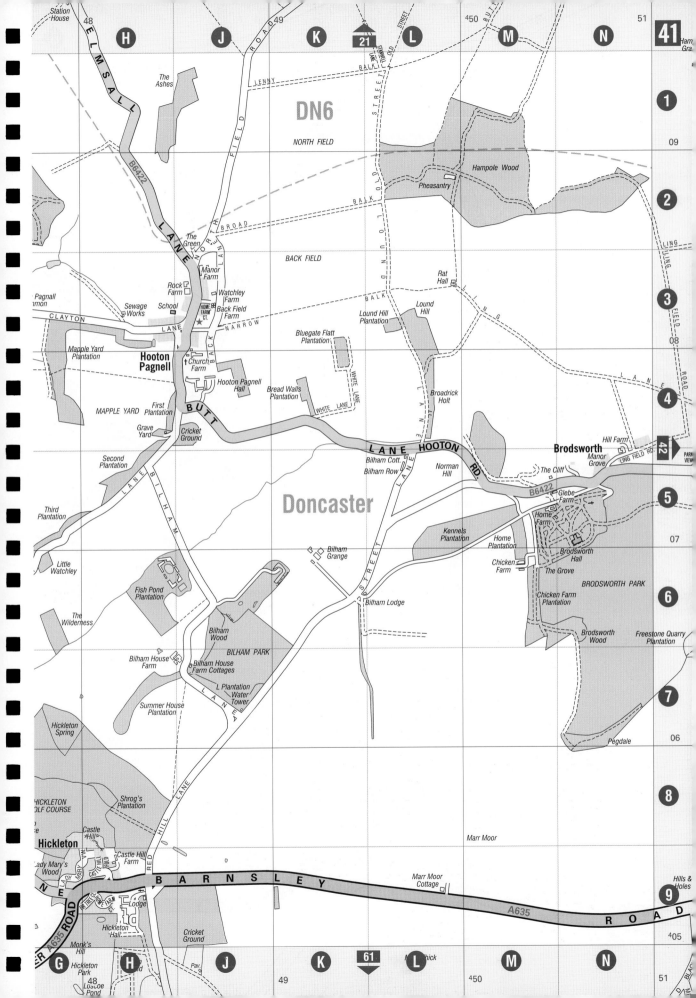

H J K 21 L M N

Station House
48
49
450
51
Ham Gra.

1

ELMSALL LANE

The Ashes

DN6

NORTH FIELD

ROAD

LENNY

STREET

OLD

BALK

STREET

09

Hampole Wood

2

B6422

NORTH FIELD

BROAD

BACK FIELD

LANE

BALK

Pheasantry

LING

LING FIELD ROAD

The Green

Manor Farm

Rock Farm

Watchley Farm

Back Field Farm

HOME FARM CT.

BALK

Rat Hall

3

Sewage Works

School

Pagnall Common

CLAYTON

LANE

NARROW

BACK

Bluegate Flatt Plantation

Lound Hill Plantation

Lound Hill

08

Mapple Yard Plantation

Hooton Pagnell

Church Farm

WHITE LANE

LANE

Broadrick Holt

LITTLE

LANE

4

MAPPLE YARD

First Plantation

BUTT

Hooton Pagnell Hall

Bread Walls Plantation

WHITE LANE

Hill Farm

42

PARK VIEW

Grave Yard

Cricket Ground

LANE HOOTON RD.

Brodsworth

Manor Grove

LING FIELD RD.

Second Plantation

LANE

BILHAM

Bilham Cott.

Bilham Row

Norman Hill

The Cliff

B6422

Glebe Farm

5

Doncaster

Third Plantation

Bilham Grange

Kennels Plantation

Home Plantation

Home Farm

Brodsworth Hall

07

Little Watchley

Fish Pond Plantation

STREET

Bilham Lodge

Chicken Farm

The Grove

BRODSWORTH PARK

6

The Wilderness

Bilham Wood

BILHAM PARK

Chicken Farm Plantation

Brodsworth Wood

Freestone Quarry Plantation

Bilham House Farm

Bilham House Farm Cottages

LANE

7

Summer House Plantation

L Plantation

Water Tower

Pegdale

06

Hickleton Spring

8

HICKLETON GOLF COURSE

Shrog's Plantation

RED HILL LANE

Marr Moor

Castle Hill

Hickleton

Castle Hill Farm

LADY MARY

CASTLE FIELD

Marr Moor Cottage

Hills & Holes

Lady Mary's Wood

LANE

A635 ROAD

DR TREE

FARM CT.

Lodge

BARNSLEY

ROAD

A635

ROAD

9

05

Monk's Hill

Hickleton Hall

Cricket Ground

Pav.

Hickleton Park

48
Loscoe Pond

G H J K 61 L Thick M N

49
450
51

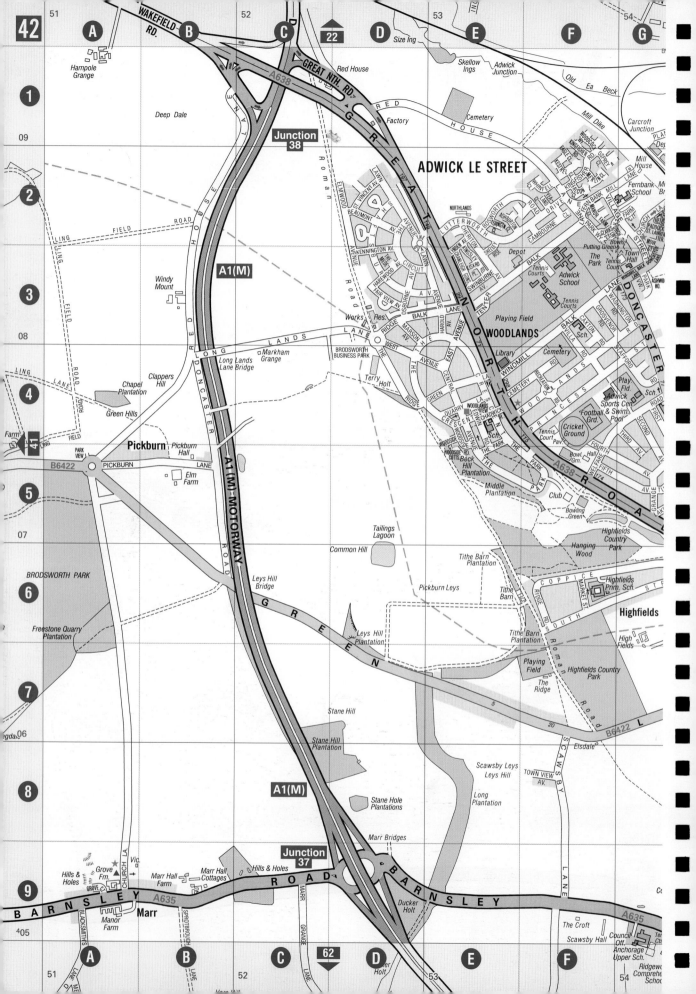

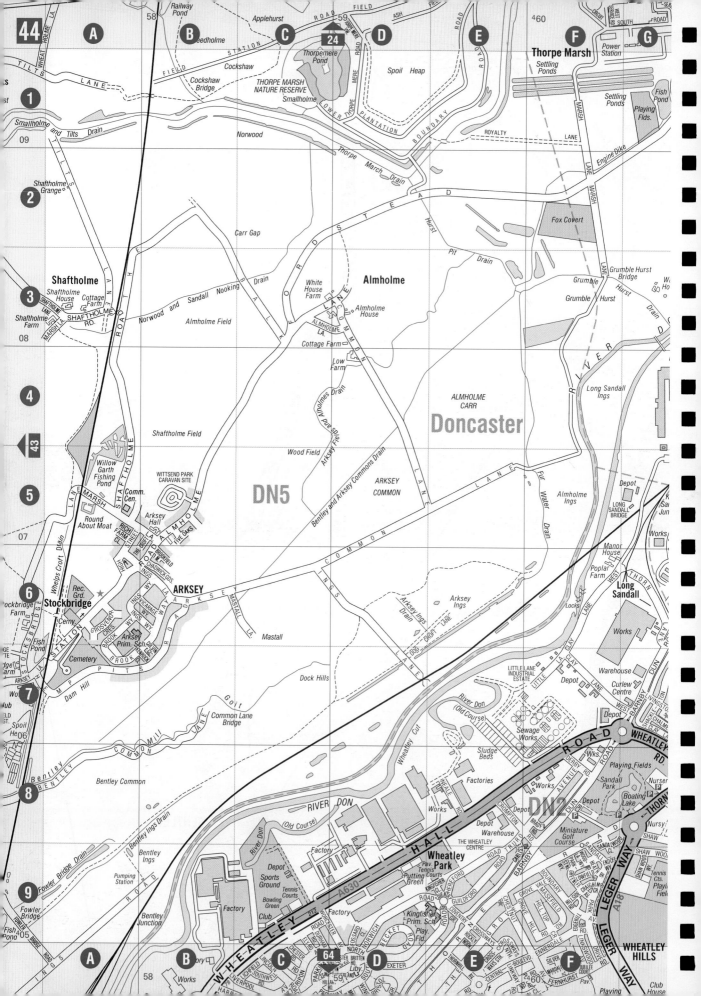

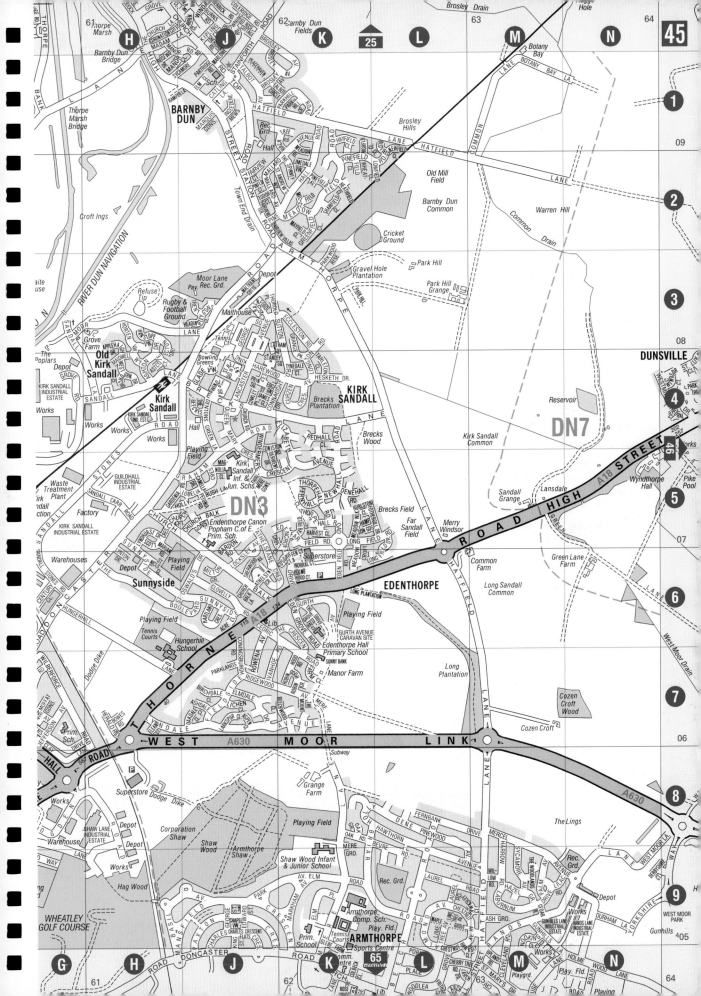

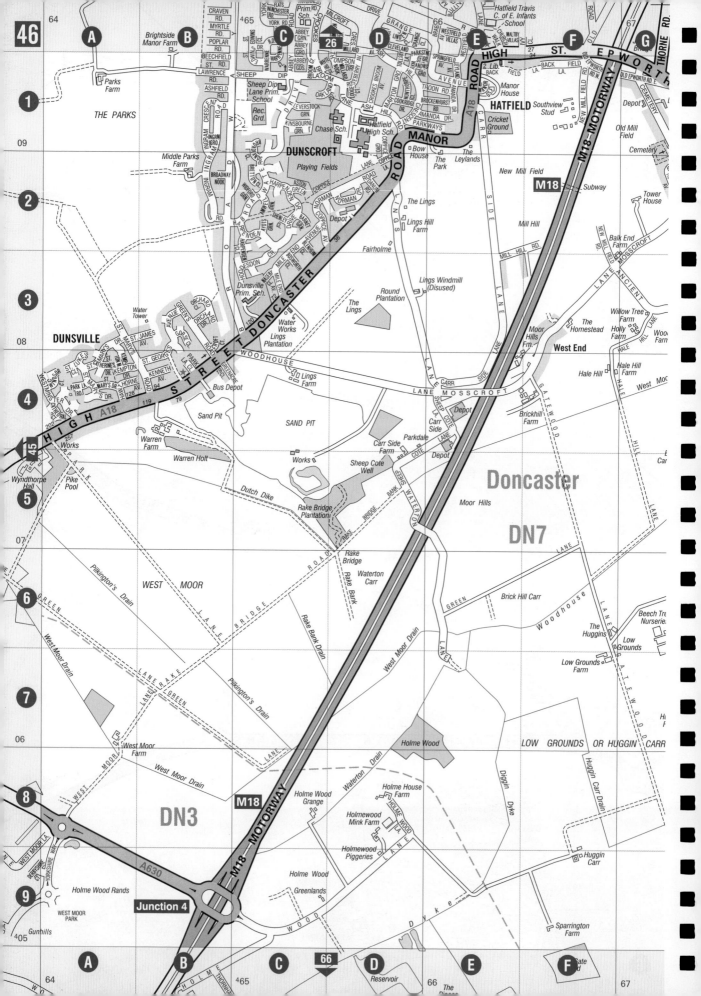

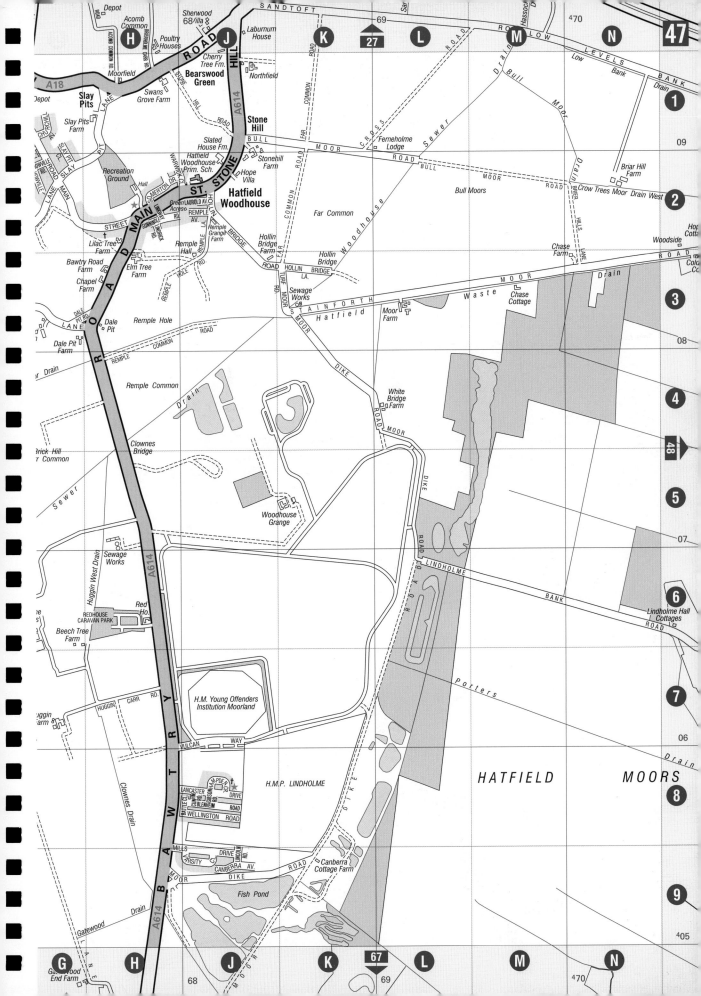

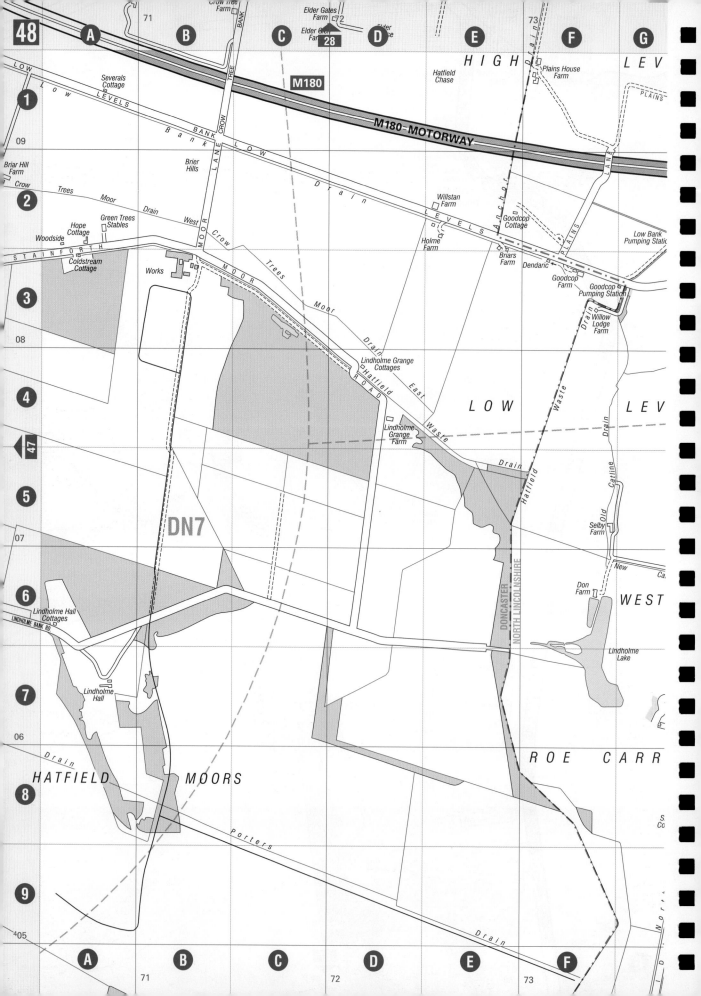

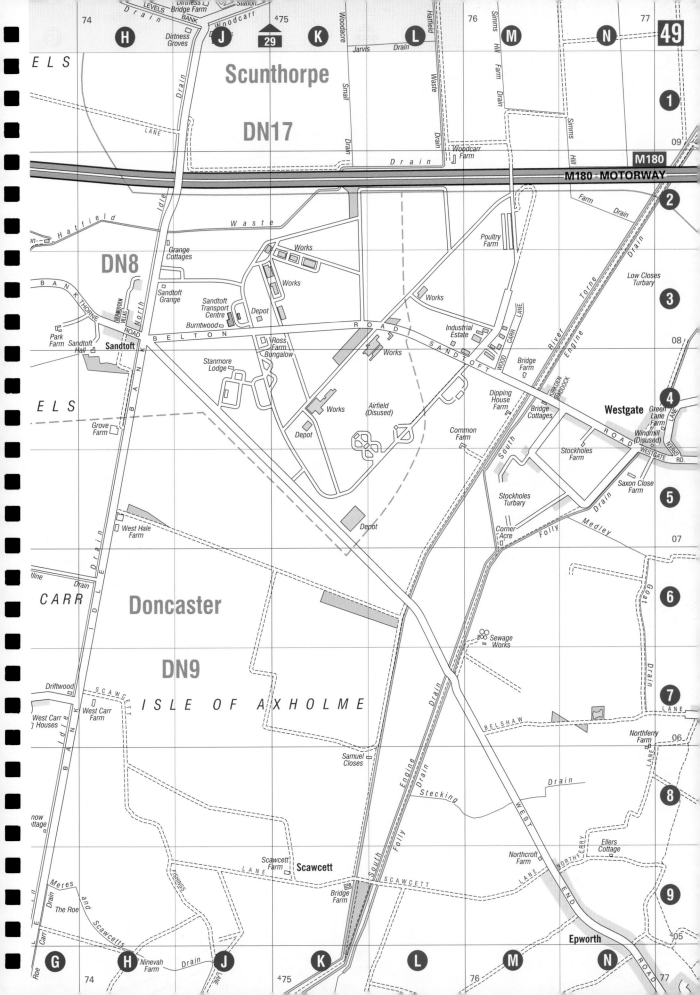

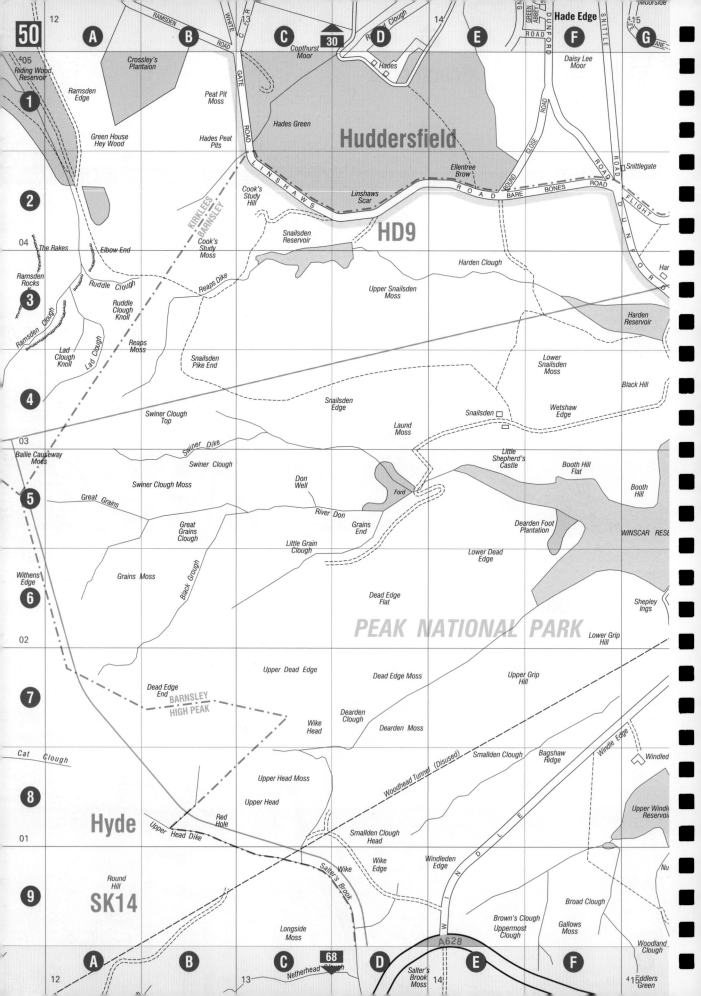

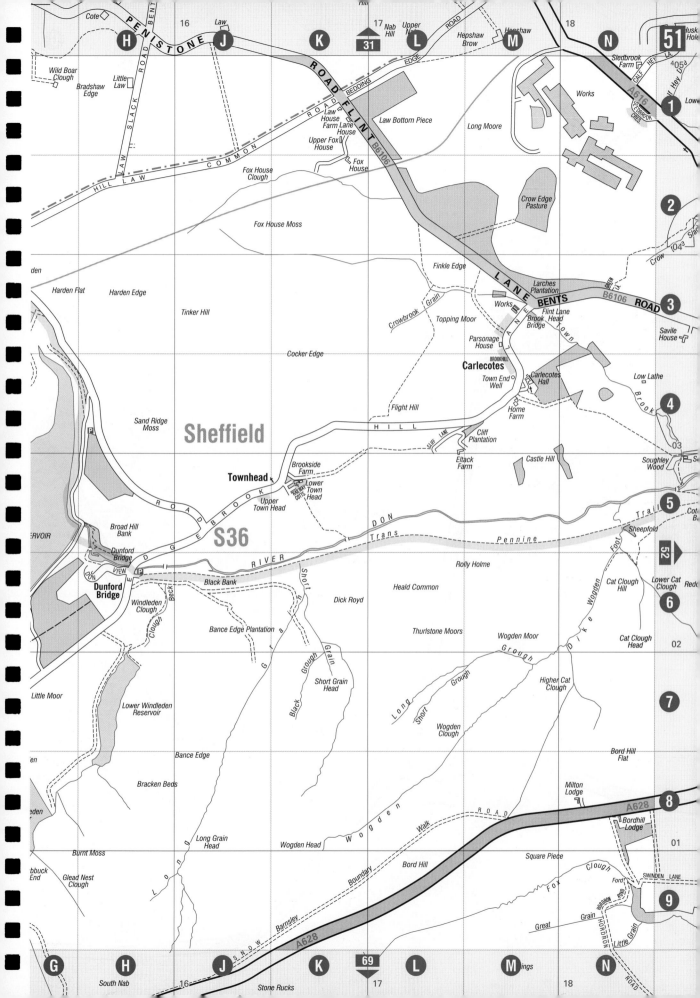

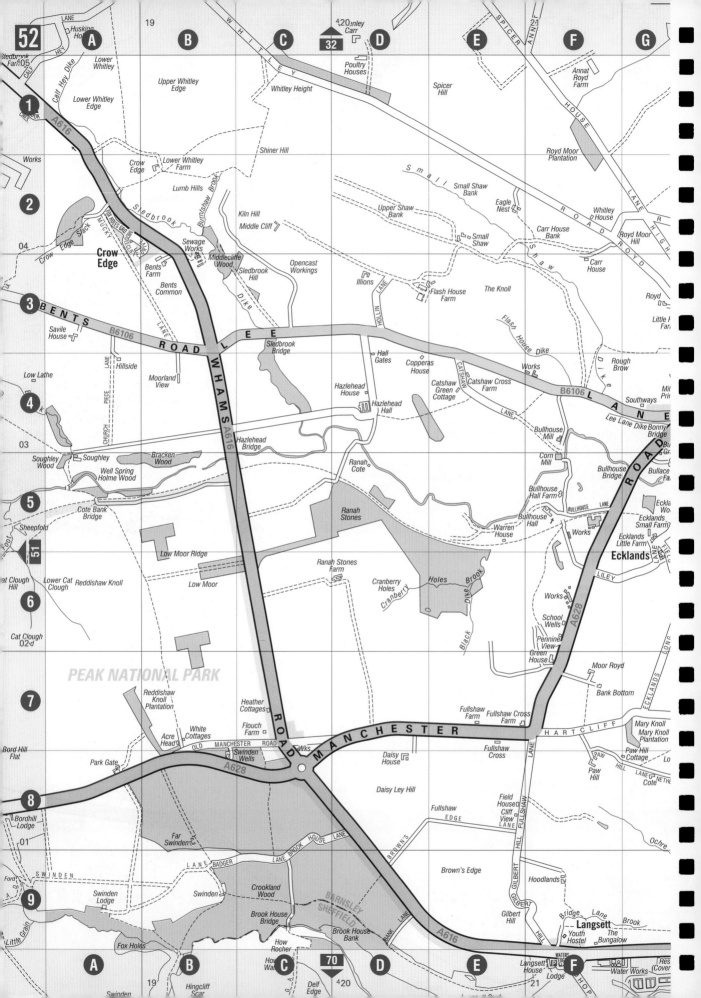

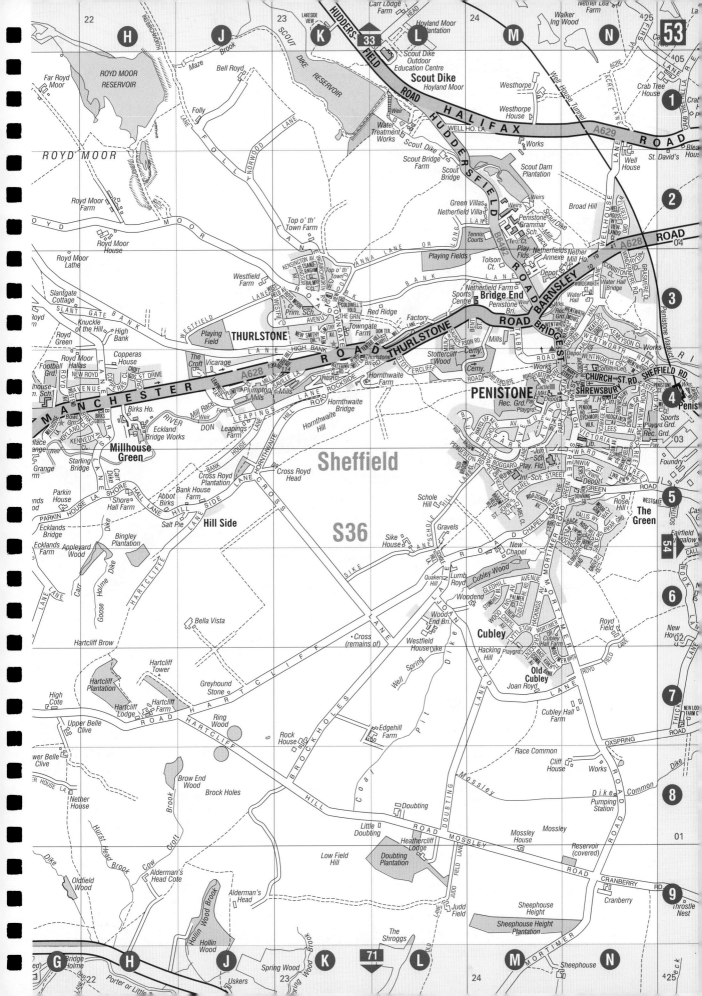

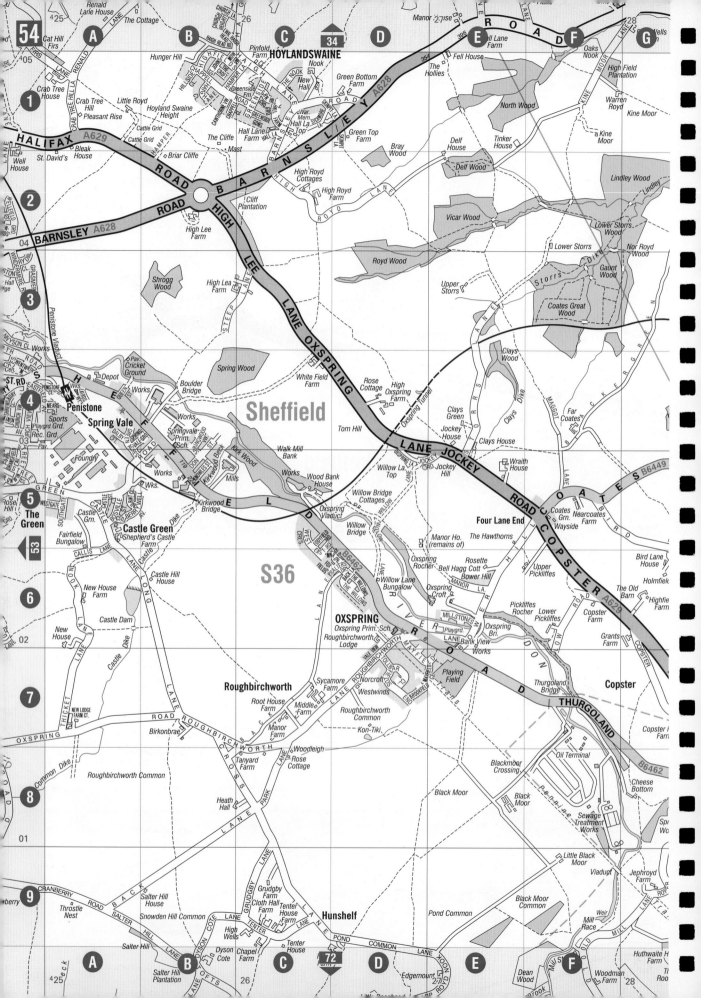

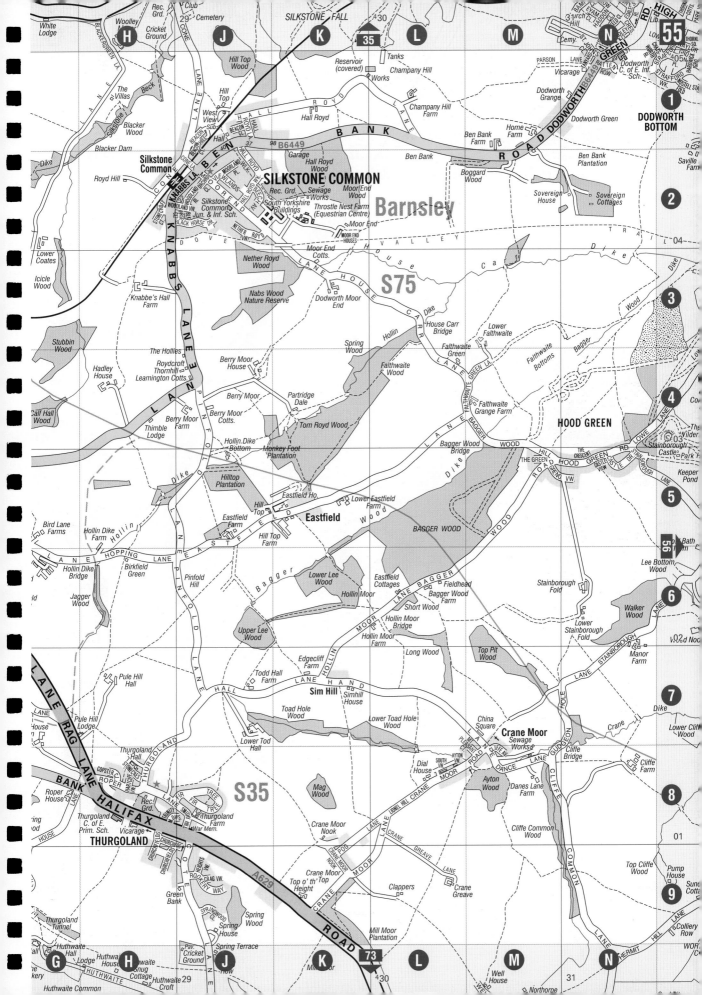

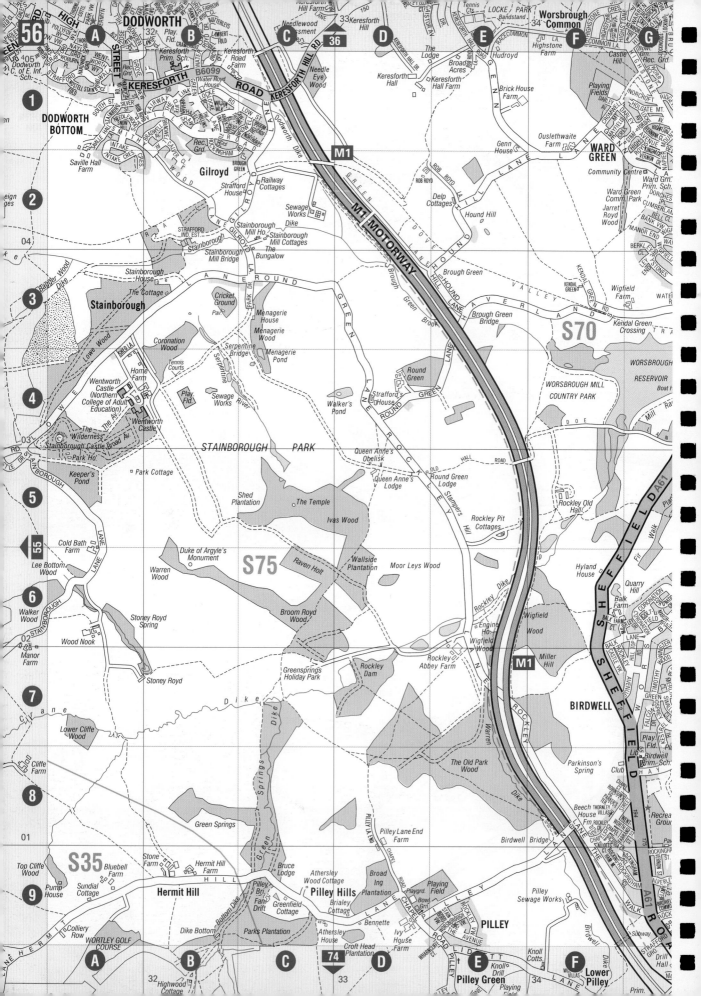

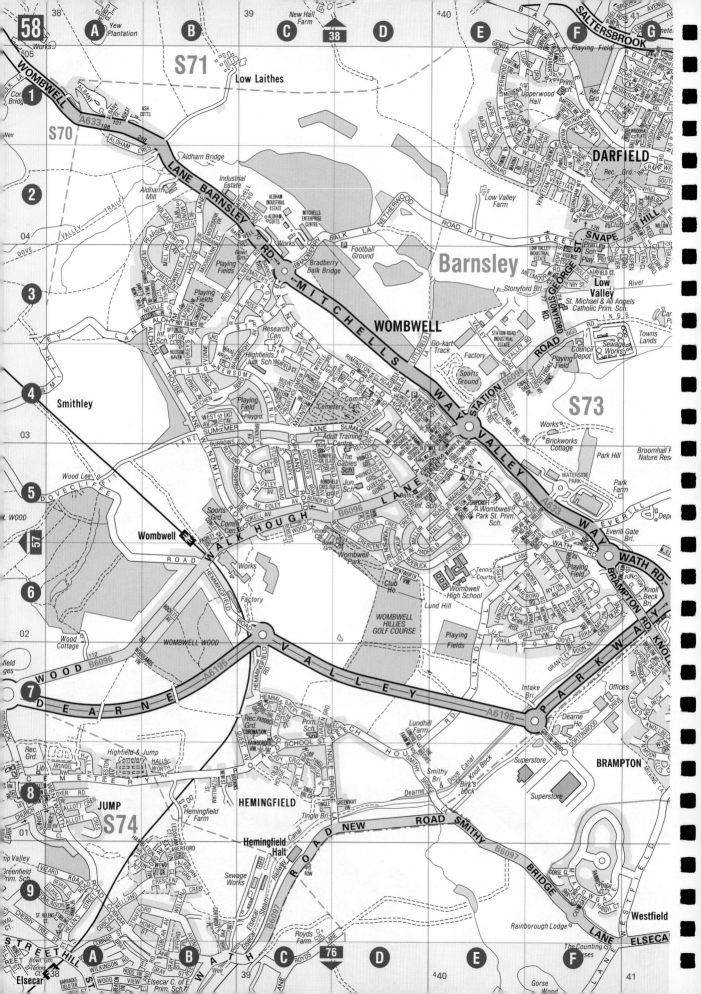

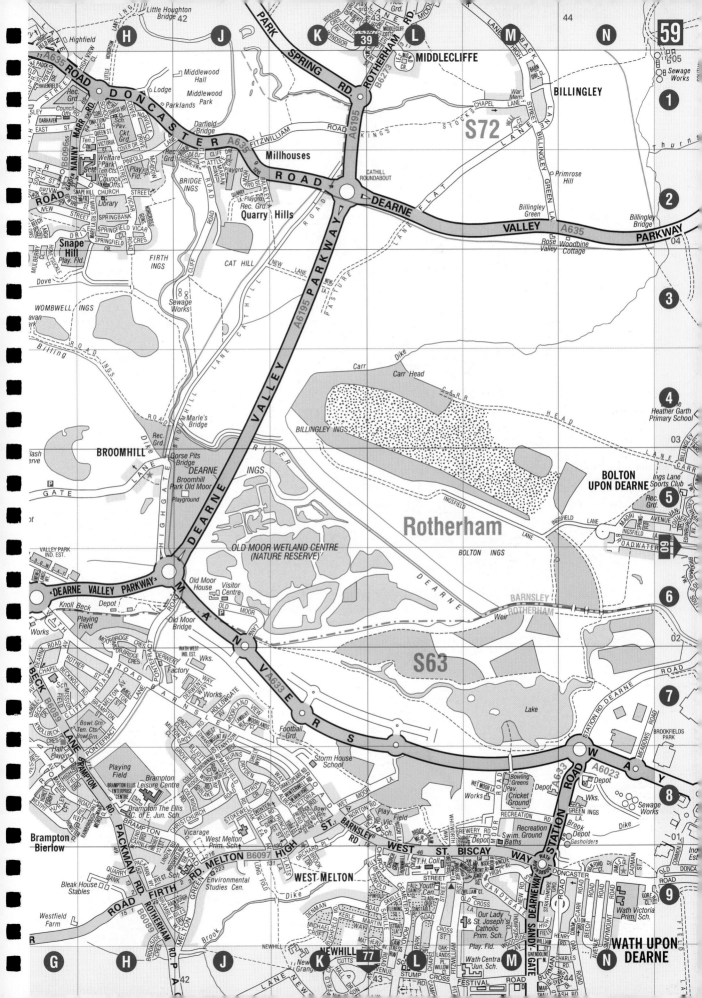

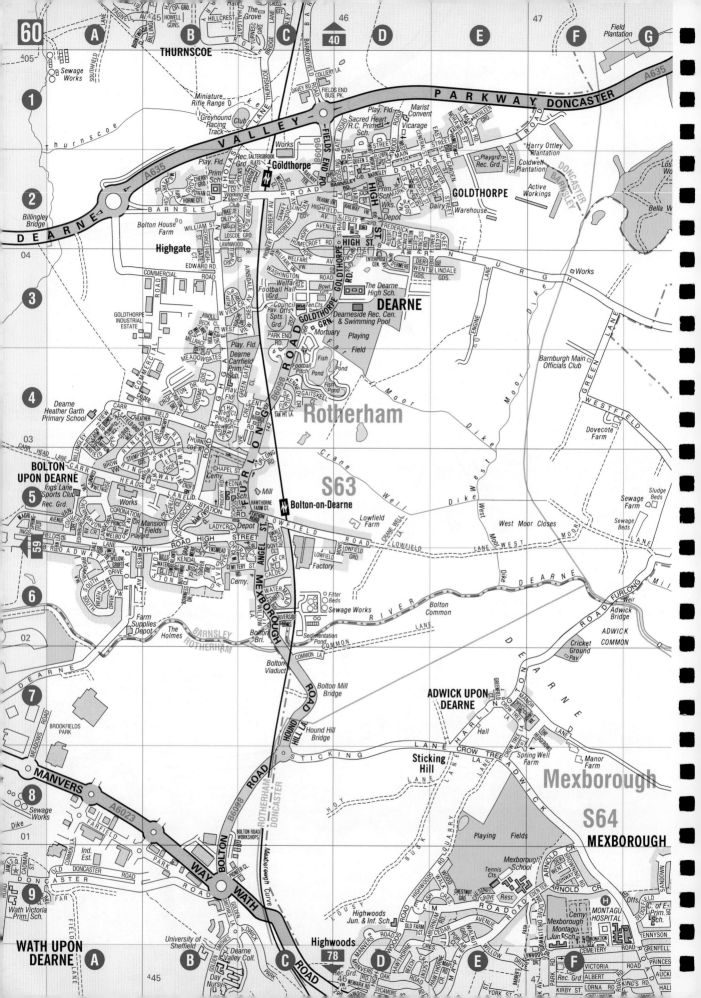

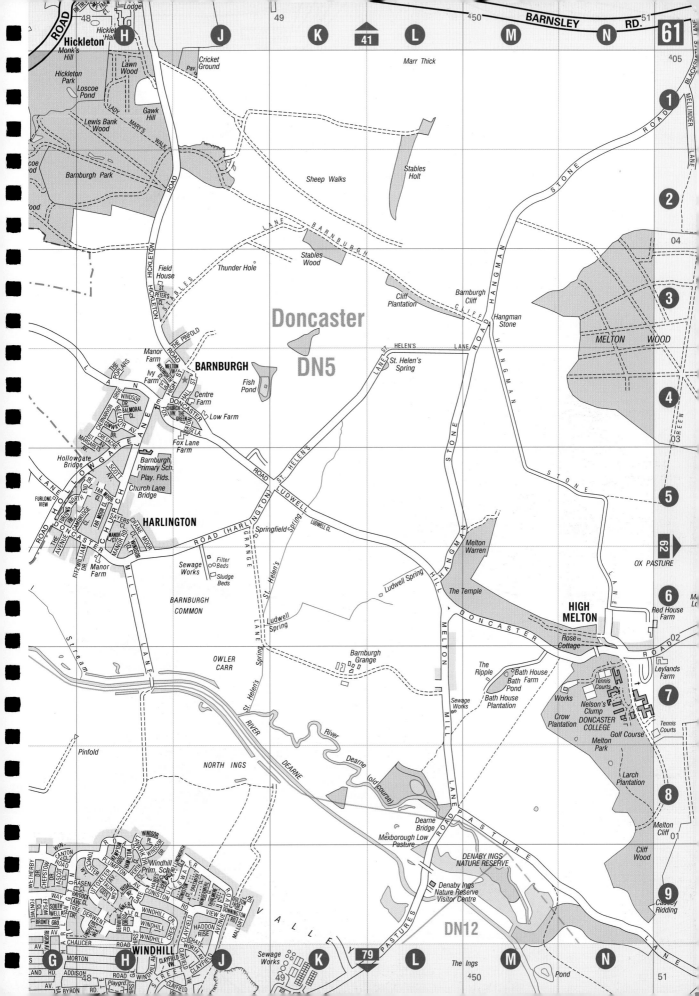

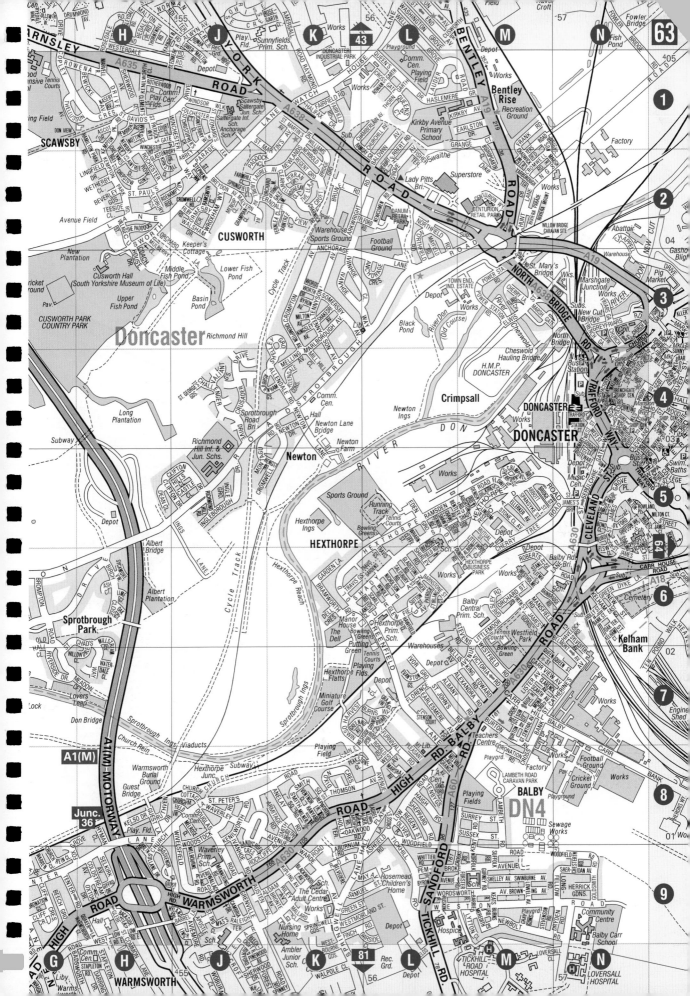

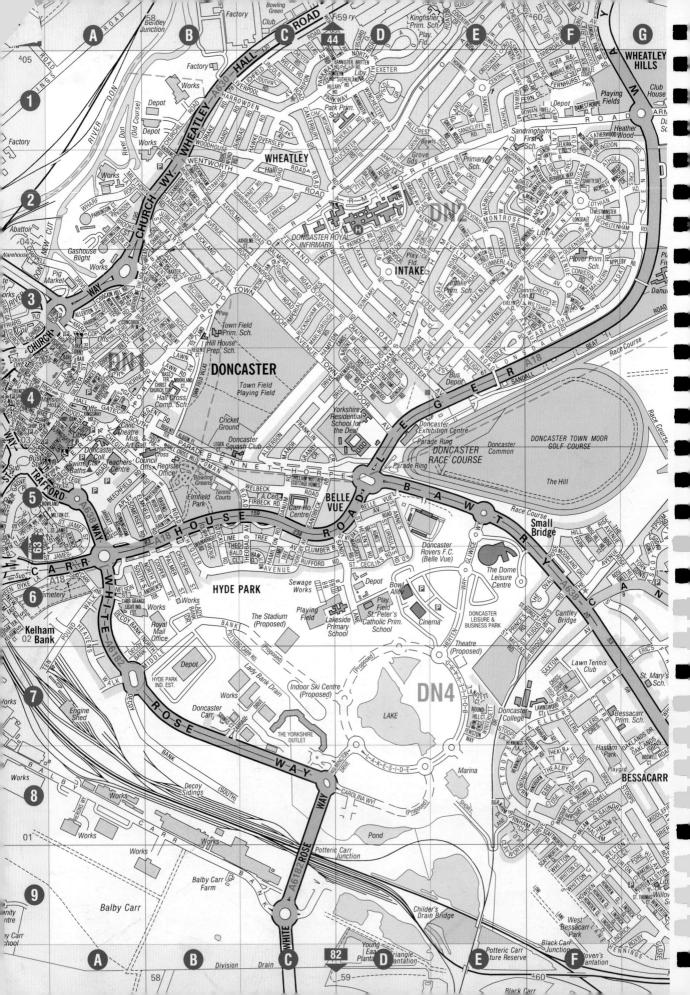

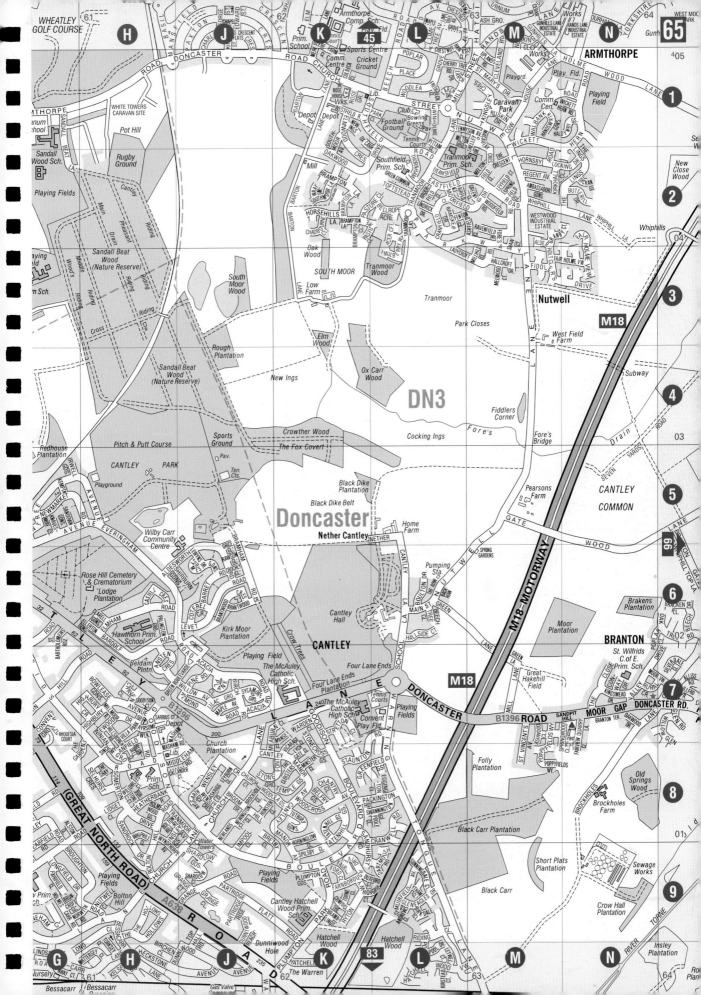

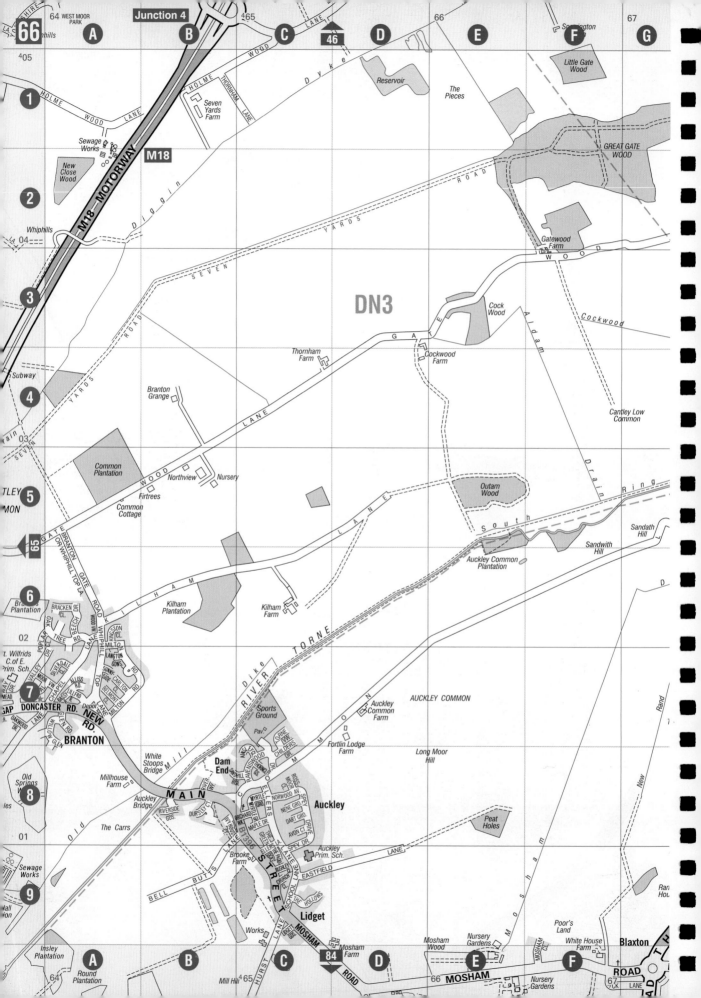

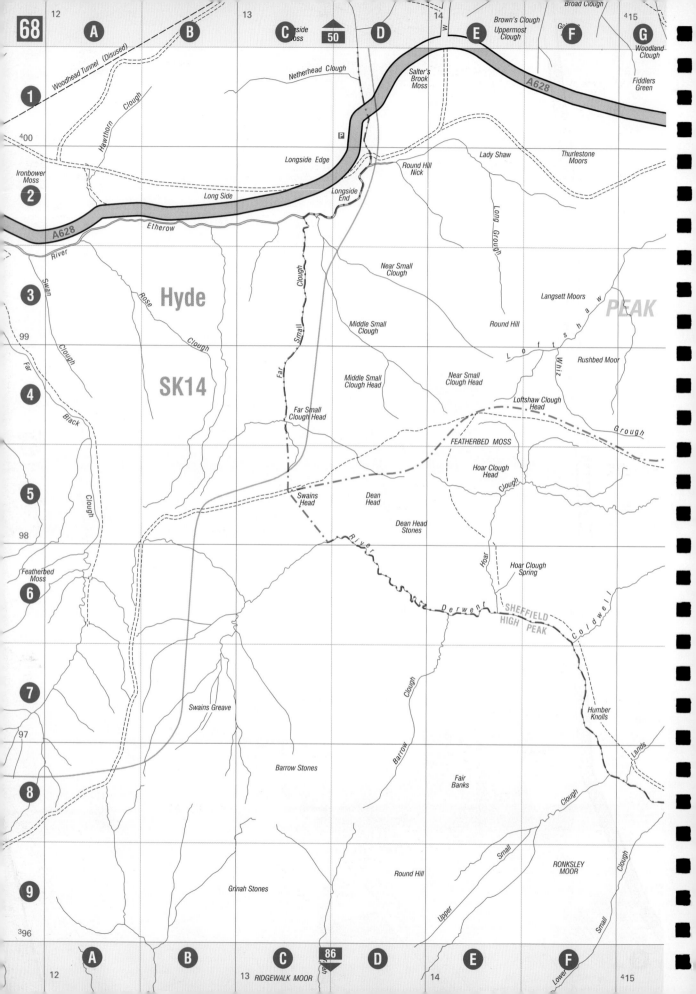

68

Broad Clough

Woodland Clough

Woodhead Tunnel (Disused)

Netherhead Clough

Salter's Brook Moss

Uppermost Clough

Fiddlers Green

A628

1

Hawthorn Clough

400

Ironbower Moss

Longside Edge

Longside Moss

P

Round Hill Nick

Lady Shaw

Thurlestone Moors

2

Long Side

Longside End

River Etherow

A628

Long Grough

3

Swan

Rose

Hyde

Clough

Near Small Clough

Langsett Moors

PEAK

99

Far

Clough

Middle Small Clough

Round Hill

Loftshaw Whiz

Rushbed Moor

4

Black

SK14

Far Small Clough

Far Small Clough Head

Middle Small Clough Head

Near Small Clough Head

Loftshaw Clough Head

Grough

Clough

FEATHERBED MOSS

Hoar Clough Head

5

98

Swains Head

Dean Head

Clough

Hoar Clough Spring

Featherbed Moss

6

Dean Head Stones

River

Hoar

Derwent

SHEFFIELD HIGH PEAK

Coldwell

7

Swains Greave

Clough

Barrow

Humber Knolls

97

Lands

8

Barrow Stones

Fair Banks

Clough

Round Hill

Small

RONKSLEY MOOR

Clough

9

Grinah Stones

Upper

Small

Lower

Small

396

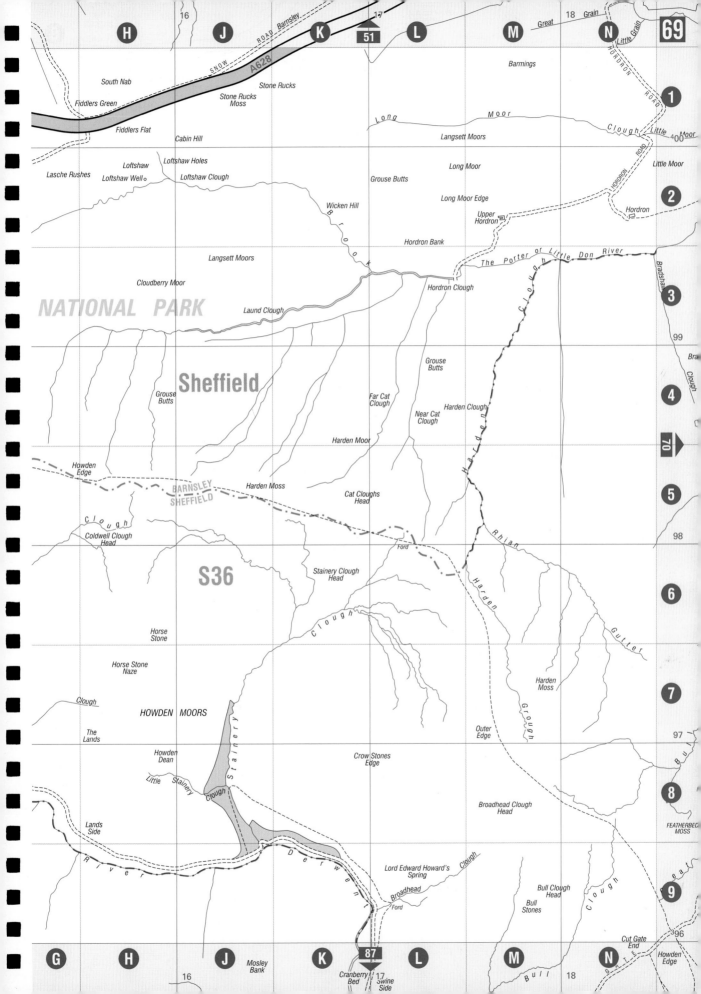

H **J** **K** **L** **M** **N**

16 17 18

ROAD Barnsley

SNOW A628

51

Great Grain

Little Grain

Barmings

HORDRON ROAD

1

South Nab

Fiddlers Green

Stone Rucks

Stone Rucks Moss

Long Moor

Clough Little Moor

400

Fiddlers Flat

Cabin Hill

Langsett Moors

2

Lasche Rushes

Loftshaw

Loftshaw Well

Loftshaw Holes

Loftshaw Clough

Long Moor

Grouse Butts

Long Moor Edge

HORDRON ROAD

Little Moor

Hordron

Wicken Hill

Upper Hordron

Hordron Bank

The Porter or Little Don River

Bradshaw

3

99

NATIONAL PARK

Langsett Moors

Cloudberry Moor

Laund Clough

Hordron Clough

Clough

Bra
Clough

Sheffield

Grouse Butts

Grouse Butts

Far Cat Clough

Near Cat Clough

Harden Clough

Harden

4

70

Harden Moor

5

Howden Edge

BARNSLEY
SHEFFIELD

Harden Moss

Cat Cloughs Head

Rhian

98

Clough

Coldwell Clough Head

Ford

Harden

6

S36

Stainery Clough Head

Clough

Gutter

Horse Stone

Harden Moss

7

Horse Stone Naze

HOWDEN MOORS

Clough

97

Clough

The Lands

Howden Dean

Little Stainery

Clough

Stainery

Crow Stones Edge

Outer Edge

Grough

Bull

8

Lands Side

Broadhead Clough Head

FEATHERBED MOSS

River

Derwent

Lord Edward Howard's Spring

Clough

Bull Clough Head

Clough

9

Broadhead

Ford

Bull Stones

96

Howden Edge

G **H** **J** **K** **L** **M** **N**

Mosley Bank

87

Cranberry Bed

Swine Side

Bull

Cut Gate End

16 17 18

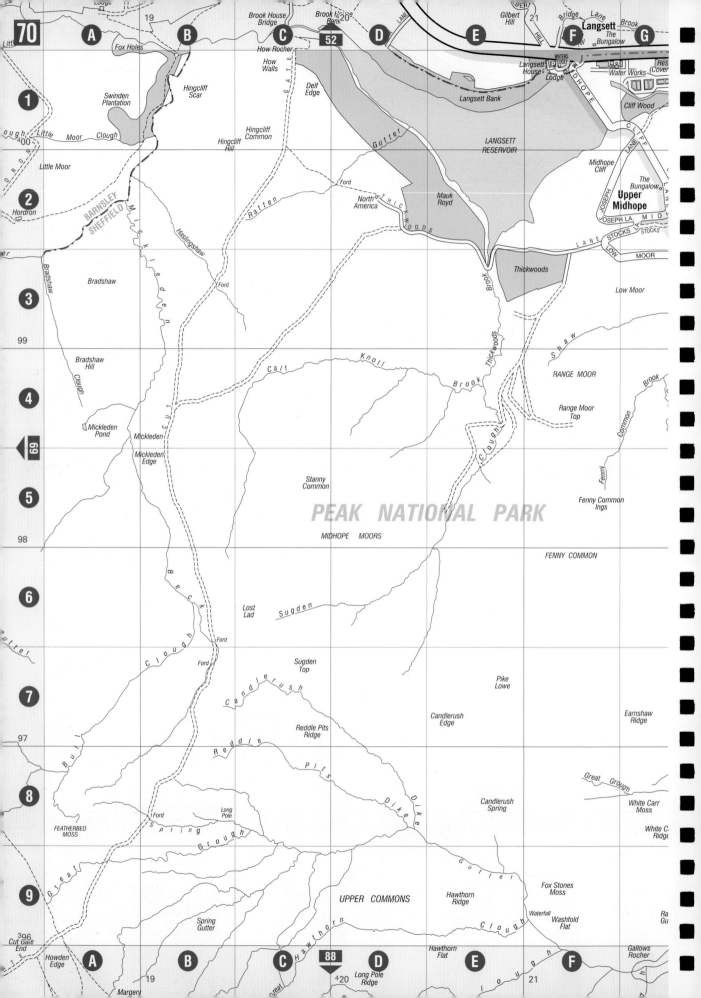

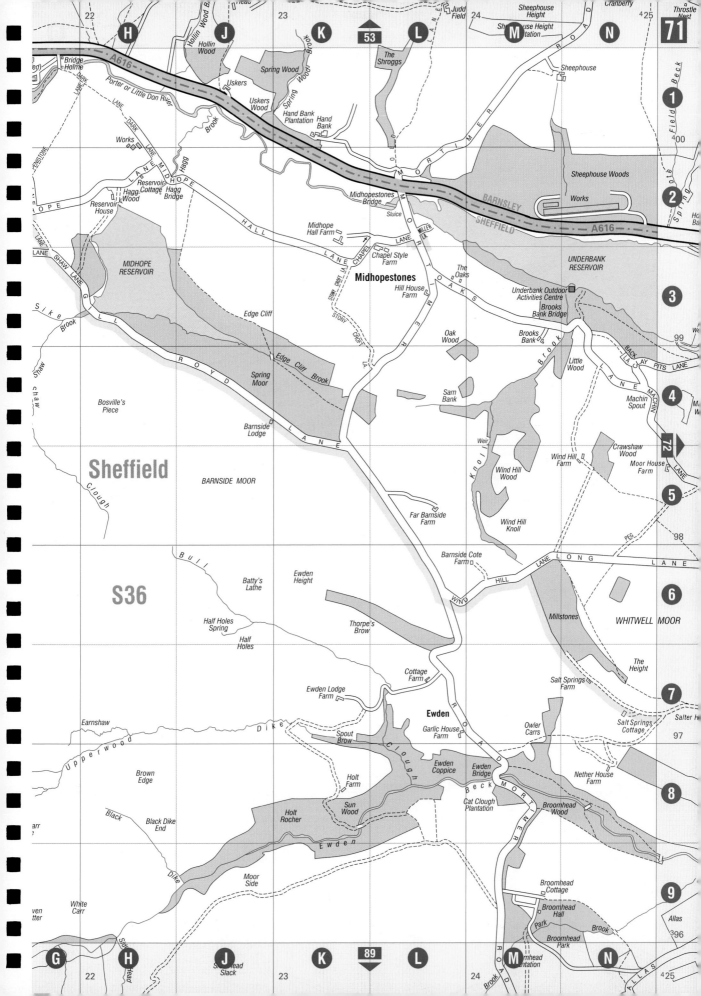

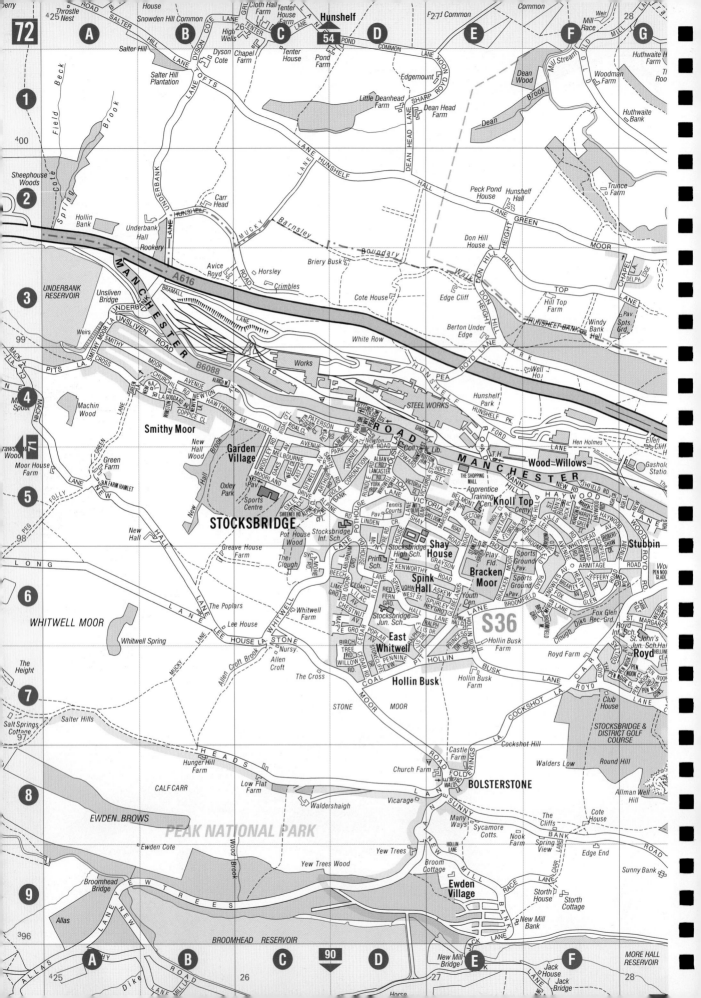

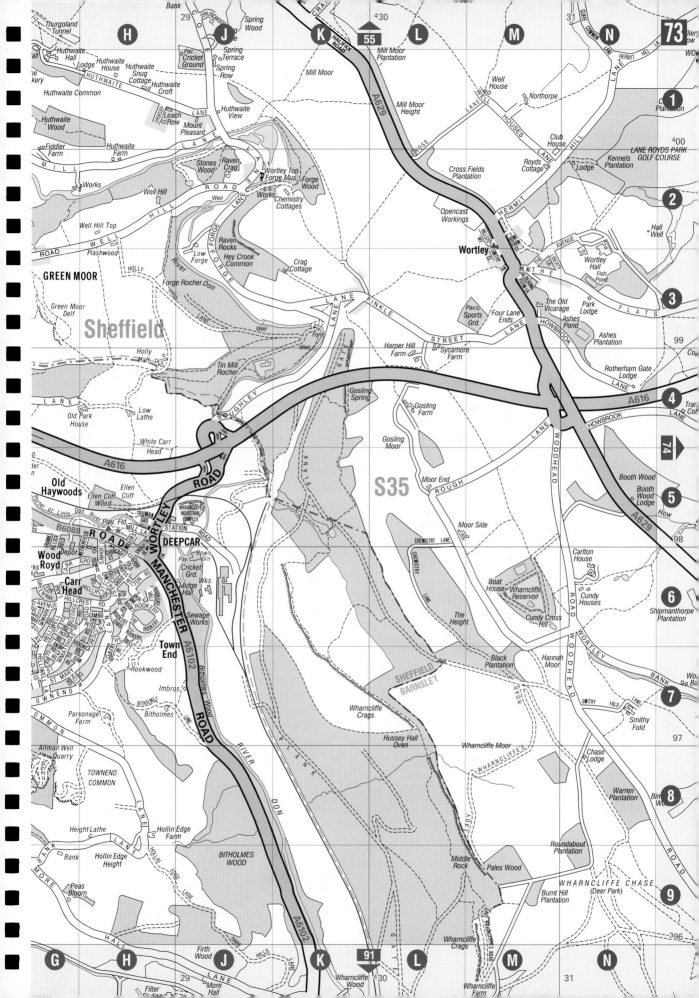

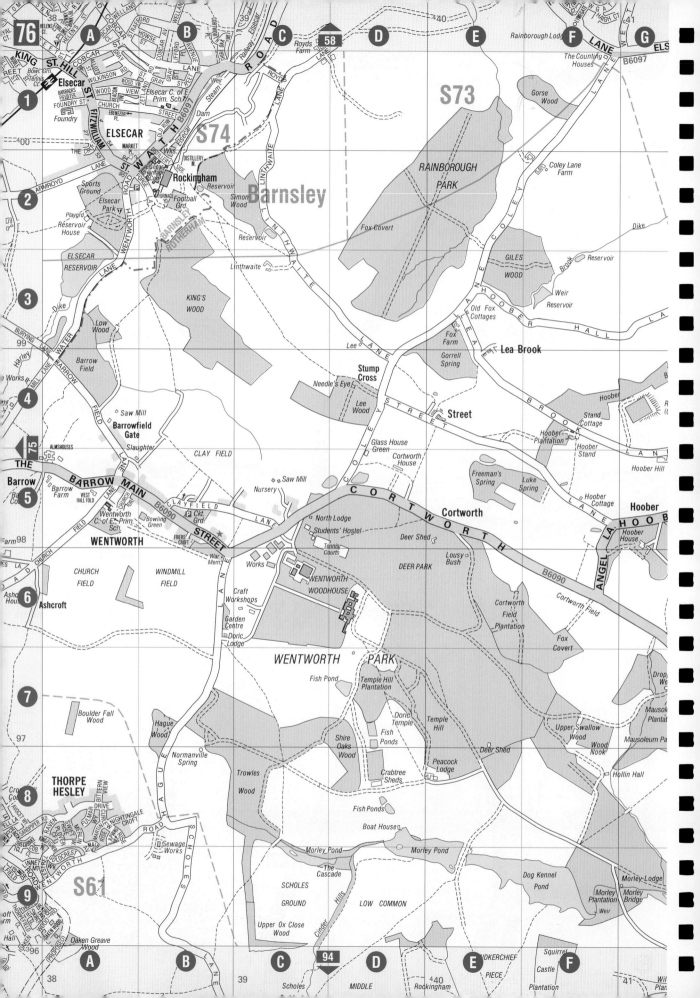

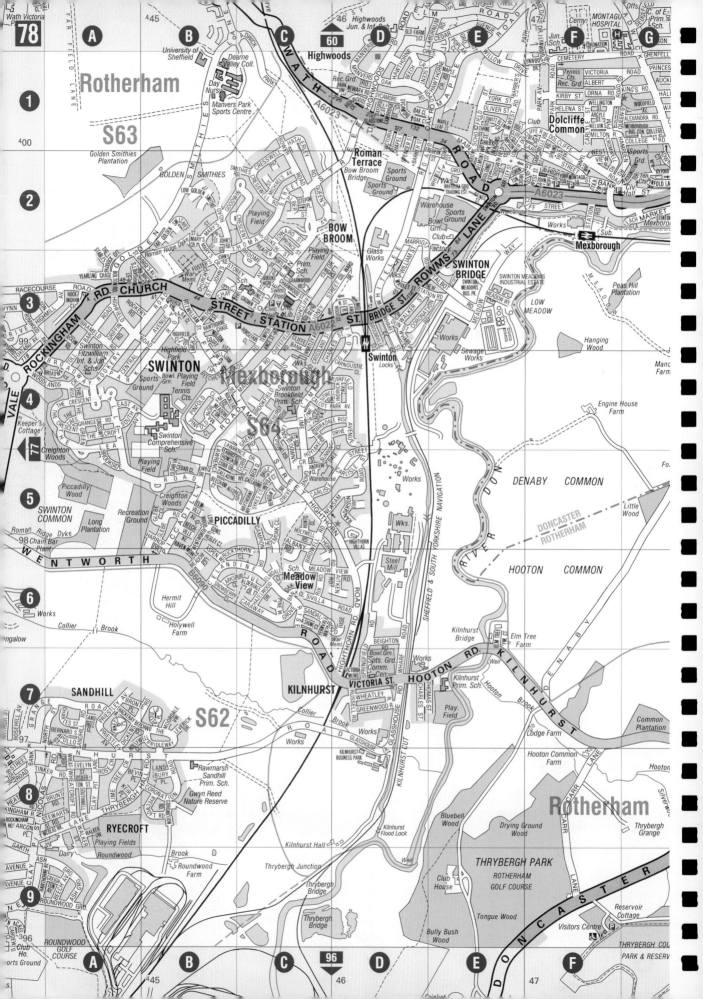

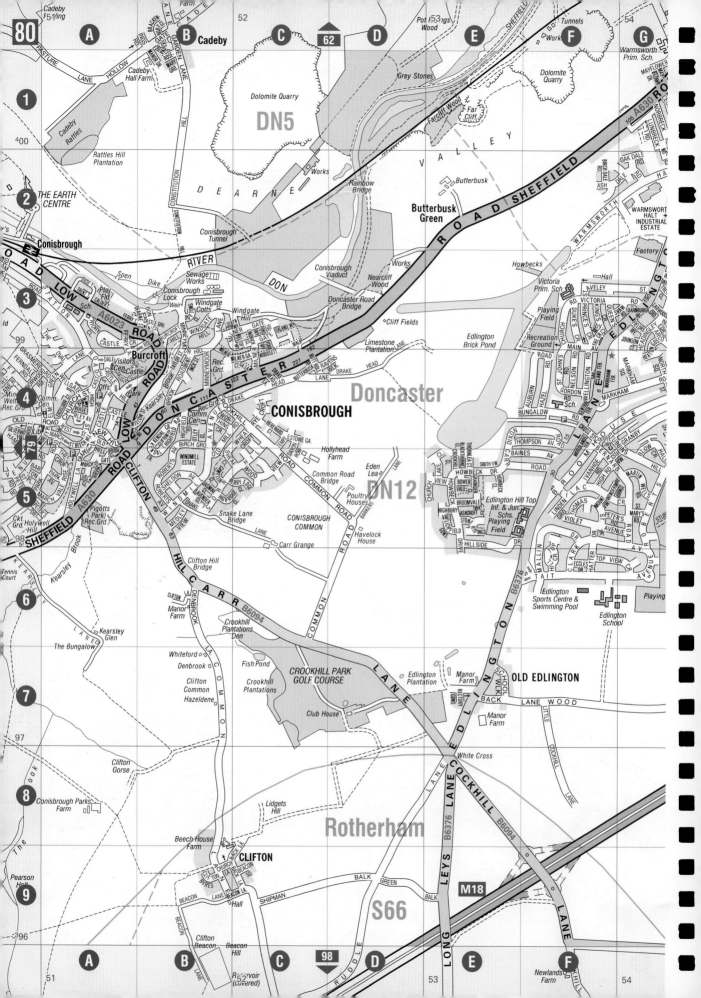

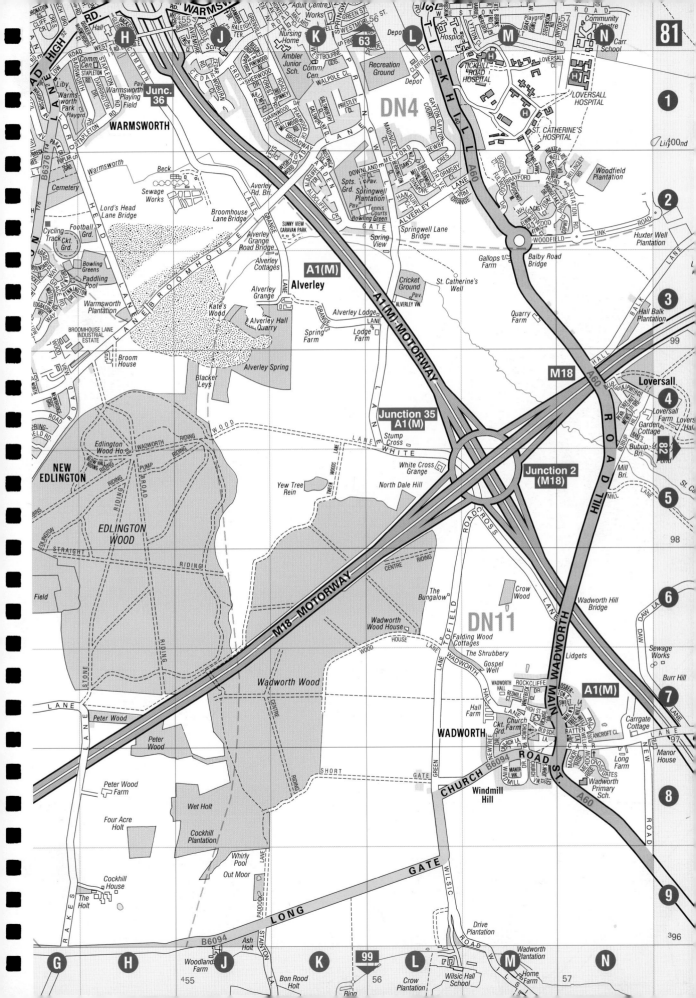

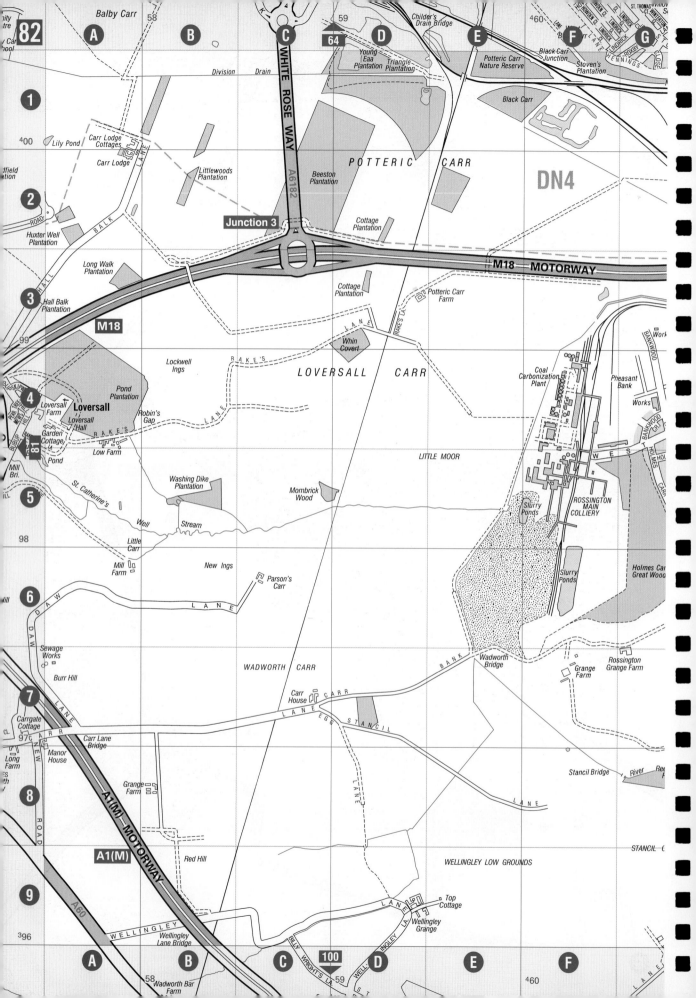

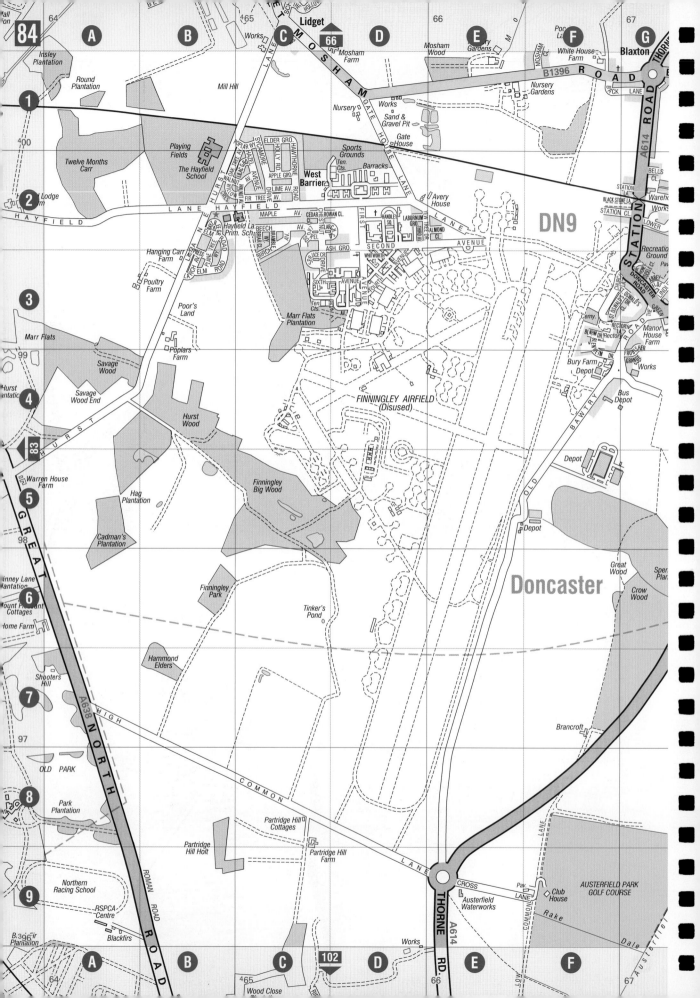

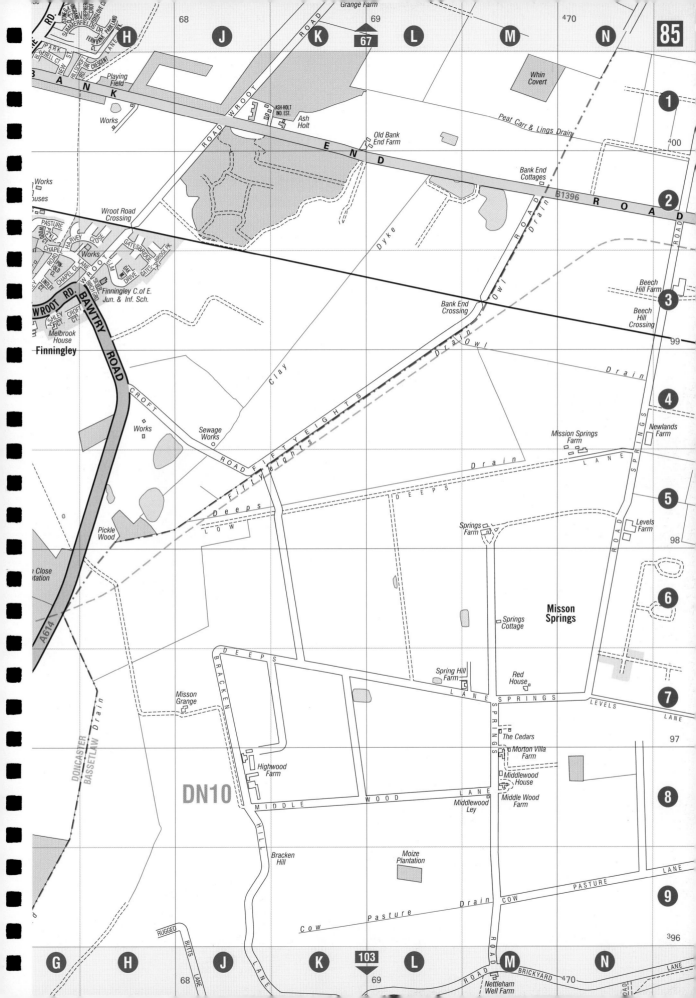

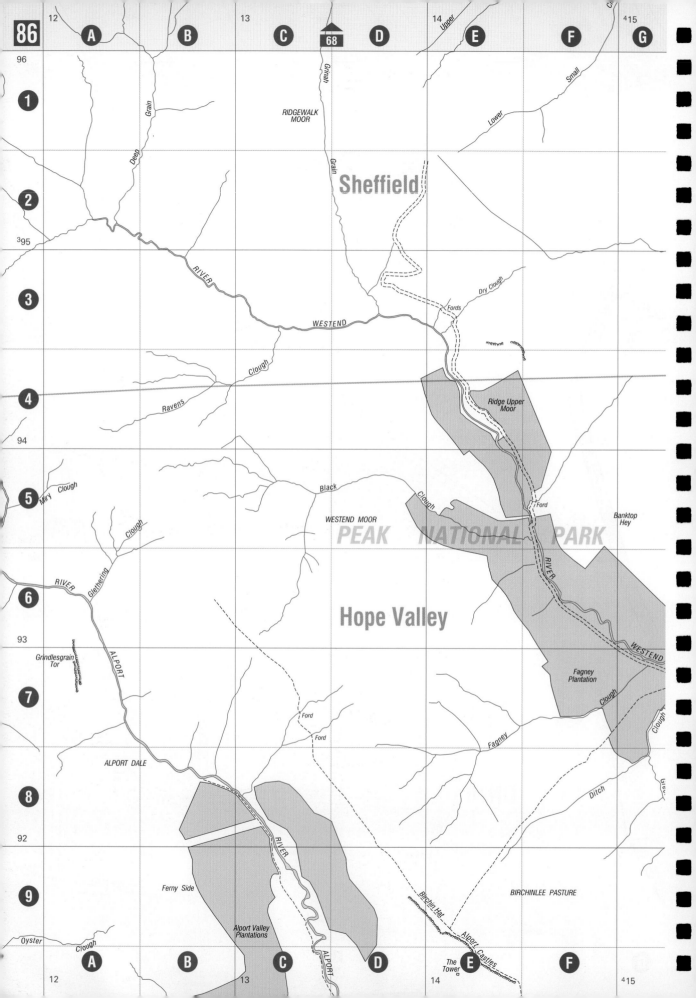

A B C 68 D 14 Upper E F G 415

96

1

RIDGEWALK
MOOR

Deep Grain

Grinah
Grain

Small

Lower

Sheffield

2

³95

RIVER

Dry Clough

3

WESTEND

Fords

Clough

Ridge Upper
Moor

4

94

Ravens

Miry Clough

Black

Banktop
Hey

5

Clough

Clough

Ford

WESTEND MOOR

PEAK   NATIONAL   PARK

Glethering

Clough

RIVER

RIVER

6

93

ALPORT

Grindlesgrain
Tor

Hope Valley

WESTEND

Fagney
Plantation

7

Ford

Ford

Fagney

Clough

Clough

ALPORT DALE

Ditch

8

92

Ferny Side

RIVER

BIRCHINLEE PASTURE

9

Birchin Hat

Alport Castles

Oyster

Clough

Alport Valley
Plantations

The
Tower

A B C ALPORT D E F

12 13 14 415

H   J   K   69   L   M   N

16   18   96

1

Mosley
Bank

Cranberry
Bed

Swine
Side

Bull
Stones

Cut Gate
End

Howden
Edge

Upper

Misden

Clough

S36

Little Moor
Top

Ford

Ford

1

Sandy
Lee

2

Wi
Ne

395

Lower   Misden   Clough

Slippery Stones
Packhorse Bri.

Ford

Cranberry
Ness

2

Linch

3

Long
Edge

3

OX HEY

Clough

Upper
Hey

4

94

Cow Hey

Hindholes

Clough

RIDGE NETHER
MOOR

Ridge

Ronksley South
Plantation

Ronksley
Wood

Cow Hey

5

Clough   Clough   Wood   Reservoir

UPPER DERWENT
VALLEY

Nether Wood
Plantation

88

Ridge
Wood

Bosen
Holes

6

Banktop
Plantation

NETHER
HEY

93

Fagney
Plantation

Hern Side

HOWDEN
RESERVOIR

7

Fox's Piece

S33

The
Coppice

West Cable Tip
Plantation

Catholes
Wood

Howden
Dam

Marebottom
Tip Plantation

Cogman

8

Island
Plantation

Hey
Bank

New Close
Wood

92

Bank

Clough

Chapel
Plantation

East Cable Tip
Plantation

Abbey

Forest
Knoll

Ford

DERWENT
RESERVOIR

Abbey Tip
Plantation

LITTLE HOWDEN
MOOR

Birchinlee
East
Plantation

Abbey
Bank

Greystones
Moss

9

Calfney
Wood

Birchinlee
West
Plantation

Jackson
Wood

Shireowlers
North
Plantation

G   H   J   K   L   M   N

16   17   18

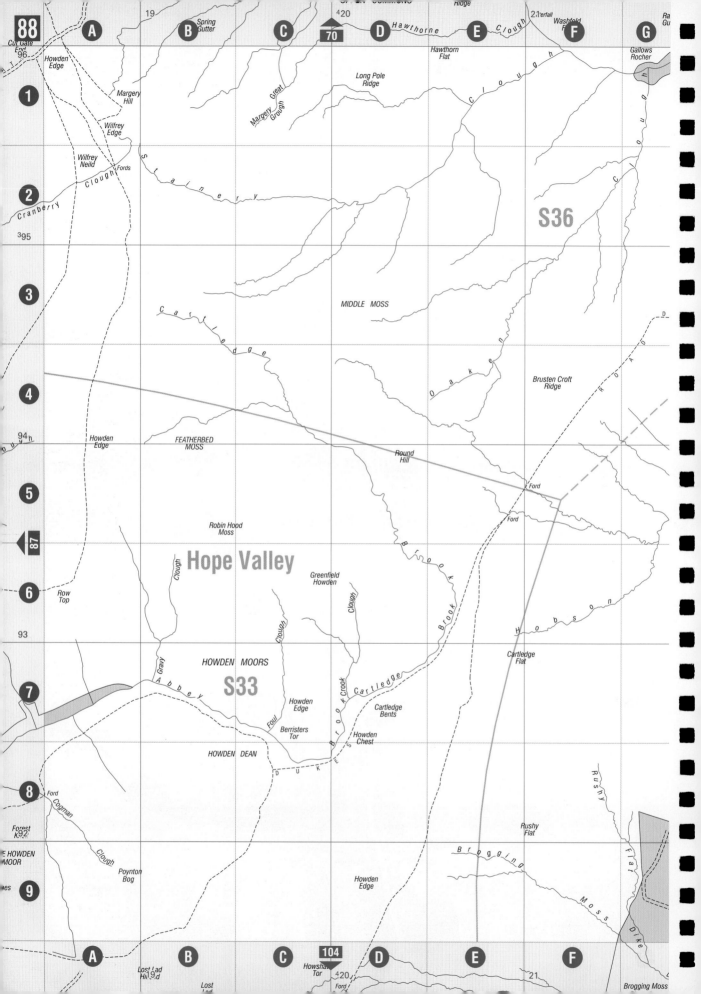

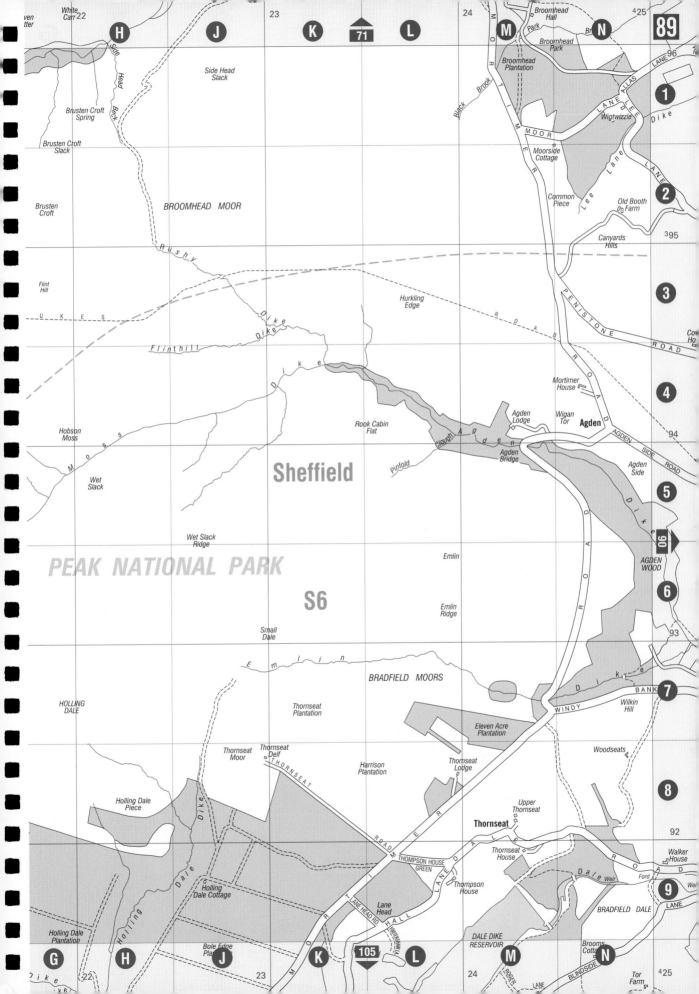

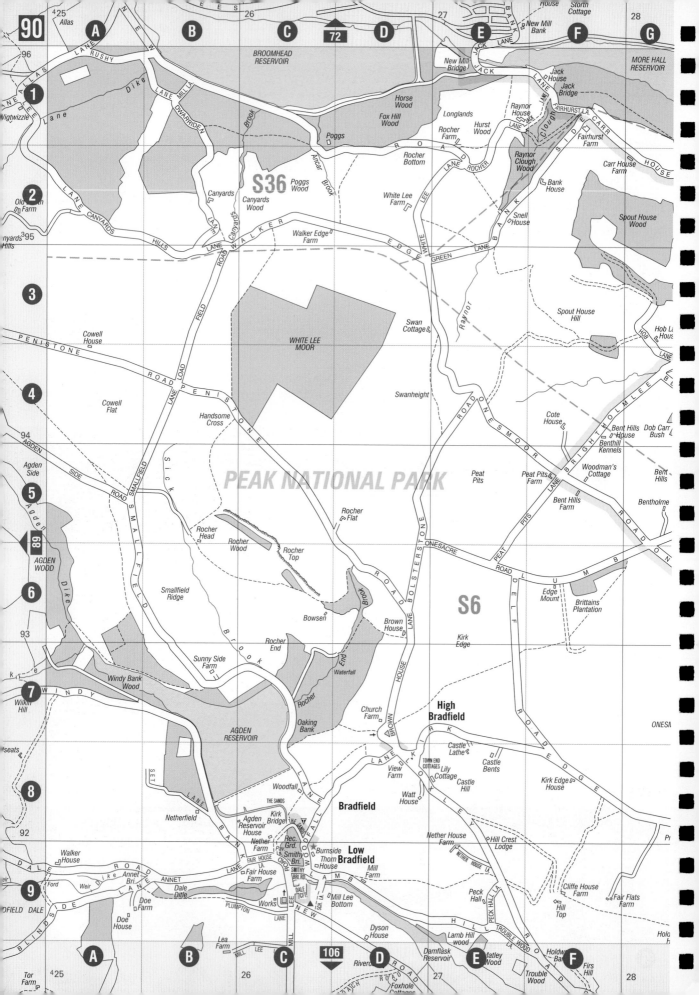

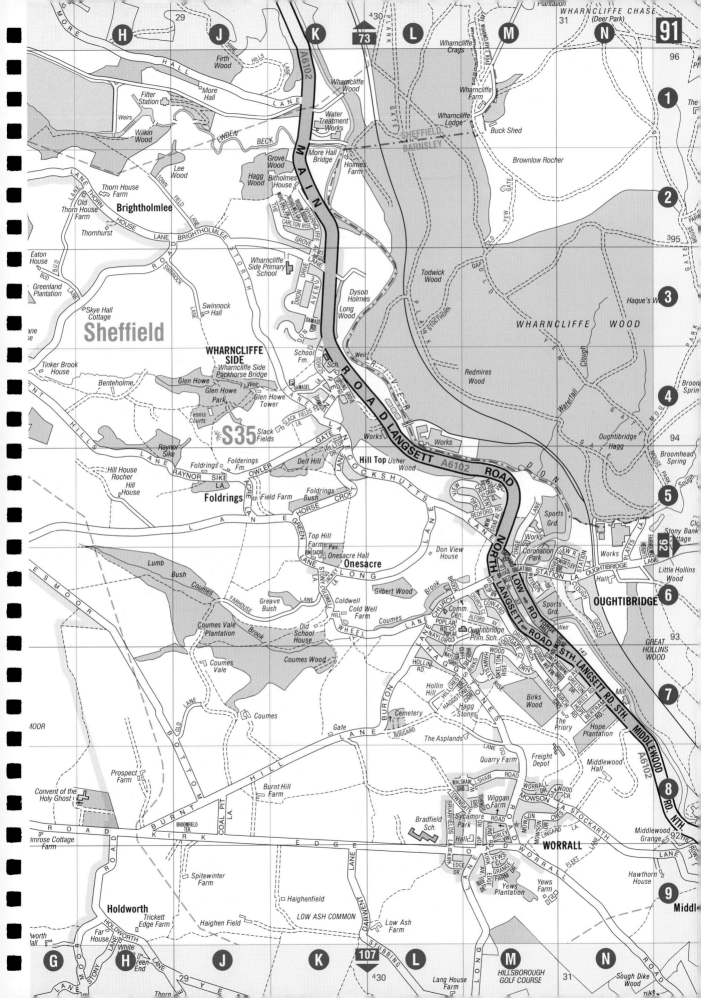

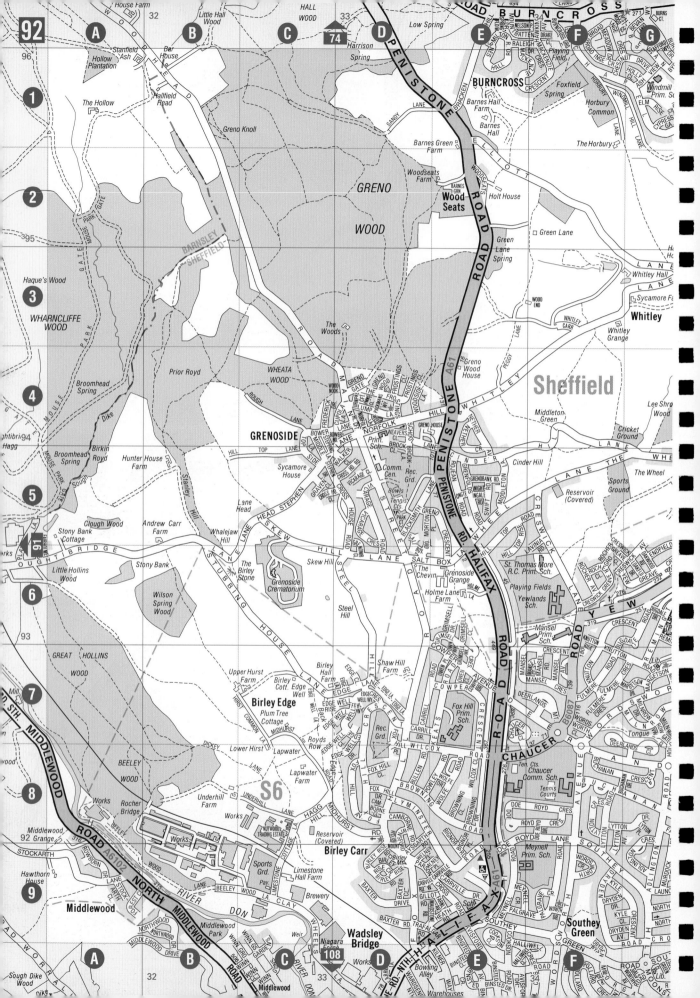

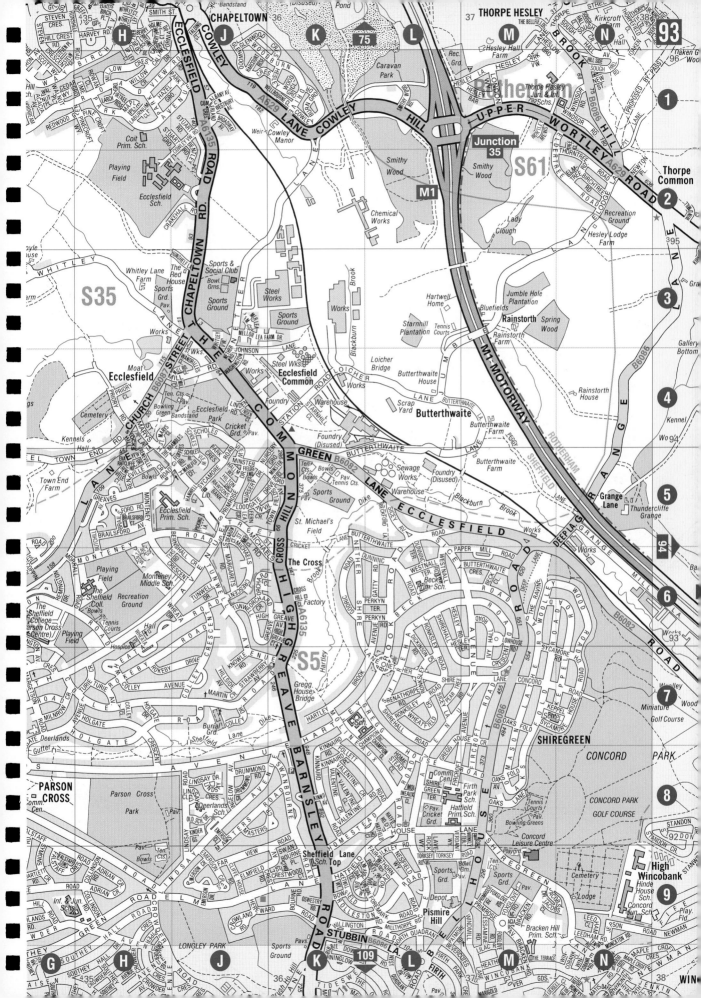

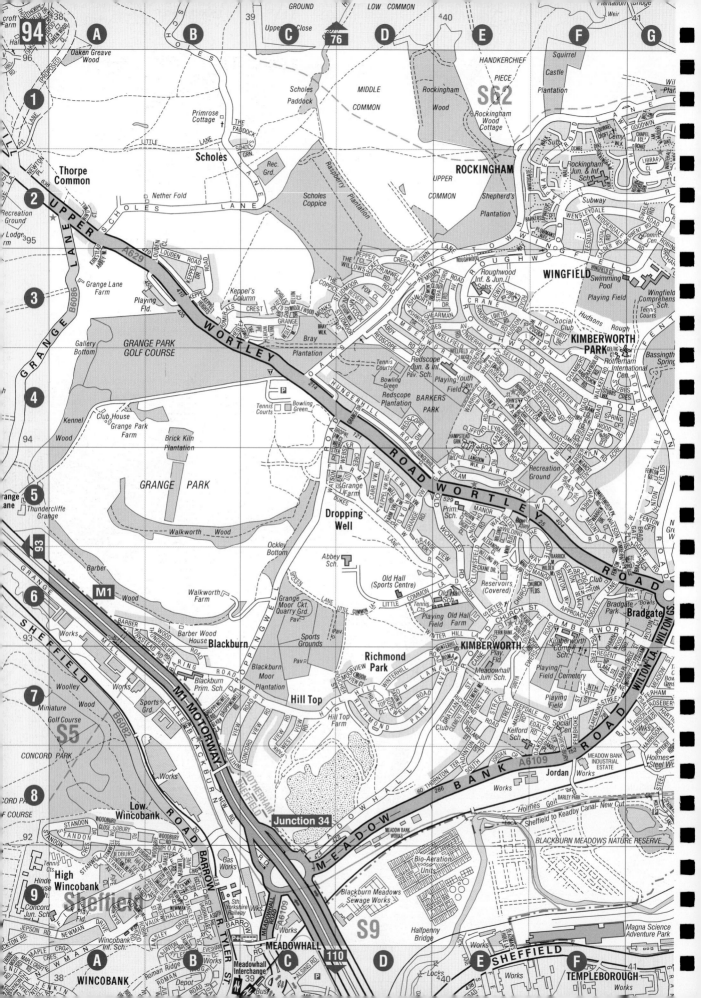

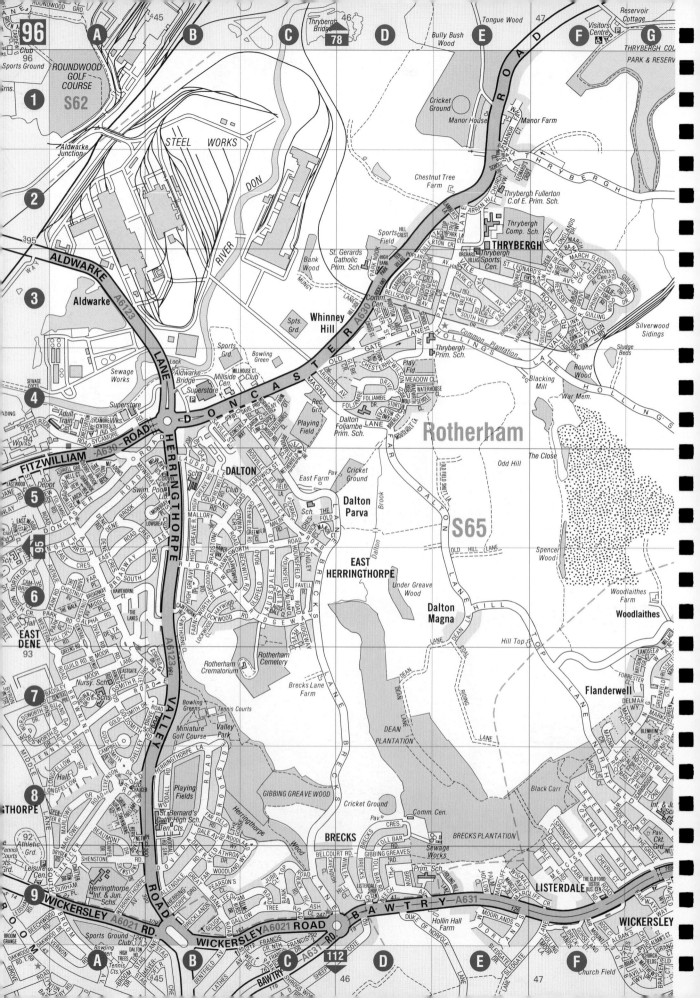

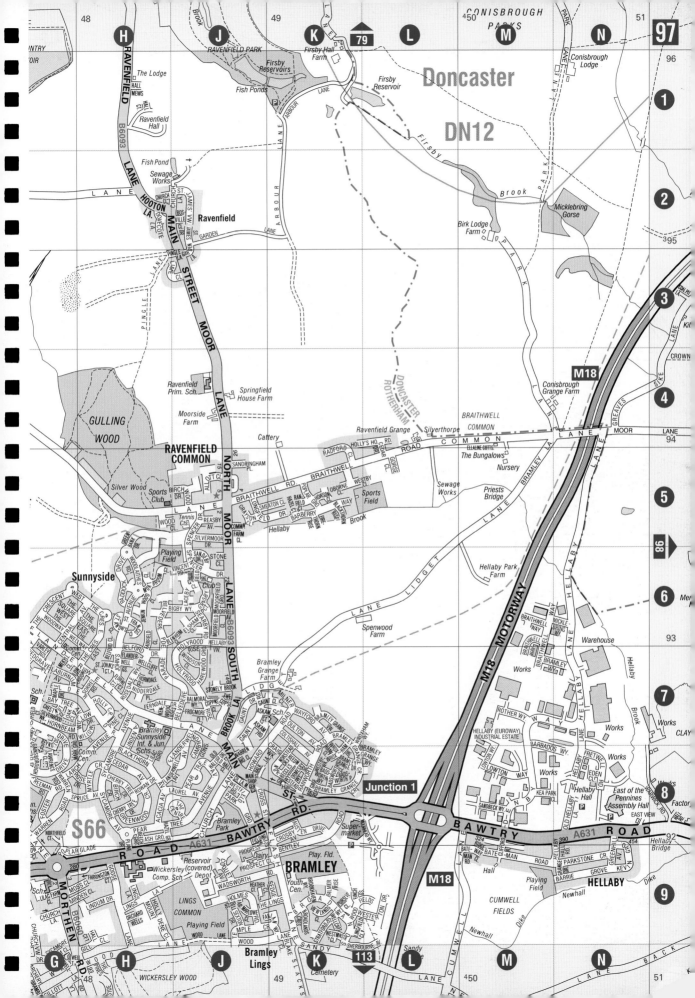

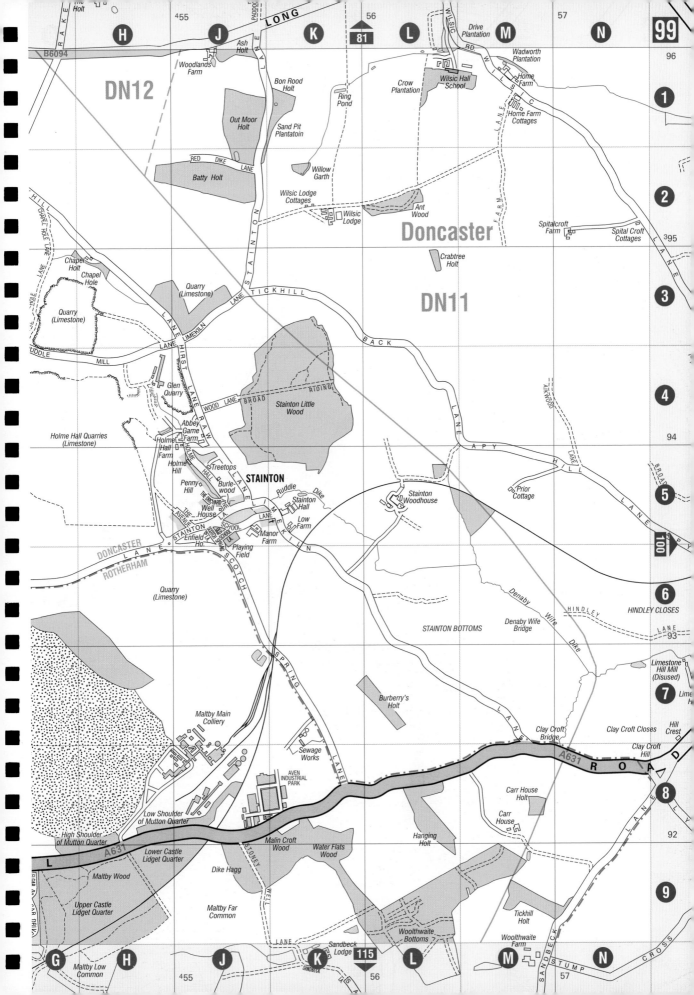

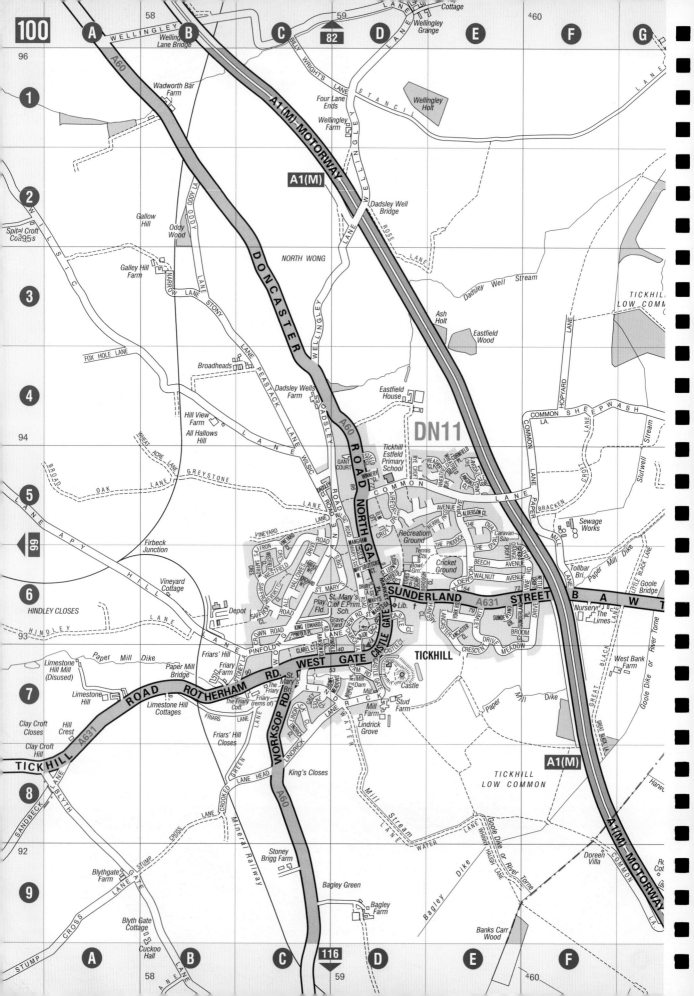

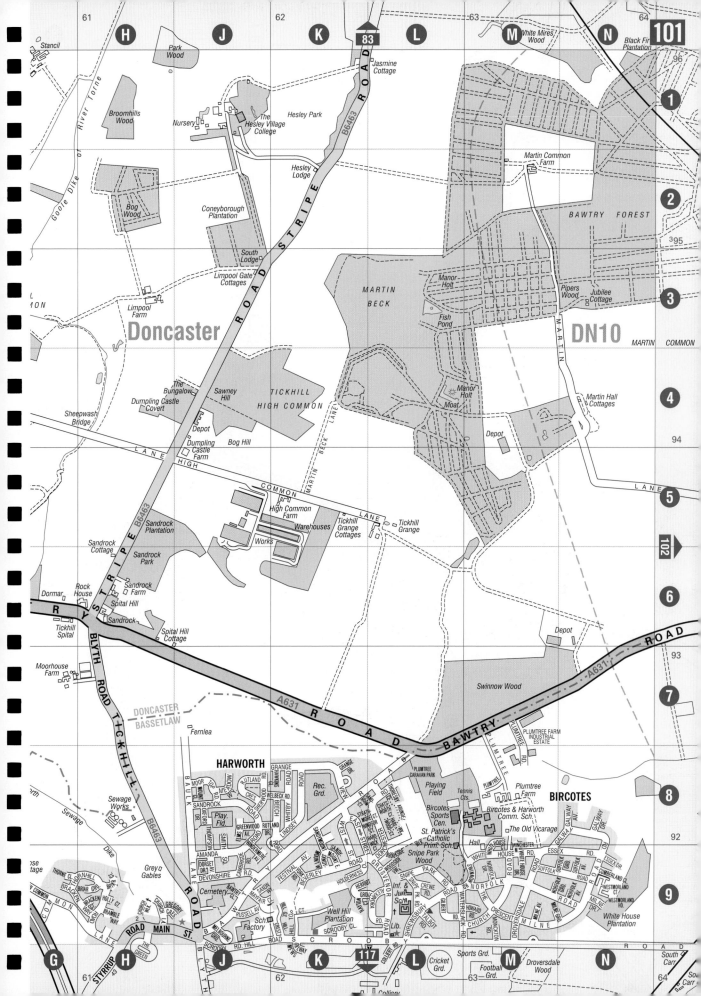

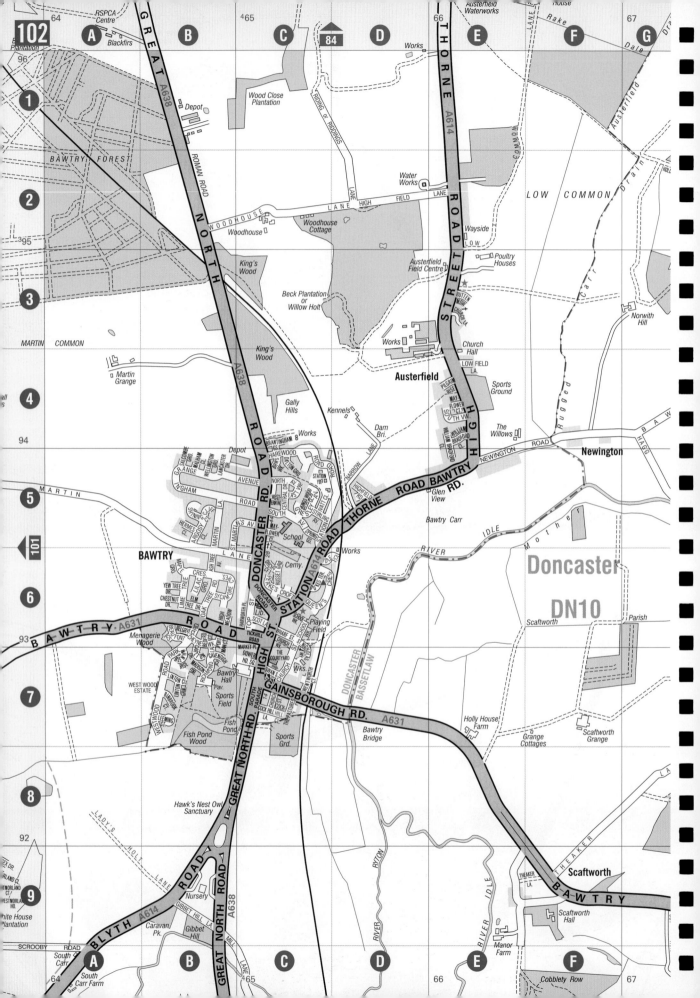

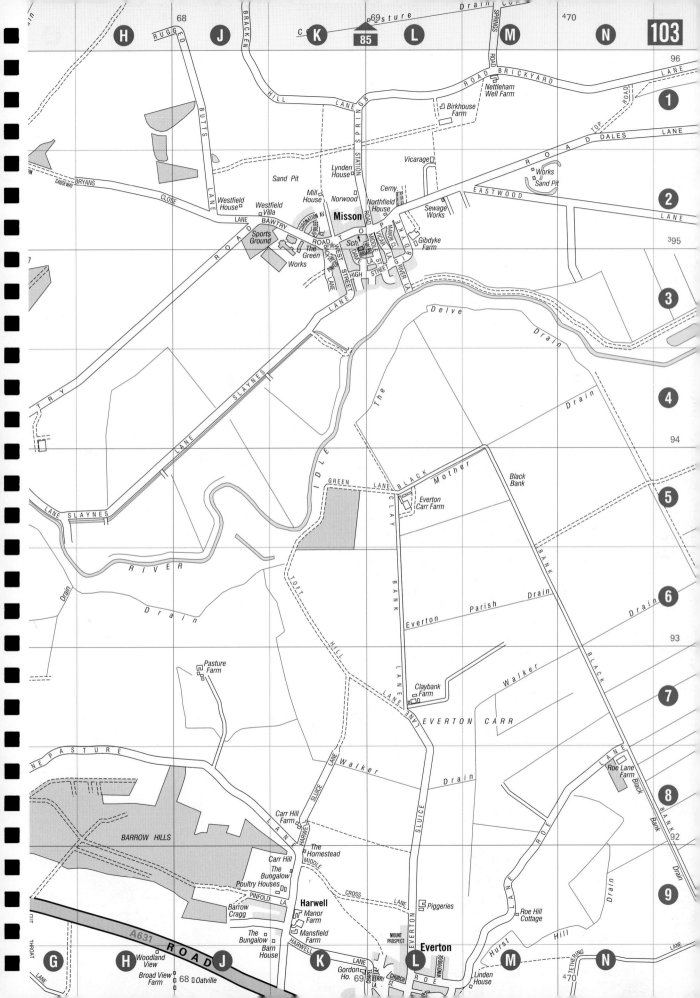

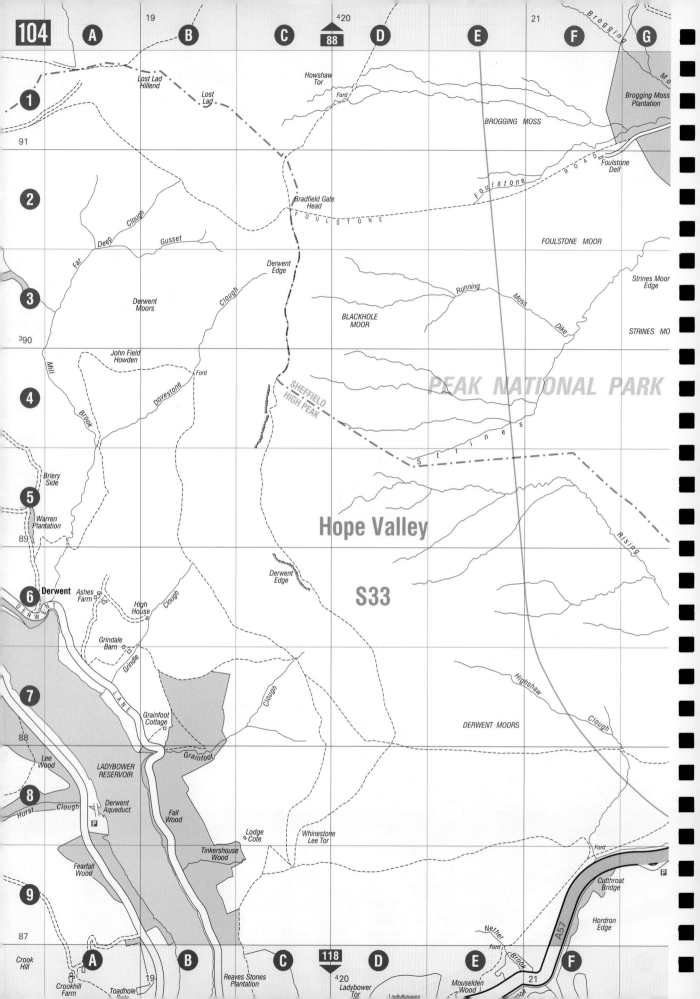

A 19 B C ⬆️ 420 / 88 D E 21 F G

1
91

Lost Lad Hillend
Lost Lad

Howshaw Tor
Ford

BROGGING MOSS

Brogging Moss Plantation

FOULSTONE ROAD

Foulstone Delf

2

Bradfield Gate Head

FOULSTONE

Deep Clough

Gusset

FOULSTONE MOOR

3
³90

Far

Derwent Moors

Clough

Derwent Edge

Running Moss Dike

BLACKHOLE MOOR

Strines Moor Edge

STRINES MO

John Field Howden

Ford

Dovestone

4

Mill

Brook

SHEFFIELD HIGH PEAK

PEAK NATIONAL PARK

Strines

5
89

Briery Side

Warren Plantation

Hope Valley

Rising

Derwent Edge

6 **Derwent**

Ashes Farm

High House

Clough

Derwent Edge

S33

DERWENT

Grindale Barn

Grindle

LANE

Clough

Highshaw Clough

7
88

Lee Wood

Grainfoot Cottage

Grainfoot

DERWENT MOORS

LADYBOWER RESERVOIR

8

Hurst Clough

Derwent Aqueduct

P

Fall Wood

Lodge Cote

Whinestone Lee Tor

Ford

9
87

Fearfall Wood

Tinkershouse Wood

Cutthroat Bridge

Hordron Edge

P

Crook Hill

Crookhill Farm

Toadhole

A 19 B Reaves Stones Plantation C 118 / 420 D Ladybower Tor E Mouselden Wood 21 F

Nether Brook

Ford

A57

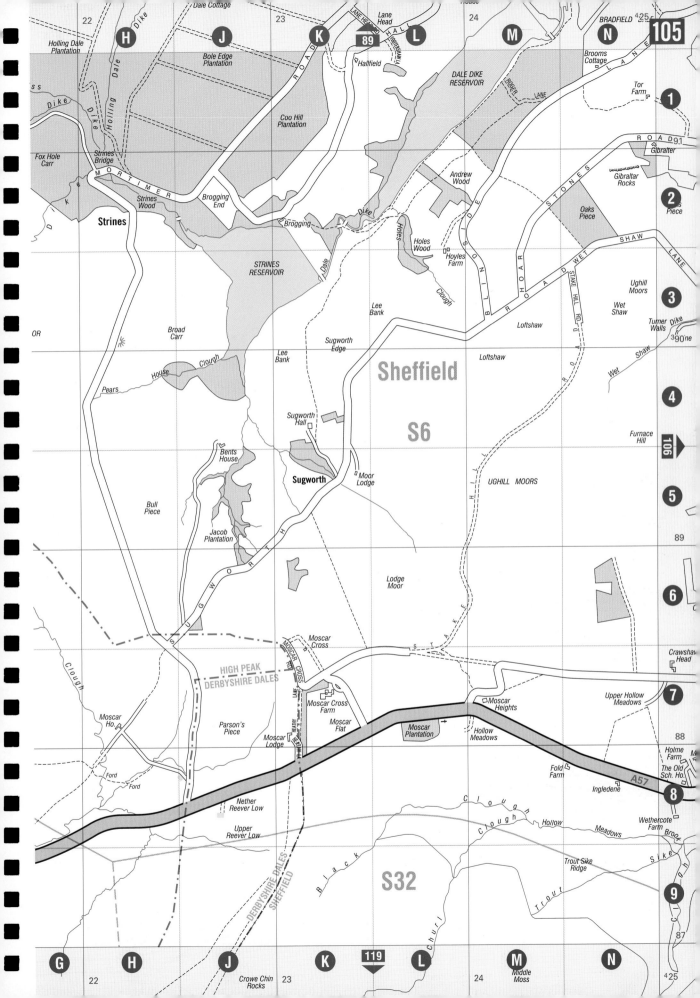

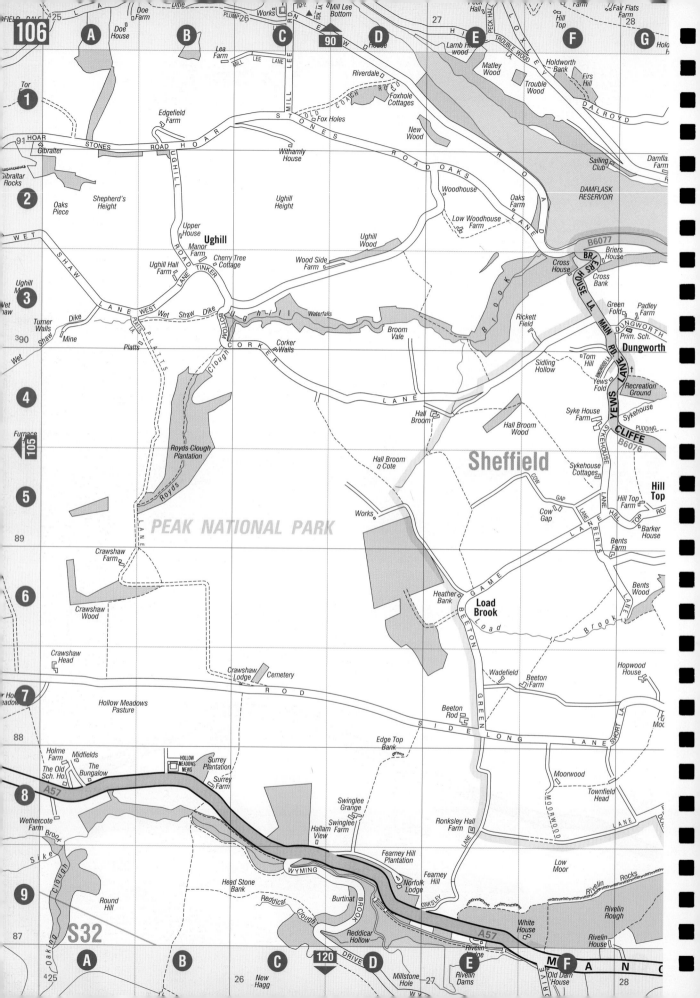

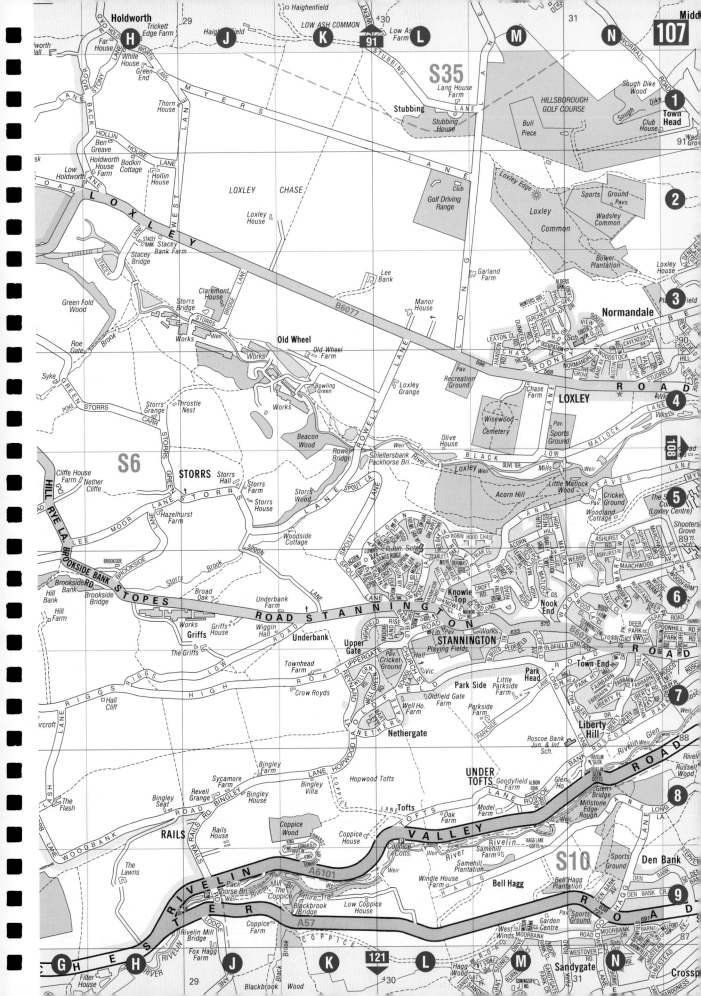

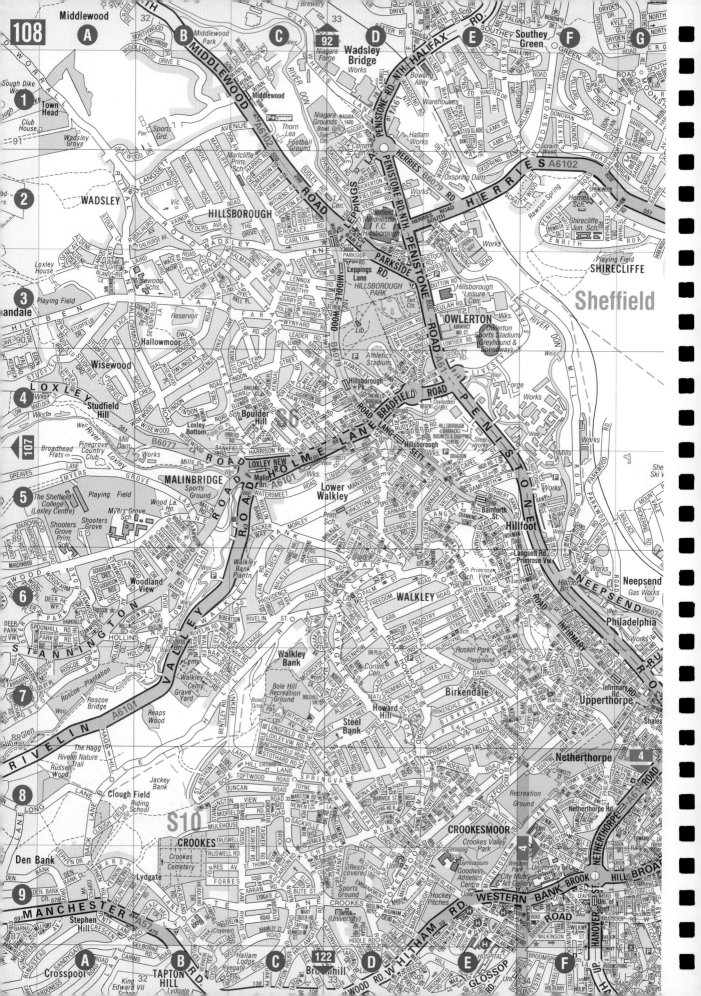

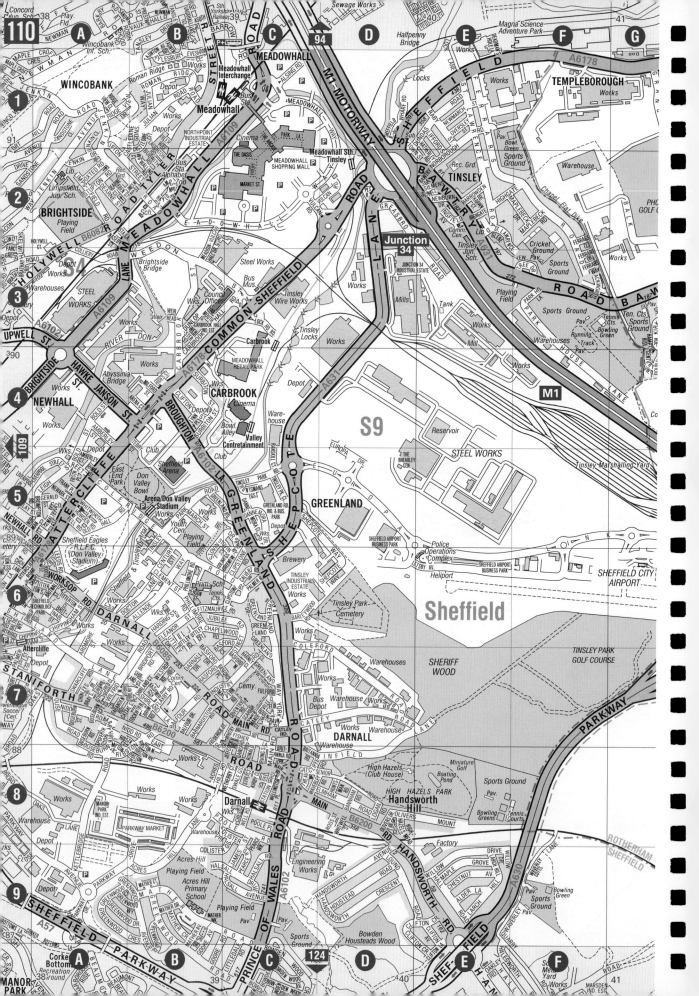

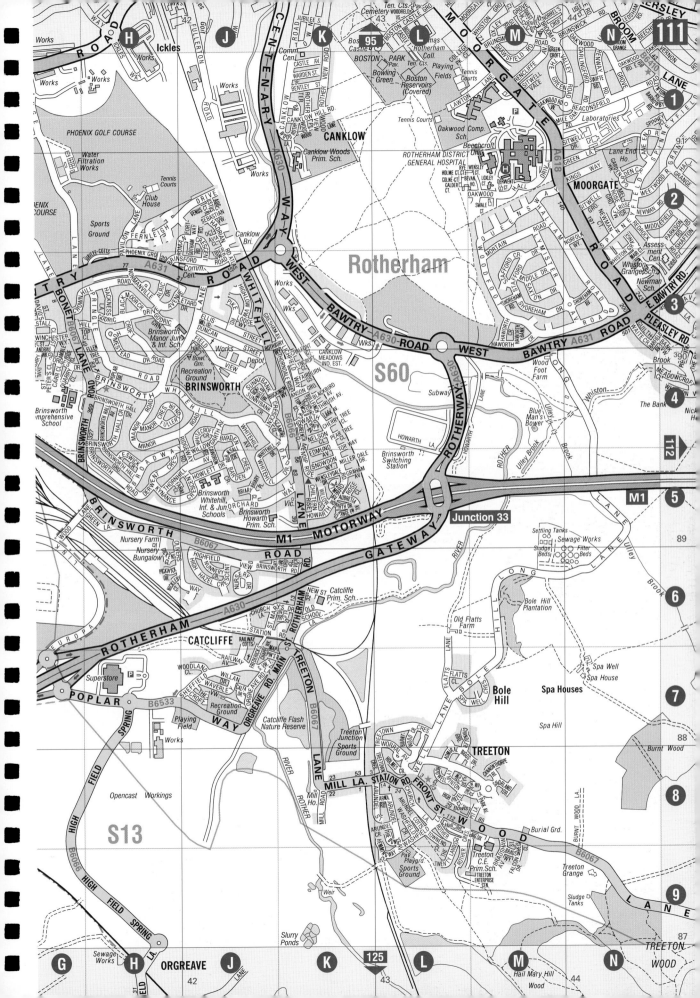

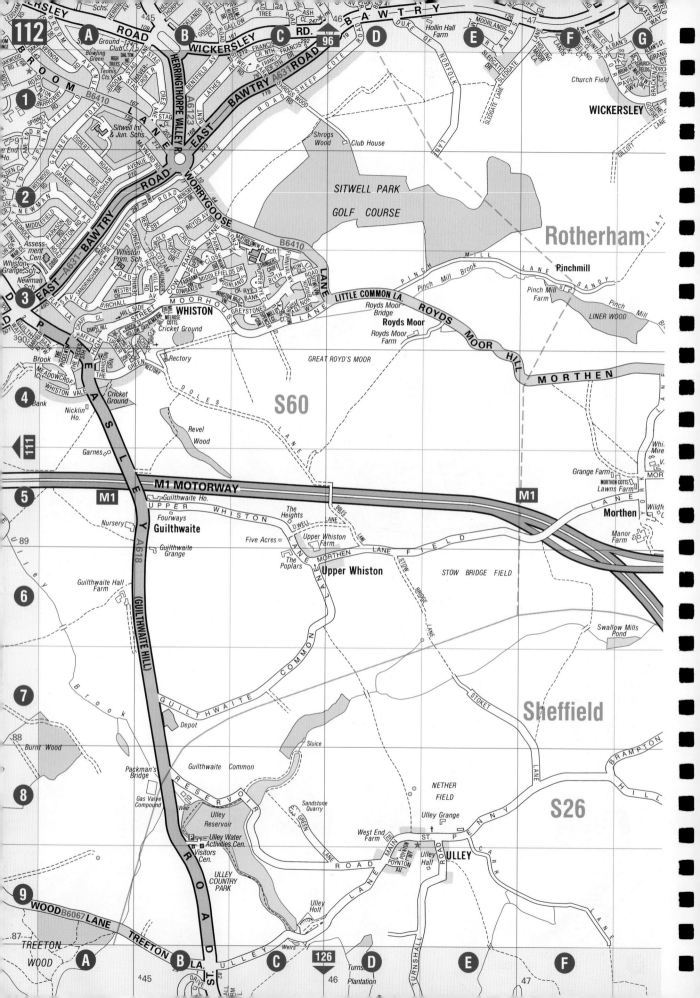

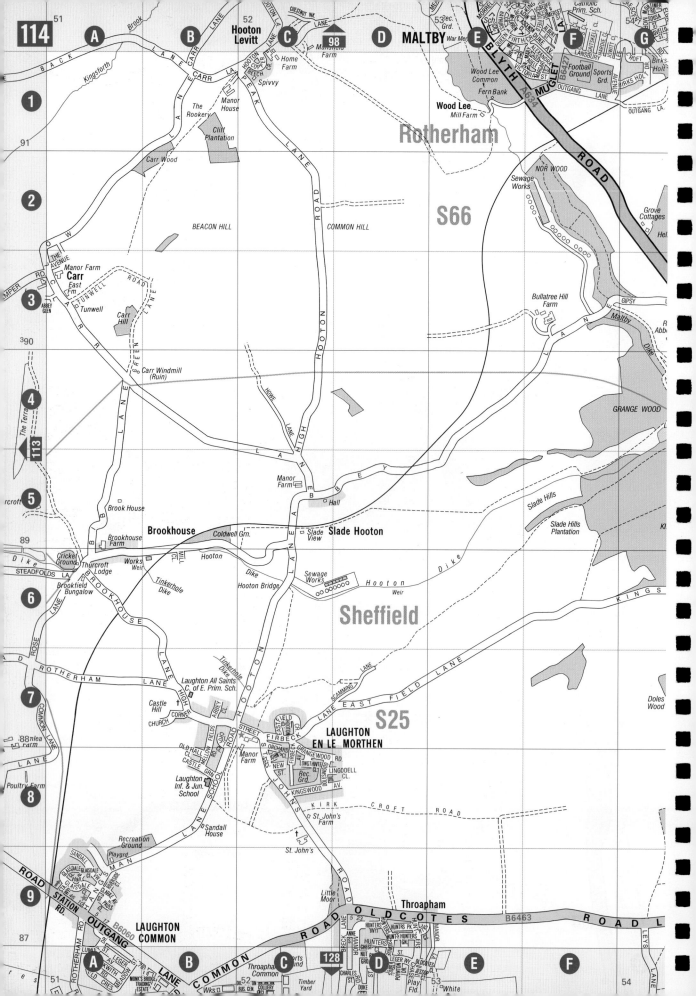

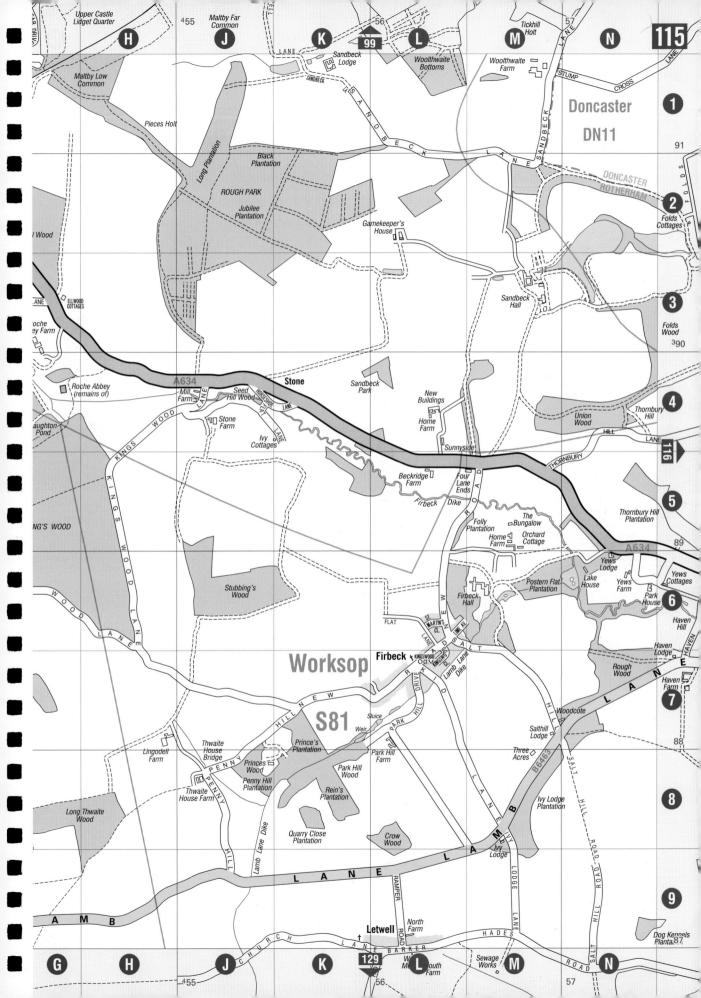

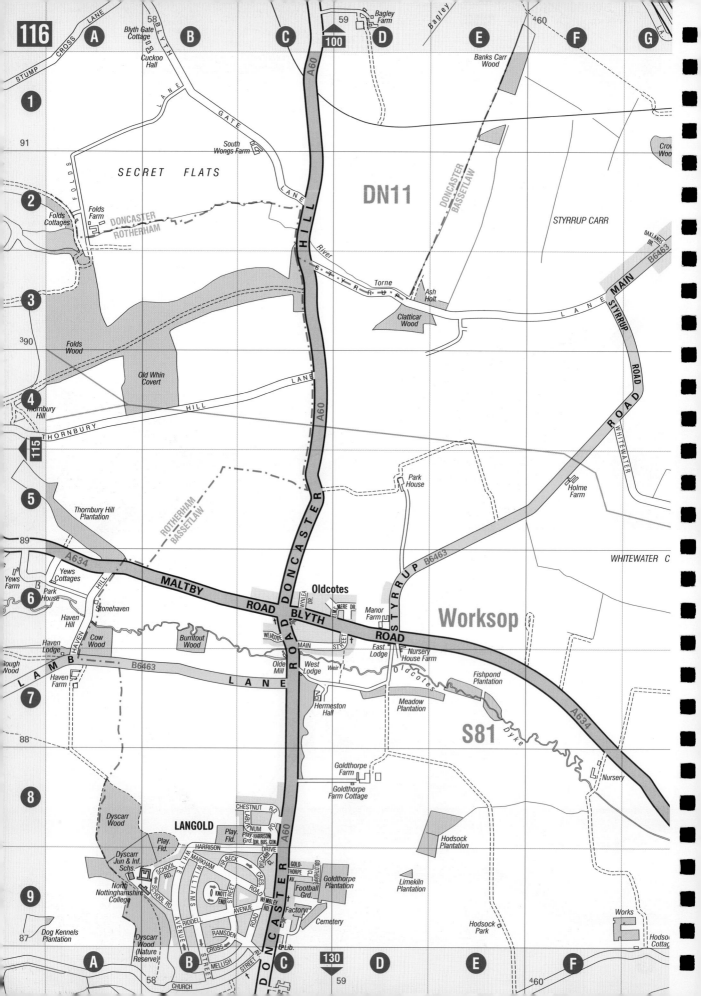

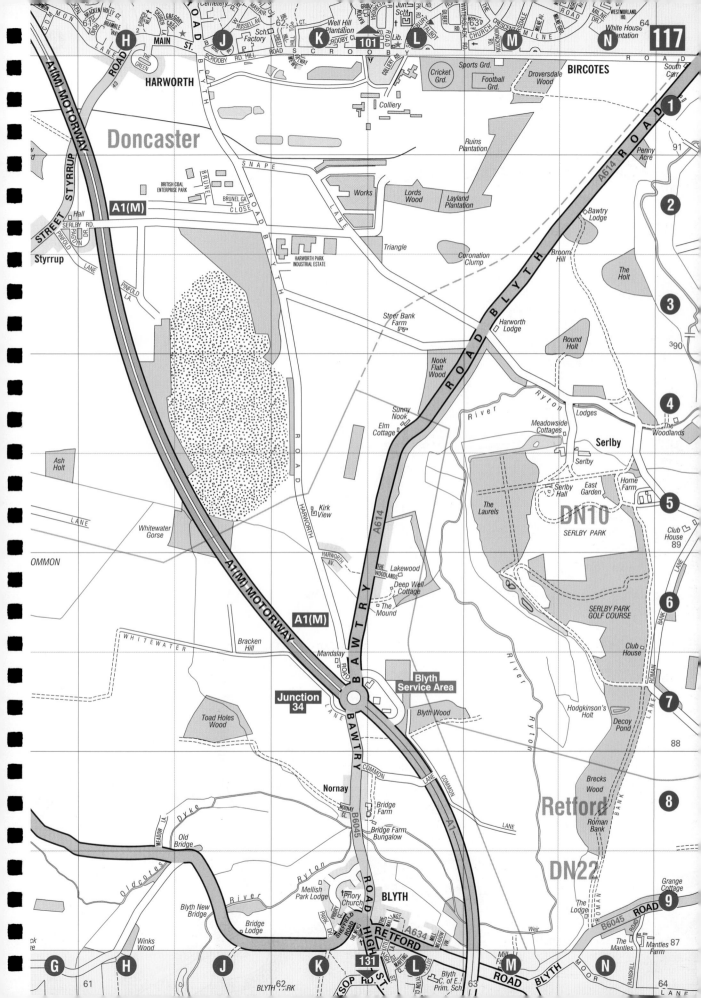

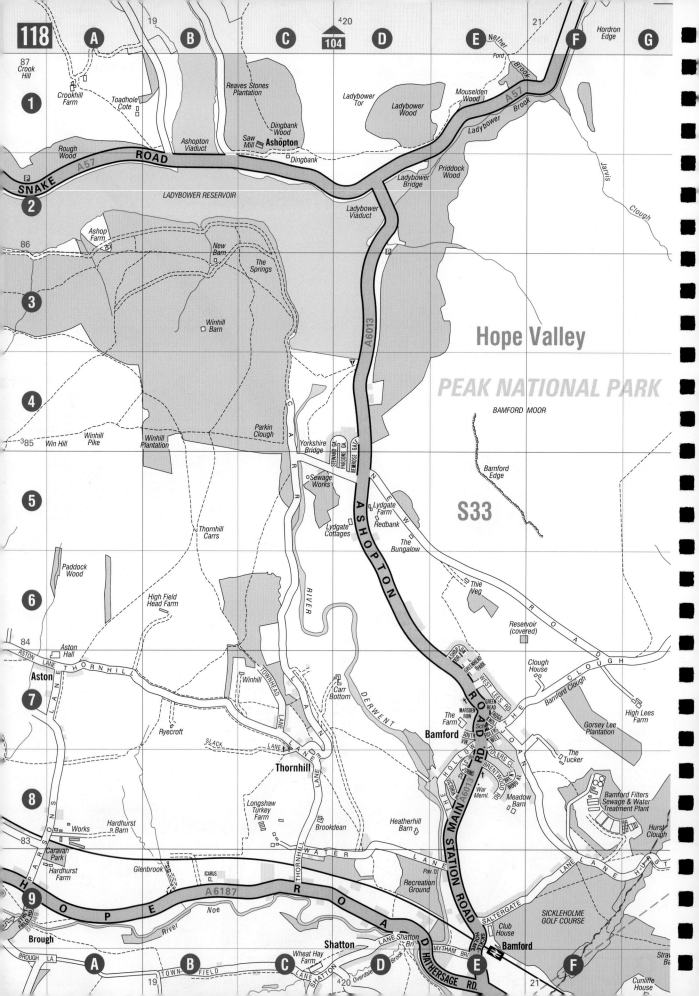

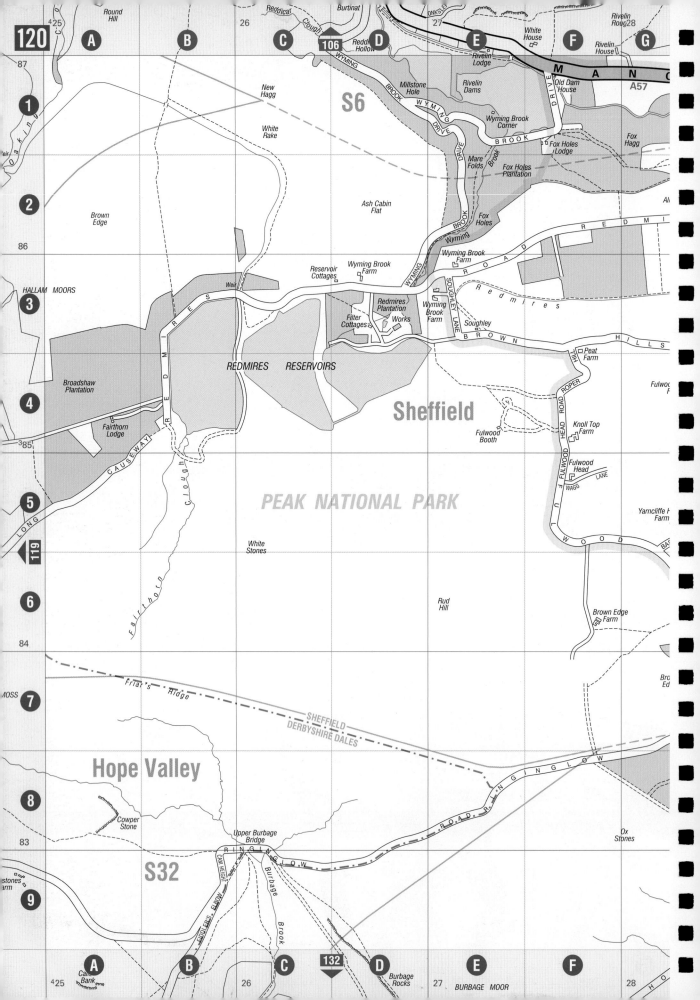

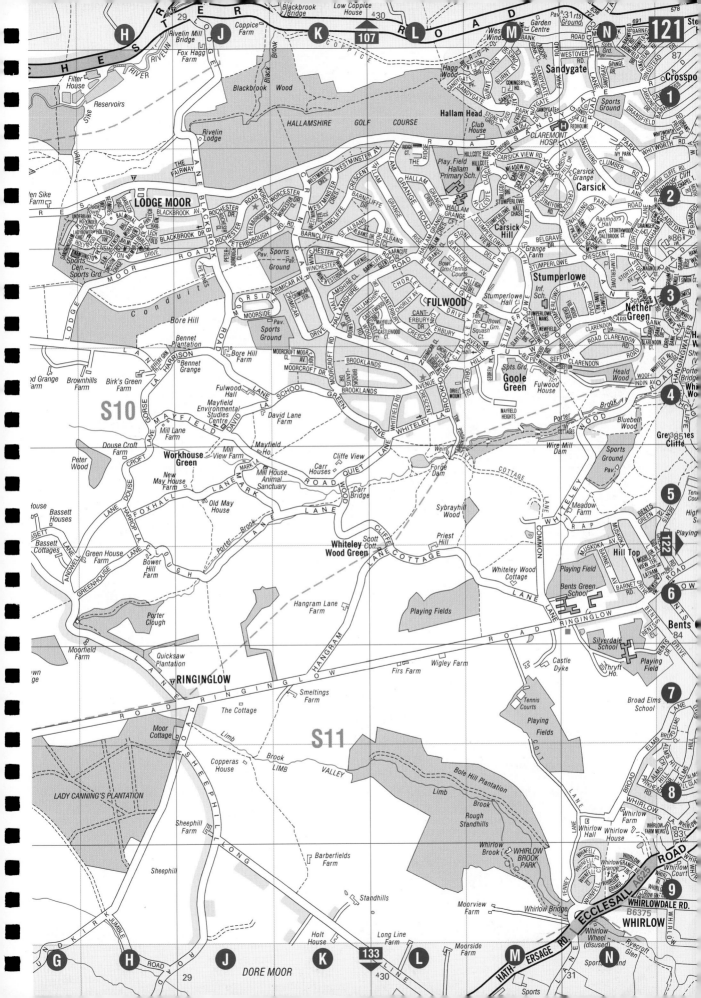

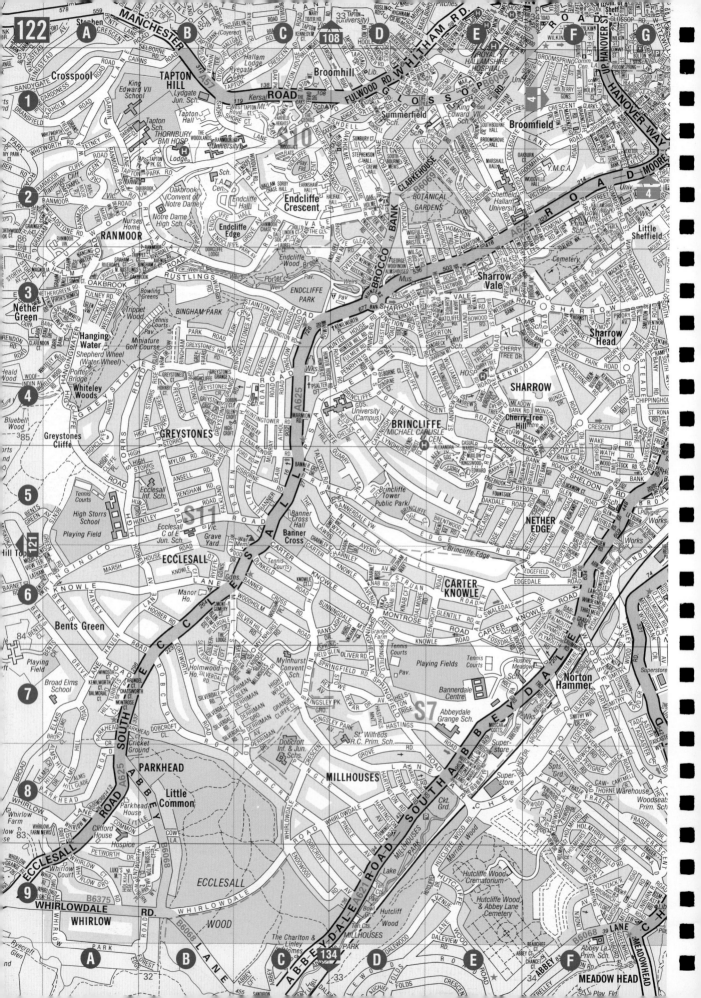

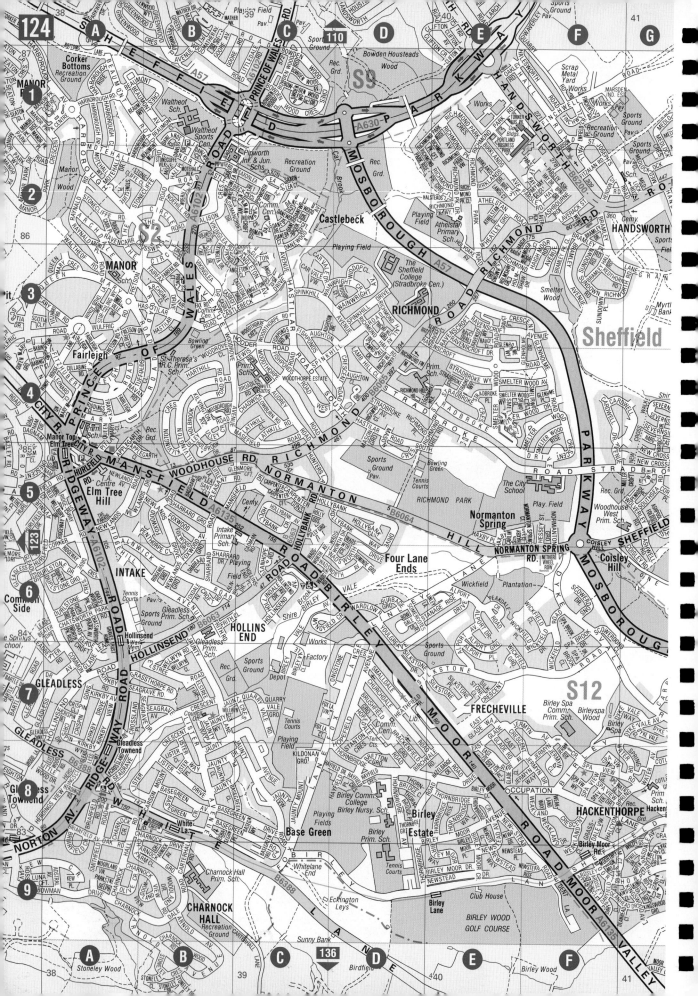

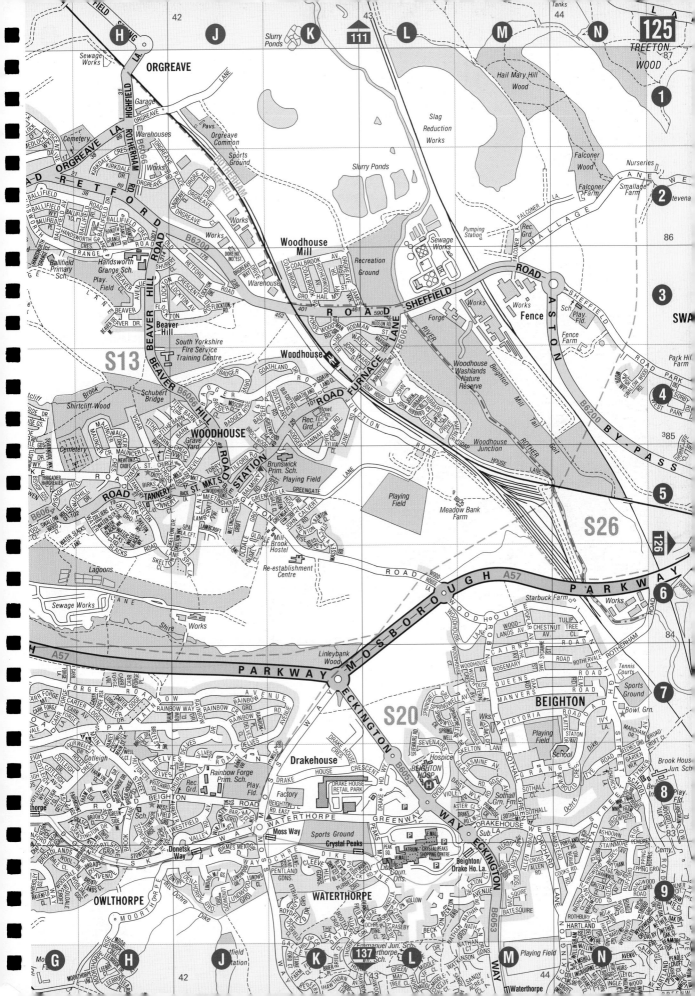

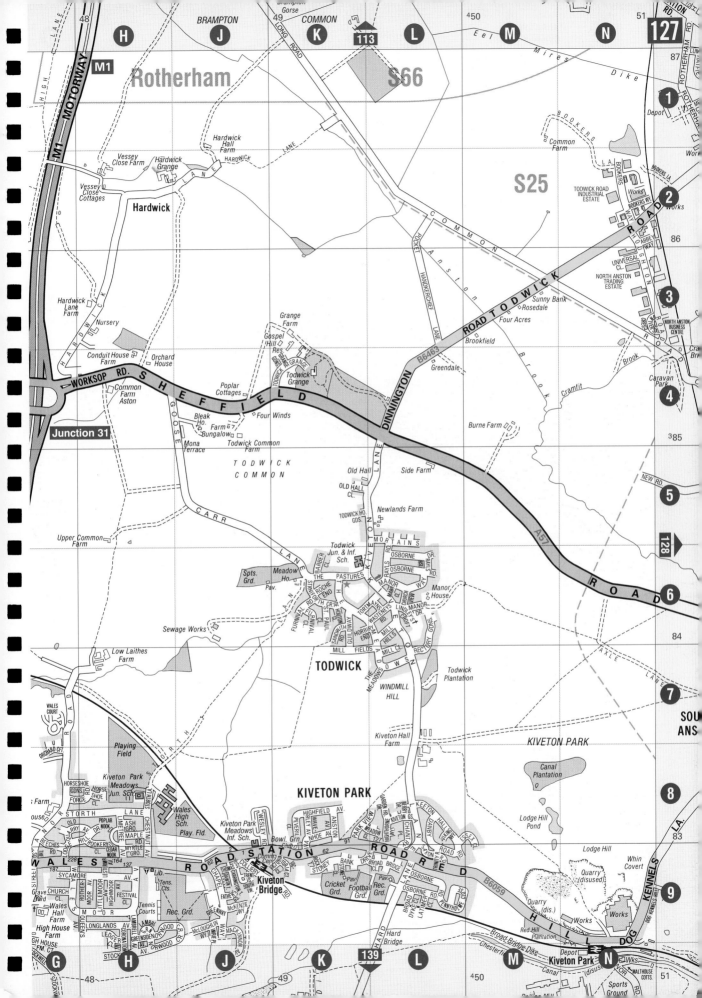

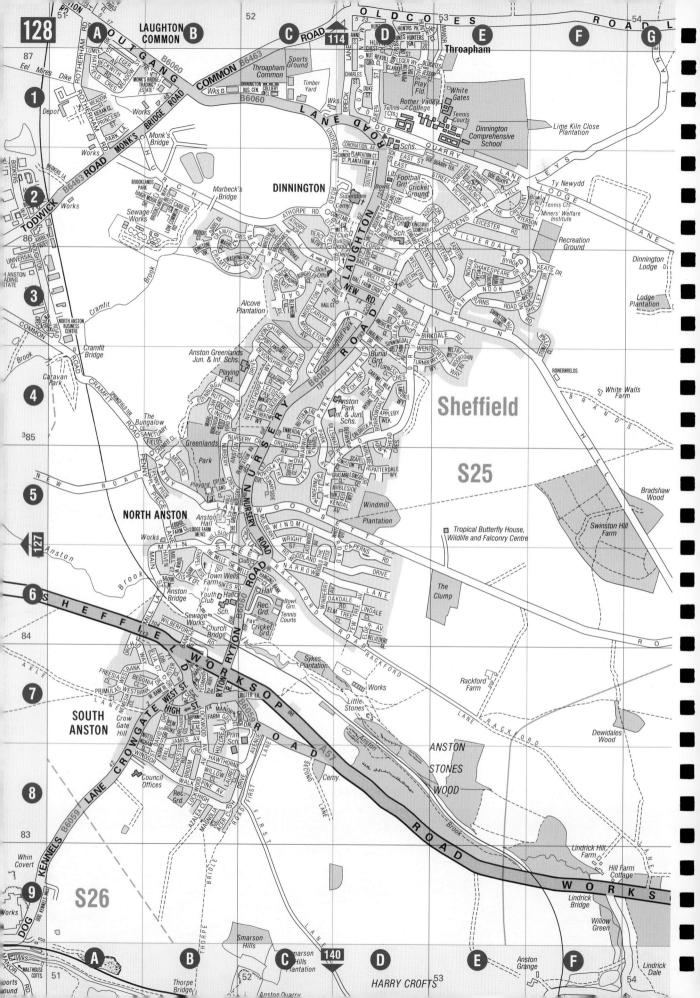

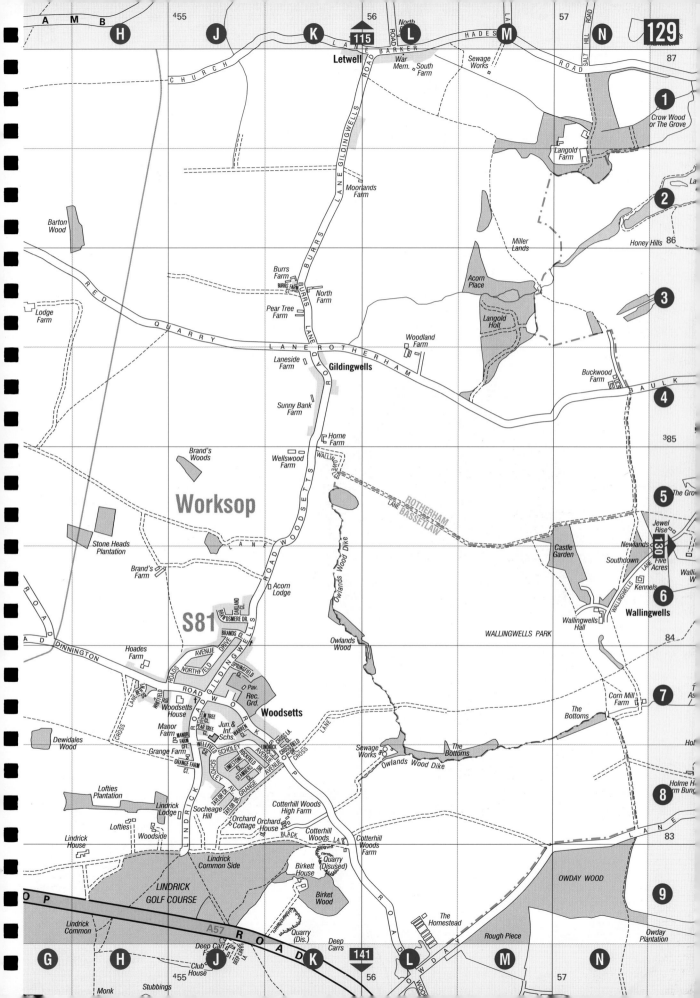

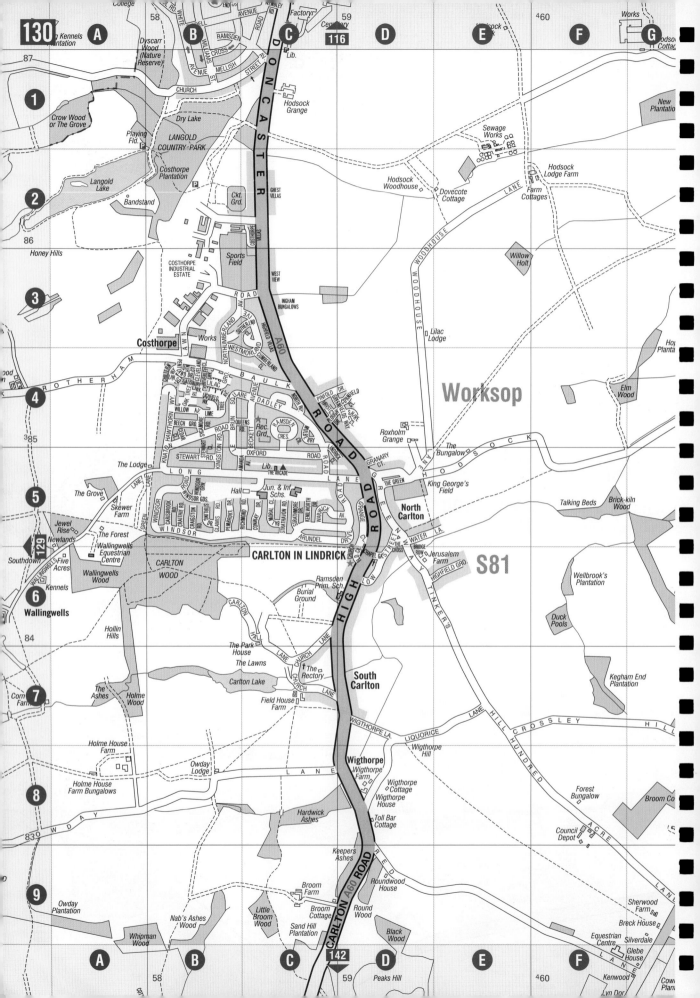

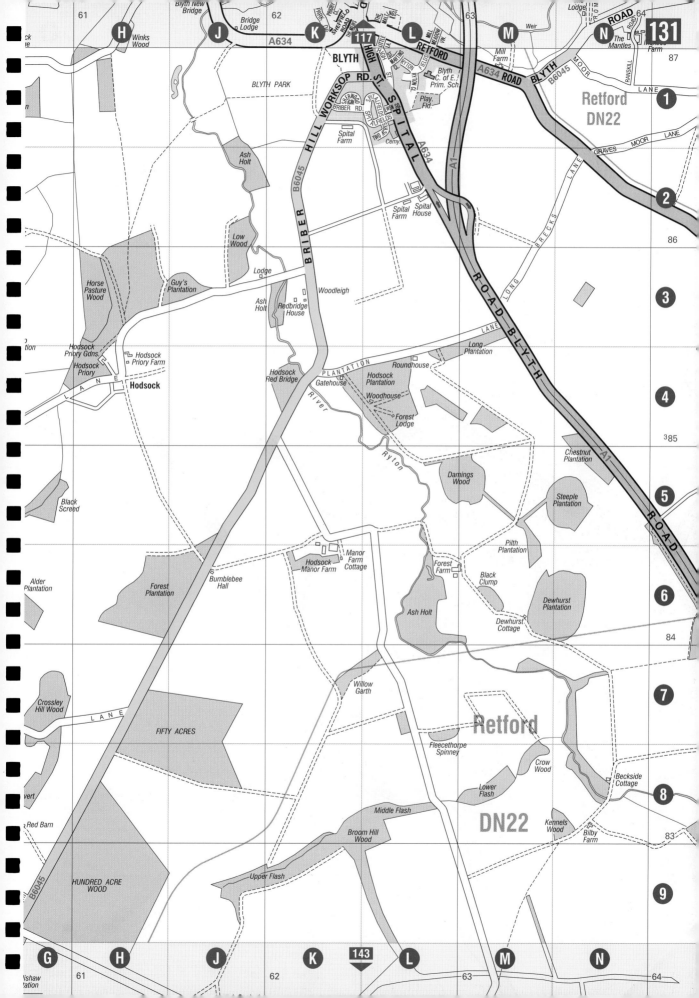

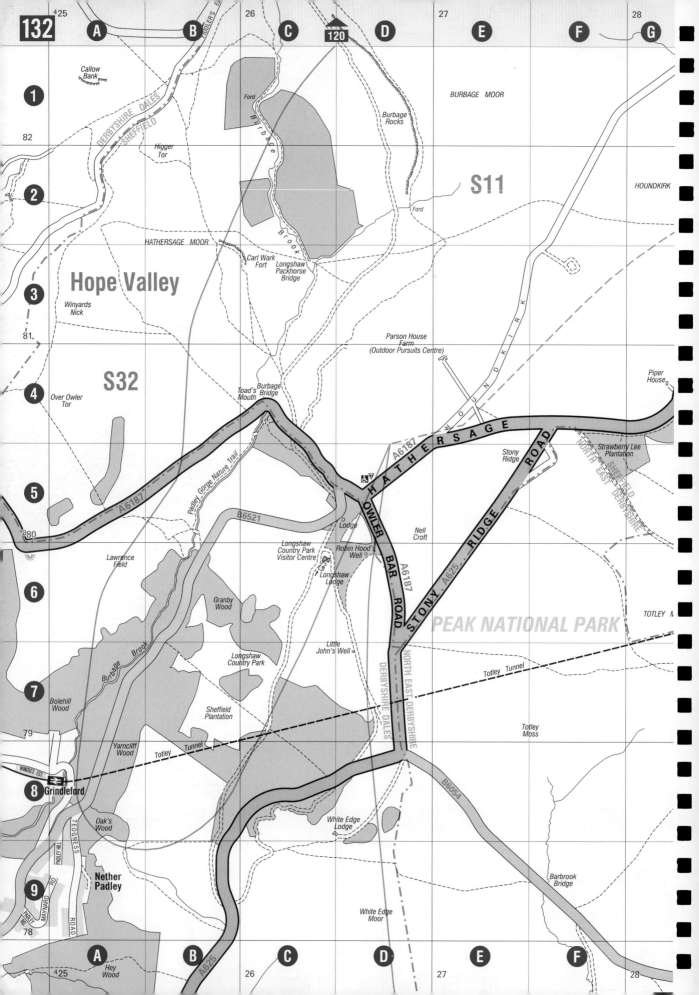

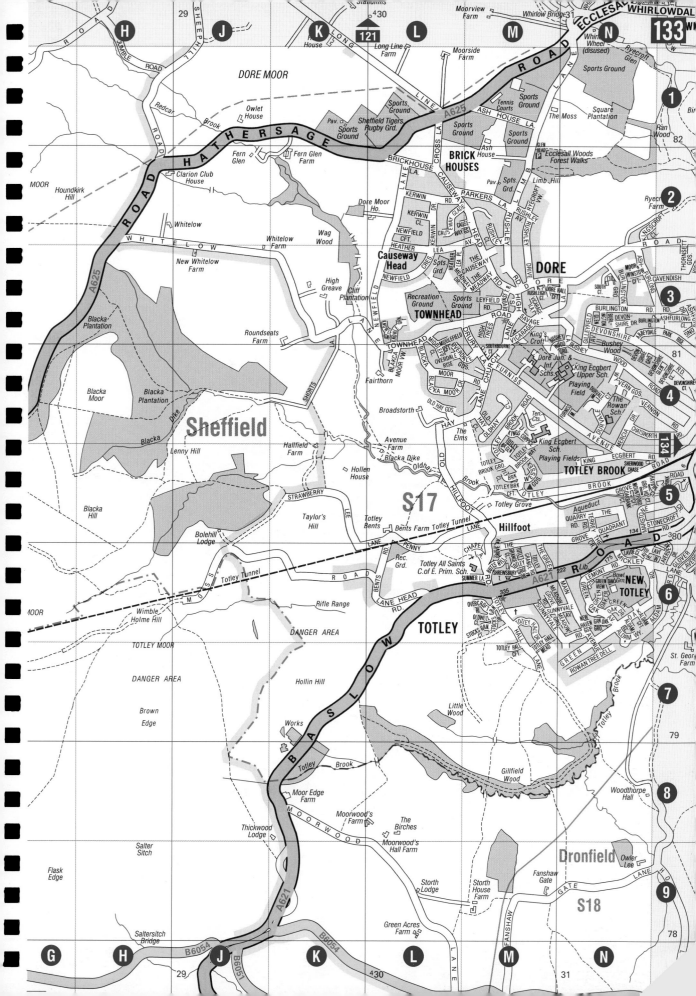

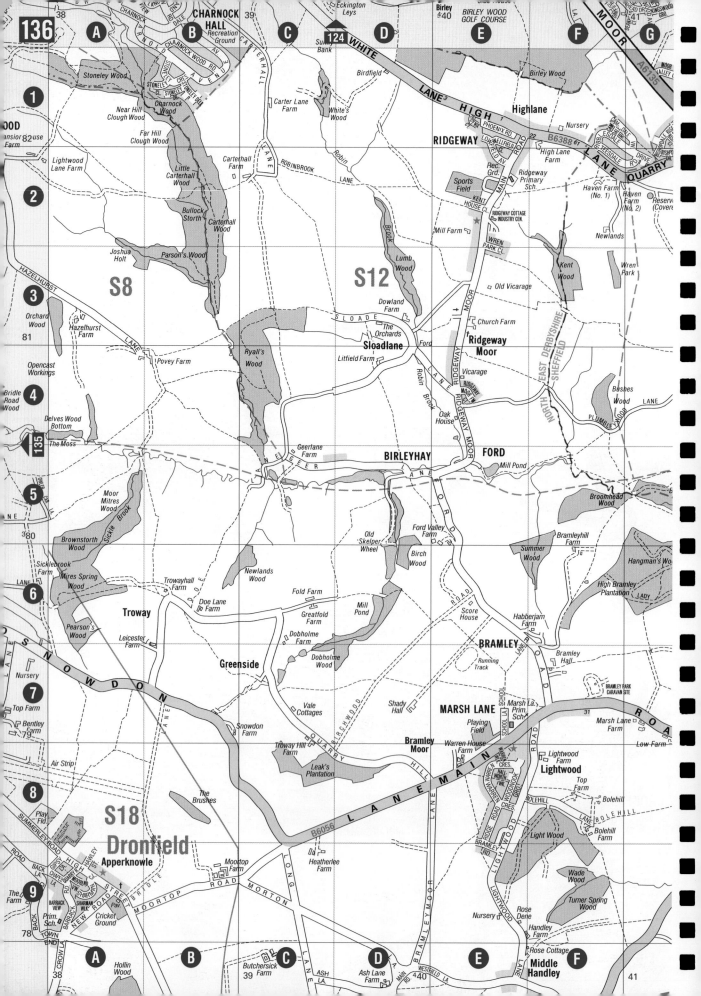

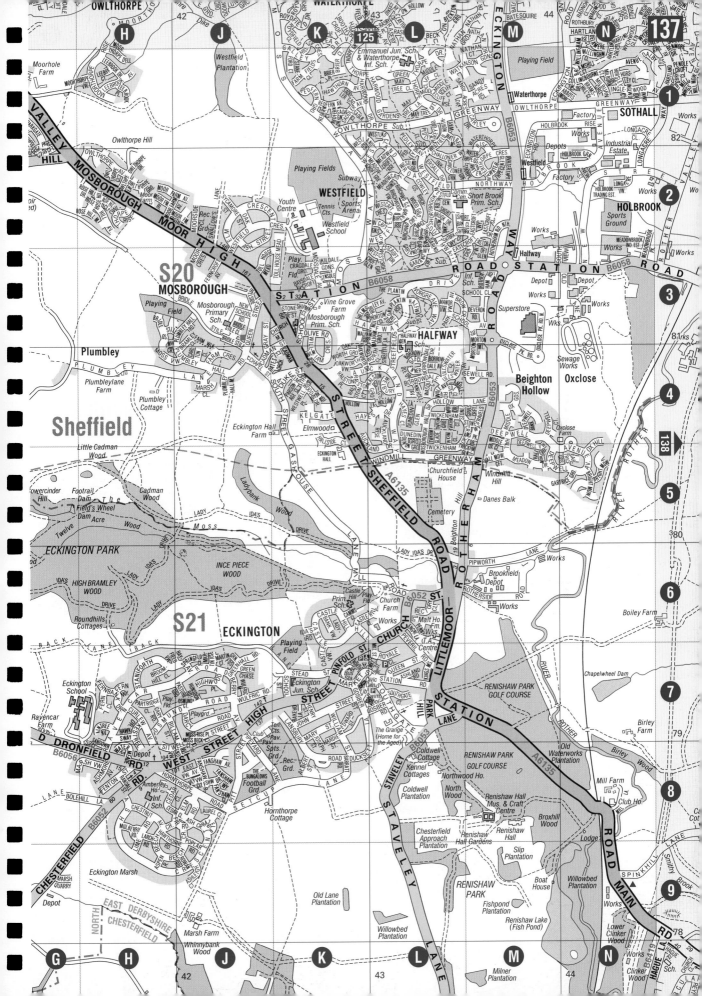

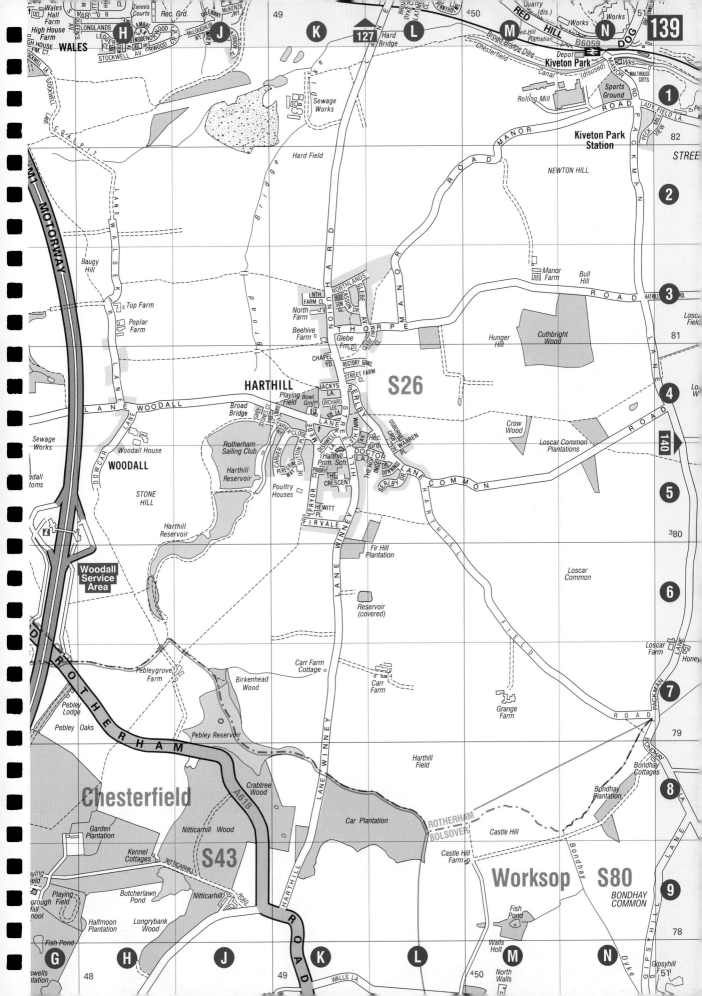

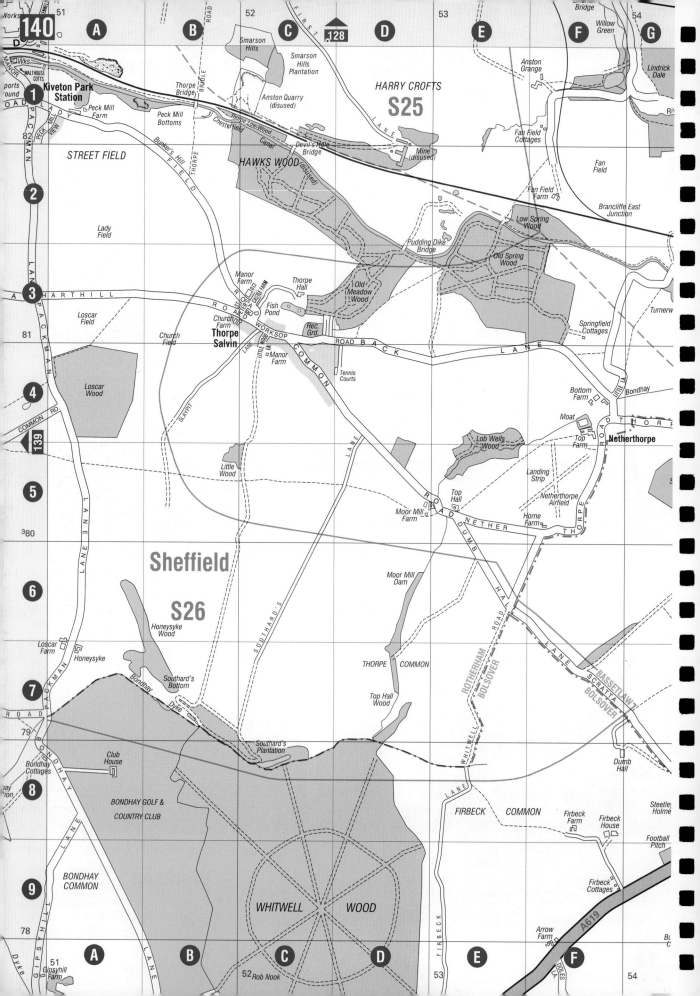

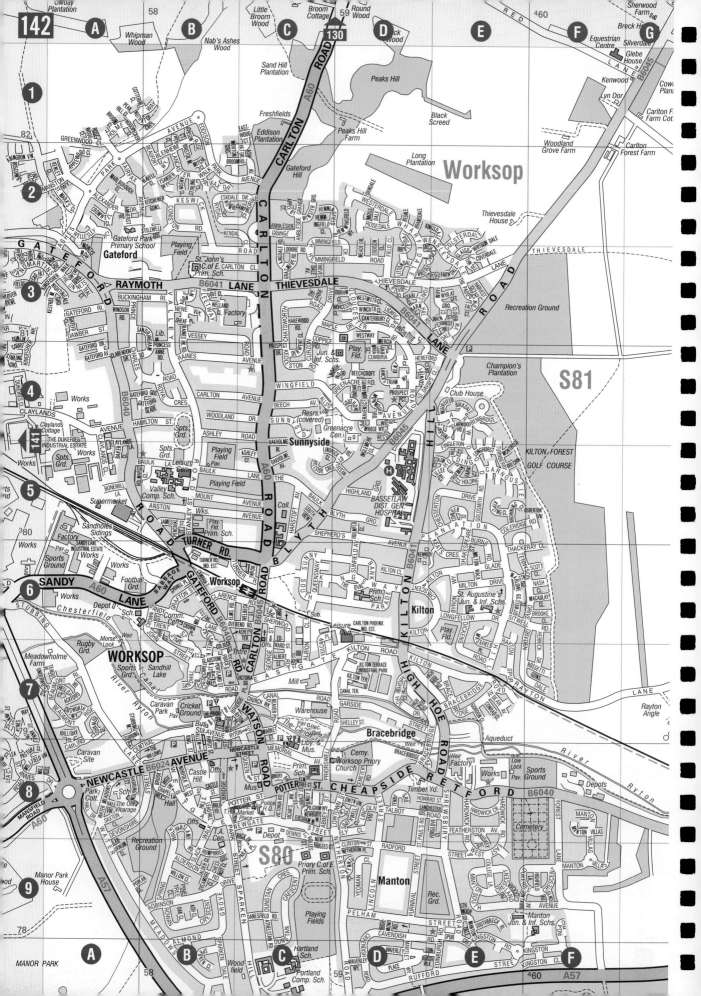

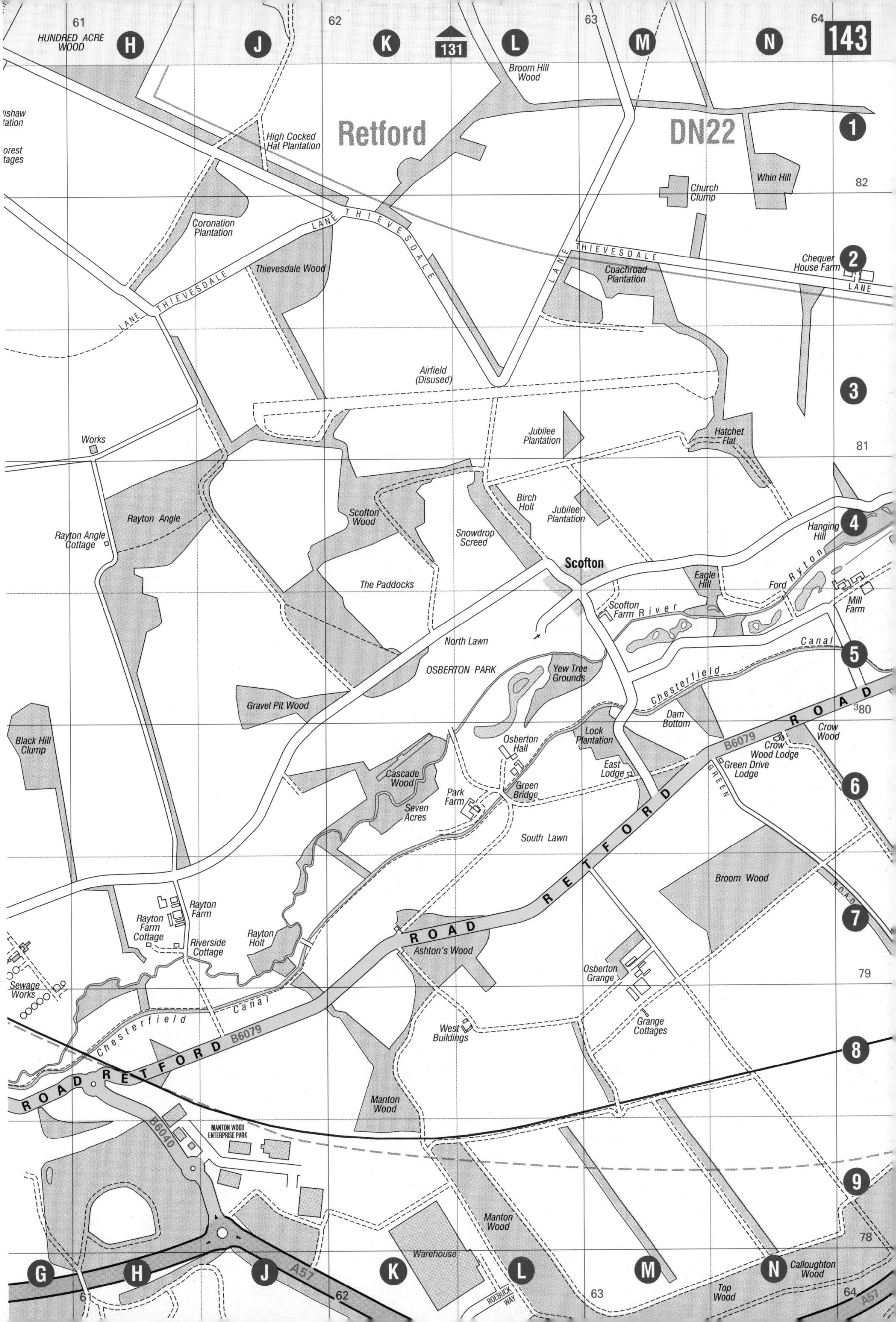

Retford

DN22

HUNDRED ACRE WOOD

H   J   K   131   L   M   N

Broom Hill Wood

High Cocked Hat Plantation

Church Clump

Whin Hill

82

1

Coronation Plantation

Thievesdale Wood

THIEVESDALE LANE

THIEVESDALE LANE

Coachroad Plantation

Chequer House Farm

2

LANE

Works

Airfield (Disused)

81

3

Jubilee Plantation

Birch Holt

Hatchet Flat

Rayton Angle

Rayton Angle Cottage

Scofton Wood

Snowdrop Screed

Jubilee Plantation

Hanging Hill

4

The Paddocks

Scofton

Scofton Farm

Eagle Hill

Ryton

Ford

Mill Farm

River

North Lawn

OSBERTON PARK

Yew Tree Grounds

Canal

Chesterfield

5

380

Gravel Pit Wood

Dam Bottom

Crow Wood

Black Hill Clump

Cascade Wood

Osberton Hall

Lock Plantation

East Lodge

B6079

RETFORD

Crow Wood Lodge

Green Drive Lodge

6

Seven Acres

Park Farm

Green Bridge

South Lawn

GREEN

ROAD

ROAD

Broom Wood

7

Rayton Farm Cottage

Rayton Farm

Rayton Holt

ROAD

Ashton's Wood

Osberton Grange

79

Riverside Cottage

Sewage Works

Chesterfield Canal

RETFORD ROAD B6079

West Buildings

Grange Cottages

8

ROAD RETFORD B6079

B6040

MANTON WOOD ENTERPRISE PARK

Manton Wood

9

Manton Wood

78

G   H   J   A57   K   L   M   N   Calloughton Wood

61   62   ROEBUCK WAY   63   Warehouse   Top Wood   64   A57

INDEX

Including Streets, Places & Areas, Industrial Estates, Selected Flats & Walkways
and Selected Places of Interest.

HOW TO USE THIS INDEX

1. Each street name is followed by its Posttown or Postal Locality and then by its map reference; e.g. Abbey Brook Dri. *S8* —1F **134** is in the Sheffield 8 Postal District and is to be found in square 1F on page **134**. The page number being shown in bold type.
A strict alphabetical order is followed in which Av., Rd., St., etc. (though abbreviated) are read in full and as part of the street name; e.g. Abbotsford Dri. appears after Abbots Clo. but before Abbots Mdw.

2. Streets and a selection of Subsidiary names not shown on the Maps, appear in the index in *Italics* with the thoroughfare to which it is connected shown in brackets; e.g. *Abbeydale Ct. S17 —3B* **134** *(off Ladies Spring Dri.)*

3. Places and areas are shown in the index in **bold type**, the map reference to the actual map square in which the town or area is located and not to the place name; e.g. **Abbeydale —1C 134**

4. An example of a selected place of interest is Abbeydale Golf Course —3D 134

5. Map references shown in brackets; e.g. Abney St. *S1* —9G **109** (3D **4**) refer to entries that also appear on the large scale page **4-5**.

GENERAL ABBREVIATIONS

All : Alley	Ct : Court	Lit : Little	Rd : Road
App : Approach	Cres : Crescent	Lwr : Lower	Shop : Shopping
Arc : Arcade	Cft : Croft	Mc : Mac	S : South
Av : Avenue	Dri : Drive	Mnr : Manor	Sq : Square
Bk : Back	E : East	Mans : Mansions	Sta : Station
Boulevd : Boulevard	Embkmt : Embankment	Mkt : Market	St : Street
Bri : Bridge	Est : Estate	Mdw : Meadow	Ter : Terrace
B'way : Broadway	Fld : Field	M : Mews	Trad : Trading
Bldgs : Buildings	Gdns : Gardens	Mt : Mount	Up : Upper
Bus : Business	Gth : Garth	Mus : Museum	Va : Vale
Cvn : Caravan	Ga : Gate	N : North	Vw : View
Cen : Centre	Gt : Great	Pal : Palace	Vs : Villas
Chu : Church	Grn : Green	Pde : Parade	Vis : Visitors
Chyd : Churchyard	Gro : Grove	Pk : Park	Wlk : Walk
Circ : Circle	Ho : House	Pas : Passage	W : West
Cir : Circus	Ind : Industrial	Pl : Place	Yd : Yard
Clo : Close	Info : Information	Quad : Quadrant	
Comn : Common	Junct : Junction	Res : Residential	
Cotts : Cottages	La : Lane	Ri : Rise	

POSTTOWN AND POSTAL LOCALITY ABBREVIATIONS

Adw S : Adwick-le-Street	*Cad* : Cadeby	*Fen Br* : Fenay Bridge	*Hope* : Hope
Adw D : Adwick-upon-Dearne	*Cant* : Cantley	*Fenw* : Fenwick	*Hope V* : Hope Valley
A'ley : Alverley	*Cam* : Campsall	*Finn* : Finningley	*Hoy* : Hoyland
Ans : Anston	*Carc* : Carcroft	*Firb* : Firbeck	*H'swne* : Hoylandswaine
App : Apperknowle	*Car* : Carlton	*Fish* : Fishlake	*Intake* : Intake
Ard : Ardsley	*Carl L* : Carlton-in-Lindrick	*Flan* : Flanderwell	*Jack B* : Jackson Bridge
Ark : Arksey	*Cat* : Catcliffe	*Fric* : Frickley	*Jump* : Jump
Arm : Armthorpe	*Caw* : Cawthorne	*Gate* : Gateford	*Kil* : Killamarsh
Ask : Askern	*C'town* : Chapeltown	*Gawber* : Gawber	*Kiln* : Kilnhurst
Ast : Aston	*Clayt* : Clayton	*Gild* : Gildingwells	*K'wth* : Kimberworth
Auc : Auckley	*Clayt W* : Clayton West	*Gold* : Goldthorpe	*King* : Kingston
Aug : Aughton	*Coal A* : Coal Aston	*Goole* : Goole	*Kins* : Kinsley
Aus : Austerfield	*Cold H* : Cold Hiendley	*Greasb* : Greasbrough	*Kirk B* : Kirk Bramwith
Bad : Badsworth	*Con* : Conisbrough	*Gt Hou* : Great Houghton	*Kirk S* : Kirk Sandall
Bal : Balby	*Cost* : Costhorpe	*Gren* : Grenoside	*K Ind* : Kirk Sandall Ind. Est.
Balne : Balne	*Cra M* : Crane Moor	*Grim* : Grimethorpe	*Kir Sm* : Kirk Smeaton
Bam : Bamford	*Crow E* : Crow Edge	*Grin* : Grindleford	*Kiv P* : Kiveton Park
Blbgh : Barlborough	*Crow* : Crowle	*Hade E* : Hade Edge	*Kiv S* : Kiveton Park Station
Barn : Barnburgh	*Cry P* : Crystal Peaks	*Haigh* : Haigh	*L'gld* : Langold
Barn D : Barnby Dun	*Cud* : Cudworth	*Half* : Halfway	*Lghtn* : Laughton
B'ley : Barnsley	*Cumb* : Cumberworth	*Ham* : Hampole	*Letw* : Letwell
Bar G : Barugh Green	*Cusw* : Cusworth	*Harl* : Harley	*Lind* : Lindholme
Baw : Bawtry	*Dalt* : Dalton	*H'ton* : Harlington	*Lin C* : Lindrick Common
Beal : Beal	*D'fld* : Darfield	*H'hill* : Harthill	*L Hou* : Little Houghton
Beig : Beighton	*Darf* : Darfoulds	*H'well* : Harwell	*L Sme* : Little Smeaton
Belt : Belton	*Darr* : Darrington	*Harw* : Harworth	*Love* : Loversall
Ben : Bentley	*Dart* : Darton	*Hat* : Hatfield	*Lwr C* : Lower Cumberworth
Bes : Bessacarr	*Deep* : Deepcar	*Hat W* : Hatfield Woodhouse	*Lwr D* : Lower Denby
Birc : Bircotes	*Den M* : Denaby Main	*Hath* : Hathersage	*Lund* : Lundwood
Birds : Birdsedge	*Denb D* : Denby Dale	*Have* : Havercroft	*Maltby* : Maltby
Birdw : Birdwell	*Dinn* : Dinnington	*H'by* : Hellaby	*Manv* : Manvers
Bla H : Blacker Hill	*Dod* : Dodworth	*H'fld* : Hemingfield	*M'well* : Mapplewell
Blax : Blaxton	*Donc* : Doncaster	*Hems* : Hemsworth	*Marr* : Marr
Blyth : Blyth	*Donc F* : Doncaster Finningley Airport	*Hep* : Hepworth	*Mar L* : Marsh Lane
Bols : Bolsterstone	*Dron* : Dronfield	*Hick* : Hickleton	*Med H* : Medge Hall
Bol D : Bolton-upon-Dearne	*Dron W* : Dronfield Woodhouse	*Hghm* : Higham	*Melt* : Meltham
Bradw : Bradwell	*Dunf B* : Dunford Bridge	*High* : Highfields	*Mess* : Messingham
B'wte : Braithwaite	*D'cft* : Dunscroft	*H Flat* : High Flatts	*Mexb* : Mexborough
Braith : Braithwell	*D'ville* : Dunsville	*High G* : High Green	*Mickle* : Micklebring
Braml : Bramley	*E Hard* : East Hardwick	*H Hoy* : High Hoyland	*Mid H* : Middle Handley
Bram : Brampton	*E'rtn* : Eastrington	*H Mel* : High Melton	*Mid* : Midhopestones
Bram B : Brampton Bierlow	*E'wd T* : Eastwood Trad. Est.	*H'brk* : Holbrook	*Mill G* : Millhouse Green
Bram M : Brampton-en-le-Morthen	*E'fld* : Ecclesfield	*Holmb* : Holmbridge	*Misson* : Misson
Bran : Branton	*Eck* : Eckington	*H'lme* : Holme	*Monk B* : Monk Bretton
Bret : Bretton	*E'thpe* : Edenthorpe	*Holm* : Holmesfield	*Moor* : Moorends
Brie : Brierley	*Edl'tn* : Edlington	*Holmf* : Holmfirth	*Moorh* : Moorhouse
B'wth : Brinsworth	*Else* : Elsecar	*Hood G* : Hood Green	*Morth* : Morthen
Brod : Brodsworth	*Emley* : Emley	*Hoot L* : Hooton Levitt	*Mosb* : Mosborough
Burg : Burghwallis	*Epw* : Epworth	*Hoot P* : Hooton Pagnell	*Moss* : Moss
Burn : Burncross	*Eve* : Everton	*Hoot R* : Hooton Roberts	*N'thg* : Netherthong

INDEX

Alderson Dri.—Ascot Av.

Alderson Dri. Tick —6E 100
Alderson Pl. S2 —3H 123
Alderson Rd. S2 —3G 123
(in two parts)
Alderson Rd. Work —9B 142
Alderson Rd. N. S2 —3H 123
Aldervale Clo. Swint —6C 78
Aldesworth Rd. Donc —6H 65
Aldfield Way. S5 —3J 109
Aldham Cotts. Womb —2C 58
Aldham Cres. Womb —1A 58
Aldham Ho. La. Womb —3B 58
Aldham Ind. Est. Womb —2C 58
Aldine Ct. S1 —3G 5
Aldred Clo. Kil —2D 138
Aldred Clo. Wick —8G 96
Aldred Ct. Roth —8L 95
Aldred Rd. S10 —7D 108
Aldred St. Roth —8L 95
Aldrens Clo. Mickle —3B 98
Aldrin Way. Maltby —7C 98
Aldwarke. —3A 96
Aldwarke La. Roth —2N 95
Aldwarke Rd. P'gte —2M 95
Alexander Dri. Work —2A 142
Alexander Gdns. Caw —4G 34
Alexander St. Ben —7M 43
Alexandra. S11 —5E 122
Alexandra Cen. P'gte —3M 95
Alexandra Clo. Roth —5E 94
Alexandra Gdns. S11 —5E 122
Alexandra Rd. S2 —4J 123
Alexandra Rd. Adw S —2H 43
Alexandra Rd. Ben —6M 43
Alexandra Rd. Birc —9L 101
Alexandra Rd. Donc —7M 63
Alexandra Rd. Dron —8J 135
Alexandra Rd. Mexb —1G 78
Alexandra Rd. Moor —6L 11
Alexandra Rd. Swal —3B 126
Alexandra St. Maltby —9F 98
Alexandra St. Thorne —9K 11
Alexandra Ter. B'ley —8N 37
Alford Av. O'bri —6M 91
Alford Clo. B'ley —4C 36
Alfred Rd. S9 —5N 109
(in two parts)
Alfred Rd. Ask —2J 23
Alfred St. Roy —5M 17
Algar Clo. S2 —4M 123
Algar Cres. S2 —4N 123
Algar Dri. S2 —4M 123
Algar Pl. S2 —4M 123
Algar Rd. S2 —4M 123
Alhambra Shop. Cen. B'ley —7G 36
Alice Rd. Roth —6H 95
Alison Clo. Swal —4C 126
Alison Cres. S2 —2B 124
Alison Dri. Swal —4C 126
Allan St. Roth —7L 95
Allas La. Deep —1N 89
Allatt Clo. B'ley —8G 36
Alldred Cres. Swint —5B 78
Allenby Clo. S8 —3F 134
Allenby Cres. New R —6H 83
Allenby Dri. S8 —3F 134
Allendale. Wors —2K 57
Allendale Ct. Wors —2K 57
Allendale Dri. Hoy —1M 75
Allendale Gdns. Donc —4K 63
Allendale Rd. B'ley —4F 36
Allendale Rd. Dart —9M 15
Allendale Rd. Donc —4K 63
Allendale Rd. Hoy —1L 75
Allendale Rd. Roth —9B 96
Allende Way. S9 —6B 110
Allen Rd. Beig —9M 125
Allen St. S3 —8G 109 (1D 4)
Allen St. Work —7B 142
Allergill Pk. U'thng —3B 30
Allerton St. Donc —3A 64
Allestree Dri. Dron W —9D 134
All Hallowes Dri. Tick —6C 100
All Hallows Dri. Maltby —9C 98
Alliance St. S4 —5L 109
Alliss Rd. Bran —7A 66
Allott Clo. Rav —5J 97
Allott Clo. S Elm —6E 20
Allott Cres. Jump —8A 58
Allotts Ct. Birdw —8F 56
Allott St. Else —1A 76
Allott St. Hoy —1J 75
All Saints Clo. Clayt W —6B 14
All Saints Clo. Silk —7J 35
All Saints Clo. Wath D —9L 59
All Saints Sq. Den M —2M 79
All Saints Sq. Roth —7K 95
All Saints Way. Ast —5D 126
Allsop Dri. Work —4C 142
Allsopps Yd. Bla H —6L 57
Allt St. P'gte —1M 95
Alma Cres. Dron —7H 135
Alma Rd. High G —7E 74
Alma Rd. Roth —8K 95
Alma Row. Whis —3B 112
Alma St. S3 —7H 109 (1E 4)
Alma St. B'ley —7E 36
Alma St. Womb —5D 58
Almholme. —3D 44
Almholme La. Ark —5B 44
(in two parts)
Almond Av. Arm —9L 45
Almond Av. Cud —1B 38
Almond Clo. Auc —2E 84
Almond Clo. Maltby —8C 98
Almond Clo. S Elm —4F 20
Almond Cft. Rd. Thorne —5H 27
Almond Dri. Kil —5B 138
Almond Glade. Wick —1H 113
Almond Gro. Work —9B 142
Almond Pl. Wath D —1M 77
Almond Rd. Donc —7J 65
Almond Tree Rd. Wal —9F 126
Alms Hill Cres. S11 —8A 122
Alms Hill Dri. S11 —8A 122
Alms Hill Glade. S11 —8A 122
Alms Hill Rd. S11 —8A 122
Almshouses. W'wth —4A 76
Almey Pl. S6 —9E 92
Alnwick Dri. S12 —6B 124
Alnwick Rd. S12 —6A 124
Alperton Clo. B'ley —3N 37
Alphabet Zoo. —2B 110
Alpha Ct. Thorne —1H 27
Alpha Rd. Roth —6A 96
Alpha St. Toll B —3K 43
Alpine Clo. S'bri —5C 72
Alpine Ct. Hems —1K 19
Alpine Ct. Work —8N 141
Alpine Cft. S'bri —5C 72
Alpine Rd. S6 —7E 108
Alpine Rd. S'bri —5C 72
Alpine Vw. Hems —1K 19
Alport Av. S12 —6E 124
Alport Castles. —9E 86
Alport Dri. S12 —6E 124
Alport Gro. S12 —6E 124
Alport Pl. S12 —7E 124
Alport Ri. Dron W —8E 134
Alport Rd. S12 —6E 124
Alric Dri. B'ley —7M 37
Alric Dri. B'wth —3H 111
Alrich M. S'bri —4B 72
Alsing Rd. S9 —1C 110
Alston Clo. Donc —8G 65
Alston Clo. Silk —8H 35
Alston Rd. Donc —9G 64
Alton Clo. S11 —9B 122
Alton Clo. Dron W —9E 134
Alton Way. M'well —8B 16
Alvaston Wlk. Den M —3M 79
Alverley. —3K 81
Alverley La. Donc —2L 81
Alverley Vw. A'ley —3L 81
Alverley Way. Birdw —9G 56
Alwyn Av. Donc —9J 43
Alwyn Rd. Thorne —2L 27
Amalfi Clo. D'fld —2F 58
Amanda Av. Carl L —5C 130
Amanda Dri. Hat —1D 46
(in two parts)
Amanda Rd. Harw —9J 101
Ambassador Gdns. Arm —2M 65
Amberley Ct. S9 —5A 110
Amberley Ri. Skell —7D 22
Amberley St. S9 —4A 110
Ambler Ri. Aug —2B 126
Ambleside Clo. B'wth —4G 111
Ambleside Clo. Half —4L 137
Ambleside Cres. Spro —6E 62
Ambleside Grange. Work —2C 142
Ambleside Gro. B'ley —8A 38
Ambleside Wlk. Ans —5D 128
Ambrose Av. Hat —9E 26
Amen Corner. Roth —6J 95
(in two parts)
America La. Rawm & Wath D —5H 77
Amersall Cres. Donc —8J 43
Amersall Rd. Donc —8J 43
Amherst Ri. Work —2A 142
Amory's Holt Clo. Maltby —6C 98
Amory's Holt Dri. Maltby —6C 98
Amory's Holt Rd. Maltby —6C 98
Amory's Holt Way. Maltby —7B 98
Amos Rd. S9 —2B 110
Amwell Grn. D'cft —2C 46
Amy Rd. Ben —5N 43
Anchorage Cres. Donc —3L 63
Anchorage La. Donc —2K 63
Anchor Clo. Thorne —2K 27
Ancient La. Hat W —3G 46
Ancona Ri. D'fld —1F 58
Ancote Clo. B'ley —7B 36
Andover Dri. S3 —6H 109
Andover St. S3 —6H 109
Andrew La. S3 —7J 109 (1H 5)
(off Walker St.)
Andrews Pl. Roth —5G 95
Andrew St. S3 —7J 109 (1H 5)
Andwell La. S10 —6G 121
Anelay Rd. Donc —8K 63
Anfield Rd. Donc —8H 65
Angel La. W'wth —6F 76
Angel St. S3 —8J 109 (2G 5)
Angel St. Bol D —6C 60
Angerford Av. S8 —7H 123
Angleton Av. S2 —3C 124
Angleton Clo. S2 —3C 124
Angleton Gdns. S2 —3C 124
Angleton Grn. S2 —3C 124
Angleton M. S2 —3C 124
Angram Rd. High G —6E 74
Annan Clo. Bar G —3A 36
Anna Rd. Ask —2K 23
Annat Pl. High G —7D 74
Annat Royd La. P'stne —8F 32
Anne Cres. S Hien —4E 18
Annesley Clo. S8 —3G 134
Annesley Rd. S8 —2G 134
Anne St. Dinn —9D 114
Annet La. S6 —9B 90
Anns Rd. S2 —4H 123
Anns Rd. N. S2 —4J 123
Ann St. P'gte —2M 95
Ansdell Rd. Ben —6M 43
Ansell Rd. S11 —5B 122
Anson Clo. Work —2B 142
Anson Gro. B'wth —4K 111
Anson St. S2 —9K 109 (3J 5)
Ansten Cres. Donc —7H 65
Anston Av. Kiv P —8K 127
Anston Av. Work —5B 142
Anston Clo. Ans —5B 128
Anston Dri. S Elm —4F 20
Antrim Av. S10 —1E 122
Anvil Clo. S6 —6N 107
Anvil Cres. E'fld —5J 93
Apley Rd. Donc —5A 64
Apollo St. Rawm —7A 78
Apostle Clo. Donc —9J 63
Apperknowle. —9A 136
Appleby Clo. Dart —8A 16
Appleby Ct. Work —2C 142
Appleby Pl. Skell —7D 22
Appleby Rd. Donc —3F 64
Appleby Wlk. Ans —4D 128
Applegarth Clo. S12 —5A 124
Applegarth Dri. S12 —5A 124
Apple Gro. Auc —2C 84
Applehaigh Ct. Notton —4H 17
Applehaigh Dri. Kirk S —3H 45
Applehaigh Gro. Roy —5H 17
Applehaigh La. Notton —2H 17
Applehaigh Vw. Roy —6H 17
Applehurst Bank. B'ley —8J 37
Applehurst La. Ask —9D 24
Appleton Clo. Dalt —4C 96
Appleton Way. Donc —8K 43
Appleton Way. Wors —2H 57
Appletree Dri. Dron —9H 135
Appletree Wlk. Dron —9J 135
(off Appletree Dri.)
Applewood Clo. Work —2A 142
April Clo. B'ley —4L 37
April Dri. B'ley —4L 37
Apy Hill La. Tick —5M 99
Aqueduct St. B'ley —5G 36
Arbour Cres. Thur —6L 113
Arbour Dri. Thur —6L 113
Arbour La. Rav —2K 97
Arbourthorne. —5L 123
Arbourthorne. S2 —2M 123
Arbourthorne Cotts. S2 —3L 123
Arbourthorne Est. S2 —5M 123
Arbourthorne Rd. S2 —4L 123
Arcade, The. S9 —1C 110
Arcade, The. B'ley —7G 36
Arcade, The. Carl L —5C 130
Archdale Clo. S2 —3B 124
Archdale Pl. S2 —3A 124
Archdale Rd. S2 —2A 124
Archer Dri. S8 —8E 122
(in two parts)
Archer Ga. S6 —3M 107
Archer Ho. Roth —6L 95
(off Wharncliffe Hill)
Archer La. S7 —6E 122
Archer Rd. S8 —8E 122
Archery Clo. Wick —1G 113
Archibald Rd. S7 —5F 122
Archway Cen. S1 —9J 109 (4H 5)
Arcon Pl. Rawm —8N 77
Arcubus Av. Swal —3C 126
Ardeen Rd. Donc —3D 64
Arden Ga. Donc —2K 81
Ardmore St. S9 —7A 110
Ardsley. —8A 38
Ardsley Av. Ast —4D 126
Ardsley Clo. Owl —9F 124
Ardsley Dri. Owl —9F 124
Ardsley Gro. Owl —9F 124
Ardsley M. B'ley —8A 38
Ardsley Rd. Wors —2K 57
Arena Ct. S9 —4B 110
Argosy Clo. Baw —5B 102
Argyle Clo. S8 —6J 123
Argyle La. New R —5H 83
Argyle Rd. S8 —6H 123
Argyle St. Mexb —1F 78
Argyll Av. Donc —2E 64
Arklow Rd. Donc —3D 64
Arksey. —6A 44
Arksey Comn. La. Ark —6B 44
Arksey La. Ben —7M 43
Arkwright Rd. Donc —2K 63
Arley St. S2 —2H 123 (7E 4)
Arlington Av. Ast —3E 126
Arlott Way. Edl'tn —3G 80
Armer St. Roth —7J 95
Armitage Rd. Deep —6F 72
Armitage Rd. Donc —8K 63
Armroyd La. Hoy —2M 75
Arms Pk. Dri. Half —4M 137
Armstead Rd. Beig —8N 125
Armstrong Wlk. Maltby —7C 98
Armthorpe. —1K 65
Armthorpe La. Barn D —3K 45
Armthorpe La. Donc —2D 64
Armthorpe Rd. S11 —3A 122
Armthorpe Rd. Donc —2D 64
Armthorpe Sports Cen. —1K 65
Armyne Gro. B'ley —7M 37
Army Row. Roy —5L 17
Armytage Wlk. S Kirk —6B 20
Arncliffe Dri. B'ley —7C 36
Arncliffe Dri. C'town —8G 75
Arndale Gro. Holmf —4F 30
Arndale Precinct. Maltby —8E 98
Arnold Av. S12 —9B 124
Arnold Av. B'ley —1G 37
Arnold Cres. Mexb —9F 60
Arnold Rd. Roth —7A 96
Arnold St. S6 —5D 108
Arnside Rd. S8 —6F 122
Arnside Rd. Maltby —7E 98
Arnside Ter. S8 —6F 122
Arran Hill. Thry —2E 96
Arran Rd. S10 —9C 108
Arras St. S9 —7N 109
Arren Clo. Barn D —9J 25
Arrowsmith Ho. Roth —6L 95
(off Wharncliffe Hill)
Arrunden La. Holmf —7D 30
Arthington St. S8 —5H 123
Arthur Av. Ben —6M 43
Arthur Pl. Ben —6M 43
Arthur Rd. S'bri —5C 72
Arthur St. Ben —6N 43
Arthur St. Rawm —7N 77
Arthur St. Roth —6J 95
Arthur St. Swal —4C 126
Arthur St. Wors —2H 57
Artisan Vw. S8 —5H 123
Arundel Av. Dalt —4C 96
Arundel Av. Tree —8L 111
Arundel Clo. Dron W —9E 134
Arundel Cotts. Tree —8L 111
Arundel Ct. S11 —7A 122
Arundel Cres. Tree —8L 111
Arundel Dri. Carl L —5C 130
Arundel Gdns. Donc —8K 43
Arundel Gdns. Roy —5K 17
Arundel Ga. S1 —9J 109 (4G 5)
Arundel La. S1 —1J 123 (5G 5)
Arundell Dri. B'ley —3N 37
Arundel Rd. C'town —8H 75
Arundel Rd. Nor —7H 7
Arundel Rd. Roth —8M 95
Arundel Rd. Tree —8L 111
Arundel St. S1 —1H 123 (6F 5)
Arundel St. Stain —6A 26
Arundel St. Tree —8L 111
Arundel Vw. Jump —8A 58
Arundel Wlk. Birc —8L 101
Ascension Clo. Maltby —9F 98
Ascot Av. Donc —6G 64

Batworth Rd.—Bernard St.

Batworth Rd. *S5* —4H **109**
Baulk Farm Clo. *Roth* —1H **95**
Baulk La. *Harw* —8J **101**
Baulk La. *Hath* —9K **119**
Baulk La. *Work* —5B **142**
(in two parts)
Baulk, The. *Work* —5C **142**
Bawtry. —6C 102
Bawtry Clo. *Harw* —9J **101**
Bawtry Ga. *S9* —2E **110**
Bawtry Rd. *S9 & B'wth* —2E **110**
Bawtry Rd. *Aus* —5E **102**
Bawtry Rd. *Birc & Baw* —7M **101**
Bawtry Rd. *Blyth & Serl* —7K **117**
Bawtry Rd. *Donc* —5E **64**
Bawtry Rd. *Eve* —9F **102**
Bawtry Rd. *Finn* —3H **85**
Bawtry Rd. *Harw & Birc* —9J **101**
Bawtry Rd. *Hat W* —9H **47**
Bawtry Rd. *H'by* —8M **97**
Bawtry Rd. *Misson* —4G **102**
Bawtry Rd. *Roth & Wick* —9D **96**
Bawtry Rd. *Tick & Harw* —6F **100**
Baxter Av. *Donc* —3B **64**
Baxter Clo. *S6* —9D **92**
Baxter Ct. *Donc* —3B **64**
Baxter Dri. *S6* —9D **92**
Baxter Ga. *Donc* —4N **63**
Baxter Rd. *S6* —9D **92**
Bayardo Wlk. *New R* —7J **83**
Baycliff Clo. *B'ley* —2L **37**
Bay Ct. *Kil* —5B **138**
Bayfield Clo. *Hade E* —8F **30**
Bayford Way. *Womb* —4F **58**
Baylee St. *Hems* —3L **19**
Baysdale Cft. *Mosb* —3K **137**
Bay Tree Av. *Flan* —7G **97**
Baytree Gro. *Auc* —2B **84**
Bazley Rd. *S2* —5N **123**
Beacon Clo. *S9* —2N **109**
Beacon Clo. *Silk C* —1J **55**
Beacon Ct. *Silk C* —2J **55**
Beacon Cft. *S9* —2N **109**
Beacon Dri. *Upt* —1F **20**
Beacon Hill. *Silk C* —1J **55**
Beacon Hill. *Upt* —1F **20**
Beacon Ho. *Upt* —1F **20**
Beacon La. *Maltby* —9B **80**
(in two parts)
Beacon Rd. *S9* —2N **109**
Beaconsfield Rd. *Donc* —6L **63**
Beaconsfield Rd. *Roth* —1N **111**
Beaconsfield St. *B'ley* —8F **36**
Beaconsfield St. *Mexb* —1E **78**
Beacon Sq. *Maltby* —9C **80**
Beacon Vw. *Else* —1A **76**
Beacon Vw. *S Kirk* —6B **20**
Beacon Vw. *Upt* —1F **20**
Beacon Way. *S9* —2N **109**
Beale Way. *P'gte* —3M **95**
Beamshaw. *S Kirk* —8A **20**
Bean Av. *Work* —7E **142**
Beancroft Clo. *Wadw* —7N **81**
Bearswood Green. —9J 27
Bearswood Gro. *Hat* —9K **27**
Bear Tree Clo. *P'gte* —1M **95**
Bear Tree Rd. *P'gte* —1M **95**
Bear Tree St. *P'gte* —2M **95**
Beauchamp Rd. *Roth* —4F **94**
Beauchief. —2E 134
Beauchief. *S8* —2C **134**
Beauchief Abbey. —2D 134
(remains of)
Beauchief Abbey La. *S8* —1D **134**
Beauchief Clo. *Deep* —6H **73**
Beauchief Ct. *S8* —9F **122**
Beauchief Dri. *S8 & S17* —3D **134**
Beauchief Golf Course. —2C 134
Beauchief Ri. *S8* —1D **134**
Beaufont Gdns. *Baw* —6B **102**
Beaufort Rd. *S10* —9E **108**
Beaufort Rd. *Donc* —3E **64**
Beaufort Way. *Work* —2B **142**
Beaulieu Clo. *M'well* —9D **16**
Beaulieu Vw. *M'well* —9D **16**
Beaumont Av. *S2* —1A **124**
Beaumont Av. *B'ley* —7C **36**
Beaumont Av. *S Elm* —6E **20**
Beaumont Av. *W'land* —2D **42**
Beaumont Clo. *S2* —1B **124**
Beaumont Cres. *S2* —1A **124**
Beaumont Dri. *Bret & Haigh* —2G **15**
(in two parts)
Beaumont Dri. *Roth* —8A **96**
Beaumont M. *S2* —2B **124**
Beaumont Ri. *Work* —7A **142**
Beaumont Rd. *Dart* —1L **35**
Beaumont Rd. N. *S2* —1A **124**
Beaumont St. *Hoy* —1J **75**
Beaumont Way. *S2* —1A **124**
Beaver Av. *S13* —3H **125**
Beaver Clo. *S13* —3H **125**
Beaver Dri. *S13* —3H **125**
Beaver Hill. —3H 125
Beaver Hill Rd. *S13* —3H **125**
Beaver Pl. *Work* —7C **142**
Beccles Way. *Braml* —8K **97**
Beck Clo. *S5* —6M **93**
Beck Clo. *Swint* —5C **78**
Beck Cft. *Hoy* —2K **75**
Becket Av. *S8* —4E **134**
Becket Cres. *S8* —4F **134**
Becket Cres. *Roth* —3D **94**
Becket Rd. *S8* —4F **134**
Beckett Av. *Carl L* —4C **130**
Beckett Hospital Ter. *B'ley* —8G **37**
Beckett Rd. *Donc* —2B **64**
Beckett St. *B'ley* —6G **37**
Becket Wlk. *S8* —4E **134**
Beckfield Gro. *Bol D* —4A **60**
Beckford La. *S5* —5L **93**
Becknoll Rd. *Bram* —7G **59**
Beck Ri. *Hems* —2K **19**
Beck Rd. *S5* —6L **93**
Beckside. *Caw* —4G **34**
Beckton Av. *Wat* —9L **125**
Beckton Ct. *Wat* —9M **125**
Beckton Gro. *Wat* —9L **125**
Beck Vw. *Notton* —3H **17**
Beckwith Rd. *Dinn* —1A **128**
Beckwith Rd. *Roth* —6C **96**
Bedale. *Work* —2D **142**
Bedale Ct. *Roth* —9M **95**
Bedale Rd. *S7* —5G **122**
Bedale Rd. *Donc* —9H **43**
Bedale Wlk. *Shaf* —6C **18**
Bedding Edge Rd. *Hep* —1K **51**
Bedford Clo. *Ans* —4B **128**
Bedford Ct. *Baw* —6B **102**
Bedford Rd. *O'bri* —5M **91**
Bedford St. *S6* —7G **108**
Bedford St. *B'ley* —9G **36**
Bedford St. *Grim* —3G **39**
Bedford St. *Maltby* —9F **98**
Bedford Ter. *B'ley* —3H **37**
Bedgebury Clo. *Soth* —1A **138**
Bedgrave Clo. *Kil* —2E **138**
Bedgreave New Mill. —9B 126
Beecham Ct. *Swint* —5B **78**
Beech Av. *Auc* —2C **84**
Beech Av. *Cud* —9B **18**
Beech Av. *Rawm* —9A **78**
Beech Av. *Roth* —9D **96**
Beech Av. *Silk C* —2J **55**
Beech Av. *Tick* —6E **100**
Beech Av. *Work* —4C **142**
Beech Clo. *Brie* —6G **19**
Beech Clo. *H'fld* —7C **58**
Beech Clo. *Maltby* —8B **98**
Beech Clo. *S Kirk* —7A **20**
Beech Ct. *D'fld* —2G **59**
Beech Cres. *Eck* —9H **137**
Beech Cres. *Kil* —5B **138**
Beech Cres. *Mexb* —1D **78**
Beech Cres. *Stain* —5B **26**
Beechcroft. *Work* —4D **142**
Beechcroft Rd. *Donc* —9J **63**
Beech Dri. *Bran* —6A **66**
Beech en Hurst. Roth —9L 95
(off Reneville Rd.)
Beeches Av. *S2* —3K **123**
Beeches Dri. *S2* —3K **123**
Beeches Gro. *Beig* —8N **125**
Beeches Rd. *Wal* —8G **127**
Beeches, The. *H'fld* —8D **58**
Beeches, The. *Kirk S* —4J **45**
Beeches, The. *Swal* —4C **126**
Beeches, The. *Swint* —4B **78**
Beechfern Clo. *High G* —6E **74**
Beechfield Clo. *Bol D* —5B **60**
Beechfield Rd. *Donc* —5A **64**
Beechfield Rd. *D'cft* —1B **46**
Beech Gro. *B'ley* —9E **36**
Beech Gro. *Ben* —8M **43**
Beech Gro. *Carl L* —4B **130**
Beech Gro. *Con* —5N **79**
Beech Gro. *Dinn* —4D **128**
Beech Gro. *Warm* —9G **63**
Beech Gro. *Wick* —8H **97**
Beech Hill. *Con* —4A **80**
Beech Hill Rd. *S10* —1D **122**
Beech Ho. Rd. *H'fld* —7D **58**
Beech Rd. *Arm* —1L **65**
Beech Rd. *Cam* —9H **7**
Beech Rd. *Harw* —8K **101**
Beech Rd. *Maltby* —8B **98**
Beech Rd. *New R* —6K **83**
Beech Rd. *Shaf* —7D **18**
Beech Rd. *Skell* —8E **22**
Beech Rd. *Upt* —2G **20**
Beech Rd. *Wath D* —9N **59**
Beech St. *B'ley* —8G **37**
Beech St. *Holmf* —3E **30**
Beech St. *S Elm* —8D **20**
Beech Tree Av. *Thorne* —3L **27**
Beech Tree Clo. *Cant* —6L **65**
Beech Vs. *Roth* —5N **95**
Beechville Av. *Swint* —5B **78**
Beech Way. *Dron* —7H **135**
Beech Way. *Swal* —3A **126**
Beechwood Clo. *E'thpe* —7K **45**
Beechwood Clo. *Rawm* —7A **78**
Beechwood Clo. *Wath D* —3M **77**
Beechwood Cres. *Hems* —3J **19**
Beechwood Lodge Flats. *Roth* —6M **95**
Beechwood Mt. *Hems* —3K **19**
Beechwood Rd. *S6* —4C **108**
Beechwood Rd. *Dron* —9G **135**
Beechwood Rd. *High G* —8F **74**
Beechwood Rd. *Roth* —9N **95**
Beechwood Rd. *S'bri* —6D **72**
Beechwood Wlk. Edl'tn —5E 80
(off Broomvale Wlk.)
Beehive Rd. *S10* —8E **108**
Beeley St. *S2* —2G **123** (7D **4**)
Beeley Wood La. *S6* —8A **92**
Beeley Wood Rd. *S6* —1D **108**
Beely Rd. *O'bri* —7N **91**
Beeston Clo. *Dron W* —8D **134**
Beeston Sq. *B'ley* —9G **16**
Beeton Grn. *S6* —6E **106**
Beeton Rd. *S8* —6G **123**
Beet St. *S3* —9G **108** (2C **4**)
Beever La. *B'ley* —5B **36**
Beeversleigh. Roth —7L 95
(off Clifton La.)
Beevers Rd. *Roth* —3D **94**
Beever St. *Gold* —2E **60**
Beevor Ct. *B'ley* —7H **37**
Beevor St. *B'ley* —7J **37**
Begonia Clo. *Ans* —7A **128**
Beighton. —7N 125
Beighton Hollow. —4M 137
Beighton Rd. *S12* —8H **125**
Beighton Rd. *S13* —5J **125**
Beighton Rd. *Kiln* —6D **78**
Beighton Rd. E. *Wat* —8K **125**
Belcourt Rd. *Roth* —9C **96**
Beldon Clo. *S2* —4L **123**
Beldon Pl. *S2* —4L **123**
Beldon Rd. *S2* —4L **123**
Belford Clo. *Braml* —7H **97**
Belford Dri. *Braml* —7H **97**
Belfry Gdns. *Donc* —8K **65**
Belfry Way. *Dinn* —4E **128**
Belgrave Ct. *Baw* —6B **102**
Belgrave Dri. *S10* —2M **121**
Belgrave Pl. *Swal* —4B **126**
Belgrave Rd. *S10* —2N **121**
Belgrave Rd. *B'ley* —7H **37**
Belgrave Sq. *S2* —3H **123**
Belklane Dri. *Kil* —3D **138**
Bellamy Clo. *Roth* —8A **96**
Bell Bank Vw. *Wors* —2G **56**
Bellbank Way. *B'ley* —9G **16**
Bellbrooke Av. *D'fld* —9F **38**
Bellbrooke Pl. *D'fld* —9F **38**
Bell Butts La. *Auc* —9B **66**
Bell Cft. La. *Ark & Ask* —9C **24**
(in two parts)
Bellefield St. *S3* —8F **108** (1B **4**)
Belle Green. —1C 38
Belle Grn. Clo. *Cud* —1C **38**
Belle Grn. Gdns. *Cud* —1C **38**
Belle Grn. La. *Cud* —1C **38**
Bellerby Pl. *Skell* —7D **22**
Bellerby Rd. *Skell* —7D **22**
Belle Vw. Ter. *Thorne* —2K **27**
Belle Vue. —5D 64
Belle Vue Av. *Donc* —5D **64**
Belle Vue Rd. *Mexb* —1F **78**
Bellfields, The. *Thpe H* —9M **75**
Bellgreave Av. *New M* —2K **31**
Bell Grn. *Syke* —6N **9**
Bell Hagg. —9M 107
Bellhagg Rd. *S6* —6C **108**
Bellhouse Rd. *S5* —9L **93**
Bellis Av. *Donc* —7L **63**
Bellmer Cft. *Birdw* —9G **56**
Bellmont Cres. *Hems* —3L **19**
Bellows Rd. *Rawm* —9M **77**
Bellrope Acre. *Arm* —2L **65**
Bells Clo. *Blax* —2G **84**
Bellscroft Av. *Thry* —3D **96**
Bells Sq. *S1* —9H **109** (3E **4**)
Bell St. *Ast* —4E **126**
Bell St. *Upt* —1K **21**
Bellwood Cres. *Hoy* —1K **75**
Bellwood Cres. *Thorne* —1J **27**
Belmont. *Cud* —4C **38**
Belmont Av. *B'ley* —3J **37**
Belmont Av. *C'town* —9H **75**
Belmont Av. *Donc* —6N **63**
Belmont Clo. *Bran* —7A **66**
Belmont Cres. *L Hou* —9L **39**
Belmont Dri. *S'bri* —5E **72**
Belmonte Gdns. *S2* —1K **123** (6J **5**)
Belmont St. *Mexb* —2E **78**
Belmont St. *Roth* —7G **95**
Belmont Ter. Thorne —2K 27
(off Plantation Rd.)
Belmont Way. *S Elm* —6G **21**
Belper Rd. *S7* —5G **122**
Belridge Clo. *B'ley* —4C **36**
Belshaw La. *Belt* —7M **49**
Belsize Rd. *S10* —3N **121**
Beltoft Way. *Con* —3C **80**
Belton Clo. *Dron W* —9D **134**
Belton Rd. *Sandt* —3H **49**
Belvedere. *Donc* —9K **63**
Belvedere Clo. *Ans* —6D **128**
Belvedere Clo. *Ask* —1M **23**
Belvedere Clo. *Shaf* —7C **18**
Belvedere Dri. *D'fld* —9F **38**
Belvedere Dri. *Moor* —7L **11**
Belvedere Pde. *Braml* —6H **97**
Belvoir Av. *Barn* —4H **61**
Bembridge. *Work* —4E **142**
Bemrose Ga. *Bam* —5D **118**
Ben Bank Rd. *Silk C & Dod* —2J **55**
Bence Clo. *Dart* —1N **35**
Bence Farm Ct. *Dart* —1N **35**
Bence La. *Dart* —9L **15**
Ben Clo. *S6* —3A **108**
Benita Av. *Mexb* —2H **79**
Ben La. *S6* —3A **108**
Benmore Dri. *Soth* —1A **138**
Bennett Clo. *Rawm* —7A **78**
Bennetthorpe. *Donc* —5B **64**
Bennett St. *S2* —3G **123**
Bennett St. *Roth* —7E **94**
Benson Rd. *S2* —1M **123**
Bentcliff Hill La. *Caw* —6F **34**
Bentfield Av. *Roth* —1B **112**
Bentham Dri. *B'ley* —4L **37**
Bentham Way. *M'well* —7B **16**
Bent Hills La. *Whar S* —4G **90**
Bentinck Clo. *Donc* —5A **64**
Bentinck St. *Con* —4B **80**
Bent Lathes Av. *Roth* —1B **112**
Bentley. —8M 43
Bentley Av. *Donc* —5L **63**
Bentley Clo. *B'ley* —3M **37**
Bentley Comn. La. *Ben* —8N **43**
Bentley Moor. —2K 43
Bentley Moor La. *Adw S* —1H **43**
Bentley Rise. —1M 63
Bentley Rd. *S6* —7B **108**
Bentley Rd. *Braml* —9K **97**
Bentley Rd. *C'town* —2J **93**
Bentley Rd. *Donc* —9L **43**
Bentley St. *Roth* —1K **111**
Benton Ct. *Roth* —6F **94**
Benton Ter. *Swint* —5C **78**
Benton Way. *Roth* —6F **94**
Bent Rd. *Hep* —9H **31**
Bents Clo. *S11* —6N **121**
Bents Clo. *C'town* —9H **75**
Bents Cres. *S11* —7A **122**
Bents Cres. *Dron* —7K **135**
Bents Dri. *S11* —6N **121**
Bents Green. —6A 122
Bents Grn. Av. *S11* —5N **121**
Bents Grn. Pl. *S11* —6N **121**
Bents Grn. Rd. *S11* —5A **122**
Bents La. *S6* —5F **106**
Bents La. *Dron* —7K **135**
(in two parts)
Bents Rd. *S11* —6A **122**
Bents Rd. *S17* —6L **133**
Bents Rd. *Dunf B* —3M **51**
Bents Rd. *Roth* —5F **94**
Bent St. *P'stne* —3M **53**
Bents Vw. *S11* —6N **121**
Benty La. *S10* —9A **108**
Beresford Rd. *Maltby* —9F **98**
Beresford St. *Ben* —7N **43**
Berkeley Cft. *Roy* —5J **17**
Berkeley Precinct. *S11* —3E **122**
Berkley Clo. *Wors* —2G **56**
Bernard Gdns. *S2* —2K **5**
Bernard Rd. *S2 & S4* —8L **109** (2K **5**)
Bernard Rd. *Edl'tn* —5F **80**
Bernard St. *S2* —9K **109** (3K **5**)
Bernard St. *Rawm* —7A **78**
Bernard St. *Roth* —8L **95**

Berners Clo.—Blyth St Mary & St Martin's Priory Church

Berners Clo. S2 —6M 123
Berners Dri. S2 —5M 123
Berners Pl. S2 —5M 123
Berners Rd. S2 —5M 123
Berneslai Clo. B'ley —6F 36
Berne Sq. W'sett —7H 129
Bernshall Cres. S5 —5J 93
Berresford Rd. S11 —3E 122
Berrington Clo. Donc —2L 81
Berry Av. Eck —7J 137
Berry Bank La. T'bri —1F 30
Berrydale. Wors —2J 57
Berry Dri. Kiv P —8L 127
Berry Edge Clo. Con —5C 80
Berry Holme Clo. C'town —9H 75
Berry Holme Ct. C'town —9H 75
Berry Holme Dri. C'town —9H 75
Berry La. Wort —6B 74
Berrywell Av. P'stne —5A 54
Bertram Rd. O'bri —7N 91
Berwick Way. Donc —2F 64
Bessacarr. —9G 64
Bessacarr La. Donc —9H 65
Bessemer Pk. Roth —9H 95
Bessemer Pl. S9 —7M 109
Bessemer Rd. S9 —6M 109
Bessemer Ter. S'bri —4D 72
Bessemer Way. Roth —8G 95
Bessingby Rd. S6 —5D 108
Bethel Rd. Roth —5M 95
Bethel St. Hoy —9N 57
Bethel Ter. S'oaks —3J 141
Bethel Wlk. S1 —4E 4
Betjeman Gdns. S10 —2D 122
Betony Clo. Kil —5A 138
Beulah Rd. S6 —3E 108
Bevan Av. New R —5J 83
Bevan Clo. Else —9A 58
Bevan Cres. Maltby —7D 98
Bevan Ho. Roth —2M 111
Bevan Way. C'town —9G 74
Bevercotes Rd. S5 —1L 109
Beverley Av. Wors —1G 56
Beverley Clo. B'ley —1F 36
Beverley Clo. Swal —4C 126
Beverley Gdns. Donc —2H 63
Beverley Rd. Donc —1D 64
Beverley Rd. Harw —9K 101
Beverleys Rd. S8 —7H 123
Beverley St. S9 —6A 110
Beverley Wlk. Carl L —4B 130
Bevin Pl. Rawm —8A 78
Bevre Rd. Arm —8L 45
Bewdley Ct. Roy —5L 17
Bewicke Av. Donc —1H 63
Bhatia Clo. Mexb —1F 78
Bib La. Lghtn —5A 114
Bickerton Rd. S6 —2D 108
Bierlow Clo. Bram —7G 58
Bigby Way. Braml —6J 97
Bignor Pl. S6 —8E 92
Bignor Rd. S6 —8E 92
Big Six. Tree —8M 111
Bilham La. Hoot P —5H 41
Bilham Rd. Clayt W —7C 14
Billam Pl. Roth —4E 94
Billam St. Eck —7H 137
Billingley. —1M 59
Billingley Dri. Thurn —9B 40
Billingley Grn. La. L Hou —1M 59
Billingley La. Thurn —9M 39
Billingley Vw. Bol D —5A 60
Bill La. Holmf —1G 30
Billy Wright's La. Tick —9C 82
Bilston St. S6 —5E 108
Binbrook Ct. Baw —7B 102
Binders Rd. Roth —4E 94
Binfield Rd. S8 —6G 122
Bingham Ct. S10 —3B 122
Bingham Pk. Cres. S11 —4B 122
Bingham Pk. Rd. S11 —4B 122
Bingham Rd. S8 —9G 123
Bingley Ct. B'ley —6E 36
Bingley La. S6 —8J 107
Bingley St. B'ley —6E 36
Binns La. Holmf —3D 30
Binsted Av. S5 —1E 108
Binsted Clo. S5 —1E 108
Binsted Cres. S5 —1E 108
Binsted Cft. S5 —1E 108
Binsted Dri. S5 —1E 108
Binsted Gdns. S5 —1E 108
Binsted Glade. S5 —1E 108
Binsted Gro. S5 —1E 108
Binsted Rd. S5 —1E 108
Binsted Way. S5 —1E 108
Biram Wlk. Else —2B 76
(off Forge La.)
Birchall Av. Whis —3A 112
Birch Av. Auc —3C 84
Birch Av. C'town —1H 93
Birch Av. Skell —8E 22
Birch Clo. Kil —6B 138
Birch Clo. Spro —6H 63
Birch Ct. Swint —3B 78
Birch Cres. Wick —8H 97
Birchdale Clo. E'thpe —7J 45
Birchen Clo. Donc —1H 83
Birchen Clo. Dron W —9E 134
Birches Fold. Coal A —6K 135
Birches La. Coal A —6K 135
Birch Farm Av. S8 —2H 135
Birchfield Cres. Dod —8B 36
Birchfield Dri. Work —8M 141
Birchfield Rd. Maltby —8F 98
Birchfield Wlk. B'ley —6C 36
Birch Grn. Clo. Maltby —7B 98
Birch Gro. Con —4B 80
Birch Gro. O'bri —7N 91
Birch Ho. Av. O'bri —7M 91
Birchitt Clo. S17 —5D 134
Birchitt Pl. S17 —5D 134
Birchitt Rd. S17 —5D 134
Birchitt Vw. Dron —7H 135
Birchlands Dri. Kil —5C 138
Birch Pk. Ct. Roth —7G 95
Birch Rd. S9 —6M 109
Birch Rd. B'ley —9L 37
Birch Rd. Donc —7J 65
Birch Tree Clo. Barn D —1K 45
Birch Tree Rd. S'bri —6D 72
Birchtree Rd. Thpe H —2N 93
Birchvale Rd. S12 —8D 124
Birchwood Av. Rawm —8M 77
Birchwood Clo. Maltby —7B 98
Birchwood Clo. Thorne —9K 11
Birchwood Clo. W'fld —2L 137
Birchwood Ct. Donc —1L 83
Birchwood Cft. W'fld —2L 137
Birchwood Dell. Donc —1L 83
Birchwood Dri. Rav —5J 97
Birchwood Gdns. Braith —3E 98
Birchwood Gdns. W'fld —2L 137
Birchwood Gro. W'fld —2L 137
Birchwood La. Braith —6E 98
Birchwood Ri. W'fld —2L 137
Birchwood Rd. Mar L —7D 136
Birchwood Vw. W'fld —2L 137
Birchwood Way. W'fld —2L 137
Bircotes. —9M 101
Bircotes Wlk. Ross —5L 83
Bird Av. Womb —5C 58
Bird La. Clayt —1A 40
Bird La. Oxs —5F 54
Birds Edge. —4D 32
Birdsedge Farm M. Birds —4E 32
Birds Edge La. Birds —5C 32
Birdsnest La. Cumb —7N 31
Birdwell. —8G 56
Birdwell Comn. Birdw —9G 56
Birdwell Rd. S4 —3N 109
Birdwell Rd. Dod —1C 56
Birdwell Rd. Kiln —6C 78
Birk Av. B'ley —9K 37
Birkbeck Ct. High G —6E 74
Birk Cres. B'ley —9K 37
Birkdale. Work —4E 142
Birkdale Av. Dinn —3D 128
Birkdale Clo. Cud —9C 18
Birkdale Clo. Donc —9L 65
Birkdale Ri. Swint —4C 78
Birkdale Rd. Roy —4J 17
Birkendale. —7E 108
Birkendale. S6 —7E 108
Birkendale Rd. S6 —7E 108
Birkendale Vw. S6 —7E 108
Birk Grn. B'ley —9L 37
Birk Ho. La. B'ley —9L 37
Birk Ho. La. Up Cum —1D 32
Birklands Av. S13 —2E 124
Birklands Av. Work —9E 142
Birklands Clo. S13 —2E 124
Birklands Dri. S13 —2E 124
Birk Rd. B'ley —9K 37
Birks Av. S13 —5H 125
Birks Av. Mill G —4H 53
Birks Cotts. Mill G —4H 53
Birks Holt Dri. Maltby —1G 114
Birks La. Mill G —4H 53
Birks Rd. Roth —4E 94
Birks Wood Dri. O'bri —7M 91
Birk Ter. B'ley —9K 37
Birkwood Av. Cud —4C 38
Birley Carr. —8D 92
Birley Edge. —7C 92
Birley Estate. —8D 124
Birleyhay. —5D 136
Birley La. S12 —9C 124
Birley La. Hath —9J 119
Birley Moor Av. S12 —8E 124
Birley Moor Clo. S12 —8E 124
Birley Moor Cres. S12 —8E 124
Birley Moor Dri. S12 —9E 124
Birley Moor Pl. S12 —9E 124
Birley Moor Rd. S12 —6D 124
Birley Moor Way. S12 —9E 124
Birley Ri. Cres. S6 —9D 92
Birley Ri. Rd. S6 —9D 92
Birley Spa. —7F 124
Birley Spa Clo. S12 —7H 125
Birley Spa Dri. S12 —7H 125
Birley Spa La. S12 —8F 124
Birley Spa Wlk. S12 —7H 125
(off Carter Lodge Dri.)
Birley Stone, The. —6C 92
Birley Va. Av. S12 —7C 124
Birley Va. Clo. S12 —7C 124
Birley Vw. Worr —8M 91
Birley Wood Golf Course. —9E 124
Birthwaite Rd. Dart —8K 15
Birtley St. Maltby —8B 98
Bisby Rd. Rawm —8N 77
Biscay La. Wath D —8L 59
Biscay Way. Wath D —9M 59
Bishopdale. Work —3D 142
Bishopdale Ct. Mosb —1G 136
Bishopdale Dri. Mosb —2G 136
Bishopdale Ri. Mosb —1G 136
Bishop Gdns. S13 —5G 125
Bishopgarth Clo. Donc —1M 63
Bishop Hill. S13 —5G 125
Bishops Clo. S8 —6J 123
Bishopscourt Rd. S8 —6H 123
Bishopsgate La. New R —7K 83
Bishopsholme Clo. S5 —2H 109
Bishopsholme Rd. S5 —2H 109
Bishop's House Mus. —6H 123
Bishopstoke Ct. Roth —6N 95
(off Doncaster Rd.)
Bishopston Wlk. Maltby —7C 98
Bishop St. S3 —1G 123 (6D 4)
Bishops Way. B'ley —5K 37
Bisley Clo. Roy —6M 17
Bismarck St. B'ley —9G 36
Bitholmes Ga. Whar S —2K 91
Bitholmes La. Deep —7H 73
Bittern Vw. Thpe H —8A 76
Blacka Moor Cres. S17 —4L 133
Blacka Moor Rd. S17 —4L 133
Blackamoor Rd. Swint —5L 77
Blacka Moor Vw. S17 —4L 133
Black Bank. Misson —5L 103
Blackberry Flats. Half —3L 137
(off Halfway Dri.)
Blackbird Av. B'wth —4K 111
Blackbrook Av. S10 —2H 121
Blackbrook Dri. S10 —2H 121
Blackbrook Rd. S10 —2J 121
Blackburn. —7B 94
Blackburn Cres. C'town —8F 74
Blackburn Cft. C'town —8G 74
Blackburn Dri. C'town —9F 74
Blackburne St. S6 —5E 108
Blackburn La. B'ley —6E 36
Blackburn La. Roth —7B 94
Blackburn La. Wors —2H 57
Blackburn Meadows Nature Reserve. —8F 94
Blackburn Rd. Roth —8B 94
Blackburn St. Wors —2H 57
Black Carr Rd. Wick —8F 96
Blackdown Av. Wat —9K 125
Blackdown Clo. Wat —9K 125
Blacker Grange. Bla H —7L 57
Blacker Green. —5A 24
Blacker Grn. La. H'lme —5A 24
Blackergreen La. Silk —9H 35
Blacker Hill. —6L 57
Blacker La. Shaf —6C 18
Blacker La. Wors —5H 57
Blacker Rd. M'well —8D 16
Blackheath Clo. B'ley —1J 37
Blackheath Rd. B'ley —1J 37
Blackheath Wlk. B'ley —1J 37
Black Hill Rd. Roth —9C 96
Black Horse Clo. Silk C —2J 55
Black Horse Dri. Silk C —2J 55
Black La. S6 —5M 107
Black La. Hoy —2G 75
(in two parts)
Black La. W'sett —8K 129
Blackmoor Cres. B'wth —3H 111
Blackmore St. S4 —7L 109
Blackshaw La. Syke —6F 10
Black Sike La. Holmf —3A 30
Blacksmith La. Gren —5D 92
Blacksmith's La. Marr —1A 62
Blacksmith Sq. Else —2B 76
(off Wath Rd.)
Blackstock Clo. S14 —9L 123
Blackstock Cres. S14 —9L 123
Blackstock Dri. S14 —9L 123
Blackstock Rd. S14 —6L 123
Blackstone La. Blax —2F 84
Black Swan Wlk. S1 —3F 5
Black Syke La. Syke —7E 10
Blackthorn Av. Braml —8H 97
Blackthorn Clo. High G —6E 74
Blackthorne Clo. Edl'tn —5E 80
Blackthorn Ri. Rav —5K 97
Blackwell Clo. S2 —9K 109 (3K 5)
Blackwell Ct. S2 —9K 109 (3J 5)
Blackwell Pl. S2 —9K 109 (3J 5)
Blackwood Av. Donc —9K 63
Blagden St. S2 —9K 109 (4K 5)
Blair Athol Rd. S11 —5C 122
Blake Av. Donc —1C 64
Blake Av. Wath D —8J 59
Blake Clo. Braml —1K 113
Blake Gro. Rd. S6 —7F 108
Blakeley Clo. B'ley —1J 37
Blakeney Rd. S10 —9D 108
Blake St. S6 —7E 108
Bland La. S6 —3A 108
(in two parts)
Bland St. S4 —4M 109
Blast La. S4 & S2 —8K 109 (1J 5)
(in two parts)
Blaxton. —9G 67
Blaxton Clo. Owl —9G 124
Blayton Rd. S4 —4K 109
Bleachcroft Way. B'ley —9M 37
Bleak Av. Shaf —7C 18
Bleakley Av. Notton —3J 17
Bleakley Clo. Shaf —7C 18
Bleakley La. Notton —4J 17
Bleakley Ter. Notton —3J 17
Bleasdale Gro. B'ley —4H 37
Blenheim Av. B'ley —8F 36
Blenheim Clo. Braml —6H 97
Blenheim Clo. Dinn —3C 128
Blenheim Clo. Hat —2C 46
Blenheim Ct. Flan —7G 96
Blenheim Cres. Mexb —1E 78
Blenheim Dri. Finn —3F 84
Blenheim Gdns. S11 —6B 122
Blenheim Gro. B'ley —8E 36
Blenheim Ri. Baw —7B 102
Blenheim Ri. Work —2B 142
Blenheim Rd. B'ley —8E 36
Blenheim Rd. Lind —8J 47
Blindside La. S6 —3M 105
Bloemfontein St. Cud —2A 38
Blonk St. S1 —8J 109 (1H 5)
Bloomfield Ri. Dart —8B 16
Bloomfield Rd. Dart —8A 16
Bloomhill Clo. Moor —6L 11
Bloomhill Ct. Moor —6L 11
Bloom Hill Gro. Moor —7L 11
Bloomhill Rd. Moor —7K 11
Bloomhouse. —8A 16
Bloomhouse La. Dart —7N 15
Blossom Av. Ask —2M 23
Blossom Cres. S12 —8B 124
Blow Hall Cres. Edl'tn —4G 80
Blow Hall Riding. Edl'tn —5H 81
Blucher St. B'ley —7F 36
Bluebell Av. P'stne —4M 53
Bluebell Clo. S5 —1M 109
Bluebell Clo. Hoy —2K 75
Bluebell Ct. Blax —1G 85
Bluebell Rd. S5 —1N 109
Bluebell Rd. Dart —6N 15
Bluebell Way. Upt —2E 20
Bluebird Hill. Ast —5D 126
Blue Boy St. S3 —8G 109 (1D 4)
Blundell Clo. Donc —8H 65
Blundell Ct. B'ley —3L 37
Blundell Rd. S Elm —6D 20
Blyde Rd. S5 —3K 109
Bly Rd. D'fld —1F 58
Blyth. —9K 117
Blyth Av. Rawm —9M 77
Blyth Clo. Whis —3C 112
Blythe St. Womb —4C 58
Blyth Ga. La. Tick —8A 100
Blyth Gro. Work —5D 142
Blyth Rd. Blyth —3M 131
Blyth Rd. Harw —1J 117
Blyth Rd. Maltby —9D 98
Blyth Rd. Oldc —1M 131
Blyth Rd. Scro —3M 117
Blyth Rd. Tick —6H 101
Blyth Rd. Work —5C 142
Blyth St Mary & St Martin's Priory Church. —9K 117

Boardman Av.—Bretton Rd.

Boardman Av. Rawm —6J 77
Boating Dyke Way. Thorne —2J 27
Boat La. Spro —7F 62
Bochum Parkway. S8 —3H 135
Bocking Clo. S8 —1E 134
Bocking Hill. Deep —5F 72
Bocking La. S8 —1E 134
Bocking Ri. S8 —2F 134
Boden La. S1 —9G 109 (3D 4)
Boden Pl. S9 —7C 110
Bodmin Ct. B'ley —5J 37
Bodmin St. S9 —6N 109
Boggard La. O'bri —7L 91
Boggard La. P'stne —5M 53
Boiley La. Kil —6A 138
Boisters Rd. Nor —5J 7
Boland Rd. S8 —5E 134
Bold St. S9 —5A 110
Bole Clo. Womb —3F 58
Bolehill. —9H 123 (Greenhill)
Bole Hill. —7M 111 (Treeton)
Bole Hill. S8 —9H 123
Bole Hill. Tree —7M 111
Bole Hill Clo. S6 —6C 108
Bole Hill La. S10 —8B 108
Bolehill La. Eck —8F 136
Bole Hill Rd. S6 —8A 108
Bolehill Vw. S10 —7C 108
Bolsover Rd. S5 —2L 109
Bolsover Rd. E. S5 —3L 109
Bolsover St. S3 —9F 108 (3A 4)
Bolsterstone. —8E 72
Bolsterstone Rd. S6 —6D 90
Bolton Hill Rd. Donc —9H 65 (in two parts)
Bolton Rd. Swint —3A 78
Bolton Rd. Wath D —9B 60
Bolton Rd. Workshops. Wath D —8C 60
Bolton St. S3 —1G 122 (5C 4)
Bolton St. Den M —2L 79
Bolton-upon-Dearne. —5B 60
Bond Clo. Donc —5N 63
Bondfield Av. New R —6K 83
Bondfield Cres. Womb —5C 58
Bondfield Cres. Flats. Womb —5C 58 (in two parts)
Bondhay Golf & Country Club. —8A 140
Bondhay La. Whitw —8A 140
Bond Rd. B'ley —5E 36
Bond St. New R —7J 83
Bond St. Womb —4D 58
Bone La. Cam —1F 22
Bonemill La. Work —5A 142
Bonet La. B'wth —3G 111
Bonington Ri. Maltby —7C 98
Bonville Gdns. S3 —1C 4
Booker Rd. S8 —9F 122
Bookers La. Dinn —1N 127 (in two parts)
Bookers Way. Dinn —2N 127
Bootham Clo. D'cft —9D 26
Bootham Cres. Stain —6B 26
Bootham La. D'cft —5C 26 (in two parts)
Bootham Rd. Stain —6B 26
Booth Clo. Thur —6M 113
Booth Clo. Wat —9K 125
Booth Cft. Wat —9K 125
Booth Ho. La. Holmf —4A 30
Booth Pl. Rawm —7L 77
Booth Rd. High G —7D 74
Booth St. Hoy —9M 57
Booth St. Roth —1H 95
Bootle St. S9 —6A 110
Borough Rd. S6 —4D 108
Borrowdale Av. Half —4L 137
Borrowdale Clo. B'ley —8A 38
Borrowdale Clo. Carc —8G 23
Borrowdale Clo. Half —4L 137
Borrowdale Cres. Ans —4D 128
Borrowdale Dri. Half —4L 137
Borrowdale Rd. Half —4L 137
Boscombe Rd. Work —2N 141
Boshaw. Hade E —7F 30
Boston Castle. —9K 95
Boston Castle Gro. Roth —9L 95
Boston Castle Ter. Roth —9L 95
Boston St. S2 —2G 123 (7D 4)
Bosville Clo. Rav —2J 97
Bosville Rd. S10 —9C 108
Bosville St. P'stne —5A 54
Bosville St. Roth —5C 96
Boswell Clo. High G —6D 74
Boswell Clo. New R —6H 83
Boswell Clo. Roy —5J 17
Boswell Ct. Donc —8G 64
Boswell Rd. Donc —8F 64
Boswell Rd. Wath D —2M 77
Boswell St. Roth —8M 95
Bosworth Clo. Hat —3C 46
Bosworth Rd. Adw S —2E 42
Bosworth St. S10 —8C 108
Botanical Rd. S11 —2D 122
Botany Bay La. Barn D —1M 45
Botham St. S4 —4M 109
Botsford St. S3 —6H 109
Boughton Rd. Rhod —5L 141
Boulder Bri. La. Car —7M 17
Boulder Hill. —4C 108
Boulevard, The. E'thpe —6H 45
Boulton Dri. Cant —6L 65
Boundary Av. Donc —9F 44
Boundary Clo. Edl'tn —3G 81
Boundary Dri. Brie —6G 18
Boundary Grn. Rawm —1N 95
Boundary Rd. S2 —1L 123
Boundary Row. Work —8C 142
Boundary St. B'ley —8J 37
Boundary Wlk. B'wth —4G 110
Bourne Ct. M'well —7D 16
Bourne Rd. S5 —9K 93
Bourne Rd. Wors —3G 57
Bourne Wlk. M'well —7D 16
Bow Bri. Clo. Roth —9J 95
Bow Broom. —2C 78
Bowden Gro. Dod —9A 36
Bowden Wood Av. S9 —1C 124
Bowden Wood Clo. S9 —1C 124
Bowden Wood Cres. S9 —1C 124
Bowden Wood Dri. S9 —1C 124
Bowden Wood Pl. S9 —1C 124
Bowden Wood Rd. S9 —1C 124
Bowdon St. S1 —1G 123 (5D 4)
Bowen Dri. Thry —3E 96
Bowen Rd. Roth —5M 95
Bower Clo. Roth —4E 94
Bower Hill. Oxs —6E 54
Bower Hill La. Bret —1F 14
Bower Ho. Gren —4D 92
Bower La. Gren —4C 92
Bower Rd. S10 —8E 108
Bower Rd. Swint —1C 78
Bowers Fold. Donc —4A 64
Bower Spring. S3 —8H 109 (1F 5)
Bower St. S3 —8H 109 (1F 5)
Bower's Wlk. Tick —7D 100
Bower Va. Edl'tn —5E 80
Bowes Rd. E'thpe —7H 45
Bowfell Vw. B'ley —4H 37
Bowfield Clo. S5 —9L 93
Bowfield Ct. S5 —9K 93 (off Etwall Way)
Bowfield Rd. S5 —9K 93
Bowland Clo. Donc —8K 43
Bowland Cres. Wors —3G 57
Bowland Dri. C'town —9F 74
Bowlease Gdns. Donc —7H 65
Bowling Grn. La. Crow —7M 29
Bowling Grn. St. S3 —7H 109 (1E 4)
Bowman Clo. S12 —9N 123
Bowman Dri. S12 —9N 123
Bowman Dri. Maltby —6C 98
Bowness Clo. Dron W —9F 134
Bowness Dri. Ask —1N 23
Bowness Dri. Bol D —6B 60
Bowness Rd. S6 —5D 108
Bowood Rd. S11 —3E 122
Bowshaw. —6G 135
Bowshaw. Dron —7G 135
Bowshaw Av. S8 —5H 135
Bowshaw Clo. S8 —5H 135
Bowshaw Vw. S8 —5H 135
Bow St. Cud —1B 38
Boyce St. S6 —7E 108
Boycott Way. S Elm —5F 20
Boyd Rd. Wath D —3M 77
Boyland St. S3 —6G 109
Boynton Cres. S5 —2H 109
Boynton Rd. S5 —3G 109
Brabbs Av. Hat —9E 26
Bracebridge. —7D 142
Bracebridge. Work —8D 142 (in two parts)
Bracebridge Av. Work —7E 142
Bracebridge Ct. Work —8D 142
Brackenbury Clo. Cad —9B 62
Bracken Clo. Bran —6A 66
Bracken Ct. Harw —9H 101
Bracken Ct. Wick —1G 112
Bracken Cft. La. Tick —5F 100
Brackenfield Gro. S12 —7D 124
Bracken Heen Clo. Hat —9D 26
Bracken Hill. Burn —1E 92
Bracken Hill. S Kirk —5C 20
Bracken Hill La. Misson —7J 85
Bracken Moor. —6E 72
Bracken Moor La. S'bri —6E 72
Bracken Rd. S5 —9M 93 (in two parts)
Bracken Way. Harw —9G 101
Brackley St. S3 —6J 109
Bradberry Balk La. Womb —3C 58
Bradbury's Clo. P'gte —2M 95
Bradbury St. S8 —5H 123
Bradbury St. B'ley —7E 36
Bradfield. —8C 90
Bradfield Rd. S6 —4D 108
Bradford Rd. Donc —8F 44
Bradford Row. Donc —4A 64
Bradgate. —6G 94
Bradgate Clo. Roth —6G 94
Bradgate Ct. Roth —6F 94
Bradgate Ho. Clo. Roth —6G 94
Bradgate La. Roth —6F 94
Bradgate Pl. Roth —5G 94
Bradgate Rd. Roth —5G 94
Bradlea Ri. Rawm —7N 77
Bradley Av. Womb —4C 58
Bradley Carr Ter. S Elm —9E 20
Bradley St. S10 —7C 108
Bradmarsh Way. Roth —9J 95
Bradshaw Av. Tree —9M 111
Bradshaw Clo. B'ley —6B 36
Bradshaw Rd. Holmf —1A 30
Bradshaw Way. Tree —9M 111
Bradstone Rd. Roth —6B 96
Bradway. —5D 134
Bradway Bank. —4C 134
Bradway Clo. S17 —5C 134
Bradway Dri. S17 —5C 134
Bradway Grange Rd. S17 —5D 134
Bradway Rd. S17 —5C 134 (in two parts)
Bradwell Av. Dod —1B 56
Bradwell Clo. Dron W —9D 134
Bradwell St. S2 —5J 123
Braeburn Clo. Maltby —6B 98
Braemar Cft. S Hien —2D 18
Braemar Ri. S Hien —2D 18
Braemar Rd. Donc —4D 64
Braemar Rd. D'cft —9C 26
Braemore Rd. S6 —3B 108
Brailsford Av. S5 —5H 93
Brailsford Ct. S5 —5H 93
Brailsford Rd. S5 —5H 93
Braithwaite La. B'wte —3J 25
Braithwaite St. M'well —8D 16
Braithwaite. —4J 25
Braithwell. —3E 98
Braithwell Ct. Ben —5L 43
Braithwell Rd. Ben —6L 43
Braithwell Rd. Maltby —8D 98
Braithwell Rd. Rav —5J 97
Braithwell Wlk. Den M —2L 79
Braithwell Way. H'by —6M 97
Bramah St. B'ley —8K 17
Bramall La. S2 —2H 123 (7E 4)
Bramall La. S'bri —3B 72
Bramble Clo. Wick —1G 113
Brambles, The. E'fld —5H 93
Brambles, The. Roy —5H 17
Bramble Way. Auc —2C 84
Bramble Way. Harw —9H 101
Bramble Way. Wath D —9H 59
Bramblings, The. Donc —9K 65
Bramblings, The. Gate —3N 141
Bramcote Av. B'ley —9F 16
Brameld Rd. Rawm —9M 77
Brameld Rd. Swint —3A 78
Bramham Ct. S9 —7B 110 (off Bramham Rd.)
Bramham Rd. S9 —7B 110
Bramham Rd. Donc —5J 65
Bramley. —6E 136 (Eckington)
Bramley. —8J 97 (Wickersley)
Bramley Av. S13 —3F 124
Bramley Av. Ast —3D 126
Bramley Carr. B'ley —9C 36
Bramley Clo. Mosb —3J 137
Bramley Clo. New M —1H 31
Bramley Ct. S10 —9C 108
Bramley Ct. Den M —3L 79
Bramley Dri. S13 —2F 124
Bramley Grange Cres. Braml —8K 97
Bramley Grange Dri. Braml —8K 97
Bramley Grange Ri. Braml —8K 97
Bramley Grange Vw. Braml —7K 97
Bramley Grange Way. Braml —8L 97
Bramley Hall Rd. S13 —3F 124
Bramley La. S13 —2F 124
Bramley La. Bret & Wool —1J 15
Bramley La. Rav —5M 97
Bramley Lings. —9J 97
Bramley Moor. —8D 136
Bramleymoor La. Mar L —9D 136
Bramley Pk. Cvn. Site. Mar L —7F 136
Bramley Pk. Clo. S13 —3F 124
Bramley Pk. Rd. S13 —2F 124
Bramley Rd. Mar L —9E 136
Bramley Way. H'by —7M 97
Brampton. —7G 58
Brampton Av. Thur —6J 113
Brampton Bierlow. —8G 59
Brampton Clo. Arm —2K 65
Brampton Ct. Owl —9G 124
Brampton Ct. S Elm —4F 20
Brampton Cres. Womb —6F 58
Brampton Ellis Enterprise Cen. Bram B —8H 59
Brampton en le Morthen. —7J 113
Brampton La. Arm —2K 65
Brampton La. Ulley —8G 112
Brampton Leisure Cen. —8H 59
Brampton Meadows. Thur —6J 113
Brampton Rd. Thur —7J 113
Brampton Rd. Wath D —8H 59
Brampton Rd. Womb —6F 58
Brampton St. Bram —7H 59
Brampton Vw. Womb —6F 58
Bramshill Clo. Soth —1N 137
Bramshill Ct. Soth —1N 137
Bramwell Clo. S3 —8F 108 (2B 4)
Bramwell Ct. S3 —8F 108 (2B 4)
Bramwell Dri. S3 —8F 108 (2B 4)
Bramwell St. S3 —8F 108 (2A 4)
Bramwell St. Roth —6L 95
Bramwith La. Barn D —8H 25 (in two parts)
Bramwith Rd. S11 —3A 122
Bramworth Rd. Donc —6K 63
Brancliffe La. S'oaks —2K 141
Brand La. Spro —3D 62
Brandon St. S3 —5J 109
Brandreth Clo. S6 —7F 108
Brandreth Rd. S6 —7F 108
Brands Clo. W'sett —6J 129
Brand's La. Dinn & W'sett —4F 128
Brandsmere Dri. W'sett —6J 129
Branksome Av. B'ley —7D 36
Bransby St. S6 —7E 108
Bransdale. Work —2D 142
Branstone Rd. Spro —5F 62
Brantingham Gdns. Baw —4C 102
Branton. —7N 65
Branton Ga. Rd. Bran —5A 66
Branton Ter. Bran —7N 65
Brantwood Cres. Donc —6J 65
Brathay Clo. S4 —3N 109
Brathay Rd. S4 —3N 109
Brathwaite. —4J 25
Brayford Rd. Bal —2M 81
Bray St. S9 —7A 110
Brayton Dri. Bal —2M 81
Brayton Gdns. Cam —9G 6
Bray Wlk. Roth —3C 94
Brearley Av. Deep —6F 72
Brearley Cen., The. S9 —5D 110
Brechin. Work —5E 142
Brecklands. Roth —9B 96
Brecklands. Wick —9F 96
Breck La. Dinn —1D 128
Brecks. —9D 96
Brecks Cres. Roth —8D 96
Brecks La. Kirk S —4J 45
Brecks La. Roth —6C 96
Brecon Clo. Soth —9N 125
Bredon Clo. Hems —2M 19
Breezemount Ct. Stain —5B 26
Brendon Clo. Womb —7F 58
Brentwood Av. S11 —5E 122
Brentwood Av. Bam —8E 118
Brentwood Clo. Hoy —2K 75
Brentwood Rd. S11 —5E 122
Brentwood Rd. Bam —8E 118
Brentwood Vs. Roth —6L 95
Bressingham Clo. S4 —6K 109
Bressingham Rd. S4 —6K 109
Bressingham Rd. N. S4 —6J 109
Bretby Clo. Donc —8J 65
Brett Clo. Rawm —6J 77
Brettegate. Hems —2J 19
Bretton Clo. Dart —9L 15
Bretton Clo. D'cft —2C 46
Bretton Country Pk. —3H 15
Bretton Country Pk. Vis. Cen. —2G 14
Bretton Gro. S12 —8D 124
Bretton Ho. Donc —5N 63 (off St James St.)
Bretton Lakes Nature Reserve —4F 14
Bretton La. Bret —1H 15
Bretton Rd. Dart —9L 15

Bretton Vw.—Broom St.

Bretton Vw. Cud —3A 38
Brewery Gdns. Crow —6M 29
Brewery Rd. Crow —6M 29
Brewery Rd. Wath D —8M 59
Brewsters Wlk. Baw —5C 102
Breydon Av. Donc —2J 63
Briar Clo. Auc —2C 84
Briar Clo. Work —8N 141
Briar Ct. Harw —9H 101
Briar Ct. Holmf —4B 30
Briar Ct. Wick —1G 112
Briar Cft. Bal —7L 63
Briarfield. Denb D —2K 33
Briarfield Av. S12 —8A 124
Briarfield Cres. S12 —8A 124
Briarfield Rd. S12 —8A 124
Briarfield Rd. Holmf —1G 30
Briarfields La. Worr —8L 91
Briar Gro. Brie —6G 19
Briar Gro. Harw —9H 101
Briar Gro. P'stne —5N 53
Briar Lea. Work —8N 141
Briar Ri. Wors —3H 57
Briar Rd. S7 —5F 122
Briar Rd. Arm —8K 45
Briar Rd. Skell —8E 22
Briars Clo. Kil —5C 138
Briars La. Stain —4B 26
Briars, The. Misson —2L 103
Briary Av. High G —7E 74
Briary Clo. B'wth —5J 111
Briber Hill. Blyth —3K 131
Briber Rd. Blyth —1K 131
Brickfield La. Syke —6K 9
Brickhouse La. S17 —2L 133
Brick Houses. —2L 133
Brick Kiln La. Moss —1D 24
Brick St. S10 —8C 108
Brickyard La. Misson —1M 103
Brickyard, The. Shaf —8C 18
Bridby St. S13 —5K 125
Bride Chu. La. Tick —6D 100
Bridge Clo. Scis —7A 14
Bridge End. —3M 53
Bridge Gdns. B'ley —5G 36
Bridgegate. Roth —6K 95
Bridge Gro. Donc —2K 63
Bridge Hill. O'bri —6M 91
Bridge Hill. Stain —5A 26
Bridgehouses. S3 —7H 109
Bridge Inn Rd. C'town —8H 75
Bridgelake Dri. Bal —2M 81
Bridge La. Holmf —2E 30
Bridge La. Thurn —9C 40
Bridge Pl. Work —7C 142
Bridge Rd. Donc —7F 64
Bri. Row. Carl L —6D 130
Bridge St. S3 —7H 109 (1F 5)
(in two parts)
Bridge St. B'ley —5G 36
Bridge St. Bol D —4C 60
Bridge St. Dart —8N 15
Bridge St. Donc —5M 63
Bridge St. Kil —3C 138
Bridge St. P'stne —3M 53
Bridge St. Roth —6K 95
Bridge St. Swint —3D 78
Bridge St. Thorne —2K 27
Bridge St. Work —8B 142
Bridgewater Pk. Dri. Skell —7D 22
Bridle Clo. C'town —8H 75
Bridle Cres. C'town —8H 75
Bridle La. App & Mar L —9A 136
Bridle Stile. Mosb —3J 137
Bridle Stile Clo. Mosb —3J 137
Bridle Stile Gdns. Mosb —3H 137
Bridleway, The. Rawm —7B 78
Bridport Rd. S9 —7B 110
Brier Clo. Wat —1K 137
Brierfield Clo. B'ley —6D 36
Brier Hills La. Hat —2N 47
Brierholme Carr Rd. Hat —7H 27
Brierholme Clo. Hat —8G 27
Brierholme Ings Rd. Hat —9H 27
Brier La. Have & S Hien —1B 18
Brierley. —6F 18
Brierley Clo. Dart —9B 16
Brierley Cres. S Kirk —6B 20
Brierley Rd. Dalt —4D 96
Brierley Rd. Donc —8G 64
Brierley Rd. Grim & Brie —8F 18
Brierley Rd. Shaf —7D 18
Brierley Rd. S Hien —4D 18
Briers Ho. La. S6 —3F 106
Brier St. S6 —4D 108
Briery Meadows. H'fld —7C 58
Briery Wlk. Roth —2H 95
Brigadier Hargreaves Ct. S13 —5G 125
Briggs La. Fish —2B 26
Briggs St. B'ley —8K 17
Brightholmlee. —2H 91
Brightholmlee Ct. Whar S —3K 91
Brightholmlee La. Whar S —2J 91
Brightholmlee Rd. S35 —5F 90
Bright Mdw. Half —5N 137
Brightmore Dri. S3 —9F 108 (3B 4)
Brighton St. Grim —1G 38
Brighton Ter. Rd. S10 —8D 108
Brightside. —2A 110
Brightside La. S9 —5M 109
Brightside Way. S9 —4N 109
Brimmesfield Clo. S2 —4M 123
Brimmesfield Dri. S2 —3M 123
Brimmesfield Rd. S2 —4M 123
Brinckman St. B'ley —8G 37
Brincliffe. —4D 122
Brincliffe Ct. S7 —5F 122
Brincliffe Cres. S11 —4D 122
Brincliffe Edge Clo. S11 —5D 122
Brincliffe Edge Rd. S11 —5C 122
Brincliffe Gdns. S11 —4D 122
Brincliffe Hill. S11 —4C 122
Brindley Clo. S8 —7H 123
Brindley Ct. Kil —4B 138
Brindley Cres. S8 —7H 123
Brinkburn Clo. S17 —4A 134
Brinkburn Ct. S17 —4A 134
Brinkburn Dri. S17 —4A 134
Brinkburn Va. Rd. S17 —4A 134
Brinsford Rd. B'wth —3H 111
Brinsworth. —4H 111
Brinsworth Hall Av. B'wth —4H 111
Brinsworth Hall Cres. B'wth —4H 111
Brinsworth Hall Dri. B'wth —4H 111
Brinsworth Hall Gro. B'wth —5H 111
Brinsworth La. B'wth —4H 111
Brinsworth Rd. B'wth —5G 111
(in two parts)
Brinsworth St. S9 —6N 109
Brinsworth St. Roth —7J 95
Bristol Gro. Donc —1D 64
Bristol M. Work —2B 142
Bristol Rd. S11 —2D 122
Britain St. Mexb —2E 78
Britannia Clo. B'ley —8G 36
Britannia Ho. B'ley —8G 36
Britannia Rd. S9 —8C 110
(in two parts)
British Coal Enterprise Pk. Harw —2H 117
Britland Clo. B'ley —6B 36
Britnall St. S9 —6A 110
(in two parts)
Briton Sq. Thurn —7D 40
Briton St. Thurn —7D 40
Brittain St. S1 —1J 123 (6G 5)
Britten Ho. Donc —1D 64
Broachgate. Donc —8J 43
Broad Balk. Donc —2J 41
Broadbent Ga. Rd. Moor —9L 11
Broad Bri. Clo. Kiv P —9L 127
Broad Carr La. New M —5L 31
Broadcarr Rd. Hoy —4L 75
Broadcroft Clo. Beig —7A 126
Broad Dyke Clo. Kiv P —9L 127
Broad Elms Clo. S11 —7A 122
Broad Elms La. S11 —8N 121
Broadfield Rd. S8 —5G 122
Broadgates. Blax —3G 84
(off Station Rd.)
Broad Gates. Silk —8H 35
Broadhead Rd. Deep —6F 72
Broad Inge Cres. C'town —9F 74
Broad Ings La. Barn D —7G 25
Broadlands. Braml —9K 97
Broadlands Av. Owl —9G 125
Broadlands Clo. D'cft —1C 46
Broadlands Clo. Owl —9H 125
Broadlands Cres. Braml —9K 97
Broadlands Cft. Owl —9H 125
Broadlands Ri. Owl —9H 125
Broad La. S1 & S1 —9G 108 (3C 4)
Broad La. S Elm —8N 19
Broad La. Syke —5K 9
Broad La. U'thng —3B 30
Broad La. Ct. S1 —9G 108 (3C 4)
Broadley Rd. S13 —4C 124
Broad Oak La. P'stne —7N 33
Broad Oak La. Tick —5A 100
Broad Oaks. S9 —7N 109
Broadoaks Clo. Dinn —3C 128
Broad Oaks La. S9 —8N 109
Broadoaks Rd. Dinn —2C 128
Broad Riding. Edl'tn —5H 81
Broad Riding. S'ton —4J 99
Broadstone Rd. Cumb —4B 32
Broad St. S2 —8J 109 (2H 5)
(in two parts)
Broad St. Hoy —9L 57
Broad St. P'gte —2M 95
Broad St. La. S2 —8K 109 (2J 5)
Broadwater. Bol D —5N 59
Broadwater Dri. D'cft —2C 46
Broadway. B'ley —7C 36
Broadway. B'wth —5H 111
Broadway. D'cft —3B 46
Broadway. M'well —8C 16
Broadway. Roth —6A 96
Broadway. S Elm —8D 20
Broadway. Swint —4A 78
Broadway Av. C'town —1J 93
Broadway Clo. Swint —4A 78
Broadway Ct. B'ley —7C 36
Broadway E. Roth —6A 96
Broadway Nook. D'cft —2B 46
Broadway Ter. S Elm —8D 20
Broadway, The. Donc —1K 81
Brocco Bank. S11 —3D 122
Brocco La. S3 —8G 109 (2D 4)
Brocco St. S3 —8G 109 (2D 4)
Brockenhurst Rd. Hat —1E 46
Brockfield Clo. Wors —2H 57
Brockhole Clo. Donc —8J 65
Brockholes Farm. —8N 65
Brockholes La. Bran —8N 65
Brockholes La. P'stne —8K 53
Brockhurst Way. Thry —3E 96
Brocklehurst Av. S8 —2K 135
Brocklehurst Av. B'ley —1L 57
Brockwood Clo. S13 —4J 125
Broc-O-Bank. Nor —7G 6
Brodsworth. —5N 41
Brodsworth Bus. Pk. Brod —4D 42
Brodsworth Hall. —5N 41
Brodsworth Ho. Donc —5N 63
(off St James St.)
Brodsworth Way. Ross —5K 83
Bromcliffe Pk. B'ley —3M 37
Bromfield Ct. Roy —5L 17
Bromley. —4B 74
Bromley Av. New M —1H 31
Bromley Carr Rd. Wort —5C 74
Brompton Rd. S9 —5A 110
Brompton Rd. Spro —6G 63
Bromwich Rd. S8 —9F 122
Bronte Av. Donc —9K 63
Bronte Clo. B'ley —5J 37
Bronte Gro. Hems —3J 19
Bronte Gro. Mexb —9G 61
Bronte Pl. Rawm —7A 78
Brook Clo. Ast —4D 126
Brook Clo. Gren —4D 92
Brook Cft. Ans —6B 128
Brookdale Rd. C'town —5H 75
Brook Dri. S3 —8G 108 (2C 4)
Brook Dri. Wath D —9K 59
Brooke Clo. Work —6F 142
Brooke St. Donc —2A 64
Brooke St. Hoy —9L 57
Brooke St. Thorne —1J 27
Brook Farm M. Wath D —8L 59
Brookfield. Oxs —7D 54
Brookfield Av. Swint —4C 78
Brookfield Clo. Arm —2L 65
Brookfield Clo. Dalt —4C 96
Brookfield Clo. Thorne —1J 27
Brookfield M. Ark —6B 44
Brookfield Rd. S7 —4G 122
Brookfields Pk. Manv —7A 60
Brookfield Ter. B'ley —9K 17
Brookhaven Way. Braml —9K 97
Brook Hill. S3 —9F 108 (3B 4)
Brookhill. Dunf B —4M 51
Brook Hill. Thpe H —9N 75
Brookhill Rd. Dart —9K 15
Brookhouse. —5A 114
Brookhouse Clo. S12 —8H 125
Brookhouse Ct. S12 —8H 125
(off Brookhouse Dri.)
Brookhouse Dri. S12 —8H 125
Brookhouse Hill. S10 —4L 121
Brookhouse La. Lghtn —6A 114
Brook Ho. La. Mid —9C 52
Brookhouse Rd. Ast —5C 126
Brook Houses. Caw —4G 35
Brooklands. Maltby —9B 98
Brooklands Av. S10 —4K 121
Brooklands Cres. S10 —4K 121
Brooklands Dri. S10 —4K 121
Brooklands Pk. Dinn —2A 128
Brooklands Rd. Adw S —1G 43
Brooklands Way. Dinn —2B 128
Brook La. S3 —9G 108 (3C 4)
Brook La. S12 —8H 125
Brook La. Braml —7J 97
Brook La. Gren —5D 92
Brook La. O'bri —6L 91
Brooklyn Pl. S8 —6H 123
Brooklyn Rd. S8 —6H 123
(in two parts)
Brooklyn Works. S3 —7H 109
Brook M. Ans —6B 128
Brook Rd. S8 —6G 123
Brook Rd. Con —4B 80
Brook Rd. High G —8F 74
Brook Rd. Roth —5A 96
Brook Row. S'bri —6E 72
Brooksfield. S Kirk —5C 20
Brookside. S6 —6H 107
Brookside. Con —5A 80
Brookside. Hems —2L 19
Brookside. Roth —8B 96
Brookside. Swint —5A 78
Brookside Bank Rd. S6 —6G 107
Brookside Clo. S12 —8H 125
Brookside Ct. P'gte —3K 95
Brookside Cres. Wath D —1H 77
Brookside Dri. B'ley —1L 57
Brookside La. S6 —6H 107
Brookside St. S Elm —6E 20
Brookside Ter. S Elm —6E 20
Brookside Wlk. Birc —9L 101
Brook Sq. Con —5A 80
Brook St. Whis —3A 112
Brook Ter. Work —8B 142
Brookvale. B'ley —5L 37
Brookview Ct. Dron —7H 135
Brook Way. Ark —6A 44
Broom. —9M 95
Broom Av. Roth —9A 96
Broombank. Denb D —3J 33
Broom Chase. Roth —9M 95
Broomcliffe Gdns. Shaf —7C 18
Broom Clo. S2 —2G 123
Broom Clo. B'ley —1L 57
Broom Clo. Bol D —4A 60
Broom Clo. Dart —8B 16
Broom Clo. S'side —6H 97
Broom Clo. Tick —6E 100
Broom Clo. Wath D —2N 77
Broom Clo. Work —1A 142
Broom Ct. D'cft —1C 46
Broom Ct. Roth —9N 95
Broom Cres. Roth —9M 95
Broomcroft. Dod —1C 56
Broomcroft Pk. S11 —8A 122
Broom Dri. Roth —1A 112
Broome Av. Swint —3C 78
Broomfield. —1E 122 (6B 4)
Broomfield Clo. B'ley —8C 36
Broomfield Ct. S'bri —5F 72
Broomfield Gro. Roth —9M 95
Broomfield Gro. S'bri —6F 72
Broomfield La. S'bri —6E 72
Broomfield Rd. S10 —1E 122
Broomfield Rd. S'bri —5F 72
Broomfield Ter. O'bri —8J 91
Broom Fld. Wlk. P'stne —5M 53
Broom Grange. Roth —9N 95
Broom Grn. S3 —1G 122 (5C 4)
Broom Gro. Ans —8B 128
Broom Gro. Roth —8M 95
Broomgrove Cres. S10 —1E 122
Broomgrove Hall. S10 —1E 122
Broomgrove La. S10 —1E 122
Broomgrove Rd. S10 —1E 122
Broomhall Pl. S10 —1F 122 (6B 4)
Broomhall Rd. S10 —2F 122 (7A 4)
Broomhall St. S3 —1F 122 (6B 4)
(in two parts)
Broomhead Ct. M'well —9C 16
Broomhead Rd. Womb —6F 58
Broomhill. —5H 59
(Darfield)
Broomhill. —1D 122
(Sheffield)
Broomhill. Den M —2K 79
Broomhill Av. Work —2B 142
Broomhill Clo. Eck —7H 137
Broomhill Clo. Schol —5H 31
Broom Hill Dri. Donc —8J 65
Broomhill La. Bol D —4J 59
Broomhill Vw. Bol D —6A 60
Broomhouse Clo. Denb D —3K 33
Broomhouse La. Edl'tn & Donc —5F 80
(in two parts)
Broomhouse La. Ind. Est. Edl'tn —3G 81
Broom La. Roth —9N 95
Broom Riddings. Roth —3H 95
Broom Rd. Roth —8M 95
Broom Royd. Whar S —2K 91
Broomroyd. Wors —3J 57
Broomspring Clo. S3 —1F 122 (5C 4)
Broomspring La. S10 —1F 122 (5A 4)
(in four parts)
Broom St. S10 —1F 122 (6B 4)

Broom Ter.—Cambridge St.

Broom Ter. Roth —8M 95
Broomvale Wlk. Edl'tn —5E 80
Broom Valley Rd. Roth —8L 95
Broomville St. Swint —3D 78
Broom Wlk. S3 —5C 4
Broomwood Clo. Beig —8N 125
Broomwood Gdns. Beig —8N 125
Broomy Lea La. Holmf —1D 30
Brosley Av. Barn D —9J 25
Brotherton St. S3 —6J 109
Brough. —9A 118
Brough Grn. Dod —2B 56
Brough La. Bradw —9A 118
Broughton Av. Donc —9L 43
Broughton La. S9 —4B 110
Broughton Rd. S6 —3D 108
Broughton Rd. Donc —9G 65
Brow Clo. Wors —1G 57
Brow Cres. Half —3L 137
Brow Hill Rd. Maltby —7C 98
Brow La. Clayt W —2A 34
Brow La. Holmf —5C 30
Brownell St. S3 —8G 108 (2C 4)
Brownhill La. Holmb —7A 30
Brown Hills La. S10 —3E 120
Brown Ho. La. S6 —7D 90
Browning Av. Donc —9M 63
Browning Clo. S6 —8E 92
Browning Clo. B'ley —3J 37
Browning Clo. Work —5E 142
Browning Dri. S6 —8E 92
Browning Dri. Roth —7A 96
Browning Rd. S6 —8D 92
Browning Rd. Barn D —9J 25
Browning Rd. Mexb —9F 60
Browning Rd. Roth —7A 96
Browning Rd. Wath D —8J 59
Brown La. S1 —1H 123 (5F 5)
Brown La. Coal A —7K 135
Brownroyd Av. Roy —7K 17
Brown's Edge La. Mid —9D 52
Browns Edge Rd. Mill G —8B 32
Browns La. Thorne —2J 27
Browns Sq. H'fld —8B 58
Brown St. S1 —1J 123 (5G 5)
Brown St. Roth —6H 95
Brown Syke La. Syke —5L 9
Brow, The. Roth —9D 96
Brow Vw. Bol D —5A 60
Broxbourne Gdns. Ben —7M 43
Broxholme La. Donc —3A 64
Broxholme Rd. S8 —8G 123
Bruce Av. B'ley —9G 36
Bruce Cres. Donc —2E 64
Bruce Rd. S11 —3E 122
Bruncroft Clo. Donc —9G 65
Brunel Clo. Harw —2J 117
Brunel Ga. Harw —2J 117
Brunel Rd. Donc —2K 63
Bruni Way. New R —7J 83
Brunswick Clo. B'ley —2G 37
Brunswick Rd. S3 —7J 109
Brunswick Rd. Roth —9M 95
Brunswick Sq. Stain —6A 26
Brunswick St. S10 —9F 108 (4B 4)
Brunswick St. Thurn —7D 40
Brunt Rd. Rawm —8A 78
Brushfield Gro. S12 —7D 124
Bryans Clo. La. Misson —2H 103
Bryony Clo. Kil —4A 138
Bubup Hill. Love —4N 81
Bubwith Rd. S9 —2B 110
Buchanan Cres. S5 —8F 92
Buchanan Dri. S5 —8F 92
Buchanan Rd. S5 —8F 92
Buckden Rd. B'ley —6E 36
Buckenham Dri. S4 —6K 109
Buckenham St. S4 —6K 109
Buckingham Clo. Dron W —8E 134
Buckingham Ct. Roy —5J 17
Buckingham Ri. Work —3A 142
Buckingham Rd. Con —3N 79
Buckingham Rd. Donc —3C 64
Buckingham Way. B'wth —4J 111
Buckingham Way. Maltby —7E 98
Buckingham Way. Roy —5J 17
Buckleigh Rd. Wath D —2L 77
Buckley Ct. B'ley —8G 36
Buckley Ho. B'ley —8G 36
Buckthorn Clo. Swint —6B 78
Buckwood Vw. S14 —6L 123
Bude Ct. B'ley —5K 37
Bude Rd. Donc —7M 63
Bud La. Whar S —3G 91
Bullcroft Clo. Carc —8G 22
Bullen Rd. S6 —8D 92
Bullenshaw Rd. Hems —3K 19
Bullenshaw Vs. Hems —3N 19
Bullfinch Clo. B'wth —4K 111
Bull Haw La. Silk —8G 34
(in two parts)
Bullhouse La. Mill G —5F 52
Bullivant Rd. Hat —9E 26
Bull La. S Kirk —7B 20
Bull La. Syke —6M 9
Bull Moor Rd. Hat W —1J 47
(in two parts)
Bull Yd. Work —8B 142
Bunfold Shaw La. Fenw —5F 8
(in two parts)
Bungalow Rd. Edl'tn —4F 80
Bungalows, The. Eck —7J 137
(off West St.)
Bungalows, The. Eck —8J 137
(Pitt St.)
Bungalows, The. Kil —4B 138
Bungalows, The. Rawm —8M 77
(off Middle Av.)
Bungalows, The. Rawm —7L 77
(Jackson Cres.)
Bungalows, The. Scis —7A 14
Bungalows, The. Tree —8L 111
Bunkers Hill. Holmf —3E 30
Bunker's Hill. Kil —4D 138
Bunting Clo. S8 —9J 123
Bunting Nook. S8 —9J 123
Burbage Clo. Dron W —8E 134
Burbage Gro. S12 —6D 124
Burcot Rd. S8 —6G 123
Burcroft. —4B 80
Burcroft Clo. Hoy —1J 75
Burcroft Hill. Con —3B 80
Burden Clo. Donc —5N 63
Burford Av. Donc —1J 81
Burford Cres. Ast —4D 126
Burgar Rd. Thorne —4K 27
(in two parts)
Burgen Rd. Roth —4E 94
Burgess Rd. S9 —6N 109
Burgess St. S1 —9H 109 (4F 5)
Burghley Clo. Dinn —3C 128
Burghwallis. —4F 22
Burghwallis La. Sutton —4F 22
Burghwallis Rd. Burg & Cam —4F 22
Burgoyne Clo. S6 —6E 108
Burgoyne Rd. S6 —6E 108
Burial Pl. La. Fish —8B 10
Burkinshaw Av. Rawm —6M 77
Burleigh Ct. B'ley —7G 36
Burleigh St. B'ley —8G 36
Burlington Arc. B'ley —7G 36
(off Eldon St.)
Burlington Clo. S17 —3N 133
Burlington Ct. S6 —7F 108
Burlington Glen. S17 —3N 133
Burlington Gro. S17 —3N 133
Burlington Rd. S17 —3N 133
Burlington St. S6 —7F 108 (1A 4)
Burman Rd. Wath D —1M 77
Burnaby Ct. S6 —5E 108
Burnaby Cres. S6 —6E 108
Burnaby Grn. S6 —5E 108
Burnaby St. S6 —5E 108
Burnaby St. Donc —5N 63
Burnaby Wlk. S6 —6E 108
Burnaston Clo. Dron W —9D 134
Burnaston Wlk. Den M —3M 79
Burncross. —9F 74
Burncross Dri. C'town —9G 74
Burncross Gro. C'town —9F 74
Burncross Rd. C'town —9F 74
Burnell Rd. S6 —3D 108
Burnett Clo. P'stne —5A 54
Burngreave. —6K 109
Burngreave Bank. S4 —6J 109
Burngreave Rd. S3 —5J 109
Burngreave St. S3 —6J 109
Burn Gro. C'town —1K 93
Burngrove Pl. S3 —5J 109
Burnham Av. M'well —8C 16
Burnham Clo. Donc —8E 64
Burnham Gro. Donc —8K 43
Burnham Way. D'fld —2F 58
Burnlee. —4B 30
Burnlee Rd. Holmf —4C 30
Burn Pl. B'ley —1F 36
Burnsall Cres. B'wth —5J 111
Burnsall Gro. B'ley —1L 57
Burns Av. S Kirk —8M 19
Burns Ct. C'town —9G 74
Burns Dri. C'town —9G 74
Burns Dri. Roth —7A 96
Burnside. Thurn —7B 40
Burnside Av. S8 —6H 123
Burnside Dri. Holmf —4C 30
Burns Rd. S6 —8E 108
Burns Rd. Barn D —9J 25
Burns Rd. Dinn —3E 128
Burns Rd. Donc —9M 63
Burns Rd. Maltby —9E 98
Burns Rd. Roth —7N 95
Burns Rd. Work —5E 142
Burns St. Ben —7M 43
Burns Vs. Stain —5B 26
(in two parts)
Burns Way. Bal —7L 63
Burns Way. Wath D —8J 59
Burnt Hill La. O'bri —8H 91
Burnt Stones Clo. S10 —1M 121
Burnt Stones Dri. S10 —1M 121
Burnt Stones Gro. S10 —1M 121
Burnt Tree La. S3 —8G 108 (1C 4)
(in two parts)
Burntwood Av. S Kirk —7B 20
Burntwood Bank. Hems —4K 19
Burntwood Clo. Thurn —9A 40
Burntwood Cres. S Kirk —7B 20
Burntwood Cres. Tree —7L 111
Burntwood Dri. S Kirk —7A 20
Burntwood Gro. S Kirk —8B 20
Burntwood La. Brie —8L 19
Burnt Wood La. Tree —8N 111
Burntwood Rd. Grim —2H 39
Burrell St. Roth —7K 95
Burrowlee Rd. S6 —3D 108
Burrows Dri. S5 —2H 109
Burrows Gro. Womb —4B 58
Burrs Farm Ct. Gild —3K 129
Burrs La. Gild —3K 129
Burton Av. B'ley —4L 37
Burton Av. Donc —7M 63
Burton Bank Rd. B'ley —5H 37
(in two parts)
Burton Cres. B'ley —3M 37
Burton La. O'bri —7L 91
Burtonlees Ct. Donc —8H 65
Burton Rd. S3 —6G 109
Burton Rd. B'ley —5H 37
Burton Rd. Bus. Pk. B'ley —3M 37
Burton St. S6 —5E 108
Burton St. B'ley —5F 36
Burton St. S Elm —7E 20
Burton Ter. B'ley —8J 37
Burton Ter. Donc —7M 63
Burtop Cft. H'fld —8C 58
Burying La. W'wth —3M 75
Bushey Wood Gro. S17 —3M 133
Bushey Wood Rd. S17 —4N 133
Bushfield Rd. Wath D —9K 59
Bushmead M. Work —8C 142
(off Pilgrim Way)
Bush St. Hems —3L 19
Bushy La. Syke —4B 10
Busk Knoll. S5 —2H 109
Busk Mdw. S5 —2H 109
Busk Pk. S5 —2H 109
Busley Gdns. Ben —8L 43
(in two parts)
Butcher Hill. Hems —1L 19
Butcher St. Thurn —8B 40
Butchill Av. S5 —5H 93
Bute St. S10 —9C 108
Butler Rd. S6 —5B 108
Butler Way. Kil —3B 138
Butten Mdw. Aus —3E 102
Butterbusk. Con —4C 80
Butterbusk Green. —2E 80
Buttercross. Old S —8E 22
Buttercross Clo. Skell —7E 22
Buttercross Ct. Tick —6D 100
Buttercross Dri. L Hou —8J 39
Buttercup Clo. Upt —2E 20
Butterfield Ct. Bram —7G 58
Butterill Dri. Arm —2N 65
Butterley Dri. B'ley —1L 57
Butterley La. New M —4J 31
Butterleys. Dod —9B 36
Buttermere Clo. Ans —4C 128
Buttermere Clo. Bol D —6B 60
Buttermere Clo. Carc —8F 22
Buttermere Clo. Mexb —9H 61
Buttermere Dri. Dron W —9F 134
Buttermere Rd. S7 —7F 122
Buttermere Way. B'ley —8B 38
Butterthwaite. —4L 93
Butterthwaite Cres. S5 —6M 93
Butterthwaite La. E'fld —4L 93
Butterthwaite Rd. S5 —5K 93
Butterton Clo. M'well —8D 16
Butt Hole Rd. Con —4C 80
Butt La. Ham —9M 21
Butt La. Hep —6J 31
Butt La. Hoot P —4J 41
Button Hill. S11 —7C 122
Button Row. S'bri —5D 72
Butts Hill. S17 —6M 133
Buxton Rd. B'ley —1H 37
Byath La. Cud —2B 38
Byford Rd. Maltby —8A 98
Byland Way. B'ley —6L 37
Byrley Rd. Roth —4E 94
Byrne Clo. Bar G —4N 35
Byron Av. Bal —9L 63
(in two parts)
Byron Av. Cam —9G 7
Byron Av. C'town —1G 92
Byron Av. Donc —3K 63
Byron Cres. Wath D —8J 59
Byron Dri. B'ley —4J 37
Byron Dri. Roth —7N 95
Byron Rd. S7 —5E 122
Byron Rd. Beig —9N 125
Byron Rd. Dinn —3E 128
(in two parts)
Byron Rd. Maltby —9E 98
Byron Rd. Mexb —1G 79
Byron St. Gt Hou —7L 39
Byron Way. Work —6E 142

Cabin La. New M —2H 31
Cadeby. —9B 62
Cadeby Av. Con —4M 79
Cadeby Ho. Donc —5N 63
(off St James St.)
Cadeby La. Donc —6A 62
Cadeby La. Spro —9B 62
Cadeby Rd. Spro —7E 62
Cadman Ct. Mosb —4K 137
Cadman La. S1 —9H 109 (4G 5)
Cadman Rd. S12 —6C 124
Cadman St. S4 —8K 109 (1K 5)
Cadman St. Mosb —4J 137
Cadman St. Wath D —9N 59
Cadwell Clo. Cud —9C 18
Cadwell Ct. Braith —3D 98
Caernarvon Cres. Bol D —5A 60
Caernarvon Dri. Barn —4H 61
Caernarvon Rd. Dron —9J 135
Caine Gdns. Roth —7E 94
Cairns Rd. S10 —1A 122
Cairns Rd. Beig —7M 125
Caister Av. C'town —9G 74
Caistor Av. B'ley —9D 36
Calcot Grn. Swint —4C 78
Calcot Pk. Av. Swint —4C 78
Caldbeck Gro. High G —6E 74
Caldbeck Pl. Ans —4D 128
Calder Av. Roy —6M 17
Calder Ct. Roth —2L 111
Calder Cres. B'ley —9L 37
Calder Rd. Bol D —6C 60
Calder Rd. Roth —3F 94
Calder Ter. Con —3A 80
Caldervale. Roy —5M 17
Calder Way. S5 —2K 109
Caldey Rd. Dron —9H 135
Calf Hey La. Crow E —1N 51
California Cres. B'ley —9G 36
California Dri. Cat —7J 111
California Dri. C'town —1H 93
California Gdns. B'ley —8G 36
California St. B'ley —9F 36
California Ter. B'ley —9F 36
Calladine Way. Swint —5B 78
Callander Ct. Donc —8H 65
Callis La. P'stne —6A 54
Callis Way. P'stne —5N 53
Callow Dri. S14 —6L 123
Callow Mt. S14 —6K 123
Callow Pl. S14 —6L 123
Callow Rd. S14 —6K 123
Callum Ct. P'gte —3L 95
Callywhite La. Dron —9J 135
Calner Cft. Soth —9A 126
Calver Clo. Dod —1B 56
Calvert Rd. S9 —6C 110
Calvert St. Hoy —1J 75
Calvey Orchard. Cud —1C 38
Camborne Clo. S6 —8D 92
Camborne Rd. S6 —8D 92
Camborne Way. B'ley —5J 37
Cambourne Clo. Adw S —2F 42
Cambria Dri. Donc —9J 63
Cambrian Clo. Spro —6E 62
Cambria Ter. Work —6B 142
Cambridge Clo. H'ton —5G 61
Cambridge Ct. S1 —9H 109 (4E 4)
(off Carver St.)
Cambridge Cres. Roth —6N 95
Cambridge Pl. Roth —6N 95
Cambridge Rd. S8 —5J 123
Cambridge Rd. Deep —6H 73
Cambridge Rd. Harw —9J 101
Cambridge St. S1 —9H 109 (4E 4)
Cambridge St. Mexb —1D 78

Cambridge St.—Cat La.

Cambridge St. New R —4H 83
Cambridge St. Roth —7N 95
Cambridge St. S Elm —6D 20
Cambron Gdns. Braml —8J 97
Camdale Ri. S12 —1F 136
Camdale Vw. S12 —1F 136
Camden Pl. Donc —5N 63
Camellia Clo. Con —5B 80
Camellia Dri. Kirk S —5J 45
Cam Height. Hath —9B 120
Cammell Rd. S5 —2L 109
Camms Clo. Eck —6K 137
Camm St. S6 —6D 108
Campbell Clo. Work —2C 142
Campbell Dri. Roth —8A 96
Campbell St. Roth —1J 95
Camping La. S8 —9F 122
Campion Clo. Bol D —4A 60
Campion Dri. Kil —4B 138
Campion Dri. Swint —5C 78
Campo La. S1 —9H 109 (3E 4)
Camp Rd. S Kirk —8M 19
Campsall. —1G 23
Campsall Balk. Nor —9G 7
Campsall Country Pk. —1H 23
Campsall Dri. S10 —9B 108
Campsall Fld. Clo. Wath D —2L 77
Campsall Fld. Rd. Wath D —1L 77
Campsall Hall Rd. Cam —9H 7
Campsall Pk. Rd. Cam —9G 7
Campsall Rd. Ask —1J 23
Campsmount Dri. Cam —1G 22
Canada St. S4 —5L 109
Canada St. B'ley —9F 36
Canal Bri. Kil —4C 138
Canal Rd. Work —7C 142
Canal St. S4 —7L 109
Canal St. B'ley —5G 37
Canal Ter. Work —7D 142
Canal Vw. Thorne —3K 27
Canal Way. B'ley —5G 37
Canal Wharfe. Mexb —2H 79
Canberra Av. Lind —9J 47
Canberra Ri. Bol D —5A 60
Candy Bank. Blax —6M 67
Canklow. —1K 111
Canklow Hill Rd. Roth —1K 111
Canklow Meadows Ind. Est. B'wth —4K 111
Canklow Rd. Roth —1K 111
Canning St. S1 —9G 109 (4D 4)
Cannock St. S6 —4D 108
Cannon Hall Country Pk. —3E 34
Cannon Hall Mus. —3E 34
Cannon Hall Open Farm. —3E 34
Cannon Hall Rd. S5 —3K 109
Cannon Hall Vis. Cen. —3E 34
Cannonthorpe Ri. Tree —8M 111
Cannon Way. B'ley —3A 36
Canon Clo. Ross —5L 83
Canons Way. B'ley —5K 37
Cantelo Ct. New R —7H 83
Canterbury Av. S10 —3L 121
Canterbury Clo. Donc —1J 63
Canterbury Clo. Work —3D 142
Canterbury Cres. S10 —3L 121
Canterbury Dri. S10 —3L 121
Canterbury Rd. S8 —6J 123
Canterbury Rd. Donc —1C 64
Canterbury Rd. D'cft —9C 26
Canterbury Wlk. Carl L —4B 130
(off Beverley Wlk.)
Cantilupe Cres. Ast —3C 126
Cantley. —6L 65
Cantley La. Donc —6G 64
Cantley Mnr. Av. Donc —8J 65
Canyards Hills La. Bols —2A 90
Capel St. S6 —5E 108
(in two parts)
Caperns Rd. Ans —6D 128
Capitol Pk. Thorne —1H 27
Capri Ct. D'fld —1E 58
Capstan Way. Thorne —2J 27
Cvn. Site, The. Spro —7E 62
Caraway Gro. Swint —6C 78
Carbis Clo. B'ley —5J 37
Carbrook. —4B 110
Carbrook Hall Ind. Est. S9 —3B 110
Carbrook Hall Rd. S9 —3B 110
Carbrook St. S9 —4B 110
Carcroft. —9G 23
Carcroft Enterprise Pk. Carc —9G 23
Carcroft Ind. Est. Adw S —1H 43
Cardew Clo. Rawm —9N 77
Cardigan Rd. Donc —2F 64
Cardinal Clo. Ross —5L 83
Cardoness Dri. S10 —1N 121
Cardoness Rd. S10 —1A 122
Cardwell Av. S13 —4F 124
Cardwell Dri. S13 —4F 124
Carey Av. B'ley —6H 37
Carfield Av. S8 —6J 123
Carfield La. S8 —6K 123
Carfield Pl. S8 —6J 123
Carisbrooke Rd. Donc —3D 64
Carisbrook Rd. Carl L —5B 130
Carlby Rd. S6 —5B 108
Carlecotes. —4M 51
Carley Dri. W'fld —1M 137
Carling Av. Work —8A 142
Carlingford Rd. Roth —1N 111
Carlin St. S13 —5E 124
Carlisle Pl. Roth —6L 95
(off Nottingham St.)
Carlisle Rd. S4 —4M 109
Carlisle Rd. Donc —9E 44
Carlisle St. S4 —7K 109
Carlisle St. Kiln —5C 78
(in two parts)
Carlisle St. Roth —6L 95
Carlisle St. E. S4 —6L 109
Carlisle Ter. Dinn —2D 128
Carlthorpe Gro. High G —7D 74
Carlton. —8L 17
Carlton Av. Roth —7M 95
Carlton Av. Work —4B 142
Carlton Clo. Bran —7A 66
Carlton Clo. Hems —4J 19
Carlton Clo. Mosb —4J 137
Carlton Clo. Work —3B 142
Carlton Dri. Baw —7B 102
Carlton Gdns. S Elm —6E 20
Carlton Green. —9L 17
Carlton Hall La. Carl L —6B 130
Carlton Ho. Cud —1B 38
Carlton Ho. Donc —5N 63
(off Bond Clo.)
Carlton Ho. Donc —3B 64
(off Highfield Rd.)
Carlton Ho. S Elm —6E 20
(off Carlton Gdns.)
Carlton Ind. Est. B'ley —2K 37
(in two parts)
Carlton Ind. Est. Car —1K 37
Carlton in Lindrick. —4C 130
Carlton Marsh Nature Reserve. —9N 17
Carlton M. S2 —4M 123
Carlton Phoenix Ind. Est. Work —6D 142
Carlton Ri. Whar S —2K 91
Carlton Rd. S6 —2C 108
Carlton Rd. B'ley —3H 37
Carlton Rd. Donc —2B 64
Carlton Rd. Rawm —1M 95
Carlton Rd. S Elm —6E 20
Carlton Rd. Work —2C 142
Carlton St. B'ley —4F 36
Carlton St. Cud —1B 38
Carlton St. Grim —2G 38
Carlton Ter. Car —8M 17
Carl Walk Fort. —3C 132
Carlyle Rd. Maltby —9E 98
Carlyle St. Mexb —1F 78
Carnaby Rd. S6 —5D 108
Carnarvon St. S6 —7F 108
Carnforth Rd. B'ley —3L 37
Carnley St. Wath D —8H 59
Carnoustie. Work —5E 142
Carnoustie Clo. Swint —4D 78
Carolina Way. Donc —8D 64
Carpenter Cft. S12 —5C 124
Carpenter Gdns. S12 —5C 124
Carpenter M. S12 —5C 124
Carr. —3A 114
Carr Bank. Wadw —7D 82
Carr Bank Clo. S11 —3A 122
Carr Bank Dri. S11 —3N 121
Carr Bank La. S11 —3N 121
Carr Clo. B'wth —4G 111
Carr Clo. Deep —6G 72
Carrcroft Ct. Deep —6H 73
Carrfield Clo. Dart —9M 15
Carrfield Ct. S8 —5J 123
Carrfield Dri. S8 —5J 123
Carrfield La. S2 —5J 123
Carr Fld. La. Bol D —4A 60
Carrfield Rd. S8 —5J 123
Carrfield St. S8 —5J 123
Carr Fold. Deep —6H 73
Carr Forge Clo. S12 —7G 125
Carr Forge La. S12 —7G 125
Carr Forge Mt. S12 —7G 125
Carr Forge Pl. S12 —7H 125
Carr Forge Rd. S12 —7G 124
Carr Forge Ter. S12 —7G 125
Carr Forge Vw. S12 —7H 125
Carr Forge Wlk. S12 —7H 125
(off Carter Lodge Dri.)
Carr Furlong. B'ley —8G 16
Carr Grange Light Ind. Est. Donc —6A 64
Carr Grn. Bol D —4B 60
Carr Grn. M'well —9D 16
Carr Grn. La. M'well —1D 36
Carr Gro. Deep —6G 73
Carr Head. —6H 73
Carr Head La. Bol D —4L 59
Carr Head La. P'stne —9L 33
Carrhead La. Syke —7C 10
Carr Head Rd. Wort —5C 74
Carr Hill. Donc —7M 63
Carr Hill Rd. Up Cum —2D 32
Carr Ho. La. Whar S —1F 90
Carr Ho. Rd. Donc —6A 64
Carr Ho. Rd. Holmf —3E 30
Carriage Dri. Donc —7B 64
Carriage Way, The. Ross —5L 83
Carrill Dri. S6 —7D 92
Carrill Rd. S6 —7D 92
Carrington Av. B'ley —4F 36
Carrington Rd. S11 —3C 122
Carrington St. B'ley —5E 36
Carrington St. Roth —8M 95
Carrington Ter. Kiv P —9J 127
Carr La. Bam —4C 118
Carr La. Bes —1G 83
Carr La. Bols —9F 72
Carr La. Con —6B 80
Carr La. Donc —6A 64
Carr La. Dron W —8D 134
Carr La. Holmb —4A 30
Carr La. Holmf —4F 30
Carr La. Hoot L & Maltby —9B 98
Carr La. Maltby & Lghtn —3A 114
Carr La. P'stne —8K 33
Carr La. Shep —2C 32
Carr La. S Kirk —5B 20
Carr La. Thry —8F 78
Carr La. Ulley —9E 112
Carr La. Wadw —7N 81
Carr La. Wort & Tank —2C 74
Carr Mt. Up Cum —2D 32
Carroll Ct. S Elm —6D 20
Carron Dri. M'well —9D 16
Carr Rd. S6 —6D 108
Carr Rd. Deep —7F 72
Carr Rd. Edl'tn —5E 80
Carr Rd. Wath D —9N 59
Carr Side La. Hat —1E 46
Carrs La. Ask —2C 24
Carrs La. Cud —3B 38
Carr St. B'ley —3L 37
Carr Vw. S Kirk —6B 20
Carr Vw. Av. Donc —7M 63
Carr Vw. Rd. Hep —6K 31
Carr Vw. Rd. Roth —5D 94
Carrville Dri. S6 —9E 92
Carrville Rd. S6 —9E 92
Carrville Rd. W. S6 —9D 92
Carrwell La. S6 —1D 108
Carrwood Rd. B'ley —7M 37
Carsick. —2N 121
Carsick Gro. S10 —2M 121
Carsick Hill. —2M 121
Carsick Hill Cres. S10 —2M 121
Carsick Hill Dri. S10 —2N 121
Carsick Hill Rd. S10 —2M 121
Carsick Hill Way. S10 —2M 121
Carsick Vw. Rd. S10 —2M 121
Carson Dri. H'hill —3K 139
Carson Mt. S12 —8B 124
Carson Rd. S10 —9C 108
Carterhall La. S12 —9C 124
Carterhall Rd. S12 —9B 124
Carter Knowle. —6E 122
Carter Knowle Av. S11 —6C 122
Carter Knowle Rd. S11 & S7 —6C 122
Carter Lodge Av. S12 —7G 125
Carter Lodge Dri. S12 —7H 125
Carter Lodge Pl. S12 —7H 125
Carter Lodge Ri. S12 —7H 125
Carter Lodge Wlk. S12 —7H 125
(off Carter Lodge Dri.)
Carter Pl. S8 —5J 123
Carter Rd. S8 —5H 123
Cartmel Clo. Dron W —9F 134
Cartmel Clo. Maltby —7E 98
Cartmel Ct. B'ley —1L 37
Cartmell Cres. S8 —8G 122
Cartmell Rd. S8 —7F 122
Cartmel Wlk. Dinn —4D 128
Cart Rd. C'town —7H 75
Cartworth Bank Rd. Holmf —6D 30
Cartworth La. Holmf —5D 30
Cartworth Moor Rd. Holmf —9C 30
Cartworth Rd. Holmf —4E 30
Cartwright St. S'oaks —3J 141
Car Va. Dri. S13 —3C 124
Car Va. Vw. S13 —3C 124
Carver Clo. H'hill —5K 139
Carver Dri. Dinn —3C 128
Carver La. S1 —9H 109 (3E 4)
Carver St. S1 —9H 109 (3E 4)
Carver Way. H'hill —4K 139
Carwood Clo. S4 —5L 109
Carwood Grn. S4 —5L 109
Carwood Gro. S4 —5L 109
Carwood La. S4 —5L 109
Carwood Rd. S4 —5L 109
Carwood Way. S4 —5L 109
Cary Rd. S2 —3N 123
Cary Rd. Eck —7H 137
Casson's Rd. Thorne —1J 27
Castell Cres. Donc —6H 65
Castle Av. Con —4A 80
Castle Av. Ross —6L 83
Castle Av. Roth —1K 111
Castlebeck. —2C 124
Castlebeck Av. S2 —2B 124
Castlebeck Ct. S2 —2C 124
(off Castlebeck Av.)
Castlebeck Cft. S2 —2C 124
Castlebeck Dri. S2 —3B 124
Castle Clo. Dod —1B 56
Castle Clo. Monk B —5J 37
Castle Clo. P'stne —5A 54
Castle Clo. Spro —5J 63
Castle Clo. Tick —6D 100
Castle Ct. S2 —8L 109 (2K 5)
Castle Ct. Tick —7D 100
Castle Cres. Con —3A 80
Castledale Cft. S2 —3B 124
Castledale Gro. S2 —3C 124
Castledale Pl. S2 —3B 124
Castledine Ct. Bal —2M 81
Castledine Cft. S9 —2B 110
Castledine Gdns. S9 —2A 110
Castle Dri. Hood G —5N 55
Castle Farm. Thor S —3C 140
Castlegate. S3 —8J 109 (2H 5)
Castle Ga. Tick —7D 100
(in two parts)
Castle Green. —5A 54
Castle Grn. S3 —8J 109 (2G 5)
Castle Grn. Lghtn —8B 114
Castle Gro. Spro —6F 62
Castle Gro. Ter. Con —3B 80
Castle Hill. Con —4A 80
Castle Hill. Eck —6K 137
Castle Hill Av. Mexb —2J 79
Castle Hill Clo. Eck —6K 137
Castle Hill Fold. Hick —9H 41
Castle Hills Rd. Donc —7J 43
Castle Ho. S3 —2G 5
Castle La. P'stne —5A 54
Castle M. Scawt —7K 43
Castlereagh St. B'ley —7F 36
Castlerigg Way. Dron W —9F 134
Castle Row. S17 —4C 134
Castlerow Clo. S17 —4C 134
Castlerow Dri. S17 —4C 134
Castlerow Vw. S17 —4C 134
Castle Sq. S1 —9J 109
(off High St.)
Castle St. S3 —8J 109 (2G 5)
Castle St. B'ley —8F 36
Castle St. Con —4A 80
Castle St. P'stne —5A 54
Castle St. Work —8B 142
Castle Ter. Con —4A 80
Castle Vw. Birdw —7F 56
Castle Vw. Dod —8A 36
Castle Vw. Eck —7K 137
Castle Vw. Edl'tn —5F 80
Castle Vw. Hood G —5N 55
Castle Wlk. S2 —2K 5
Castlewood Ct. S10 —3L 121
Castlewood Cres. S10 —3K 121
Castlewood Dri. S10 —3L 121
Castlewood Rd. S10 —3L 121
Castor Rd. S9 —5N 109
Casual Wards. S11 —4E 122
Catania Ri. D'fld —1E 58
Catch Bar La. S6 —2D 108
Catcliffe. —6K 111
Catcliffe Flash Nature Reserve. —7K 111
Catcliffe Rd. S9 —8C 110
Cathedral Ct. D'ville —4A 46
Catherine Av. Swal —4C 126
Catherine Rd. S4 —6J 109
Catherine St. S3 —6J 109
Catherine St. Donc —5A 64
Catherine St. Mexb —1E 78
Catherine St. Roth —7L 95
Cat Hill. —9N 33
Cat Hill La. P'stne —9N 33
Cathill Rd. Bol D —3J 59
Cathill Roundabout. D'fld —2L 59
Cat La. S2 & S8 —5K 123

Cat La.—Chelsea Ri.

Cat La. Balne —1F 8
Catley Rd. S9 —7C 110
Catling La. Barn D —1J 45
Catshaw La. Mill G —4E 52
Cattal St. S9 —7A 110
Catterick Clo. Den M —4K 79
Catterick Ho. Roth —6M 95
Caulk La. Swait —2M 57
(in three parts)
Causeway Gdns. S17 —2L 133
Causeway Glade. S17 —2L 133
Causeway Head. —2L 133
Causeway Head Rd. S17 —2L 133
Causeway, The. S17 —3M 133
Cavendish Av. S6 —3N 107
Cavendish Av. S17 —3A 134
Cavendish Clo. Baw —7B 102
Cavendish Clo. Roth —9C 96
Cavendish Ct. S3 —1G 122 (5C 4)
Cavendish Pl. Maltby —7E 98
Cavendish Ri. Dron —9G 135
Cavendish Rd. S11 —4D 122
Cavendish Rd. B'ley —5F 36
Cavendish Rd. Roth —7G 95
Cavendish Rd. Toll B —4L 43
Cavendish Rd. Work —9D 142
Cavendish St. S3 —9G 108 (4C 4)
Cavendish Ter. Toll B —3L 43
Cavill Rd. S8 —8H 123
Cawdor Rd. S2 —5M 123
Cawdor St. Ben —7M 43
Cawdron Clo. Dalt —4C 96
Cawdron Ri. B'wth —5J 111
Cawley Pl. B'ley —4H 37
Cawston Rd. S4 —4K 109
Cawthorne. —3H 35
Cawthorne Clo. S8 —8F 122
Cawthorne Clo. Dod —1B 56
Cawthorne Clo. Roth —6B 96
Cawthorne Gro. S8 —8F 122
Cawthorne La. Dart —3H 35
Cawthorne Rd. Bar G —3L 35
Cawthorne Rd. Roth —6B 96
Cawthorne Vw. H'swne —1B 54
Caxton La. S10 —1C 122
Caxton Rd. S10 —1D 122
Caxton Rd. W'land —3F 42
Caxton St. B'ley —6F 36
Caythorpe Clo. Lund —3A 38
Cayton Clo. B'ley —1F 36
Cecil Av. Dron —8H 135
Cecil Av. Warm —1G 80
Cecil Clo. Rhod —6L 141
Cecil Rd. Dron —7H 135
Cecil Sq. S2 —3G 123
Cedar Av. Mexb —9E 60
Cedar Av. Wick —8H 97
Cedar Clo. Auc —2C 84
Cedar Clo. Carl L —4B 130
Cedar Clo. Donc —1J 81
Cedar Clo. Eck —8H 137
Cedar Clo. Kil —5B 138
Cedar Clo. Roy —5H 17
Cedar Clo. S'bri —6D 72
Cedar Clo. Swint —5B 78
Cedar Cres. B'ley —9J 37
Cedar Dri. Maltby —8B 98
Cedar Dri. Rav —5L 97
Cedar Gro. Con —6M 79
Cedar Gro. Stain —5C 26
Cedar Nook. Kiv P —9H 127
Cedar Rd. Arm —9M 45
Cedar Rd. Donc —1J 81
Cedar Rd. S'bri —6D 72
Cedar Rd. Thorne —9L 11
Cedars, The. S10 —1C 122
Cedar Va. Swint —5B 78
Cedar Wlk. Cam —1G 22
Cedar Way. C'town —1G 93
Cedric Av. Con —5M 79
Cedric Cres. Thur —6K 113
Cedric Rd. E'thpe —6J 45
Celandine Ct. S17 —5B 134
Celandine Gdns. S17 —5B 134
Celandine Gro. D'fld —3G 58
Celandine Ri. Swint —6B 78
Celtic Ct. Roth —3F 94
Cemetery Av. S11 —2E 122
Cemetery Rd. S11 —3F 122 (7C 4)
Cemetery Rd. B'ley —8H 37
Cemetery Rd. Bol D —6B 60
Cemetery Rd. Dron —9J 135
Cemetery Rd. Grim —1G 39
Cemetery Rd. Hat —1G 46
Cemetery Rd. Hems —2J 19
Cemetery Rd. Holmf —4D 30
Cemetery Rd. Jump —8A 58
Cemetery Rd. Mexb —1F 78
Cemetery Rd. Wath D —2L 77
Cemetery Rd. Womb —4D 58
Cemetery Rd. W'land —4E 42
Cemetery Rd. Work —8D 142
Centenary Way. Roth —8J 95
Centenary Works. Roth —7J 95
(off Centenary Way)
Central Av. Ben —8M 43
Central Av. Dinn —3D 128
Central Av. Grim —9G 19
Central Av. Roth —6A 96
Central Av. S Elm —7E 20
Central Av. S'side —6G 97
Central Av. Swint —4A 78
Central Av. W'land —4E 42
Central Av. Work —8A 142
Central Boulevd. Donc —1E 64
Central Bus. Pk. Roth —7J 95
Central Dri. Baw —5C 102
Central Dri. New R —6H 83
Central Dri. Rawm —6J 77
Central Dri. Roy —6K 17
Central Dri. Thur —6K 113
Central Pde. Roth —7A 96
Central Rd. Roth —7K 95
Central St. Gold —1D 60
Central St. Hoy —1J 75
Central Ter. Edl'tn —4F 80
Centre Riding. Wadw —7K 81
Centre St. Hems —2K 19
Centre St. S Elm —6F 20
Centre, The. Braml —8J 97
Centurion Bus. Pk. Roth —8G 95
Centurion Retail Pk. Donc —2M 63
Centurion St. Roth —8G 95
Centurion Way. Donc —2M 63
Century Clo. K Ind —6G 45
Century Ct. Edl'tn —3G 81
Century Gdns. Ben —7N 43
Century St. S9 —6B 110
Century Vw. B'wth —4G 110
Chadbourne Clo. Arm —2K 65
Chaddesden Clo. Dron W —9D 134
Chaddesdon Wlk. Den M —2N 79
Chadwick Dri. Maltby —7D 98
Chadwick Gdns. Ark —6B 44
Chadwick Rd. S13 —4C 124
Chadwick Rd. Donc —2M 63
Chadwick Rd. Moor —6M 11
Chadwick Rd. W'land —4E 42
Chaff Clo. Whis —3A 112
Chaffinch Av. B'wth —4K 111
Chaffinch M. Gate —3N 141
Chaff La. Whis —3A 112
Chalfont Ct. B'wth —4K 111
Challenger Cres. Thurn —7B 40
Challenger Dri. Spro —4J 63
Challoner Grn. W'fld —2L 137
Challoner Way. W'fld —2L 137
Chalmers Dri. Donc —7G 44
Chamberlain Av. Donc —1L 63
Chamberlain Ct. C'town —8G 74
Chambers Av. Con —4M 79
Chambers Dri. C'town —7H 75
Chambers Gro. C'town —7H 75
Chambers La. S4 —3N 109
Chambers Rd. Hoy —8L 57
Chambers Rd. Roth —4F 94
Chambers Valley Rd. C'town —7H 75
Chambers Vw. C'town —7H 75
Chamossaire. New R —7H 83
Champion Clo. S5 —7L 93
Champion Rd. S5 —7L 93
Chancel Way. B'ley —5K 37
Chancery La. Crow —8M 29
Chancery Pl. Donc —4N 63
Chancet Ct. S8 —1F 134
Chancet Wood. S8 —2G 134
Chancet Wood Clo. S8 —2G 134
Chancet Wood Dri. S8 —2G 134
Chancet Wood Ri. S8 —2G 134
Chancet Wood Rd. S8 —1G 134
Chancet Wood Vw. S8 —2G 134
Chandler Gro. Tree —7L 111
Chandos Cres. Kil —4B 138
Chandos St. S10 —1D 122
Channing Gdns. S6 —5E 108
Channing St. S6 —5E 108
Chantree Ct. Have —1C 18
Chantrey Rd. S8 —8G 123
Chantry Bri. Roth —6K 95
Chantry Clo. Donc —8K 65
Chantry Gro. Roy —6K 17
Chantry Pl. Kiv P —8L 127
Chantry Vw. Mexb —1H 79
Chantry Vw. Roth —7J 95
Chapel Av. Bram —7G 59
Chapel Bank. Jack B —5K 31
Chapel Clo. S10 —2A 122
Chapel Clo. Birdw —8F 56
Chapel Clo. Burn —9F 74
Chapel Clo. Finn —3G 85
Chapel Clo. Roth —1G 94
Chapel Clo. Shaf —6C 18
Chapel Clo. Thur —5K 113
Chapel Ct. Birdw —8F 56
Chapel Ct. Wath D —1L 77
Chapelfield Cres. Thpe H —9N 75
Chapelfield Dri. Thpe H —9N 75
Chapel Fld. La. P'stne —5M 53
Chapelfield La. Thpe H —9N 75
Chapelfield Mt. Thpe H —9N 75
Chapelfield Pl. Thpe H —9N 75
Chapelfield Rd. Thpe H —8N 75
Chapelfields. S Kirk —7A 20
Chapel Fld. Wlk. P'stne —5M 53
Chapelfield Way. Thpe H —9N 75
Chapel Ga. Carl L —6D 130
Chapelgate. Schol —5H 31
Chapel Hill. —1C 8
Chapel Hill. Ask —2K 23
(in two parts)
Chapel Hill. Bla H —6L 57
Chapel Hill. Clayt —4B 40
Chapel Hill. Clayt W —7A 14
Chapel Hill. Swint —3B 78
Chapel Hill. Whis —3A 112
Chapel Hole La. S'ton —2G 99
Chapel La. S9 —6A 110
Chapel La. S17 —6M 133
Chapel La. App —9A 136
Chapel La. B'ley —9K 17
Chapel La. Bran —7A 66
Chapel La. Con —5A 80
Chapel La. Eve —9L 103
Chapel La. Finn —2G 85
Chapel La. Gt Hou —8J 39
Chapel La. Kir Sm —4C 6
Chapel La. L Hou —1M 59
Chapel La. Med H & Crow —4J 29
Chapel La. Mid —3K 71
Chapel La. P'stne —5M 53
Chapel La. Roth —8K 95
Chapel La. S Elm —6G 20
Chapel La. Syke —3L 9
Chapel La. Thorne —2K 27
Chapel La. Thurn —7E 40
Chapel La. Wort —3G 72
Chapel Pl. B'ley —8N 37
Chapel Ri. Ans —6B 128
Chapel Rd. Burn & C'town —1F 92
Chapel Rd. High G —6F 74
Chapel Rd. Tank —9D 56
Chapel Row. E'rtn —3M 9
Chapel St. B'ley —8N 37
Chapel St. Ben —8M 43
Chapel St. Birdw —8F 56
Chapel St. Bol D —5B 60
Chapel St. Carc —9F 22
Chapel St. Crow —7M 29
Chapel St. Greasb —1H 95
Chapel St. Grim —2G 38
Chapel St. Hoy —1J 75
Chapel St. Mexb —1D 78
Chapel St. Mosb —4J 137
Chapel St. Rawm —9M 77
Chapel St. Shaf —6C 18
Chapel St. Thurn —8B 40
Chapel St. Woodh —5H 125
Chapel Ter. S10 —2A 122
Chapeltown. —9J 75
Chapeltown Rd. E'fld —3J 93
Chapel Vw. Arm —9J 45
Chapel Vw. Thurls —3K 53
(off View Rd.)
Chapel Wlk. S1 —9H 109 (3F 5)
Chapel Wlk. Ans —7B 128
Chapel Wlk. Cat —7J 111
Chapel Wlk. Mexb —2F 78
Chapel Wlk. Rawm —7K 77
Chapel Wlk. Roth —7J 95
(in two parts)
Chapel Wlk. Work —8B 142
Chapel Way. Kiv P —9J 127
Chapel Way. Rawm —7K 77
Chapelwood Rd. S9 —6B 110
Chapel Yd. Dron —8H 135
Chapel Yd. H'hill —4K 139
Chapman St. S9 —9B 94
Chapman St. Thurn —8D 40
Chappell Clo. H'swne —1B 54
Chappell Dri. Donc —2N 63
Chappell Rd. H'swne —1B 54
Chapter Way. B'ley —5K 37
Chapter Way. Silk —7J 35
Charity St. B'ley —2N 37
Charles Ashmore Rd. S8 —2G 135
Charles Ct. Thorne —9L 11
Charles Cres. Arm —9J 45
Charles Cres. Flats. Arm —9J 45
Charles La. S1 —9H 109 (4F 5)
(in two parts)
Charles Rd. Wath D —1N 77
Charles Sq. High G —7E 74
Charles St. S1 —9H 109 (4F 5)
(in two parts)
Charles St. B'ley —8F 36
Charles St. Cud —9C 18
Charles St. Dinn —1D 128
Charles St. Donc —2B 64
Charles St. Gold —2C 60
Charles St. Grim —2G 39
Charles St. Kiln —7D 78
Charles St. L Hou —9L 39
Charles St. Rawm —7A 78
Charles St. Ryh —1A 18
Charles St. Skell —7F 22
Charles St. S Hien —4E 18
Charles St. Swint —4C 78
Charles St. Thur —5K 113
Charles St. Wors —3H 57
Charleville. S Elm —5D 20
Charlotte La. S1 —4C 4
Charlotte Rd. S1 & S2 —2H 123 (7F 5)
Charltonbrook. —8F 74
Charlton Brook Cres. C'town —8F 74
Charlton Clough. C'town —9E 74
Charlton Dri. High G —8F 74
Charlton Hill Ri. C'town —9E 74
Charnell Av. Maltby —8E 98
Charnley Av. S11 —6D 122
Charnley Clo. S11 —5C 122
Charnley Dri. S11 —6D 122
Charnley Ri. S11 —6D 122
Charnock Av. S12 —9B 124
Charnock Cres. S12 —8A 124
Charnock Dale Rd. S12 —9A 124
Charnock Dri. S12 —8B 124
Charnock Dri. Cusw —2K 63
Charnock Gro. S12 —9B 124
Charnock Hall. —9B 124
Charnock Hall Rd. S12 —9A 124
Charnock Vw. Rd. S12 —9A 124
Charnock Wood Rd. S12 —9B 124
Charnwood Ct. Soth —9N 125
Charnwood Dri. Donc —1K 81
Charnwood Gro. Roth —6F 94
Charnwood Ho. Swint —3C 78
Charnwood St. Swint —3C 78
Charter Arc. B'ley —7G 36
Charter Dri. Scawt —8H 43
Charter Row. S1 —1H 123 (6D 4)
Charter Sq. S1 —1H 123 (5E 4)
Chase Rd. S6 —4M 107
Chase, The. S6 —4M 107
Chase, The. S10 —2E 122
(off Clarkegrove Rd.)
Chase, The. Ast —5D 126
Chatfield Rd. S8 —9F 122
Chatham Ho. Roth —7L 95
(off Doncaster Ga.)
Chatham St. S3 —7H 109
Chatham St. Roth —7L 95
Chatsworth Av. Mexb —9J 61
Chatsworth Clo. Ast —4E 126
Chatsworth Ct. S11 —7A 122
Chatsworth Ct. Birc —8L 101
Chatsworth Cres. Donc —8K 43
Chatsworth Dri. Ross —6L 83
Chatsworth Pk. Av. S12 —6A 124
Chatsworth Pk. Dri. S12 —6A 124
Chatsworth Pk. Gro. S12 —6A 124
Chatsworth Pk. Ri. S12 —6A 124
Chatsworth Pk. Rd. S12 —6A 124
Chatsworth Pl. Dron W —8E 134
Chatsworth Ri. B'wth —4K 111
Chatsworth Ri. Dod —9N 35
Chatsworth Rd. S17 —4N 133
Chatsworth Rd. B'ley —2H 37
Chatsworth Rd. Roth —7H 95
Chatsworth Rd. Work —3C 142
Chatterton Dri. Roth —9A 96
Chaucer Clo. S5 —7E 92
Chaucer Ho. Roth —8A 96
(off Browning Rd.)
Chaucer Rd. S5 —8E 92
Chaucer Rd. Mexb —9G 61
Chaucer Rd. Roth —9A 96
Cheadle St. S6 —4D 108
Cheapside. B'ley —7G 36
Checkstone Av. Donc —1H 83
Chedworth Clo. Dart —1N 35
Cheese Ga. Nab Side. Holmf —6L 31
Cheetham Dri. Maltby —7E 98
Chelmsford Av. Ast —3D 126
Chelmsford Dri. Donc —1C 64
Chelsea Ct. S11 —4D 122
Chelsea Ri. S11 —4D 122

Chelsea Rd.—Clarel St.

Chelsea Rd. S11 —4D 122
Cheltenham Ri. Donc —2H 63
Cheltenham Rd. Donc —2F 64
Chemist La. Roth —6J 95
Chemistry La. Wort —5L 73
Cheney Row. S1 —4F 5
Chepstow Dri. Mexb —9G 61
Chepstow Gdns. Donc —2H 63
Chequer Av. Donc —5B 64
Chequer La. Kirk B —5H 25
Chequer Rd. Donc —4A 64
Cheriton Av. Adw S —2E 42
Cherry Bank Rd. S8 —8H 123
Cherry Brook. Roth —5A 96
Cherry Clo. Cud —9B 18
Cherry Clo. Roy —5H 17
Cherry Gth. Ben —5M 43
Cherry Gth. Cam —1G 22
Cherry Gth. Hems —3J 19
Cherry Gro. Con —6L 79
Cherry Gro. Gold —2B 60
Cherry Gro. New R —6K 83
Cherry Hills. Dart —8B 16
Cherry La. Clayt W —7B 14
Cherry La. Donc —3M 63
Cherrys Rd. B'ley —6L 37
Cherry St. S2 —3H 123
Cherry St. S. S2 —3H 123
Cherry Tree Av. S'oaks —3K 141
Cherry Tree Clo. S11 —4E 122
Cherry Tree Clo. B'wth —4K 111
Cherry Tree Clo. M'well —8D 16
Cherry Tree Ct. S11 —4E 122
Cherry Tree Cres. Wick —8H 97
Cherry Tree Dell. S11 —4E 122
Cherry Tree Dri. S11 —4E 122
Cherry Tree Dri. D'cft —8C 26
Cherry Tree Dri. Kil —5C 138
Cherry Tree Dri. Thorne —9K 11
Cherry Tree Gro. D'cft —8C 26
Cherry Tree Hill. —4E 122
Cherry Tree Pl. Wath D —1M 77
Cherry Tree Rd. S11 —4E 122
Cherry Tree Rd. Arm —1L 65
Cherry Tree Rd. Donc —5M 63
Cherry Tree Rd. Maltby —8B 98
Cherry Tree Rd. Wal —9F 126
Cherry Tree St. Hoy & Else —9N 57
Cherry Tree Wlk. Schol —4H 31
Cherry Wlk. C'town —9H 75
Chesham Rd. B'ley —7E 36
Cheshire Rd. Donc —2B 64
Chessel Clo. S8 —7H 123
Chesterfield Rd. S8 —9G 122
Chesterfield Rd. Dron —9H 135
Chesterfield Rd. Eck —9G 137
Chesterfield Rd. Swal —5A 126
(in two parts)
Chesterfield Rd. S. S8 —5H 135
Chesterhill Av. Dalt —4D 96
Chester Rd. Donc —1C 64
Chesterton Dri. Work —5E 142
Chesterton Rd. Donc —9N 63
Chesterton Rd. E'wd T —5N 95
Chesterton Way. E'wd T —4A 96
Chesterwood Dri. S10 —1C 122
Chestnut Av. S9 —9E 110
Chestnut Av. Arm —9L 45
Chestnut Av. Beig —6M 125
Chestnut Av. Brie —7F 18
Chestnut Av. Carc —8F 22
Chestnut Av. Crow —9M 29
Chestnut Av. Donc —9E 44
Chestnut Av. Eck —8H 137
Chestnut Av. Kil —5B 138
Chestnut Av. Kiv P —8H 127
Chestnut Av. New R —6K 83
Chestnut Av. Roth —6A 96
Chestnut Av. Stain —5C 26
Chestnut Av. S'bri —6D 72
Chestnut Av. Thorne —3L 27
Chestnut Av. Wath D —2M 77
Chestnut Clo. Flan —7G 97
Chestnut Clo. Work —9B 142
Chestnut Ct. B'ley —9G 37
Chestnut Ct. Ben —6L 43
Chestnut Cres. B'ley —9J 37
Chestnut Dri. Auc —2C 84
Chestnut Dri. Baw —6B 102
Chestnut Dri. C'town —1F 92
Chestnut Dri. S Hien —4D 18
Chestnut Gro. Con —5M 79
Chestnut Gro. Dinn —1D 128
Chestnut Gro. Hems —3M 19
Chestnut Gro. Maltby —8B 98
Chestnut Gro. Mexb —9E 60
(in two parts)
Chestnut Gro. Spro —7F 62
Chestnut Gro. Thurn —9C 40
Chestnut Rd. L'gld —8C 116
Chestnut Rd. Swal —3A 126
Chestnut St. Grim —3H 39
Chestnut St. S Elm —8D 20
Chestnut Wlk. Hoot L —9C 98
Chevet Ho. Donc —5N 63
(off St James St.)
Chevet La. Notton —1J 17
Chevet Ri. Roy —5J 17
Chevet Vw. Roy —5H 17
Cheviot Clo. Hems —2M 19
Cheviot Clo. Thorne —3J 27
Cheviot Dri. Donc —9K 43
Cheviot Wlk. B'ley —6C 36
Chevril Ct. Wick —9F 96
Cheyne Wlk. Baw —6B 102
Chichester Rd. S10 —8C 108
Chichester Wlk. Carl L —4B 130
(off Lilac Gro.)
Chilcombe Pl. Birdw —9G 57
Childers Dri. Auc —8C 66
Childers St. Donc —6B 64
Chiltern Ct. Hems —2M 19
Chiltern Cres. Spro —6E 62
Chiltern Ri. B'wth —5K 111
Chiltern Rd. S6 —4C 108
Chiltern Rd. Donc —9K 43
Chiltern Wlk. B'ley —6C 36
Chiltern Way. Carl L —4B 130
Chilton St. B'ley —8H 37
Chilwell Clo. B'ley —8G 16
Chilwell Gdns. B'ley —8G 16
Chilwell M. B'ley —8G 16
Chindit Ct. Dinn —2D 128
Chinley St. S9 —7A 110
Chippingham Pl. S9 —6N 109
Chippingham St. S9 —6N 109
Chippinghouse Rd. S7 & S8 —4G 122
Chiverton Clo. Dron —8H 135
Choppards. —7E 30
Choppards Bank Rd. Holmf —7E 30
Choppards La. Holmf —6E 30
Chorley Av. S10 —3L 121
Chorley Dri. S10 —3L 121
Chorley Pl. S10 —4L 121
Chorley Rd. S10 —4L 121
Christchurch Av. Ast —3D 126
Christchurch Flats. Wath D —8J 59
(off Masefield Rd.)
Christ Chu. Rd. S3 —5J 109
Christ Chu. Rd. Donc —3A 64
Christchurch Rd. Wath D —8J 59
Christ Chu. Ter. Donc —4B 64
Church Av. Rawm —1L 95
Church Av. S Kirk —7B 20
Church Balk. E'thpe —5H 45
Church Balk. Thorne —2L 27
Church Balk Gdns. E'thpe —5J 45
Church Balk La. E'thpe —6J 45
Church Clo. Auc —9C 66
Church Clo. Dart —9N 15
Church Clo. Hems —2K 19
Church Clo. Kiv P —9G 127
Church Clo. Maltby —9D 98
Church Clo. O'bri —6M 91
Church Clo. Rav —2H 97
Church Clo. Ren —9A 138
Church Clo. Swint —3B 78
Church Clo. Thorne —2L 27
Church Corner. Lghtn —7B 114
Church Cottage M. Donc —8J 63
Church Ct. Ans —7C 128
Church Ct. Donc —8J 65
Church Cft. E'thpe —5H 45
Church Cft. Rawm —1L 95
Churchdale Rd. S12 —7D 124
Church Dri. Brie —7F 18
Church Dri. S Kirk —7B 20
Church Dri. W'wth —5A 76
Churchfield. B'ley —6F 36
Churchfield Av. Cud —2B 38
Churchfield Av. Dart —9L 15
Churchfield Clo. Ben —8L 43
Church Fld. Clo. Carl L —6D 130
Churchfield Clo. Dart —9K 15
Churchfield Ct. B'ley —6F 36
Churchfield Ct. Dart —9M 15
Churchfield Cres. Cud —2B 38
Church Fld. Dri. Wick —9G 96
Churchfield Gdns. Car —8L 17
Churchfield La. Dart —9L 15
Churchfield La. L Sme & Wome —4D 6
Church Fld. La. W'wth —6N 75
Churchfield La. Wome —2E 6
(in two parts)
Church Fld. Rd. Cam —9H 7
Church Fld. Rd. Clayt —4B 40
Church Fields. Roth —6E 94
Churchfields. T'land —8H 55
Churchfields. Wick —1G 112
Churchfields Cvn. Site. Ben —8L 43
(off Church St.)
Churchfields Clo. B'ley —6F 36
Church Fields Rd. Ross —4L 83
Churchfield Ter. Cud —2B 38
Church Fld. Vw. Bal —8J 63
Church Fold. B'ley —6F 36
Church Grn. Wath D —9L 59
Church Gro. B'ley —4K 37
Church Gro. Braith —3E 98
Church Gro. S Kirk —7B 20
Church Heights. H'swne —9B 34
Church Hill. Roy —6L 17
Church Hill. Whis —3B 112
Churchill Av. Donc —1L 63
Churchill Av. Hat —1G 47
Churchill Av. Maltby —7E 98
Churchill Rd. S10 —9D 108
Churchill Rd. Donc —1B 64
Churchill Rd. S'bri —4B 72
Church La. S9 —6N 109
Church La. S12 —8J 125
Church La. S17 —4M 133
Church La. Adw S —2G 42
Church La. Ast —5E 126
(in two parts)
Church La. Aus —3E 102
Church La. Barn D —9H 25
Church La. B'ley —6F 36
Church La. Beig —8N 125
Church La. Bes —9H 65
Church La. Braml —8J 97
Church La. Carl L —7C 130
Church La. Cat —6J 111
Church La. Caw —4H 35
Church La. Clayt W —7B 14
Church La. Crow —7M 29
Church La. Dinn —2B 128
Church La. Finn —3F 84
Church La. Fish —2D 26
Church La. H'ton —5H 61
Church La. Harw —9H 101
Church La. H Hoy —8E 14
Church La. H'swne —9B 34
Church La. Kil —4D 138
Church La. Letw —1J 129
Church La. Maltby —9B 80
(Back La.)
Church La. Maltby —9D 98
(Blyth Rd.)
Church La. Marr —9A 42
Church La. Notton & S Hien —2M 17
Church La. Rav —2J 97
Church La. Shep —1B 32
Church La. S Hien —2A 18
Church La. Tank —3F 74
Church La. Tick —6D 100
Church La. Tree —8L 111
Church La. Wadw —7M 81
(in two parts)
Church La. Warm —8H 63
(in two parts)
Church La. Wath D —9L 59
Church La. Wick —9G 97
Church La. Woodh —5H 125
Church La. Wors —5G 57
Church La. M. Braml —8J 97
Church Lea. Hoy —2M 75
Church Mdw. Rd. Ross —5L 83
Church M. Ben —8L 43
Church M. Bol D —6B 60
Church M. Kil —3D 138
Church M. Mexb —2H 79
Church M. Mosb —3K 137
Church Mt. S Kirk —7B 20
Church Piece La. Mill G —4A 52
Church Rein Clo. Warm —9G 63
Church Rd. Barn D —9H 25
Church Rd. Birc —9M 101
Church Rd. Caw —4G 35
Church Rd. Den M —2M 79
Church Rd. Edl'tn —3F 80
Church Rd. Kirk S —4J 45
Church Rd. Stain —5A 26
Church Rd. Wadw —8L 81
Church St. S1 —9H 109 (3F 5)
Church St. S6 —7L 107
Church St. Arm —1K 65
Church St. Ask —1L 23
Church St. B'ley —6F 36
Church St. Baw —7C 102
(in two parts)
Church St. Ben —8L 43
Church St. Bol D —5B 60
Church St. Brie —6F 18
Church St. Car —8L 17
Church St. Caw —3H 35
Church St. Con —4A 80
Church St. Crow —8M 29
Church St. Cud —2B 38
Church St. D'fld —2H 59
Church St. Dart —9N 15
Church St. Donc —3N 63
Church St. Dron —9H 135
Church St. E'fld —4H 93
Church St. Eck —6L 137
Church St. Else —1A 76
Church St. Eve —9L 103
Church St. Fish —2D 26
Church St. Gawber —5B 36
Church St. Greasb —6E 94
Church St. Gt Hou —6L 39
Church St. Jump —8N 57
Church St. L'gld —1B 130
Church St. M'well —8D 16
Church St. Mexb —2G 79
Church St. New M —2K 31
Church St. O'bri —6L 91
Church St. P'stne —4N 53
Church St. Rawm —1L 95
Church St. Roth —7K 95
(S60)
Church St. Roth —1G 95
(S61)
Church St. Roy —6K 17
Church St. S Elm —7F 20
Church St. Swint —3A 78
Church St. Thorne —2K 27
Church St. Thur —6L 113
Church St. Thurn —8B 40
Church St. Wal —9G 126
Church St. Wath D —9L 59
Church St. Womb —5D 58
Church St. Wool —2A 16
Church St. Clo. Thurn —8B 40
Church Ter. Dod —9N 35
Church Ter. Holmf —3E 30
Church Top. S Kirk —7B 20
Church Town. —4D 138
Church Vw. Ast —4E 126
Church Vw. Barn —4H 61
Church Vw. B'ley —5E 36
Church Vw. Cam —9G 7
Church Vw. Cud —2B 38
Church Vw. D'fld —2J 59
Church Vw. Donc —3N 63
Church Vw. Edl'tn —5E 80
Church Vw. Holmb —6A 30
Church Vw. Hoy —1J 75
Church Vw. Kil —3D 138
Church Vw. S Kirk —7B 20
Church Vw. Swint —3B 78
Church Vw. Thry —2E 96
Church Vw. Tod —6L 127
Church Vw. Wadw —8M 81
Church Vw. Wick —9G 97
Church Vw. Woodh —5J 125
Church Vw. Cres. P'stne —4N 53
Church Vw. Rd. P'stne —4N 53
Church Vs. S Kirk —7B 20
Church Wlk. Baw —6C 102
Church Wlk. Den M —2M 79
Church Wlk. Fish —2D 26
Church Wlk. Harw —9H 101
Church Wlk. Hat —9E 26
Church Wlk. Thurn —8B 40
(off Church St.)
Church Wlk. Work —7C 142
Church Way. Adw S —2F 42
Church Way. Donc —3N 63
Churcroft. B'ley —4B 36
Cinder Bri. Rd. Roth —1J 95
Cinderhill La. S8 —2J 135
Cinder Hill La. Gren & E'fld —5E 92
Cinderhill Rd. Roth —3E 94
Cinder Hills. —5F 30
Cinderhills Rd. Holmf —4F 30
Cinder Hills Way. Dod —9B 36
Cinder La. Kil —3E 138
Circle Clo. S2 —3B 124
Circle, The. S2 —2A 124
Circle, The. High G —7F 74
Circle, The. Moor —7M 11
Circle, The. New R —5H 83
Circuit, The. W'land —2D 42
City Rd. S2 & S12 —1L 123 (5K 5)
City Road Cemetery & Crematorium. S2 —3M 123
Clanricarde St. B'ley —4F 36
Claphouse Fold. Haigh —4J 15
Clara Pl. K'wth —7F 94
Clare Ct. Roth —6K 95
Clarehurst Rd. D'fld —1G 58
Clarel Clo. P'stne —5M 53
Clarel Ct. Tick —7C 100
Clarell Gdns. Donc —6H 65
Clarel St. P'stne —5M 53

Claremont Cres.—Colliery Vs.

Claremont Cres. S10 —9E 108
Claremont Pl. S10 —9E 108 (4A 4)
Claremont St. Roth —7F 94
Clarence Av. Donc —7M 63
Clarence La. S3 —2G 122 (7C 4)
Clarence Pl. Maltby —7E 98
Clarence Rd. S6 —4C 108
Clarence Rd. B'ley —4J 37
Clarence Rd. Work —6B 142
Clarence Sq. Dinn —2E 128
Clarence St. Dinn —2E 128
Clarence St. Wath D —8J 59
Clarence Ter. Thurn —8D 40
(off Stuart St.)
Clarendon Ct. S11 —3N 121
Clarendon Dri. S10 —3N 121
Clarendon Dri. Work —4A 142
Clarendon Rd. S10 —3N 121
Clarendon Rd. Roth —6M 95
Clarendon St. B'ley —7E 36
Clark Av. Donc —5B 64
Clark Av. Edl'tn —6F 80
Clarke Av. Dinn —9A 114
Clarke Av. Thur —6M 113
Clarke Ct. Dinn —1D 128
Clarke Dell. S10 —2E 122
Clarke Dri. S10 —2E 122
Clarkegrove Rd. S10 —2E 122
Clarkehouse Rd. S10 —2D 122
Clarkes Cft. Womb —4D 58
Clarke Sq. S2 —3G 123
Clarke St. S10 —1F 122 (6B 4)
Clarke St. B'ley —5E 36
Clarke St. Thurn —8D 40
Clark Gro. S6 —6M 107
Clarks Ct. Adw S —2F 42
Clarkson St. S10 —9F 108 (4A 4)
Clarkson St. Wors —2K 57
Clark St. Hoy —8L 57
Clarney Av. D'fld —1F 58
Clarney Pl. D'fld —1G 58
Clay Bank. Ask —4C 24
Clay Bank La. Misson —5L 103
Clay Bank Rd. Thorne —4M 27
Clayburn Rd. Grim —3F 38
Claycliffe Av. B'ley —4A 36
Claycliffe Bus. Pk. B'ley —3A 36
Claycliffe Rd. Bar G & B'ley —2A 36
Claycliffe Ter. B'ley —8E 36
Claycliffe Ter. Gold —2D 60
Clayfield Av. Mexb —1J 79
Clayfield Clo. Mexb —1J 79
Clayfield Ct. Mexb —1J 79
Clayfield La. W'wth —5B 76
Clayfield Rd. Hoy —7L 57
Clayfield Rd. Mexb —1J 79
Clayfields. Donc —1L 81
Clayfield Vw. Mexb —9J 61
(in three parts)
Clay Flat La. New R —6J 83
Claylands Av. Work —3M 141
Claylands Clo. Work —4A 142
Claylands La. Work —5A 142
Clay La. S1 —5F 5
Clay La. Donc —7G 44
(in two parts)
Clay La. W. Donc —6F 44
(in two parts)
Clay Pit La. Rawm —9N 77
Clay Pits La. S'bri —4N 71
Clayroyd. Wors —3J 57
Clay St. S9 —5N 109
(in two parts)
Clayton. —4B 40
Clayton Av. Thurn —7A 40
Clayton Av. Upt —1K 21
Clayton Cres. Wat —9L 125
Clayton Dri. Thurn —8A 40
Clayton Hollow. Wat —9L 125
Clayton Holt. S Kirk —8A 20
Clayton La. Hoot P —3G 41
Clayton La. Thurn & Clayt —7A 40
Clayton Vw. S Kirk —8A 20
Clayton West. —7B 14
Clayton West Station Vis. Cen. —6B 14
Clay Wheels La. S6 —9C 92
Claywood Dri. S2 —1K 123 (6J 5)
Claywood Rd. S2 —1K 123 (5J 5)
(Claywood Dri.)
Claywood Rd. S2 —2K 123 (7K 5)
(Granville Rd.)
Clayworth Dri. Donc —9E 64
Clear Vw. Grim —9G 19
Clearwell Cft. Cusw —2K 63
Cleeve Hill Gdns. Wat —9K 125
Clematis Rd. S5 —1N 109
Clement M. Roth —7E 94
Clementson Rd. S10 —8D 108
Clement St. S9 —6B 110
Clement St. Roth —7E 94
Clevedon Cres. Donc —7K 43
Clevedon Way. Maltby —6F 98
Clevedon Way. Roy —5J 17
Cleveland Clo. Carl L —4B 130
Cleveland Rd. Arm —1M 65
Cleveland St. S6 —7F 108
Cleveland St. Donc —5N 63
Cleveland Way. Hat —9D 26
Cliff. —3F 30
Cliff Ct. Den M —3L 79
Cliff Cres. Warm —9G 63
Cliff Dri. D'fld —2J 59
Cliffe. —1B 32
Cliffe Av. Cra M —8M 55
Cliffe Av. Wors —2J 57
Cliffe Bank. Swint —3C 78
Cliffe Clo. Brie —6F 18
Cliffe Comn. La. Wort —8M 55
Cliffe Ct. B'ley —5K 37
Cliffe Cres. Dod —9N 35
Cliffedale Cres. Wors —1J 57
Cliffe Farm Dri. S11 —4B 122
Cliffe Fld. Rd. S8 —6G 122
Cliffefield Rd. Swint —3C 78
Cliffe Hill. S6 —4G 106
Cliffe Hill. Caw —3G 35
Cliffe Ho. Rd. S5 —9J 93
Cliffe La. B'ley —5K 37
Cliffe Pk. Shep —1B 32
Cliffe Rd. S6 —6B 108
Cliffe Rd. Bram —7G 59
Cliffe Rd. Shep —1B 32
Cliffe Side. Shep —1B 32
Cliffe St. Clayt W —7B 14
Cliffe Vw. Clayt W —7B 14
Cliffe Vw. Rd. S8 —6H 123
Cliffewood Ri. Clayt W —7A 14
Cliff Hill. Maltby —8B 98
Cliff Hill Ct. Holmf —3F 30
Cliff Hill Rd. Nor —7F 6
Cliff Hills Clo. Maltby —8C 98
Cliff Ho. La. Holmf —2F 30
Cliff La. Brie —7E 18
Cliff La. Con —7J 79
Cliff La. Dunf B —4L 51
Cliff La. Holmf —3E 30
Clifford Av. Thry —3F 96
Clifford Lister Bus. Cen., The. Wick —9F 96
Clifford Rd. S11 —4E 122
Clifford Rd. H'by —9M 97
Clifford Rd. Roth —4E 94
Clifford Rd. S Kirk —7A 20
Clifford St. Cud —8C 18
Clifford St. S Elm —7E 20
Clifford Wlk. Den M —3K 79
Cliff Rd. S6 —6M 107
Cliff Rd. D'fld —2J 59
Cliff Rd. Holmf —3F 30
Cliff St. S11 —2G 122 (7C 4)
Cliff St. Mexb —2F 78
Cliff Ter. B'ley —7H 37
Cliff, The. Clayt W —7B 14
Cliff Vw. Den M —2L 79
Clifton. —9B 80
(Conisbrough)
Clifton. —7M 95
(Rotherham)
Clifton Av. S9 —9E 110
Clifton Av. B'ley —9F 16
Clifton Av. Holmf —2F 30
Clifton Av. Roth —7N 95
Clifton Bank. Roth —7L 95
Clifton Byres. Maltby —9B 80
Clifton Clo. B'ley —9F 16
Clifton Ct. Thorne —1J 27
Clifton Cres. S9 —9D 110
Clifton Cres. Donc —1E 64
Clifton Cres. N. Roth —7M 95
Clifton Cres. S. Roth —7M 95
Clifton Dri. Spro —5H 63
Clifton Gdns. Brie —6E 18
Clifton Gro. Roth —7M 95
Clifton Hill. Con —5A 80
Clifton La. S9 —1E 124
Clifton La. Con —6B 80
Clifton La. Roth —7L 95
Clifton Mt. Roth —7L 95
Clifton Pk. Mus. —7M 95
Clifton Ri. Maltby —7C 98
Clifton Rd. Grim —1G 39
Clifton St. S9 —4B 110
Clifton St. B'ley —8H 37
Clifton St. Hems —3J 19
Clifton Ter. Con —4B 80
Clifton Ter. Roth —7L 95
Clifton Vw. Clayt W —7B 14
Clinton La. S10 —1F 122 (6B 4)
Clinton Pl. S10 —2F 122 (7B 4)
Clinton St. Work —9D 142
Clinton Wlk. S10 —1F 122 (6B 4)
Clipstone Av. B'ley —9G 17
Clipstone Gdns. S9 —6C 110
Clipstone Rd. S9 —6C 110
Clixby Rd. S9 —5N 109
Clock Row Av. S Kirk —6C 20
Clock Row Gro. S Kirk —6C 20
Clock Row Mt. S Kirk —6C 20
Cloisters, The. Donc —8K 65
Cloisters, The. Wors —5G 57
Cloisters Way. B'ley —5L 37
Cloonmore Cft. S8 —1K 135
Cloonmore Dri. S8 —1K 135
Close St. Hems —2J 19
Close, The. B'ley —5M 37
Close, The. Bran —7N 65
Close, The. Car —8K 17
Close, The. Clayt —4B 40
Close, The. Clayt W —7A 14
Close, The. Nor —7H 7
Cloudberry Way. M'well —9E 16
Clough Bank. S2 —3J 123
Clough Bank. Roth —6H 95
(in two parts)
Clough Field. —8A 108
Clough Fields. S10 —8A 108
Clough Fields Rd. Hoy —1K 75
Clough Foot La. Hade E —9E 30
Clough Grn. Roth —6J 95
Clough Gro. O'bri —6N 91
Clough Head. P'stne —6N 53
Clough Ho. La. Emley —3M 33
Clough La. S10 —6H 121
Clough La. Ask —7N 7
Clough Rd. S1 & S2 —2H 123 (7E 4)
Clough Rd. Hoy —1L 75
Clough Rd. Roth —7H 95
(in two parts)
Clough St. Roth —6H 95
Clough, The. Bam —7E 118
Clough Wood Vw. O'bri —7M 91
Clovelly Rd. E'thpe —6J 45
Clover Clo. Work —3E 142
Clover Ct. S8 —9L 123
Clover Gdns. S5 —1M 109
Clover Grn. Roth —3E 94
Cloverlands Dri. M'well —9D 16
Clover Wlk. Bol D —4A 60
Clover Wlk. Upt —2E 20
Club Garden Rd. S11 —3G 122
(in two parts)
Club Garden Wlk. S11 —2G 123
(off London Rd.)
Club Mill Rd. S6 —3F 108
Club St. S11 —3G 122
Club St. B'ley —4K 37
Club St. Hoy —1J 75
Clumber Pl. Work —7B 142
Clumber Ri. Ast —5D 126
Clumber Rd. S10 —2N 121
Clumber Rd. Donc —6C 64
Clumber St. B'ley —6D 36
Clun Rd. S4 —6K 109
Clun St. S4 —6K 109
Clyde Rd. S8 —5G 123
Clyde St. B'ley —7G 37
Coach Clo. S'oaks —4L 141
Coach Cres. S'oaks —3L 141
Coach Ga. La. P'stne & Caw —6L 33
Coach Ho. Dri. Donc —3H 63
Coach Ho. La. B'ley —1G 57
Coach Houses, The. S10 —8E 108
(off Moorgate Av.)
Coach Rd. Roth —1H 95
Coach Rd. S'oaks —4K 141
Coach Rd. W'wth —5L 75
Coal Aston. —6K 135
Coalbrook Av. S13 —3K 125
Coalbrook Gro. S13 —3K 125
Coalbrook Rd. S13 —3K 125
Coalby Wlk. B'ley —6F 36
(off Prospect St.)
Coal Pit La. Brie —7D 18
Coal Pit La. Cud —3D 38
Coal Pit La. Mickle —3A 98
Coal Pit La. New M —2J 31
Coal Pit La. O'bri —8J 91
Coal Pit La. S Elm —5K 21
Coal Pit La. S'bri —7D 72
Coalpit La. Up Den —5J 33
Coalpit La. Wal —1G 139
Coalpit Rd. Den M —3K 79
Coal Riding La. Roth —7E 96
Coates La. Oxs & Silk C —5F 54
Coates St. S2 —1K 123 (5K 5)
Cobb Ct. Swint —5C 78
Cobb Dri. Swint —5B 78
Cobbler Hall. Bret —1H 15
Cobcar Av. Else —1B 76
Cobcar Clo. Else —9A 58
Cobcar La. Else —9A 58
Cobcar St. Else —1A 76
Cobden Av. Mexb —1G 79
Cobden Pl. S10 —8D 108
Cobden Ter. S10 —8D 108
Cobden Vw. Rd. S10 —8C 108
Cobnar Av. S8 —9H 123
Cobnar Dri. S8 —9H 123
Cobnar Gdns. S8 —9G 123
Cobnar Rd. S8 —9G 123
Cockayne Pl. S8 —6G 123
Cockerham Av. B'ley —5F 36
Cockerham La. B'ley —5F 36
Cockhill Clo. Baw —7C 102
Cockhill Fld. La. Braith —3E 98
Cockhill La. Baw —7C 102
Cockhill La. S'ton —8E 80
(in two parts)
Cockpit La. P'stne —4N 53
Cockshot La. Deep —7E 72
Cockshot Pit La. M'well —9B 16
Cockshutt Av. S8 —2E 134
Cockshutt Dri. S8 —2E 134
Cockshutt Rd. S8 —2E 134
Cockshutts La. O'bri —5K 91
Coggers La. Hath —9J 119
Coggin Mill Way. Roth —8G 95
Coisley Hill. —6F 124
Coisley Hill. S13 —5F 124
Coisley Rd. S13 —6G 124
Coit La. S11 —8M 121
Coke Hill. Roth —8K 95
Coke La. Roth —8K 95
Colbeck Clo. Arm —1K 65
Colbeck St. Work —7B 142
Colby Pl. S6 —7A 108
Colchester Ct. Donc —1J 63
Colchester Rd. S10 —8C 108
Cold Hiendley. —1M 17
Cold Hiendley Comn. La. Ryh —1L 17
Cold Hill La. New M —1J 31
Coldstream Av. Warm —9H 63
Coldwell Hill. O'bri —6K 91
Coldwell La. S10 —9N 107
Cold Well La. Holmb —4A 30
Coldwell's Fold. Thurls —3K 53
Coleford Rd. S9 —6C 110
Coleman St. P'gte —2M 95
Coleridge Av. B'ley —4J 37
Coleridge Gdns. S9 —6B 110
Coleridge Rd. S9 —5A 110
Coleridge Rd. Barn D —9J 25
Coleridge Rd. Maltby —9E 98
Coleridge Rd. Roth —6M 95
Coleridge Rd. Wath D —8J 59
Coleridge Rd. Work —5E 142
Coley La. W'wth —5D 76
Colister Dri. S9 —8C 110
Colister Gdns. S9 —9B 110
College Clo. S4 —4K 109
College Ct. S4 —4K 109
College Ct. Mexb —1G 78
College La. Roth —7K 95
(off College St.)
College La. Work —9E 142
College Pk. Clo. Roth —1L 111
College Rd. Donc —5N 63
(in two parts)
College Rd. Mexb —1G 78
College Rd. Roth —7H 95
(in two parts)
College Rd. Spin —8C 138
College Rd. Roundabout. Roth —6J 95
College St. S10 —1E 122
College St. Roth —7K 95
College Ter. D'fld —2G 59
College Wlk. Roth —6K 95
(off Frederick St.)
College Wlk. Shop. Cen. Roth —6K 95
(off Frederick St.)
Collegiate Cres. S10 —2E 122 (7A 4)
Colley Av. S5 —7H 93
Colley Av. B'ley —1K 57
Colley Clo. S5 —7H 93
Colley Cres. S5 —7J 93
Colley Cres. B'ley —9K 37
Colley Dri. S5 —7J 93
Colley Pl. B'ley —9K 37
Colley Rd. S5 —7H 93
Colliers Clo. S13 —5H 125
Colliers Way. Clayt W —5B 14
Colliery Clo. Dinn —1C 128
Colliery La. Thurn —1C 60
Colliery Rd. S4 —3A 110
Colliery Rd. Birc —1L 117
Colliery Rd. Kiv P —9J 127
Colliery Vs. Thur —4L 113

Colliery Yd.—Cramfit Clo.

Colliery Yd. Tank —2E 74
Collin Av. S6 —3B 108
Collindridge Rd. Womb —5D 58
Collingbourne Av. Soth —1N 137
Collingbourne Dri. Soth —1N 137
Collingham Rd. Swal —5B 126
Collins Clo. Dod —9N 35
Collinson Rd. S5 —9H 93
Collins Yd. Dron —9J 135
(off Mill La.)
Colne Ct. Roth —2L 111
Colonel Ward Dri. Swint —3D 78
Colonnades Shop. Cen. Donc —4N 63
(off Duke St.)
Colster Clo. B'ley —6B 36
Colsterdale. Work —2E 142
Coltfield. Birdw —6G 56
Coltishall Av. Braml —7K 97
Columbia St. B'ley —9F 36
Columbus Way. Maltby —7C 98
Colver Rd. S2 —3H 123
(in two parts)
Colvin Clo. Ark —7B 44
Colwall St. S9 —6N 109
Commerce St. C'town —8J 75
Commercial Rd. Gold —3B 60
Commercial St. S1 —9J 109 (3H 5)
Commercial St. B'ley —8H 37
Common End. —3M 19
Common Farm Clo. Rav —5J 97
Common La. S11 —5M 121
Common La. Ark —3D 44
Common La. Ask & Balne —4J 7
Common La. Auc —8C 66
Common La. Barn D —1M 45
Common La. Blyth —8L 117
Common La. Bol D —7C 60
(in two parts)
Common La. Bram M —7H 113
Common La. Clayt —2A 40
(in two parts)
Common La. Con & Maltby —7B 80
Common La. Deep —7G 73
Common La. Emley —2L 33
Common La. Harw —9G 100
Common La. New R —8L 83
Common La. Nor —7H 7
Common La. Rav —4M 97
Common La. Roy —5K 17
(in two parts)
Common La. Thur —7N 113
Common La. Tick —5D 100
Common La. Upt —2E 20
Common La. Warm —9H 63
Common La. Wath D —9A 60
Common La. Wool —1M 15
Comn. Middle Rd. Crow —3L 29
Common Rd. Ans —2L 127
Common Rd. Brie —7G 18
Common Rd. Con —5C 80
Common Rd. Dinn —1B 128
Common Rd. H'hill —5L 139
Common Rd. S Kirk —8K 19
Common Rd. Thor S —4C 140
Common Rd. Thurn —8A 40
Common Rd. Av. S Kirk —8N 19
Common Side. —6N 123
Commonside. S10 —8D 108
Commonside. Crow —2N 29
Common, The. E'fld —4J 93
Commonwealth Vw. Bol D —5A 60
Compton St. S6 —6C 108
Conalan Av. S17 —5C 134
Conanby. —4M 79
Conan Rd. Con —4N 79
Concorde M. Donc —3A 64
Concord Leisure Cen. —8M 93
Concord Pk. Golf Course. —8N 93
Concord Rd. S5 —7M 93
Concord Vw. Rd. Roth —8C 94
Conduit La. S10 —8D 108
Conduit Rd. S10 —8D 108
Cone La. Silk —9J 35
Conery Clo. Thry —3F 96
Coney Rd. Toll B —4L 43
Congress St. S1 —9G 109 (3D 4)
Coningsburgh Rd. E'thpe —6J 45
Coningsby Ho. S10 —1M 121
Coningsby Rd. S5 —3K 109
Conisborough Castle. —4A 80
Conisborough Castle Vis. Cen. —4A 80
Conisbrough. —4A 80
Coniston Av. Dart —7B 16
Coniston Clo. Ans —5D 128
Coniston Clo. P'stne —3N 53
Coniston Ct. Mexb —9J 61
Coniston Dri. Bol D —6B 60
Coniston Pl. Donc —8K 43
Coniston Rd. S8 —6F 122
Coniston Rd. Ask —1N 23
Coniston Rd. B'ley —7H 37
Coniston Rd. Donc —3F 64
Coniston Rd. Dron W —9E 134
Coniston Rd. Kirk S —4J 45
Coniston Rd. Mexb —9H 61
Coniston Rd. Work —2B 142
Coniston Ter. S8 —6F 122
Connaught Dri. Kirk S —4J 45
Conrad Clo. Work —7E 142
Conrad Dri. Maltby —7C 98
Constable Clo. S14 —9L 123
Constable Clo. Dron —9F 134
Constable Clo. Flan —7G 96
Constable Dri. S14 —9L 123
Constable La. Dinn —2D 128
Constable Pl. S14 —9M 123
Constable Pl. Wath D —9L 59
Constable Rd. S14 —9L 123
Constable Way. S14 —9L 123
Constable Way. Dalt —4B 96
Constitution Hill. Cad —2B 80
(in two parts)
Convent Av. S Kirk —7B 20
Convent Gro. Donc —7G 65
Convent Pl. S3 —9G 108 (4C 4)
Convent Wlk. S3 —9G 108 (4C 4)
Conway Ct. Bes —1G 83
Conway Cres. Roth —5B 96
Conway Dri. Barn —4H 61
Conway Dri. Bran —7N 65
Conway Dri. Carl L —5C 130
Conway Pl. Womb —6F 58
Conway St. S3 —9F 108 (4B 4)
Conway St. B'ley —8L 37
Conway Ter. Mexb —9F 60
Conyers Dri. Ast —3C 126
Conyers Rd. Donc —2M 63
Coo Hill. S13 —5J 125
Cook Av. Maltby —7C 98
Cooke & Beard Homes. S8 —6J 123
Cooke St. Ben —8L 43
Cookridge Dri. Hat —1D 46
Cookson Clo. S5 —9E 92
Cookson Rd. S5 —1E 108
Cookson St. Donc —7M 63
Cooks Rd. Beig —9N 125
Cooks Wood Rd. S3 —5H 109
Cook's Yd. Thorne —2K 27
Coombe Pl. S10 —9D 108
Coombe Rd. S10 —9D 108
Co-operative Cotts. Brie —6F 18
Co-operative St. Cud —2A 38
Co-operative St. Gold —2D 60
Co-operative St. Wath D —8K 59
Co-operative Ter. Holmf —1G 31
Cooper Gallery. —6G 36
Cooper Ho. Hems —3K 19
(off Lilley St.)
Cooper La. Holmf —3E 30
Cooper La. H'swne —8C 34
Cooper Rd. Dart —9L 15
Coopers Ter. Donc —4A 64
Cooper St. Donc —6B 64
Co-op La. Holmb —5B 30
Copeland Rd. Womb —5C 58
Cope St. B'ley —9G 36
Copley Av. Con —4M 79
Copley Cres. Donc —1G 63
Copley Pl. Roth —5G 95
Copley Rd. Donc —3A 64
Copley St. S8 —5H 123
Copperas Clo. Mill G —4H 53
Copper Beech Clo. Beig —8N 125
Copper Beech Cres. Hoot L —1C 114
Copper Clo. B'ley —8G 37
Copper St. S3 —8H 109 (1E 4)
Coppice Av. B'ley —4C 36
Coppice Av. Hat —2C 46
Coppice Clo. S'bri —4B 72
Coppice Gdns. Roth —3H 95
Coppice Gro. Hat —1D 46
Coppice La. S6 —8K 107
Coppice La. Harl —5L 75
Coppice La. Hat —2C 46
(in two parts)
Coppice Rd. Work —3C 142
Coppice Rd. S10 —9K 107
Coppice Rd. High —6F 42
Coppice, The. Roth —3C 94
Coppice Vw. S10 —9A 108
Coppicewood Ct. Bal —2N 81
Coppins Clo. Braml —7J 97
Coppin Sq. S5 —6G 93
Copse, The. Braml —7J 97
Copster. —7F 54
Copster Clo. T'land —8H 55
Copster La. Oxs —5F 54
Copthurst Rd. Holmf —8B 30
Coquet Av. Braml —9J 97
Coral Clo. Aug —1B 126
Coral Dri. Aug —1B 126
Coral Pl. Aug —1B 126
Coral Way. Aug —1B 126
Corby Rd. S4 —3N 109
Corby St. S4 —6L 109
Corker Bottoms. —1A 124
Corker Bottoms La. S2 —9N 109
Corker La. S6 —3C 106
Corker Rd. S12 —5A 124
Cornfield Clo. Carl L —4D 130
Corn Hill. Con —5B 80
Cornish St. S6 —7G 109
(in two parts)
Cornish Way. P'gte —3L 95
Corn Royd. New M —3H 31
Cornwall Clo. B'ley —4J 37
Cornwall Rd. Donc —2E 64
Cornwall Rd. S'oaks —3K 141
Cornwell Clo. Rawm —6J 77
Coronach Way. New R —6H 83
Corona Dri. Thorne —9K 11
Coronation Av. Dinn —1D 128
Coronation Av. Grim —2G 39
Coronation Av. Kiv P —9H 127
Coronation Av. Misson —2K 103
Coronation Av. Roy —5M 17
Coronation Av. Shaf —6B 18
Coronation Bri. Roth —7H 95
Coronation Cotts. Barn D —9H 25
Coronation Ct. Mexb —9F 60
Coronation Cres. Birdw —6G 56
Coronation Dri. Birdw —6G 56
Coronation Dri. Bol D —5A 60
Coronation Flats. Stain —5B 26
(off Coronation Rd.)
Coronation Gdns. Warm —9G 63
Coronation Rd. Bar G —4M 35
Coronation Rd. Donc —8M 63
Coronation Rd. Hoy —9L 57
Coronation Rd. Rawm —8B 78
Coronation Rd. Stain —5B 26
Coronation Rd. S'bri —5D 72
Coronation Rd. Swint —3D 78
Coronation Rd. Wath D —9N 59
Coronation St. B'ley —4K 37
Coronation St. D'fld —1H 59
Coronation St. Thurn —8D 40
Coronation Ter. Aus —2E 102
(off Thorne Rd.)
Coronation Ter. B'ley —8N 37
Coronation Ter. H'fld —7C 58
Corporation Bldgs. S3 —2G 5
Corporation St. S3 —8H 109 (1F 5)
Corporation St. B'ley —9H 37
Corporation St. Roth —7K 95
Cortina Ri. D'fld —1E 58
Corton Wood Dri. Bram —7F 58
Cortonwood Ho. Donc —5N 63
(off Bond Clo.)
Cortworth. —5D 76
Cortworth La. W'wth —5D 76
Cortworth Pl. Else —9B 58
Cortworth Rd. S11 —7B 122
Corwen Pl. S13 —5G 124
Cosgrove Ct. E'thpe —6K 45
Cossey Rd. S4 —6L 109
Costhorpe. —3B 130
Costhorpe Ind. Est. Cost —3B 130
Costhorpe Vs. Cost —2C 130
Cote La. Holmf —8E 30
Cote La. T'land —9J 55
Coterel Cres. Donc —6J 65
Cotleigh Av. S12 —8G 125
Cotleigh Clo. S12 —8G 125
Cotleigh Cres. S12 —8G 125
Cotleigh Dri. S12 —8G 125
Cotleigh Gdns. S12 —8G 124
Cotleigh Pl. S12 —8G 125
Cotleigh Rd. S12 —8G 124
Cotleigh Way. S12 —8G 125
Cotswold Av. C'town —9F 74
Cotswold Clo. B'ley —6C 36
Cotswold Clo. Hems —2M 19
Cotswold Cres. Whis —3B 112
Cotswold Dri. Ast —4D 126
Cotswold Dri. Spro —6E 62
Cotswold Gdns. Donc —9K 43
Cotswold Rd. S6 —4C 108
Cotswold Rd. Thorne —3J 27
Cottage Gro. Braith —4E 98
Cottage La. S11 —6L 121
Cottage, The. New M —2N 31
Cottam Clo. Whis —3B 112
Cottam Cft. Hems —2L 19
Cottam Rd. High G —7D 74
Cottenham Rd. Roth —6M 95
Cotterdale Gdns. Womb —4F 58
Cotterhill Clo. Work —1A 142
Cottesmore Clo. B'ley —5D 36
Cottingham St. S9 —8N 109
Cotton Mill Row. S3 —7H 109 (1F 5)
Cotton Mill Wlk. S3 —7H 109
Cotton St. S3 —7H 109 (1F 5)
Coulman Rd. Thorne —1L 27
Coulman Rd. Ind. Est. Thorne —1M 27
Coulman St. Thorne —9L 11
Coultas Av. Deep —7F 72
Countess Rd. S1 —2H 123 (7F 5)
County Ct. B'ley —6G 36
County Way. B'ley —6G 36
(in two parts)
Coupe Rd. S3 —6J 109
Coupland Rd. Roth —5B 96
Court Clo. Donc —1H 63
Courtyard, The. B'ley —7B 36
Courtyard, The. Baw —7C 102
Courtyard, The. Old De —3H 79
Courtyard, The. Wool —2B 16
Coventry Dri. Work —4D 142
Coventry Gro. Donc —9E 44
Coventry Rd. S9 —7C 110
Coventry Rd. Thorne —2L 27
Cover Clo. Harl —5L 75
Coverdale. Work —3E 142
Coverdale Rd. S7 —6F 122
Cover Dri. D'fld —1H 59
Coverleigh Rd. Wath D —2M 77
Coward Dri. O'bri —6M 91
Cowcliff Hill Rd. Hep —8G 31
Cowfield La. Syke —3B 10
Cow Gap La. S6 —5F 106
Cow Ho. La. Arm —1M 65
Cowick Rd. Syke —2F 10
(in two parts)
Cowick Rd. Syke & Thorne —4F 10
(in three parts)
Cow La. S11 —8B 122
(Abbey La.)
Cow La. S11 —3B 122
(Greystones)
Cow La. Have —1B 18
Cowley Dri. C'town —1K 93
Cowley Gdns. W'fld —2L 137
Cowley Grn. Womb —5B 58
Cowley Hill. C'town & Thpe H —1K 93
Cowley La. C'town —9J 75
Cowley La. Holm —9C 134
Cowley Pl. Kirk S —4J 45
Cowley Rd. O'bri —7M 91
Cowley Vw. Rd. C'town —1J 93
Cowlishaw Rd. S11 —3D 122
Cowood St. Mexb —2E 78
Cow Pasture La. Misson —9M 85
Cowper Av. S6 —7E 92
Cowper Clo. Work —5E 142
Cowper Cres. S6 —7E 92
Cowper Dri. S6 —7E 92
Cowper Dri. Roth —9A 96
Cowper Rd. Mexb —1G 79
Cowrakes Clo. Whis —3B 112
Cow Rakes La. Whis —3B 112
Cox La. Crow —7M 29
Cox Pl. S6 —3A 108
Cox Rd. S6 —3A 108
Crabgate Dri. Skell —7C 22
Crabgate La. Skell —8C 22
Crabtree Av. S5 —4K 109
Crabtree Clo. S5 —3K 109
Crabtree Ct. B'ley —8N 37
Crabtree Cres. S5 —3J 109
Crabtree Dri. S5 —3K 109
Crabtree Dri. Gt Hou —5K 39
Crab Tree Hill La. H'swne —1A 54
Crabtree La. S5 —3K 109
Crab Tree La. Kir Sm —8A 6
Crab Tree La. S Elm —6H 21
Crabtree Pl. S5 —3K 109
Crabtree Rd. S5 —3J 109
Crabtree Rd. D'cft —8B 26
Cradley Dri. Ast —4D 126
Cradock M. S2 —4M 123
Cradock Rd. S2 —4M 123
Craganour Pl. Den M —3L 79
(off Bolton St.)
Cragdale Gro. Mosb —3K 137
Crags Rd. Den M —3N 79
Crag Vw. T'land —9J 55
Crag Vw. Clo. O'bri —5M 91
Crag Vw. Cres. O'bri —5M 91
Craigholme Cres. Donc —9F 44
Craigston Rd. Carl L —5B 130
Craig Wlk. Braml —8K 97
Craithie Rd. Carl L —5B 130
Craithie Rd. Donc —3C 64
Crakehall Rd. E'fld —2J 93
Cramfit Clo. Ans —5B 128

Cramfit Cres.—Cumbria Rd.

Cramfit Cres. *Dinn* —2B **128**
Cramfit Rd. *Ans* —4A **128**
Cramlands. *Dod* —9B **36**
Cranberry Rd. *P'stne* —9N **53**
Cranborne Dri. *Dart* —8A **16**
Cranbrook Rd. *Donc* —2B **64**
Cranbrook St. *B'ley* —8E **36**
Crane Dri. *Roth* —6E **94**
Crane Greave La. *Cra M* —8L **55**
Crane Moor. —8M 55
Crane Moor Clo. *H'ton* —5H **61**
Crane Moor La. *Cra M* —9K **55**
Crane Moor Nook. *Cra M* —9K **55**
Crane Moor Rd. *Cra M* —8L **55**
Crane Rd. *Roth* —3E **94**
Crane Well La. *Bol D* —5D **60**
Cranfield Clo. *Arm* —2L **65**
Cranfield Dri. *Skell* —7E **22**
Cranford Ct. *Owl* —9G **125**
Cranford Dri. *Owl* —8G **124**
Cranford Gdns. *Roy* —5J **17**
Crangle Fields. *S'moor* —1M **31**
Cranidge Clo. *Crow* —7M **29**
Cranleigh Gdns. *Adw S* —3E **42**
Cranston Clo. *B'ley* —4L **37**
Cranswick Way. Con —*4C* ***80***
(off Milner Ga. Ct.)
Cranwell Ct. *Gold* —3B **60**
Cranwell Rd. *Cant* —8L **65**
Cranworth Clo. *Roth* —6N **95**
Cranworth Pl. *S3* —6J **109**
Cranworth Rd. *S3* —6J **109**
Cranworth Rd. *Roth* —5M **95**
Craven Clo. *S9* —7C **110**
Craven Clo. *Donc* —7H **65**
Craven Clo. *Roy* —5J **17**
Craven Rd. *D'cft* —9B **26**
Craven Rd. *Hems* —3K **19**
Craven St. *S3* —8G **108** (1C **4**)
Craven St. *P'gte* —2M **95**
Craven Wood Clo. *B'ley* —5B **36**
Crawford Rd. *S8* —7G **123**
Crawley Av. *S Kirk* —6C **20**
Crawshaw Av. *S8* —2E **134**
Crawshaw Gro. *S8* —2E **134**
Crawshaw Rd. *Donc* —5L **63**
Cream St. *S2* —2J **123**
Crecy Av. *Donc* —3F **64**
Creighton Av. *Rawm* —9A **78**
Cresacre Av. *Barn* —4H **61**
Crescent E., The. *S'side* —6H **97**
Crescent End, The. *Thur* —6L **113**
Crescent Rd. *S7* —4F **122**
Crescent, The. *S17* —5N **133**
Crescent, The. *Arm* —2M **65**
Crescent, The. *B'ley* —4C **36**
Crescent, The. *Birc* —9M **101**
Crescent, The. *Blax* —1H **85**
Crescent, The. *Bol D* —4C **60**
Crescent, The. *Con* —4M **79**
Crescent, The. *Cud* —1B **38**
Crescent, The. *Dinn* —2E **128**
Crescent, The. *D'cft* —8B **26**
Crescent, The. *E'thpe* —6K **45**
Crescent, The. *Edl'tn* —3F **80**
Crescent, The. *H'hill* —5K **139**
Crescent, The. *Hood G* —5N **55**
Crescent, The. *New M* —2J **31**
Crescent, The. *Roth* —6L **95**
Crescent, The. *Swint* —4A **78**
Crescent, The. *Thur* —6L **113**
Crescent, The. *W'land* —4D **42**
Crescent W., The. *S'side* —6G **97**
Cresswell Rd. *S9* —8C **110**
Cresswell Rd. *Swint* —2C **78**
Cresswell Rd. *Work* —6B **142**
Cresswell St. *B'ley* —6D **36**
Cresswell St. *Work* —7B **142**
Crest Rd. *S5* —9J **93**
Crestwood Ct. *S5* —9K **93**
Crestwood Gdns. *S5* —9K **93**
Creswell St. *Mexb* —2E **78**
Creswick Av. *S5* —6F **92**
Creswick Clo. *Roth* —5C **96**
Creswick Greave. *Gren* —6F **92**
Creswick Greave Clo. *S5* —6F **92**
Creswick La. *Gren* —5F **92**
Creswick Rd. *Roth* —5C **96**
Creswick St. *S6* —6E **108**
(in two parts)
Creswick Way. *S6* —6E **108**
Crewe Hall. *S10* —2D **122**
Crewe Rd. *Birc* —9L **101**
Crich Av. *B'ley* —1H **37**
Cricketers Wlk. *S2* —2K **5**
Cricket Inn Cres. *S2* —9M **109**
Cricket Inn Rd. *S2* —8K **109** (2K **5**)
(in two parts)
Cricket La. *E'fld* —5K **93**
Cricket Vw. Rd. *Harl* —5L **75**
Cridling Gdns. *Nor* —7J **7**
Crimicar Av. *S10* —3K **121**
Crimicar Clo. *S10* —4L **121**
Crimicar Dri. *S10* —3K **121**
Crimicar La. *S10* —2K **121**
Crimpsall. —4L 63
Crimpsall Rd. *Donc* —5M **63**
Cripps Av. *New R* —5K **83**
Cripps Clo. *Maltby* —9F **98**
Crispin Clo. *S12* —7A **124**
Crispin Dri. *S12* —7A **124**
Crispin Gdns. *S12* —7A **124**
Crispin Rd. *S12* —7A **124**
Croasdale Gdns. *Carc* —8G **22**
(in two parts)
Crochley Clo. *Donc* —6J **65**
Croft Av. *Roy* —6J **17**
Croft Bldgs. *S1* —2E **4**
Croft Clo. *S11* —8A **122**
Croft Clo. *Lghtn* —7B **114**
Croft Ct. *D'ville* —3B **46**
Croft Ct. *E'thpe* —5J **45**
Croft Ct. *Finn* —3G **85**
Croft Dri. *M'well* —8B **16**
Croft Dri. *Mill G* —4H **53**
Croft Dri. *Tick* —5D **100**
Crofters Clo. *Kil* —6B **138**
Croft La. *S11* —8A **122**
Croft Lea. *Dron W* —8D **134**
Crofton Av. *S6* —2C **108**
Crofton Clo. *Dron* —9G **135**
Crofton Dri. *Bol D* —4B **60**
Crofton Ri. *Dron* —9G **135**
Crofton Ri. *High G* —8E **74**
Croft Rd. *S6* —6M **107**
Croft Rd. *S12* —6B **124**
Croft Rd. *B'ley* —9K **37**
Croft Rd. *B'wth* —3H **111**
Croft Rd. *Donc* —1J **81**
Croft Rd. *Finn* —4H **85**
Croft Rd. *Hoy* —8L **57**
Crofts Dri. *Thry* —3D **96**
Crofts La. *Stain* —5M **25**
(in two parts)
Crofts, The. *Roth* —7K **95**
Crofts, The. *Wick* —1G **113**
Croft St. *Roth* —2H **95**
Croft St. *Wors* —2H **57**
Croft, The. *Ark* —6A **44**
Croft, The. *B'ley* —3N **35**
Croft, The. *Bret* —1H **15**
Croft, The. *Cat* —7J **111**
Croft, The. *Con* —5A **80**
Croft, The. *Else* —2A **76**
Croft, The. *H'swne* —1B **54**
Croft, The. *Swint* —4A **78**
Croft, The. *Thorne* —4L **27**
Cromarty Ri. *Dron W* —8E **134**
Cromer Clo. *Rawm* —8M **77**
Cromer Rd. *Donc* —3F **64**
Cromford Av. *B'ley* —2J **37**
Cromford Clo. *Donc* —9K **65**
Cromford St. *S2* —2J **123** (7G **5**)
Crompton Av. *B'ley* —8E **36**
Crompton Av. *Donc* —3K **63**
Crompton Rd. *Donc* —8E **44**
Cromwell Clo. *Work* —2A **142**
Cromwell Ct. *Skell* —8D **22**
Cromwell Dri. *Donc* —5J **63**
Cromwell Gro. *Skell* —7E **22**
Cromwell Ho. *Donc* —2J **63**
Cromwell Mt. *Wors* —1F **56**
Cromwell Rd. *Donc* —2M **63**
Cromwell Rd. *Mexb* —1F **78**
Cromwell St. *S6* —7D **108**
Cromwell St. *Thurn* —7D **40**
Cronkhill La. *B'ley* —8L **17**
(in two parts)
Crooked La. *Con* —7J **79**
Crooked La. Head. *Tick* —8B **100**
Crooke Ho. La. *B'ley* —7F **38**
Crookes. —9C 108
Crookes. *S10* —8C **108**
Crookes Broom Av. *Hat* —1D **46**
Crookes Broom La. *Hat* —9D **26**
Crookes La. *B'ley* —8J **17**
(in two parts)
Crookesmoor. —8E 108 (2A 4)
Crookesmoor Dri. *S6* —8E **108** (1A **4**)
Crookesmoor Rd. *S6 & S10*
—9D **108** (1A **4**)
Crookes Rd. *S10* —9D **108**
Crookes Rd. *Donc* —9L **63**
Crookes St. *B'ley* —7E **36**
Crookes Valley Rd. *S10* —8E **108** (2A **4**)
Crookhill Clo. *Edl'tn* —5E **80**
Crookhill Pk. Golf Course. —7C 80
Crookhill Rd. *Con* —4B **80**
Crook O'Moor Rd. *Med H* —4J **29**
Crook Tree La. *D'cft* —8D **26**
Crook Tree La. *Hat* —7G **27**
Cropton Rd. *Roy* —6J **17**
Crosby Av. *Braml* —8K **97**
Crosby Ct. *B'ley* —3L **37**
Crosby Rd. *S8* —8G **122**
Crosby St. *Cud* —9B **18**
Cross Allen Rd. *Beig* —9M **125**
Cross Bank. *Donc* —8M **63**
Cross Bedford St. *S6* —7F **108**
Cross Burgess St. *S1* —9H **109** (4F **5**)
Cross Butcher St. *Thurn* —8B **40**
Cross Chantrey Rd. *S8* —8H **123**
Crosscourt Vw. *Bes* —7F **64**
Cross Dri. *S13* —5H **125**
Crossfield Dri. *Skell* —7E **22**
Crossfield Dri. *Wath D* —1L **77**
Cross Fld. Dri. *W'sett* —8K **129**
Crossfield Gdns. *High G* —6E **74**
Crossfield Ho. Clo. *Skell* —7E **22**
Crossfield La. *Skell* —8E **22**
Cross Ga. *Donc* —1L **63**
Crossgate. *M'well* —8C **16**
Cross Ga. *Mexb* —2H **79**
Crossgate. *Thurn* —9C **40**
Cross Ga. Rd. *Holmf* —6F **30**
Crossgates. *Wadw* —8N **81**
Cross Gilpin St. *S6* —6F **108**
Cross Hill. —2L 19
Cross Hill. *Brie* —6F **18**
Cross Hill. *E'fld* —6K **93**
Cross Hill. *Hems* —2K **19**
Cross Hill. *Skell* —8D **22**
Cross Hill Clo. *S5* —6K **93**
Cross Hill Ct. *Skell* —7D **22**
Cross Hill La. *Have* —1E **18**
Cross Ho. Clo. *Gren* —5C **92**
Cross Ho. Rd. *Gren* —5D **92**
Cross Keys La. *Hoy* —9H **57**
Crossland Dri. *S12* —8A **124**
Crossland Pl. *S12* —7A **124**
Crossland St. *Swint* —4C **78**
Crossland Way. *Donc* —8J **43**
Crossland Way Flats. *Donc* —9J **43**
Cross La. *S10* —8C **108**
Cross La. *S17* —2L **133**
Cross La. *Aus* —9E **84**
Cross La. *Coal A* —5K **135**
Cross La. *Dron* —7K **135**
(Green La.)
Cross La. *Dron* —9H **135**
(Scarsdale Rd.)
Cross La. *Emley* —1A **14**
Cross La. *H'swne* —8B **34**
Cross La. *Oxs* —8B **54**
Cross La. *Roy* —6M **17**
Cross La. *Schol* —5G **30**
Cross La. *Shep* —2B **32**
Cross La. *S'bri* —4A **72**
Cross La. *Thurls* —5J **53**
Cross La. *W'sett* —7H **129**
(Grange Farm Ct.)
Cross La. *W'sett* —8K **129**
(Worksop Rd.)
Cross La. *Wort* —4B **74**
(Pea Fields La.)
Cross La. *Wort* —1L **73**
(Well Houses La.)
Cross La. Clo. *W'sett* —7K **129**
Crossley Clo. *Maltby* —7C **98**
Crossley Hill La. *Work* —7E **130**
Crossmoor Bank. *Goole* —1M **13**
Cross Myrtle Rd. *S2* —4J **123**
Cross Pk. Rd. *S8* —6H **123**
Crosspool. —1A 122
Cross Rd. *Goole* —3L **13**
Cross Rd. *Hat* —1K **47**
Cross Rd. *Thur* —5K **113**
Cross Slack. *Crow* —7M **29**
Cross Smithfield. *S3* —8G **109** (1D **4**)
Cross S. St. *Roth* —2J **95**
Cross St. *S13* —5H **125**
Cross St. *B'ley* —5E **36**
Cross St. *Bar G* —4M **35**
Cross St. *Ben* —7M **43**
Cross St. *Braml* —8J **97**
Cross St. *Crow* —7M **29**
Cross St. *Donc* —8L **63**
Cross St. *Edl'tn* —4F **80**
Cross St. *Gold* —2E **60**
Cross St. *Greasb* —2J **95**
Cross St. *Gt Hou* —7L **39**
Cross St. *Grim* —2H **39**
Cross St. *Hems* —2J **19**
Cross St. *Hoy* —1J **75**
Cross St. *Kil* —3E **138**
Cross St. *K'wth* —7G **94**
Cross St. *L'gld* —1B **130**
Cross St. *Maltby* —8E **98**
Cross St. *Monk B* —4K **37**
Cross St. *New R* —6J **83**
Cross St. *P'gte* —2M **95**
Cross St. *Thry* —3D **96**
Cross St. *Upt* —1J **21**
Cross St. *Wath D* —9L **59**
Cross St. *Wors* —1J **57**
Cross, The. —6K 93
Cross, The. *Carl L* —5D **130**
Cross, The. *Silk* —9H **35**
Cross Turner St. *S2* —1J **123** (5H **5**)
Cross Wlk. S11 —*2G* ***123***
(off London Rd.)
Crossway. *Swint* —4A **78**
Crossways. *Bol D* —5B **60**
Crossways. *Donc* —9E **44**
Crossways. *Stain* —5B **26**
Crossways N. *Donc* —9E **44**
Crossways S. *Donc* —1E **64**
Crossways, The. *S2* —2B **124**
Crow Cft. La. *Poll* —1K **9**
Crowden Wlk. *B'ley* —7B **36**
Crowder Av. *S5* —9G **92**
Crowder Clo. *S5* —1H **109**
Crowder Cres. *S5* —1H **109**
Crowder Rd. *S5* —9H **93**
Crow Edge. —3A 52
Crowgate. *Ans* —8A **128**
Crowland Rd. *S5* —9J **93**
Crowland Rd. *Crow* —8M **29**
Crowle. —8M 29
Crowle Park. —9N 29
Crowley Dri. *Wath D* —2L **77**
Crown Av. *B'ley* —9H **37**
Crown Av. *Cud* —4C **38**
Crown Clo. *B'ley* —9H **37**
Crown Clo. *Roth* —5E **94**
Crownhill La. *Mickle* —4A **98**
Crown Hill Rd. *B'ley* —7B **36**
Crownhill Rd. *B'wth* —3G **111**
Crown La. *Holmf* —3E **30**
Crown Pl. *S2* —9K **109** (3J **5**)
Crown Pl. *Work* —6B **142**
Crown Rd. *Tick* —6C **100**
Crown St. *B'ley* —9H **37**
Crown St. *Hoy* —9L **57**
Crown St. *Swint* —3C **78**
Crown St. *Work* —6B **142**
Crown Ter. *Clayt W* —6B **14**
Crown Vs. Scis —*8A* ***14***
(off Crown St.)
Crown Well Ct. B'ley —*8N* ***37***
(off Coronation Ter.)
Crown Well Hill. *Ard* —8N **37**
Crown Yd. *S Kirk* —6C **20**
Crowther Pl. *S7* —3G **123**
Crow Tree Bank. *Hat & Thorne* —1B **48**
Crow Tree La. *Adw D* —7E **60**
(in two parts)
Croydon St. *S11* —3G **122**
Crucible Theatre, The. —9J 109 (3G 5)
Cruck Clo. *Dron W* —8E **134**
Cruise Rd. *S11* —3A **122**
Crummock Rd. *S7* —6F **122**
Crummock Way. *B'ley* —8B **38**
Crumpsall Dri. *S5* —3G **109**
Crumpsall Rd. *S5* —2G **109**
Crumwell Rd. *Roth* —3D **94**
Crusader Dri. *Spro* —4J **63**
Crystal Peaks Shop. Cen. *Cry P* —9L **125**
Cubley. —6M 53
Cubley Brook Ct. *P'stne* —5M **53**
Cubley Ri. Rd. *P'stne* —6M **53**
Cuckoo Holt. *Gate* —3N **141**
Cuckoo La. *Hat* —5E **26**
Cuckstool Rd. *Denb D* —2K **33**
Cudley Ri. Rd. *P'stne* —6M **53**
Cudworth. —1B 38
Cudworth Common. —3C 38
Cudworth Vw. *Grim* —2G **38**
Cullabine Rd. *S2* —4A **124**
Cull Row. *Deep* —6H **73**
Cumberland Av. *Donc* —3E **64**
Cumberland Clo. *Birc* —9N **101**
Cumberland Clo. *Cost* —4C **130**
Cumberland Clo. *Hoy* —8M **57**
Cumberland Clo. *Wors* —2G **56**
Cumberland Cres. *C'town* —1J **93**
Cumberland Dri. *B'ley* —8N **37**
Cumberland Pl. *Den M* —3L **79**
Cumberland Rd. *Hoy* —8M **57**
Cumberland St. *S1* —1H **123** (6E **4**)
Cumberland Way. *S1* —1H **123** (6E **4**)
Cumberland Way. *Bol D* —6B **60**
Cumberworth La. *Cumb* —3B **32**
Cumberworth La. *Lwr C & Denb D* —1H **33**
Cumberworth La. *Up Cum & Lwr C* —2E **32**
Cumbrian Wlk. *B'ley* —6C **36**
Cumbria Rd. *Work* —4D **142**

Cumwell La. *H'by* —1L **113**
Cundy Cross. —6M 37
Cundy St. *S6* —7D **108**
Cunliffe St. *Coal A* —6K **135**
Cunningham Rd. *Donc* —5A **64**
Cunningham Rd. *Lind* —8J **47**
Cupola. *S3* —8H **109** (1E **4**)
Cupola La. *Gren* —4D **92**
Cupola Yd. *Roth* —7J **95**
Curlew Av. *Eck* —7H **137**
Curlew Ct. *Ross* —5K **83**
Curlew Ridge. *S2* —1L **123**
Curlew Ri. *Thpe H* —8A **76**
Curzen Cres. *Kirk S* —4K **45**
Curzon Av. *Dron* —9G **135**
Curzon Clo. *Kil* —4C **138**
Curzon Dri. *Work* —4C **142**
Cusworth. —2H 63
Cusworth Gro. *Ross* —6L **83**
Cusworth Hall. —3H 63
Cusworth Ho. Donc —5N *63*
   (off St James St.)
Cusworth La. *Donc* —2H **63**
Cusworth Pk. Country Pk. —3G 63
Cusworth Rd. *Donc* —9L **43**
Cusworth Way. *Work* —7A **142**
Cut Ga. *Mid* —2L **87**
Cuthbert Bank Rd. *S6* —5E **108**
Cuthbert Rd. *S6* —5E **108**
Cutler Clo. *Kil* —3A **138**
Cutlers Av. *B'ley* —8E **36**
Cutlers Hall. —3F 5
Cutlers Wlk. *S2* —4H **123**
Cut Throat La. *Aus* —9G **102**
Cuttlehurst. *Scis* —8A **14**
Cutts Av. *Wath D* —1K **77**
Cutts Fld. Vw. *Roy* —4J **17**
Cutts Ter. *S8* —4G **123**
Cutty La. *B'ley* —5E **36**
Cyclops St. *S4* —4M **109**
Cypress Av. *S8* —1K **135**
Cypress Av. *Auc* —3B **84**
Cypress Clo. *Kil* —5B **138**
Cypress Ga. *C'town* —1G **92**
Cypress Gro. *Con* —6L **79**
Cypress Rd. *B'ley* —9J **37**
Cyprus Rd. *S8* —6H **123**
Cyprus Ter. S6 —6E *108*
   (off Burgoyne Rd.)

Dadley Rd. *Carl L* —4C **130**
Dadsley Ct. *Tick* —5C **100**
Dadsley Rd. *Tick* —4C **100**
Daffodil Rd. *S5* —1N **109**
Dagnam Clo. *S2* —5N **123**
Dagnam Cres. *S2* —4N **123**
Dagnam Dri. *S2* —4N **123**
Dagnam Pl. *S2* —5A **124**
Dagnam Rd. *S2* —4N **123**
Daisy Bank. *S3* —8F **108** (1B **4**)
Daisy Fold. *Pon* —2E **20**
Daisy Lee La. *Hade E* —9G **30**
Daisy Wlk. *S3* —8G **108** (2C **4**)
Daisy Wlk. *Beig* —8M **125**
Dalbury Rd. *Dron W* —9D **134**
Dalby Gdns. *Soth* —1N **137**
Dalby Gro. *Soth* —9A **126**
Dale Av. *Roth* —8B **96**
Dalebrook Ct. *S10* —2N **121**
Dalebrook M. *S10* —2N **121**
Dale Clo. *B'ley* —1H **37**
Dale Clo. *Denb D* —3J **33**
Dale Ct. *Holmf* —2F **30**
Dale Ct. *Rawm* —9M **77**
Dale Cft. *S6* —9C **90**
Dalecroft Rd. *Carc* —9F **22**
Dale Grn. Rd. *Wors* —3G **57**
Dale Gro. *Bol D* —6A **60**
Dale Hill Clo. *Maltby* —7D **98**
Dale Hill Rd. *Maltby* —7B **98**
Dale La. *S Elm* —4G **20**
Dale La. Enterprise Zone. *S Elm* —5G **21**
Dale Pit Rd. *Hat W* —3G **47**
Dale Rd. *S6* —9L **89**
Dale Rd. *Con* —4A **80**
Dale Rd. *Dron* —9J **135**
Dale Rd. *Kil* —4D **138**
Dale Rd. *Rawm* —9M **77**
Dale Rd. *Roth* —9B **96**
Dale Rd. *Wick* —9F **96**
Dale Side. *S10* —2C **122**
Daleside Av. *New M* —1G **31**
Dales La. *Misson* —1N **103**
Dale St. *Rawm* —8M **77**
Daleswood Av. *B'ley* —7C **36**
Daleswood Dri. *Wors* —2L **57**
Dale, The. *S8* —8G **122**
Dale Vw. *Hems* —3M **19**

Dale Vw. *Work* —3E **142**
Daleview Rd. *S8* —9E **122**
Dalewood Av. *S8* —1D **134**
Dalewood Dri. *S8* —1C **134**
Dalewood Rd. *S8* —1D **134**
Dalmore Rd. *S7* —6D **122**
Dalroyd La. *S6* —1F **106**
Dalton. —5B 96
Dalton Ct. *S8* —4G **123**
Dalton Ct. *Den M* —3L **79**
Dalton Gro. *Baw* —5C **102**
Dalton Ho. *Roth* —1A **112**
Dalton La. *Roth* —4C **96**
Dalton Magna. —6E 96
Dalton Ter. *B'ley* —8H **37**
Dalton Parva. —5C 96
Damasel Clo. *Whar S* —4K **91**
Damasel La. *Whar S* —4K **91**
Damasel Rd. *Whar S* —3K **91**
Dame La. *Misson* —3K **103**
Dam End. —8B 66
Damer St. *S10* —9E **108**
Dam Head. *Holmb* —6B **30**
Dam Head. *Roth* —9H **77**
Dam Ings La. *Ast* —4F **126**
Dam Rd. *Tick* —7D **100**
Damsteads. *Dod* —9B **36**
Danby Rd. *Kiv P* —8L **127**
Dance La. *Cra M* —8M **55**
Danebrook Clo. *S2* —2C **124**
Danebrook Ct. *S2* —2C **124**
Danebrook Dri. *S2* —2C **124**
Danesfield Rd. *Work* —9C **142**
Danesthorpe Clo. *Donc* —1F **64**
Dane St. *Thurn* —8D **40**
Dane St. N. *Thurn* —8D **40**
Dane St. S. *Thurn* —8D **40**
Danesway. *Donc* —7K **43**
Danethorpe Way. *Con* —6M **79**
Danewood Av. *S2* —2C **124**
Danewood Cft. *S2* —2C **124**
Danewood Gdns. *S2* —2C **124**
Danewood Gro. *S2* —2C **124**
Daniel Hill. *S6* —7F **108**
Daniel Hill Ct. *S6* —7E **108**
Daniel Hill St. *S6* —7E **108**
Daniel Hill Ter. *S6* —7F **108**
Daniel Hill Wlk. *S6* —7F **108**
Daniel La. *Rawm* —8H **77**
Daniels Dri. *Aug* —2B **126**
Dannemora Clo. *S9* —5C **110**
Dannemora Dri. *S9* —5C **110**
Danum Clo. *Thorne* —2L **27**
Danum Ct. *Den M* —3L **79**
Danum Dri. *Roth* —6M **95**
Danum Retail Pk. *Donc* —2L **63**
Danum Rd. *Donc* —5C **64**
Danum Rd. *Hat* —2D **46**
Dara St. S9 —9B *94*
   (off Fife St.)
Darcy Clo. *Swal* —3C **126**
Darcy Rd. *Eck* —7J **137**
Daresbury Clo. *S2* —5L **123**
Daresbury Dri. *S2* —5L **123**
Daresbury Pl. *S2* —5L **123**
Daresbury Rd. *S2* —5L **123**
Daresbury Vw. *S2* —5L **123**
Darfield. —2H 59
Darfield Av. *Owl* —9F **124**
Darfield Clo. *Owl* —9F **124**
Darfield Clo. *Ross* —5L **83**
Darfield Ct. *Tick* —6D **100**
Darfield Ho. Donc —5N *63*
   (off St James St.)
Darfield Rd. *Cud* —3C **38**
Darfoulds. —9J 141
Dargle Av. *Donc* —2D **64**
Darhaven. *D'fld* —1G **59**
Dark La. *B'ley* —9C **36**
Dark La. *Caw* —3G **34**
Dark La. *Denb D* —2J **33**
Dark La. *Mid* —1H **71**
   (in two parts)
Dark La. *Wors* —4J **57**
Darley. *Wors* —2K **57**
Darley Av. *B'ley* —2H **37**
Darley Av. *Wors* —1F **56**
Darley Cliff Cotts. *Wors* —1J **57**
Darley Clo. *B'ley* —1H **37**
Darley Clo. *H'hill* —4K **139**
Darley Gro. *S6* —5M **107**
Darley Gro. *Wors* —2K **57**
Darley Pk. *Roth* —8F **94**
Darley Ter. *B'ley* —6E **36**
Darley Yd. *Wors* —2J **57**
Darlington Gro. *Moor* —7L **11**
Darlington Wlk. *Moor* —6L **11**
Darnall. —8C 110
Darnall Dri. *S9* —7B **110**

Darnall Rd. *S9* —6A **110**
Darnley Dri. *S2* —3A **124**
Darrington Dri. *Warm* —1H **81**
Darrington Pl. *B'ley* —5M **37**
Dart Gro. *Auc* —8C **66**
Dartmouth Rd. *Donc* —9L **65**
Darton. —8N 15
Darton Hall Clo. *Dart* —8A **16**
Darton Hall Dri. *Dart* —8A **16**
Darton La. *Dart & M'well* —9A **16**
Darton Rd. *Caw* —3H **35**
Darton St. *B'ley* —8L **37**
Dartree Clo. *D'fld* —1F **58**
Dartree Wlk. *D'fld* —1F **58**
Dart Sq. *S3* —8F **108** (2A **4**)
Darwall Clo. *High G* —6E **74**
Darwent La. *Worr* —9K **91**
Darwin Clo. *S10* —1A **122**
Darwin La. *S10* —1A **122**
Darwin Rd. *S6* —2C **108**
Darwin Yd. Else —2B *76*
   (off Distillery Side)
Darwynn Av. *Swint* —3N **77**
Davey Rd. *Thurn* —1C **60**
David Clo. *S13* —4K **125**
David La. *S10* —4J **121**
Davies Dri. *Swint* —5C **78**
Davis Clo. *Dalt* —4C **96**
Davis Rd. *Ask* —2J **23**
Davis St. *Roth* —6N **95**
Davy Dri. *Maltby* —7D **98**
Davy Rd. *Den M* —3K **79**
Dawber La. *Kil* —3E **138**
Dawber St. *Work* —3A **142**
Daw Cft. Av. *Wors* —2H **57**
Dawlands Clo. *S2* —1B **124**
   (in two parts)
Dawlands Dri. *S2* —2B **124**
Daw La. *Ben* —6M **43**
Daw La. *Wadw* —6N **81**
Dawson Av. *Rawm* —6J **77**
Dawson Cft. *Roth* —1G **95**
Dawson La. *Wath D* —2L **77**
Dawson Ter. *Kiv P* —9J **127**
Daw Wood. *Ben* —5N **43**
Dayhouse La. *B'ley* —3C **36**
Dayhouse Way. *B'ley* —4C **36**
Daykin Clo. *Dart* —9M **15**
Daylands Av. *Con* —5M **79**
Day St. *B'ley* —8F **36**
Deacon Clo. *Ross* —5L **83**
Deacon Cres. *Maltby* —9E **98**
Deacon Cres. *New R* —5H **83**
Deacons Way. *B'ley* —5K **37**
Deadman's Hole La. *S9* —9E **94**
Deadman's Hole La. *Roth* —8G **94**
Deakins Wlk. *S10* —2A **122**
Dean Av. *N'thng* —1D **30**
Dean Bri. La. *Hep* —5H **31**
Dean Clo. *Ross* —5L **83**
Dean Clo. *Spro* —5H **63**
Deane Fld. Vw. *Wat* —9K **125**
Deanhead Ct. *Owl* —9G **124**
Deanhead Dri. *Owl* —9F **124**
Dean Head La. *S'bri* —2D **72**
Dean La. *Hep* —8H **31**
Dean La. *Roth* —7D **96**
Dean Rd. *Holmf* —2A **30**
Deansfield Clo. *Arm* —2L **65**
Dean St. *B'ley* —7E **36**
Deans Way. *B'ley* —4K **37**
Dearden Ct. *E'fld* —5J **93**
Dearne. —2D 60
Dearne Clo. *Womb* —6F **58**
Dearne Ct. *S9* —2A **110**
Dearne Courthouse. Scis —8A *14*
   (off Wakefield Rd.)
Dearne Dike La. *Cumb* —3B **32**
Dearne Hall Fold. *Bar G* —2A **36**
Dearne Hall Rd. *Bar G* —2A **36**
Dearne Pk. *Clayt W* —7A **14**
Dearne Rd. *Bram* —7G **59**
Dearne Rd. *Wath D & Bol D* —7N **59**
Dearne Rd. Flatlets. Bol D —6A *60*
   (off Dearne Rd.)
Dearne Royd. *Scis* —7A **14**
Dearneside Leisure Cen. &
**   Swimming Pool. —3D 60**
Dearneside Rd. *Denb D* —3J **33**
Dearne St. *S9* —2A **110**
Dearne St. *Con* —3B **80**
Dearne St. *Dart* —8A **16**
Dearne St. *Gt Hou* —7L **39**
Dearne St. *Scis* —8A **14**
Dearne St. *S Elm* —6E **20**
Dearne Ter. Scis —8A *14*
   (off Barnsley Rd.)
Dearne Valley Parkway. *Hoy & Womb*
   —9H **57**

Dearne Valley Parkway. *L Hou* —2L **59**
Dearne Valley Parkway. *Womb & Wath D*
   —6G **59**
Dearne Vw. *Gold* —2C **60**
Dearne Way. *Birds* —3E **32**
Dearne Way. *Clayt W* —5C **14**
Dearneway. *Wath D* —9M **59**
Dearnfield. *Up Cum* —2F **32**
Dearnley Vw. *B'ley* —4E **36**
Decoy Bank. *Donc* —7A **64**
Decoy Bank. (North) *Donc* —6A **64**
Decoy Bank. (South) *Donc* —7A **64**
Decoy Rd. *Mess* —8M **13**
Deepcar. —5H 73
Deepcar La. *Cud* —5E **38**
Deep Carrs La. *Lin C* —1J **141**
Deepdale Cft. *Bar G* —3A **36**
Deepdale Rd. *Roth* —7E **94**
Deep La. *S5* —6M **93**
Deep Pit. —3N 123
Deeps La. *Misson* —7J **85**
Deepwell Av. *Half* —4M **137**
Deepwell Bank. *Half* —4M **137**
Deepwell Ct. *Half* —4M **137**
Deepwell Vw. *Half* —4M **137**
Deerlands Av. *S5* —7F **92**
Deerlands Clo. *S5* —7F **92**
Deerlands Mt. *S5* —7E **92**
Deer Leap Dri. *Thry* —3F **96**
Deer Pk. Clo. *S6* —6N **107**
Deer Pk. Pl. *S6* —6N **107**
Deer Pk. Rd. *S6* —6N **107**
Deer Pk. Rd. *Thry* —2F **96**
Deer Pk. Vw. *S6* —6N **107**
Deer Pk. Way. *S6* —6A **108**
Deershaw La. *Cumb* —3N **31**
Deershaw Sike La. *Cumb* —3N **31**
De Houton Clo. *Tod* —6K **127**
Deightonby St. *Thurn* —8D **40**
De Lacy Dri. *Wors* —2H **57**
Delamere Clo. *Soth* —9N **125**
De La Salle Dri. *S4* —5K **109**
Delf Rd. *S6* —6E **90**
Delf St. *S2* —4J **123**
Della Av. *B'ley* —8E **36**
Dell Av. *Grim* —9G **18**
Dell Cres. *Donc* —6K **63**
Delmar Way. *Flan* —7G **96**
Delph Clo. *Silk* —7J **35**
Delph Edge. *Wort* —3G **72**
Delph Ho. Rd. *S10* —9A **108**
Delta Pl. *Roth* —6A **96**
Delta Way. *Maltby* —7F **98**
Delves Av. *S12* —7J **125**
Delves Clo. *S12* —7J **125**
Delves Dri. *S12* —8J **125**
Delves La. *S26* —8C **126**
Delves Pl. *S12* —8H **125**
Delves Rd. *S12* —8H **125**
Delves Rd. *Kil* —4C **138**
Delves Ter. *S12* —8J **125**
Denaby Av. *Con* —5L **79**
Denaby Ings Nature Reserve. —9N 61
Denaby Ings Nature Reserve. Vis. Cen.
   —9L **61**
Denaby La. *Old De & Den M* —7F **78**
Denaby La. Ind. Est. *Den M* —3K **79**
   (Coal Pit Rd.)
Denaby La. Ind. Est. *Den M* —3K **79**
   (Pitman Rd.)
Denaby Main. —2M 79
Den Bank. —9N 107
Den Bank Av. *S10* —9N **107**
Den Bank Clo. *S10* —9A **108**
Den Bank Cres. *S10* —9N **107**
Den Bank Dri. *S10* —9N **107**
Denbrook La. *Con* —6B **80**
Denby Dale. —2J 33
Denby Dale Ind. Est. *Denb D* —2H **33**
Denby Dale Rd. *Bret* —2E **14**
Denby Hall La. *Denb D* —3N **33**
Denby La. *Up Den* —5F **32**
Denby Rd. *B'ley* —1G **36**
Denby St. *S2* —2G **123** (7E **4**)
Denby St. *Ben* —6L **43**
Denby Way. *H'by* —8M **97**
Dencombe Ter. *S Kirk* —8N **19**
Dene Clo. *Wick* —9H **97**
Dene Cres. *Roth* —5A **96**
Denehall Rd. *Kirk S* —5K **45**
Dene La. *S3* —1G **122** (6C **4**)
Dene Rd. *Roth* —5A **96**
Dene, The. *Work* —8N **141**
Denham Dri. *N'thng* —1D **30**
Denham Rd. *S11* —2F **122**
Denholme Clo. *S3* —7J **109**
Denholme Mdw. *S Elm* —5E **20**
Denison Rd. *Donc* —5M **63**
Denman Rd. *Wath D* —9K **59**

Denman St.—Duke St.

Denman St. Roth —5L 95
Denmark Rd. S2 —5J 123
Dennis St. Work —8C 142
Denson Clo. S2 —5J 123
Dent La. S12 —9F 124
Dentons Grn. La. Kirk S —4J 45
Denton St. B'ley —6G 37
Denver Rd. Nor —7J 7
Derby Pl. S2 —5K 123
Derby Rd. Donc —8F 44
Derbyshire Ct. S8 —8J 123
Derbyshire Ct. Arm —9N 45
Derbyshire La. S8 —6G 122
Derby St. S2 —5J 123
Derby St. B'ley —7E 36
Derby Ter. S2 —5K 123
Derriman Av. S11 —7C 122
Derriman Clo. S11 —7C 122
Derriman Dri. S11 —7C 122
Derriman Glen. S11 —7C 122
Derriman Gro. S11 —7C 122
Derry Gro. Thurn —9B 40
Derwent. —6A 104
Derwent Clo. Ans —4D 128
Derwent Clo. B'ley —1J 37
Derwent Clo. Dron —7J 135
Derwent Clo. Work —4C 142
Derwent Ct. S17 —5B 134
Derwent Ct. Roth —2M 111
Derwent Cres. B'ley —1J 37
Derwent Cres. B'wth —5H 111
Derwent Dri. C'town —9F 74
Derwent Dri. Kirk S —5J 45
Derwent Dri. Mexb —9H 61
Derwent Dri. Rawm —1M 95
Derwent Gdns. Gold —3D 60
Derwent La. Bam —6A 104
Derwent Pl. Spro —6F 62
Derwent Pl. Womb —6F 58
Derwent Rd. B'ley —1H 37
Derwent Rd. Dron —7J 135
Derwent Rd. Mexb —9H 61
Derwent Rd. Roth —2G 94
Derwent St. S2 —8L 109
Derwent Ter. Mexb —9F 60
Derwent Way. Wath D —7H 59
De Sutton Pl. H'hill —5K 139
Deveron Rd. Half —3M 137
Devon Ct. Den M —4L 79
Devon Rd. S4 —4K 109
Devonshire Clo. S17 —4A 134
Devonshire Clo. Dron —9G 135
Devonshire Ct. S17 —4A 134
Devonshire Dri. S17 —3N 133
Devonshire Dri. Ans —3C 128
Devonshire Dri. B'ley —4E 36
Devonshire Glen. S17 —4A 134
Devonshire Gro. S17 —4N 133
Devonshire La. S1 —9G 109 (4D 4)
Devonshire Rd. S17 —3N 133
Devonshire Rd. Donc —2E 64
Devonshire Rd. Harw —9J 101
Devonshire Rd. Maltby —7E 98
Devonshire St. S3 —9G 108 (4C 4)
Devonshire St. Roth —7H 95
Devonshire St. Work —8A 142
Devonshire Ter. Rd. S17 —3M 133
Dewar Dri. S7 —7D 122
De Warren Pl. H'hill —5L 139
Dewhill Av. Whis —3A 112
Dial Clo. S5 —9K 93
Dial Ho. Rd. S6 —4B 108
Dial, The. S5 —9L 93
Dial Way. S5 —9K 93
Diamond Av. S Elm —6D 20
Diamond St. Womb —4D 58
Dickan Gdns. Arm —2N 65
Dick Edge La. Cumb —6M 31
Dickens Clo. Cat —6H 111
Dickenson Ct. C'town —9G 74
Dickens Rd. Rawm —7A 78
Dickens Rd. Work —6E 142
Dickey La. S6 —8B 92
Dickinson Pl. B'ley —9G 36
Dickinson Rd. S5 —6L 93
Dickinson Rd. B'ley —9G 36
Digby Clo. Roth —5E 94
Digley Rd. Holmb —6A 30
Dike Hill. Harl —5M 75
Dikelands Mt. High G —8E 74
Dikes Marsh La. Thorne —2H 11
(in two parts)
Dillington Rd. B'ley —9G 37
Dillington Sq. B'ley —9G 37
Dillington Ter. B'ley —9G 37
(off Hornby St.)
Dinmore Clo. Donc —2L 81
Dinnington. —2D 128
Dinnington Bus. Cen. Dinn —1C 128
Dinnington Rd. S8 —7G 122
Dinnington Rd. Tod —4L 127
Dinnington Rd. W'sett —7G 129
Dirleton Dri. Warm —9H 63
Dirty La. Fish —2C 26
Discovery Way. Maltby —7B 98
Dishwell La. H'hill —4K 139
Disraeli Gro. Maltby —7C 98
Distillery M. Else —2B 76
Distillery Side. Else —2B 76
Ditchingham St. S4 —6K 109
Division La. S1 —9H 109 (4E 4)
Division St. S1 —9G 109 (4D 4)
Dixon Cres. Donc —8K 63
Dixon Dri. Whar S —3K 91
Dixon La. S1 —8J 109 (2H 5)
Dixon Rd. S6 —3C 108
Dixon Rd. Edl'tn —4E 80
Dixon St. S6 —7G 109
Dixon St. Roth —6L 95
Dobb. —6B 30
Dobbin Ct. S11 —4B 122
Dobbin Hill. S11 —5B 122
Dobb La. S6 —8G 106
Dobb La. Holmb —6A 30
Dobb Top Rd. Holmb —7A 30
Dobcroft Av. S7 —9C 122
Dobcroft Clo. S11 —7B 122
Dobcroft Rd. S11 & S7 —7B 122
Dobie St. B'ley —8G 37
Dob Royd. Shep —1A 32
Dobroyd Ter. Jump —8N 57
Dobsyke Clo. Wors —2L 57
Dockin Hill Rd. Donc —3A 64
Dock Rd. Work —7B 142
Doctor La. S9 —6A 110
Doctor La. H'hill —5K 139
Dodds Clo. Roth —9J 95
Dodd St. S6 —5D 108
Dodson Dri. S13 —1F 124
Dodsworth St. Mexb —2E 78
Dodworth. —9A 36
Dodworth Bottom. —1A 56
Dodworth Bus. Pk. Dod —8M 35
Dodworth Grn. Rd. Dod —1M 55
Dodworth Rd. B'ley —8B 36
Doe La. Mar L —6B 136
Doe La. Wors —4F 56
Doe Quarry La. Dinn —1D 128
Doe Quarry Pl. Dinn —2E 128
Doe Quarry Ter. Dinn —2D 128
Doe Royd Cres. S5 —8E 92
Doe Royd Dri. S5 —8F 92
Doe Royd La. S5 —8E 92
Dog Cft. La. Ark —7D 44
Dog Hill. Shaf —6B 18
Dog Hill Dri. Shaf —6C 18
Dog Kennels Hill. Kiv S —9N 127
Dog Kennels La. Kiv S & Ans —9N 127
Dog La. B'ley —7F 36
Dolcliffe Clo. Mexb —1E 78
Dolcliffe Common. —1G 78
Dolcliffe Rd. Mexb —1F 78
Dole Rd. Crow —9L 13
Doles Av. Roy —6J 17
Doles Cres. Roy —6J 17
Doles La. Whis —4B 112
Doles La. Whitw —9F 140
Doleswood Dri. Lghtn —8C 114
Dome Leisure Cen., The. —6E 64
Domine La. Roth —7K 95
Dominoe Gro. S12 —6D 124
Don Av. S6 —1B 108
Don Av. Whar S —3K 91
Doncaster. —4N 63
Doncaster Exhibition Cen. —4D 64
Doncaster Ga. Roth —7L 95
Doncaster Golf Course. —2K 83
Doncaster Ind. Pk. Donc —1K 63
Doncaster La. S'brke —5N 21
(in two parts)
Doncaster La. W'land —3G 42
(in two parts)
Doncaster Leisure & Bus. Pk. Donc —6E 64
Doncaster Mus. & Art Gallery. —4A 64
Doncaster Pl. Roth —6N 95
Doncaster Race Course. —5E 64
Doncaster Rd. Arm —1J 65
Doncaster Rd. Barn —4J 61
(in two parts)
Doncaster Rd. B'ley & S'foot —7G 37
Doncaster Rd. Baw —6C 102
Doncaster Rd. Braith —3E 98
Doncaster Rd. Bran —7N 65
Doncaster Rd. Cant & Bran —7L 65
Doncaster Rd. Carc & H'lme —6K 23
Doncaster Rd. Con —4B 80
Doncaster Rd. Dalt & Thry —4B 96
Doncaster Rd. D'fld —1H 59
Doncaster Rd. E Hard —1M 21
Doncaster Rd. E'thpe & Kirk S —6G 45
Doncaster Rd. Finn —3G 84
Doncaster Rd. Gold & Hick —2D 60
Doncaster Rd. H'ton —5G 61
Doncaster Rd. Hat —3C 46
Doncaster Rd. H Mel & Donc —6M 61
(in two parts)
Doncaster Rd. Mexb —2G 79
Doncaster Rd. Oldc —6C 116
Doncaster Rd. Pick —4B 42
Doncaster Rd. Roth —7L 95
Doncaster Rd. S Elm —7F 20
Doncaster Rd. Stain —7L 25
Doncaster Rd. Thry & Con —9F 78
Doncaster Rd. Tick —3C 100
Doncaster Rd. Toll B & H'lme —3K 43
Doncaster Rd. Wath D —9N 59
Doncaster Rovers F.C. —5D 64
Doncaster Squash Club. —4B 64
Doncaster St. S3 —8G 109 (1D 4)
Doncaster Town Moor Golf Course. —4F 64
Don Dri. B'ley —9L 37
Donetsk Way. S12 —9H 125
Don Hill Height. Wort & Deep —3E 72
Donnington Rd. S2 —2L 123
Donnington Rd. Mexb —9J 61
Donovan Clo. S5 —1F 108
Donovan Rd. S5 —1F 108
Don Rd. S9 —5N 109
Donstone Vw. Dinn —3B 128
Don St. Con —3B 80
Don St. Donc —2A 64
Don St. P'stne —5B 54
Don St. Roth —8K 95
Don Ter. Thurls —3L 53
Don Valley Stadium. —6A 110
Don Vw. Donc —1G 63
Don Vw. Dunf B —6H 51
Don Vw. Row. Mexb —1J 79
Dorchester Pl. Wors —2G 56
Dorchester Rd. Birc —9L 101
Dorcliffe Lodge. S10 —3B 122
Dore. —3M 133
Dore & Totley Golf Course. —5E 134
Dore Clo. S17 —3B 134
Dore Ct. S17 —3B 134
(off Ladies Spring Ct.)
Dore Hall Cft. S17 —3M 133
Dore Ho. Ind. Est. S13 —3J 125
Dore Rd. S17 —3M 133
Dorking St. S4 —7K 109
Dorman Av. Upt —1J 21
Dormer Grn. La. H'lme —5B 24
Dorothy Av. Thorne —1H 27
Dorothy Hyman Sports Cen. —2C 38
Dorothy Rd. S6 —3C 108
Dorset Clo. Hems —1K 19
Dorset Cres. Donc —2F 64
Dorset Dri. Harw —9J 101
Dorset St. S10 —1F 122 (5A 4)
Double Bridges Rd. Thorne —6M 27
Doubting La. P'stne —8L 53
Douglas Rd. S3 —6G 109
Douglas Rd. Donc —8J 63
Douglas St. Roth —7L 95
Douse Cft. La. S10 —5H 121
Dovebush Way. Bar G —3A 36
Dovecliffe Rd. Womb —4M 57
Dove Clo. Bol D —5C 60
Dove Clo. Womb —6F 58
Dove Clo. Work —3B 142
Dovecote La. Rav —2H 97
Dovecote M. Monk B —4K 37
Dovecott Lea. Soth —8A 126
Dovedale. Wors —3J 57
Dovedale Pl. Wors —3J 57
Dovedale Rd. S7 —6E 122
Dovedale Rd. Roth —9B 96
Dove Hill. Roy —5L 17
Dove La. Ast —5D 126
Dovercourt Rd. S2 —2M 123
Dovercourt Rd. Roth —6G 95
Dover Gdns. S3 —8G 108 (1C 4)
Dover La. Holmf —5E 30
Dove Rd. Womb —6F 58
Dover Rd. S11 —2D 122
Dover Rd. Holmf —5E 30
Dover St. S3 —8G 108 (1C 4)
Doveside Dri. D'fld —3F 58
Dove Valley Trail. Silk C —2J 55
Dove Valley Trail. Wors —3K 57
Dowcar La. H'hill —5H 139
Dower Ho. Sq. Baw —7C 102
Dowfin. High G —7E 74
Dowland Av. High G —6E 74
Dowland Clo. High G —6F 74
Dowland Ct. High G —6E 74
Dowland Gdns. High G —6F 74
Downes Cres. B'ley —5C 36
Downgate Dri. S4 —4N 109
Downham Rd. S5 —1K 109
Downing La. S3 —7G 108 (1C 4)
Downing Rd. S8 —2F 134
Downing Sq. P'stne —5N 53
Downings, The. H'hill —5L 139
Downland Clo. Donc —2K 81
Downshutts La. Tot —3H 31
Down's Row. Roth —7K 95
Dragoon Ct. S6 —5E 108
Drake Clo. Burn —9F 74
Drake Head La. Con —4C 80
(in two parts)
Drakehouse. —8K 125
Drake Ho. Cres. Wat —8K 125
Drakehouse La. Beig —8M 125
Drake Ho. La. W. Beig —8M 125
Drake Ho. Retail Pk. Beig —8K 125
Drake Ho. Way. Wat —8L 125
Drake Rd. Donc —1B 64
Drake Rd. Maltby —9F 98
(off Tickhill Rd.)
Dr Anderson Av. Stain —5B 26
Dransfield Av. P'stne —5N 53
Dransfield Clo. S10 —1A 122
Dransfield Rd. S10 —1N 121
Draycott Pl. Dron W —9E 134
Draycott Wlk. Carc —9F 22
Driver St. S13 —3K 125
Drive, The. S6 —2C 108
Drive, The. E'thpe —6K 45
Dronfield. —9H 135
Dronfield Ind. Est. Dron —9K 135
Dronfield Rd. Eck —8H 137
Dronfield Woodhouse. —9E 134
Dropping Well. —5E 94
Droppingwell Farm Clo. Roth —4D 94
Droppingwell Rd. Roth —7B 94
Drover Clo. High G —8F 74
Droversdale Rd. Birc —9M 101
Drummond Av. Donc —9G 43
Drummond Cres. S5 —8J 93
Drummond Rd. S5 —8J 93
Drummond St. Roth —6K 95
(in two parts)
Drury Farm Ct. B'ley —7B 36
Drury La. S17 —3M 133
Drury La. Coal A —7K 135
Drury La. Tick —6D 100
Dryden Av. S5 —9F 92
Dryden Dale. Work —6F 142
Dryden Dri. S5 —9F 92
Dryden Rd. S5 —9F 92
Dryden Rd. B'ley —6H 37
Dryden Rd. Donc —9N 63
Dryden Rd. Mexb —1G 79
Dryden Rd. Roth —9A 96
Dryden Rd. Wath D —8J 59
Dryden Way. S5 —1F 108
Dry Hill La. Denb D —3L 33
Dryhurst Clo. Nor —7J 7
Dublin Rd. Donc —2D 64
Duchess Rd. S2 —2J 123 (7G 5)
Duckham Dri. Ast —5D 126
Ducksett La. Eck —8K 137
Dudley Rd. S6 —2C 108
Dudley Rd. Donc —4E 64
Dudley St. P'gte —2M 95
Duftons Clo. Con —3B 80
Dugdale Dri. S5 —6G 92
Dugdale Rd. S5 —6F 92
Duke Av. Maltby —9F 98
Duke Av. New R —5H 83
Duke Cres. B'ley —8G 36
Duke Cres. Roth —4E 94
Duke La. S1 —1H 123 (6F 5)
Duke of Norfolk La. Wick —9D 96
Duke Pl. Work —7B 142
Dukeries Clo. Work —4N 141
Dukeries Cres. Work —9F 142
Dukeries Dri. Ans —4C 128
Dukeries Ind. Est., The. Work —4N 141
Dukeries Way. Work —4N 141
Duke's Cres. Edl'tn —3F 80
Dukes La. Roth —5D 94
(in two parts)
Dukes Pl. Roth —9A 96
Dukes Rd. Hope V & Deep —8C 88
Dukes Ter. Baw —6C 102
Duke St. S2 —9K 109 (3J 5)
Duke St. B'ley —8G 36
Duke St. Dinn —1D 128
Duke St. Donc —4N 63
Duke St. Grim —2G 39
Duke St. Hoy —9M 57
Duke St. Mosb —4K 137
Duke St. Stain —6A 26

Duke St.—Eldon Arc.

Duke St. Swint —2C 78
Duke Wood Rd. Clayt W —7A 14
Dumb Hall La. Thor S —5E 140
Dumbleton Rd. Kil —5D 138
Dumfries Row. B'ley —9H 37
Duncan Rd. S10 —8C 108
Duncan St. B'wth —3J 111
Duncombe St. S6 —7D 108
Dundas Rd. S9 —1E 110
Dundas Rd. Donc —1B 64
Dunedin Glen. Half —4L 137
Dunedin Gro. Half —4L 137
Dunella Dri. S6 —3C 108
Dunella Pl. S6 —3B 108
Dunella Rd. S6 —3C 108
Dunelm Cres. Moor —7M 11
Dun Fields. S3 —7G 109
Dunford Bridge. —6H 51
Dunford Ct. Wath D —9N 59
Dunford Rd. Hade E & Dunf B —2G 50
Dunford Rd. Holmf & Hade E —3E 30
Dungworth. —3G 106
Dungworth Grn. S6 —3G 106
Dunkeld Rd. S11 —6C 122
Dunkerley Rd. S6 —3M 107
Dun La. S3 —7G 109
Dunleary Rd. Donc —3D 64
Dunlin Clo. Thpe H —8N 75
Dunlin Ct. Gate —3N 141
Dunlop St. S9 —3B 110
Dunmere Clo. B'ley —3H 37
Dunmow Rd. S4 —3M 109
Dunninc Rd. S5 —6L 93
Dunninc Ter. S5 —6L 93
Dunniwood Av. Donc —1H 83
Dunniwood Reach. Bes —9J 65
Dunns Dale. Maltby —8F 98
Dunscroft. —1C 46
Dunscroft Gro. Ross —5L 83
Dunsil Vs. S Elm —8E 20
Dunsley Bank Rd. Holmf —6D 30
Dunsley La. S Kirk —7L 19
Dunsley Ter. S Kirk —7N 19
Dunstan Cres. Work —9C 142
Dunstan Dri. Thorne —2J 27
Dunstan Rd. Maltby —9C 98
Dunstan Wlk. Thorne —2J 27
Dun St. S3 —7G 109
Dun St. Swint —3D 78
Dunsville. —4B 46
Durham Av. Thorne —1J 27
Durham Clo. Work —3D 142
Durham La. S10 —9E 108 (4A 4)
Durham La. Arm —9N 45
Durham Pl. Roth —9A 96
Durham Rd. S10 —9F 108 (4A 4)
Durham Rd. Donc —9C 44
Durham Rd. D'cft —9C 26
Durham St. Maltby —9F 98
Durlstone Clo. S12 —6A 124
Durlstone Cres. S12 —6A 124
Durlstone Dri. S12 —6A 124
Durlstone Gro. S12 —6A 124
Durmast Gro. S6 —6L 107
Durnan Gro. Rawm —6J 77
Durnford Rd. Donc —2B 64
Dursley Ct. Auc —8B 66
Durvale Ct. S17 —4N 133
Dutton Rd. S6 —3E 108
Duxford Ct. Donc —9K 65
Dwarriden La. Deep —1B 90
Dyche Clo. S8 —4J 135
Dyche Dri. S8 —4J 135
Dyche La. S8 & Coal A —3H 135
Dyche Pl. S8 —4J 135
Dyche Rd. S8 —4J 135
Dycott Rd. Roth —6F 94
Dyer Rd. Jump —8A 58
Dykes Hall Gdns. S6 —4C 108
Dykes Hall Pl. S6 —3C 108
Dykes Hall Rd. S6 —3B 108
Dykes La. S6 —4B 108
Dyke Va. Av. S12 —7G 124
Dyke Va. Clo. S12 —7G 124
Dyke Va. Pl. S12 —7G 124
Dyke Va. Rd. S12 —6F 124
Dyke Va. Way. S12 —7G 124
Dykewood Dri. S6 —2A 108
Dyscarr Clo. L'gld —9C 116
Dyscarr Wood Nature Reserve. —1B 130
Dyson Cote La. P'stne —1B 72
Dyson La. Holmf —7F 30
Dyson Pl. S11 —3E 122
Dyson St. B'ley —9E 36

Eaden Cres. Hoy —9N 57
Eagleton Dri. High G —6F 74
Eagleton Ri. High G —6F 74
Eagle Vw. Ast —5D 126
Ealand Way. Con —3C 80
Eaming Vw. B'ley —5H 37
Earl Av. Maltby —9E 98
Earl Av. New R —5G 83
Earldom Clo. S4 —6K 109
Earldom Dri. S4 —6K 109
Earldom Rd. S4 —5K 109
Earldom St. S4 —6K 109
Earlesmere Av. Donc —7L 63
Earl Marshal Clo. S4 —3L 109
Earl Marshal Dri. S4 —3K 109
Earl Marshal Rd. S4 —4K 109
Earl Marshal Sports Cen. —3L 109
Earl Marshal Vw. S4 —3K 109
Earlsmere Dri. B'ley —8A 38
Earlston Dri. Donc —1M 63
Earl St. S1 —1H 123 (6E 4)
(in two parts)
Earl Way. S1 —1H 123 (6E 4)
Earnshaw Hall. S10 —2C 122
Earnshaw Ter. B'ley —5E 36
Earsham St. S4 —6K 109
Earth Cen., The. —2N 79
East Av. Rawm —8M 77
East Av. S Elm —5G 21
East Av. Stain —7B 26
East Av. Swint —4A 78
East Av. Upt —2F 20
East Av. Womb —4B 58
East Av. W'land —4E 42
East Bank. Stain —4A 26
E. Bank Clo. S2 —5L 123
E. Bank Pl. S2 —5L 123
E. Bank Rd. S2 —2J 123 (7H 5)
E. Bank Vw. S2 —5L 123
E. Bank Way. S2 —5L 123
E. Bawtry Rd. Roth —3A 112
E. Cliffe Dri. S2 —3K 123
E. Coast Rd. S9 —6M 109
East Cres. Roth —6A 96
East Cres. S'bri —5C 72
East Cft. Bol D —5B 60
Eastcroft Clo. W'fld —2M 137
Eastcroft Dri. W'fld —3L 137
Eastcroft Glen. W'fld —2M 137
Eastcroft Vw. W'fld —3M 137
Eastcroft Way. W'fld —2M 137
E. Dale Clo. Hems —2M 19
East Dene. —6N 95
E. Earsham St. S4 —6L 109
East End. Stain —5B 26
E. End Cres. Roy —6M 17
Eastern Av. S2 —5L 123
Eastern Av. Dinn —3E 128
Eastern Clo. Dinn —2E 128
Eastern Cres. S2 —5L 123
Eastern Dri. S2 —4L 123
Eastern Wlk. S2 —4L 123
Eastfield. —5K 55
Eastfield Av. P'stne —4N 53
Eastfield Clo. M'well —9E 16
Eastfield Cres. Lghtn —7C 114
Eastfield Cres. M'well —9E 16
Eastfield Dri. Ask —1M 23
Eastfield La. Auc —9C 66
E. Field La. Lghtn —7D 114
Eastfield La. T'land & Hood G —6J 55
Eastfield Pl. Rawm —7B 78
Eastfield Rd. S10 —7C 108
(in two parts)
Eastfield Rd. Arm —2L 65
E. Field Rd. Fish —9B 10
Eastfields. Wors —3J 57
Eastgate. B'ley —6F 36
Eastgate. Hems —3L 19
East Ga. Moor —7L 11
Eastgate. Work —7C 142
Eastgate Ct. Roth —7A 96
E. Gate Wlk. Moor —6L 11
(off East Ga.)
E. Glade Av. S12 —8E 124
E. Glade Clo. S12 —8E 124
E. Glade Cres. S12 —8E 124
E. Glade Pl. S12 —8E 124
E. Glade Rd. S12 —7E 124
E. Glade Sq. S12 —8E 124
E. Glade Way. S12 —7E 124
E. Green Vs. Moor —6M 11
Eastgrove Rd. S10 —2E 122
East Herringthorpe. —6C 96
E. Ings Rd. Thorne —2G 27
E. Laith Ga. Donc —4A 64
East La. Stain —5A 26
Eastleigh. Roth —5N 95
E. Lodge La. Roth —1J 95
East Mall. Cry P —8L 125
Eastmoor Gro. B'ley —7K 17
Eastoft Rd. Crow —7M 29
East Pde. S1 —9H 109 (3F 5)
East Pinfold. Roy —6K 17
East Rd. S2 —4J 123
East Rd. Oxs —6C 54
East Rd. Roth —6A 96
E. Service Rd. Barn D —9G 24
East St. D'fld —1G 59
East St. Dinn —2D 128
East St. Donc —6N 63
East St. Gold —1E 60
East St. Harw —8K 101
East St. Jack B —5J 31
East St. S Elm —5G 21
East St. S Hien —4E 18
East Ter. Kiv P —8E 126
E. Vale Dri. Thry —3E 96
East Vw. Baw —5C 102
East Vw. Cam —9H 7
East Vw. Cud —1B 38
East Vw. H'by —8N 97
East Vw. Jump —8N 57
E. View Av. Eck —8J 137
E. View Ter. S6 —3C 108
East Whitwell. —6D 72
Eastwood. —5N 95
Eastwood Av. Ans —6C 128
Eastwood Ct. Roth —5N 95
Eastwood Ct. Work —1C 142
Eastwood Ho. Roth —6M 95
(off Doncaster Rd.)
Eastwood La. Misson —1N 103
Eastwood La. Roth —6L 95
Eastwood Mt. Roth —7N 95
Eastwood Rd. S11 —3E 122
Eastwood Trad. Est. Roth —4N 95
Eastwood Va. Roth —5N 95
Eastwood Vw. Roth —5A 96
Eaton Pl. S2 —9L 109
Eaton Pl. Hems —2L 19
Eaton Sq. Barn —4J 61
Eaton Wlk. S Elm —4F 20
Ebenezer Pl. S3 —7H 109 (1E 4)
Ebenezer Pl. Else —1A 76
Ebenezer St. S3 —7H 109 (1E 4)
Ebenezer St. Gt Hou —7M 39
Eben St. S9 —2A 110
Ebson Ho. La. New M —2M 31
Ecclesall. —5B 122
Ecclesall Rd. S11 —7B 122 (7A 4)
Ecclesall Rd. S. S11 —9N 121
Ecclesall Woods Forest Walks. —2M 133
Eccles Dri. Edl'tn —6F 80
Ecclesfield. —4H 93
Ecclesfield Common. —4K 93
Ecclesfield Rd. S5 & S9 —5L 93
Ecclesfield Rd. C'town —9J 75
Eccles St. S9 —9B 94
Eccleston Rd. Kirk S —3K 45
Eckington. —7L 137
Eckington Hall. Mosb —5K 137
Eckington Rd. Beig —2M 137
(in two parts)
Eckington Rd. Coal A —6K 135
Eckington Way. Cry P —7K 125
Ecklands. —5G 52
Ecklands Long La. P'stne —7G 52
Ecton Dri. Kirk S —3H 45
Edale Ri. Dod —9N 35
Edale Rd. S11 —4B 122
Edale Rd. Roth —7F 94
Edderthorpe. —8G 38
Edderthorpe La. D'fld —8G 38
Eddison Clo. Work —3D 142
Eddyfield Rd. Oxs —5C 54
Eden Clo. Bar G —3N 35
Eden Clo. H'by —8N 97
Edencroft Dri. E'thpe —5K 45
Eden Dri. S6 —4N 107
Eden Dri. Ask —1N 23
Edenfield Clo. B'ley —2L 37
Eden Fld. Rd. E'thpe —6K 45
Eden Glade. Swal —3C 126
Eden Gro. Donc —5L 63
Eden Gro. Swal —3C 126
Eden Gro. Rd. E'thpe —6K 45
Edenhall Rd. S2 —4N 123
Edensor Rd. S5 —2J 109
Eden Ter. Mexb —9F 60
Edenthorpe. —6K 45
Edenthorpe Dell. Owl —9H 125
Edenthorpe Gro. Owl —9J 125
Edgar Allan Ho. S3 —4C 4
Edgar La. New R —5G 83
Edgbaston Way. Edl'tn —3G 81
Edge Bank. S7 —5F 122
Edgebrook Rd. S7 —5E 122
Edgecliffe Pl. B'ley —3H 37
Edge Climbing Cen., The. —2H 123
Edge Clo. S6 —7D 92
Edgedale Rd. S7 —6E 122
Edgefield Rd. S7 —6F 122
Edge Grn. Kirk S —4J 45
Edge Hill Rd. S7 —5E 122
Edgehill Rd. Donc —9F 44
Edgehill Rd. M'well —7B 16
Edgelands Ri. Cud —3B 38
Edge La. S6 —7D 92
(in three parts)
Edgemount Rd. S7 —6F 122
Edge Well Clo. S6 —7D 92
Edge Well Cres. S6 —7D 92
Edge Well Dri. S6 —8D 92
Edge Well La. S6 —7C 92
Edge Well Pl. S6 —7C 92
Edge Well Ri. S6 —7D 92
Edge Well Way. S6 —7D 92
Edinburgh Av. Bol D —5A 60
Edinburgh Clo. B'ley —4J 37
Edinburgh Dri. Ans —4B 128
Edinburgh Rd. Hoy —8M 57
Edinburgh Rd. Work —9E 142
Edinburgh Wlk. Work —9E 142
Edith Ter. Donc —9J 43
Edlington La. Edl'tn & Warm —3G 80
Edlington La. Old E & Edl'tn —7E 80
Edlington Riding. Edl'tn —5G 81
Edlington Sports Cen. & Swimming Pool. —6F 80
Edmonton Clo. B'ley —6B 36
Edmund Av. S17 —4D 134
Edmund Av. B'wth —5K 111
Edmund Clo. S17 —4E 134
Edmund Dri. S17 —4E 134
Edmund Rd. S2 —3J 123 (7G 5)
Edmunds Rd. Wors —3K 57
Edmund St. Wors —3H 57
Edna St. Bol D —5B 60
Edna St. S Elm —6F 20
Edward. S11 —5E 122
Edward Clo. B'ley —9K 37
Edward Ct. Thorne —9L 11
Edward Rd. Adw S —2H 43
Edward Rd. Carc —7F 22
Edward Rd. Gold —3B 60
Edward Rd. Wath D —7J 59
Edwards Ct. Work —7A 142
Edward St. S3 —8G 108 (2C 4)
Edward St. Arm —9J 45
Edward St. Ben —7M 43
Edward St. D'fld —2G 59
Edward St. Dinn —2D 128
Edward St. Eck —7K 137
Edward St. Gt Hou —7L 39
Edward St. Hoy —9L 57
Edward St. M'well —9D 16
Edward St. New R —5G 83
Edward St. S'bri —5D 72
Edward St. Swint —2C 78
Edward St. Thurn —8B 40
Edward St. Womb —4E 58
Edward St. Work —7C 142
Edward St. Flats. S3 —8G 108 (2C 4)
Edwin Rd. S2 —5K 123
Edwin Rd. W'land —4E 42
Edwins Clo. B'ley —1G 37
Effingham La. S4 —8K 109 (1J 5)
Effingham Rd. S4 & S9 —7L 109 (1K 5)
Effingham Sq. Roth —6K 95
(off Effingham St.)
Effingham St. S4 —8K 109 (1J 5)
Effingham St. Roth —7K 95
(in two parts)
Egerton Clo. S3 —1G 123 (5D 4)
Egerton La. S1 —1G 122 (6C 4)
Egerton Rd. Dron —8J 135
Egerton Rd. Swal —4C 126
Egerton St. S1 —1G 122 (6C 4)
Egerton Wlk. S3 —5C 4
Eggington Clo. Donc —8L 65
Egg La. Wadw —7C 82
Eglins Rd. Thorne —9M 11
Egmanton Rd. B'ley —8G 16
Egremont Ct. Maltby —6B 98
Egremont Ri. Maltby —6B 98
Eilam Clo. Roth —5E 94
Eilam Rd. Roth —5E 94
Eland Clo. Ross —4J 83
Elcroft Gdns. Beig —9M 125
Elder Av. Ans —6D 128
Elder Av. Upt —1H 21
Elder Ct. Kil —5B 138
Elder Dri. S'side —7G 97
Elder Dri. Upt —1H 21
Elder Gro. Auc —1C 84
Elder Gro. Con —5M 79
Eldertree Rd. Thpe H —1N 93
Eldon Arc. B'ley —7G 36
(off Eldon St.)

Eldon Ct. *S1* —9G **109** (4D **4**)
Eldon Gro. *Moor* —7N **11**
Eldon Rd. *Roth* —5M **95**
Eldon St. *S1* —9G **109** (4D **4**)
Eldon St. *B'ley* —7G **36**
Eldon St. N. *B'ley* —6G **36**
Eleanor Ct. *E'thpe* —7H **45**
Eleanor St. *S9* —6B **110**
Elgar Dri. *Maltby* —9G **99**
(in two parts)
Elgin St. *S10* —9C **108**
Elgitha Dri. *Thur* —6K **113**
Elizabeth Av. *Kirk S* —4K **45**
Elizabeth Av. *S Hien* —4E **18**
Elizabeth Ct. *Hems* —3M **19**
Elizabeth Rd. *Ast* —5C **126**
Elizabeth St. *Gold* —2D **60**
Elizabeth St. *Grim* —2G **39**
Elizabeth Way. Roth —7J *95*
(off Vine Clo.)
Ellaline Cotts. *Rav* —5M **97**
Elland Clo. *B'ley* —1F **36**
Ella Rd. *S4* —5K **109**
Ellavale. *Else* —9A **58**
Ellenborough Rd. *S6* —4C **108**
Ellen Tree Clo. *B'wth* —3H **111**
Ellerker Av. *Donc* —5M **63**
Ellers Av. *Donc* —7F **64**
Ellers Cres. *Donc* —7F **64**
Ellers Dri. *Donc* —7F **64**
Ellershaw La. *Con* —5M **79**
Ellershaw Rd. *Con* —5N **79**
Ellers La. *Auc* —8C **66**
(in two parts)
Ellers Rd. *Donc* —7F **64**
Ellerton Gdns. *Donc* —6H **65**
Ellerton Rd. *S5* —2L **109**
Ellesmere Gro. *Stain* —5D **26**
Ellesmere Rd. *S4* —6K **109**
(in two parts)
Ellesmere Rd. N. *S4* —5K **109**
Ellesmere Ter. *Roth* —7M **95**
Ellesmere Wlk. *S4* —6K **109**
Ellington Ct. *B'ley* —9D **36**
Elliot Rd. *S6* —8E **108**
Elliott Av. *Womb* —6D **58**
Elliott Clo. *Wath D* —8J **59**
Elliott Ct. *Roth* —6L **95**
Elliott Dri. *Roth* —3F **94**
Elliott La. *Gren* —2E **92**
Elliott M. Roth —6F *94*
(off Benton Way)
Elliottville St. *S6* —6D **108**
Ellis Av. *Wath D* —2K **77**
Ellis Ct. *H'fld* —7C **58**
Ellis Cres. *Bram* —8G **58**
Ellis Cres. *New R* —5H **83**
Ellisons Rd. *Kil* —2D **138**
Ellison St. *S3* —8G **108** (1C **4**)
(in two parts)
Ellison St. *Thorne* —2K **27**
Ellis St. *S3* —8G **109** (1D **4**)
Ellis St. *B'wth* —3J **111**
Elliston Av. *M'well* —8D **16**
Ellorslie Dri. *S'bri* —5E **72**
Ellwood Cotts. *Maltby* —3G **115**
Elmbridge Clo. *Roy* —6M **17**
Elm Clo. *Barn D* —1J **45**
Elm Clo. *Kil* —5B **138**
Elm Clo. *Ross* —6L **83**
Elm Cotts. *Gt Hou* —6L **39**
Elm Ct. *Wors* —3J **57**
Elm Cres. *Ben* —6N **43**
Elm Cres. *Mosb* —2J **137**
Elm Cft. *Tick* —6C **100**
Elmdale Clo. *Swint* —6C **78**
Elmdale Dri. *E'thpe* —7J **45**
Elm Dri. *Finn* —3H **85**
Elm Dri. *Kil* —5B **138**
Elmfield Av. *S5* —9J **93**
Elmfield Rd. *Donc* —5A **64**
Elmfield Rd. *New R* —6J **83**
Elm Grn. La. *Con* —4A **80**
Elm Gro. *Roth* —2H **95**
Elm Gro. *S Elm* —6E **20**
Elmham Rd. *S9* —1A **110**
Elmham Rd. *Donc* —6H **65**
Elmhirst Dri. *Roth* —9B **96**
Elmhirst La. *Silk* —7M **35**
(in two parts)
Elmhirst Rd. *Thorne* —2L **27**
Elm La. *S5* —9J **93**
Elmore Rd. *S10* —9D **108**
Elm Pl. *Arm* —9K **45**
Elm Pl. *B'ley* —3L **37**
Elm Pl. *Rawm* —9N **77**
Elm Ri. *C'town* —1G **92**
Elm Rd. *Arm* —9K **45**
Elm Rd. *Auc* —2B **84**

Elm Rd. *Beig* —7N **125**
Elm Rd. *Eck* —8J **137**
Elm Rd. *Hems* —2L **19**
Elm Rd. *Mexb* —9D **60**
Elm Rd. *Skell* —8E **22**
Elm Row. *B'ley* —7J **37**
Elmsall Dri. *S Elm* —4H **21**
Elmsall La. *Moorh* —9G **21**
Elmsall Way. *S Elm* —4G **21**
Elmsdale. *Wors* —3J **57**
Elmsdale Clo. *S Elm* —7G **20**
Elmsmere Dri. *Oldc* —6D **116**
Elms Rd. *Work* —6B **142**
Elm St. *Hoy* —1J **75**
Elm Tree Clo. *Ans* —6D **128**
Elmtree Clo. *S'oaks* —3K **141**
Elm Tree Clo. *S'oaks* —7J **129**
Elm Tree Ct. *Work* —8C **142**
Elm Tree Cres. *Dron* —7H **135**
Elm Tree Dri. *Baw* —6B **102**
Elm Tree Farm Ct. *Hoot R* —6E **78**
Elm Tree Gro. *Thorne* —3K **27**
Elm Tree Hill. —5A 124
Elm Tree Rd. *Maltby* —8B **98**
Elmtree Rd. *Thpe H* —2N **93**
Elmview Rd. *S9* —9B **94**
Elmville Av. *Swint* —5B **78**
Elm Wlk. *Thurn* —7C **40**
Elm Way. *Wath D* —2N **77**
Elmwood Av. *W'land* —2D **42**
Elmwood Ct. *Work* —8M **141**
Elmwood Cres. *Arm* —1K **65**
Elmwood Dri. *Mosb* —4K **137**
Elsecar. —1A 76
Elsecar Heritage Cen.,
    Newcomen Beam Engine. —2B 76
Elsecar Ho. Donc —5N *63*
(off Bond Clo.)
Elsecar Steam Railway. —2B 76
Elsham Clo. *Braml* —6J **97**
Elstead Clo. *Bar G* —3N **35**
Elstree Dri. *S12* —7B **124**
Elstree Rd. *S12* —7B **124**
Elsworth Clo. *Donc* —6N **63**
Elvaston Clo. *Dron W* —9C **134**
Elwin Ct. *Bal* —2M **81**
Elwis St. *Donc* —3M **63**
Elwood Rd. *S17* —4D **134**
Ely Clo. *Work* —8D **142**
Ely Rd. *Donc* —9C **44**
Ely St. *New R* —4H **83**
Embankment Rd. *S10* —9D **108**
Emerson Av. *Stain* —6A **26**
Emerson Clo. *S5* —8J **93**
Emerson Cres. *S5* —9J **93**
Emerson Dri. *S5* —9J **93**
Emily Clo. *B'ley* —6L **37**
Emily Rd. *S7* —5F **122**
Emily St. *S Kirk* —6C **20**
Emley. —2A 14
Emley Dri. *Donc* —9G **43**
Emley Ho. Donc —5N *63*
(off St James St.)
Empire Dri. *Maltby* —6B **98**
Empire Rd. *S7* —4G **122**
Empire Ter. *Roy* —5L **17**
Emsley Av. *Cud* —4C **38**
Endcliffe Av. *S10* —2D **122**
Endcliffe Crescent. —2C 122
Endcliffe Cres. *S10* —1C **122**
Endcliffe Edge. —2B 122
Endcliffe Edge. *S10* —2C **122**
Endcliffe Glen Rd. *S11* —2D **122**
Endcliffe Gro. Av. *S10* —2B **122**
Endcliffe Hall Av. *S10* —2B **122**
Endcliffe Ri. Rd. *S11* —2D **122**
Endcliffe Ter. Rd. *S11* —2D **122**
Endcliffe Va. Av. *S11* —3D **122**
Endcliffe Va. Rd. *S10* —2C **122**
Endcliffe Way. *Donc* —9F **44**
Endfield Rd. *S5* —6G **92**
Endowood Rd. *S7* —9C **122**
Enfield Pl. *S13* —1F **124**
Engine La. *Gold* —3E **60**
Ennerdale Av. *Half* —4L **137**
Ennerdale Clo. *Ans* —4C **128**
Ennerdale Clo. *Dron W* —9F **134**
Ennerdale Clo. *Mexb* —9H **61**
Ennerdale Dri. *Half* —4L **137**
Ennerdale Rd. *B'ley* —8B **38**
Ennerdale Rd. *Donc* —1F **64**
Ennis Cres. *Donc* —2D **64**
Enterprise Cen. *Gold* —3D **60**
Enterprise Pk. *S9* —7M **109**
Entwistle Rd. *High G* —7F **74**
Epping Gdns. *Soth* —9N **125**
Epping Gro. *Soth* —9N **125**
Epsom Clo. *Mexb* —9G **61**

Epsom Rd. *Donc* —5G **64**
Epworth. —9N 49
Epworth Ct. Ben —8M *43*
(off Chapel St.)
Epworth Rd. *Hat* —9F **26**
Eric St. *S Elm* —6F **20**
Ernest Copley Ho. High G —8G *75*
(off Peckham Rd.)
Errington Av. *S2* —5M **123**
Errington Clo. *S2* —5M **123**
Errington Cres. *S2* —5M **123**
Errington Rd. *S2* —5M **123**
Errington Way. *S2* —4M **123**
Erskine Cres. *S2* —4K **123**
Erskine Rd. *S2* —4K **123**
Erskine Rd. *Roth* —5L **95**
Erskine Vw. *S2* —5K **123**
Eshton Ct. *M'well* —7B **16**
Eshton Wlk. *B'ley* —7E **36**
Eskdale Clo. *S6* —1D **108**
Eskdale Clo. *Dron W* —9F **134**
Eskdale Dri. *Donc* —8K **43**
Eskdale Dri. *Work* —2B **142**
Eskdale Rd. *S6* —2D **108**
Eskdale Rd. *B'ley* —8A **38**
Eskdale Rd. *Roth* —2F **94**
Eskdale Wlk. *Donc* —9G **43**
Eskholme. —2N 9
Eskholme La. *Syke* —2N **9**
Eslaforde Ter. Roth —5A *96*
(off Doncaster Rd.)
Esperanto Pl. *S1* —3G **5**
Essendine Cres. *S8* —8J **123**
Essex Av. *Donc* —4E **64**
Essex Clo. *Kiv P* —8L **127**
Essex Dri. *Birc* —9N **101**
Essex Rd. *S2* —2L **123**
Essex Rd. *B'ley* —9G **36**
Essex Rd. *Birc* —9M **101**
Essoldo Chambers. Roth —7K *95*
(off High St.)
Estate Rd. *Rawm* —7L **77**
Estfield Clo. *Tick* —5D **100**
Estone Dri. *Swal* —3C **126**
Etwall Way. *S5* —9K **93**
Eunice La. *Up Cum* —2F **32**
(in two parts)
Europa Dri. *S9* —4D **110**
Europa Link. *S9* —5D **110**
Evans St. *S1* —6C **4**
Evanston Gdns. *Donc* —7L **63**
Eva Ratcliffe Ho. *S5* —5H **93**
Eveline St. *Cud* —2B **38**
Evelyn Av. *Donc* —3E **64**
Evelyn Clo. *Donc* —3E **64**
Evelyn Rd. *S10* —9C **108**
Evelyn St. *Rawm* —8A **78**
Evelyn Ter. *B'ley* —8H **37**
Everard Av. *S17* —5B **134**
Everard Dri. *S17* —5B **134**
Everard Glade. *S17* —5B **134**
Everdale Mt. *Hems* —3J **19**
Everdale Mt. *S Elm* —6D **20**
Everetts Clo. *Tick* —6C **100**
Everill Clo. *Womb* —6F **58**
Everill Ga. La. *Womb* —5F **58**
(in two parts)
Everingham Clo. *S5* —1H **109**
Everingham Cres. *S5* —1G **109**
Everingham Rd. *S5* —1H **109**
Everingham Rd. *Donc* —5H **65**
Everson Clo. *Maltby* —6C **98**
Everson Glade. *Hep* —6J **31**
Everton. —9L 103
Everton Rd. *S11* —3D **122**
Everton Sluice La. *Eve* —9L **103**
Evesham Clo. *S9* —1B **110**
Evesham M. *Work* —8C **142**
Ewden. —7L 71
Ewden Ho. S10 —2H *121*
(off Holyrood Av.)
Ewden Rd. *Womb* —6F **58**
Ewden Village. —9E 72
Ewden Way. *B'ley* —7B **36**
Ewers Rd. *Roth* —7F **94**
Ewood Dri. *Donc* —7H **65**
Excelsior Ct. *Con* —4A **80**
Exchange Gateway. *S1* —3F **5**
Exchange Pl. *S2* —2H **5**
Exchange St. *S2* —8J **109** (2H **5**)
Exchange St. *Donc* —6N **63**
Exchange St. *S Elm* —6E **20**
Exeter Dri. *S3* —2G **122** (6C **4**)
Exeter Pl. *S3* —2G **122** (7C **4**)
Exeter Rd. *Donc* —1D **64**
Exeter Way. *S3* —1F **122** (6B **4**)
Exley Av. *S6* —6E **108**
Eyam Clo. *Dod* —9N **35**
Eyam Rd. *S10* —9C **108**

Fabian Way. *Braml* —9K **97**
Factory La. *Donc* —4N **63**
Fairbank Rd. *S5* —2H **109**
Fairbank Vw. *Whis* —3B **112**
Fairbarn Clo. *S6* —7N **107**
Fairbarn Dri. *S6* —7N **107**
Fairbarn Pl. *S6* —7N **107**
Fairbarn Rd. *S6* —7N **107**
Fairbarn Way. *S6* —7N **107**
Fairburn Gdns. *B'wth* —4K **111**
Fairburn Gro. *Else* —9B **58**
Fairfax Av. *Work* —2A **142**
Fairfax Dri. *S2* —3B **124**
Fairfax Rd. *S2* —3B **124**
(in two parts)
Fairfax Rd. *Donc* —3E **64**
Fairfax Way. *Tick* —6C **100**
Fairfield. *Birdw* —6G **57**
Fairfield. *Bol D* —4A **60**
Fairfield Clo. *Braml* —6H **97**
Fairfield Clo. *Donc* —9G **65**
Fairfield Ct. *Arm* —2L **65**
Fairfield Ct. *Womb* —3F **58**
Fairfield Heights. *S10* —1C **122**
Fairfield Rd. *Donc* —1K **63**
Fairfields. *Up Den* —5J **33**
Fairfields Rd. *Holmb* —5B **30**
Fairford Clo. *Donc* —9K **65**
Fairholme Heights. *O'bri* —6N **91**
Fair Holme Vw. *Arm* —3M **65**
Fair Ho. La. *S6* —9C **90**
Fairhurst La. *Bols* —1F **90**
Fairleigh. —3A 124
Fairleigh. *S2* —4A **124**
Fairleigh Dri. *Roth* —9L **95**
Fairmount Gdns. *S12* —8G **125**
Fairthorn Rd. *S5* —9L **93**
Fairtree Wlk. *Thorne* —2K **27**
Fair Vw. Av. *W'land* —3D **42**
Fairview Clo. *Bran* —8N **65**
Fairview Clo. *Hoy* —1K **75**
Fairview Ct. *Barn D* —2J **45**
Fair Vw. Dri. *Ast* —4D **126**
Fairview Rd. *Dron* —7H **135**
Fairview Ter. *Barn D* —2J **45**
Fairview Vs. *Barn D* —2K **45**
Fairway. *Dod* —1B **56**
Fairway Av. *M'well* —7D **16**
Fairways. *Wick* —9G **96**
Fairway, The. *S10* —2J **121**
Fairway, The. *Moor* —6M **11**
Fair Winds Clo. *Dron* —9H **135**
Faith St. *B'ley* —2N **37**
Faith St. *S Kirk* —5C **20**
Falcon Clo. *Adw S* —2F **42**
Falcon Ct. *Ross* —5K **83**
Falcon Dri. *Birdw* —7G **56**
Falcon Dri. *Tree* —9M **111**
Falconer Clo. *Dart* —8M **15**
Falconer La. *S13* —3M **125**
Falcon Knowle Ing. *Dart* —8L **15**
Falcon Ri. *Dron* —7L **135**
Falcon Rd. *Dron* —7K **135**
Falcon St. *B'ley* —6F **36**
Falcon Way. *Dinn* —4C **128**
Falding St. *C'town* —9J **75**
Falding St. *Roth* —7J **95**
Falkland Rd. *S11* —5B **122**
Fall Bank Cres. *Dod* —8M **35**
Fall Bank Ind. Est. *Dod* —9M **35**
Falledge La. *Up Den* —7H **33**
Fall Head La. *Silk* —7K **35**
Fallon Rd. *S6* —6M **107**
Fallow Ct. *Work* —3E **142**
Fall Vw. *Silk* —8J **35**
Falmouth Clo. *B'ley* —5J **37**
Falmouth Rd. *S7* —6F **122**
Falstaff Cres. *S5* —9G **93**
Falstaff Gdns. *S5* —9G **93**
Falstaff Rd. *S5* —8G **92**
Falthwaite Grn. La. *Hood G* —4M **55**
Fane Cres. *Swal* —3C **126**
Fanny Av. *Kil* —5D **138**
Fanshaw Av. *Eck* —8J **137**
Fanshaw Bank. *Dron* —9H **135**
Fanshaw Clo. *Eck* —8J **137**
Fanshaw Dri. *Eck* —8J **137**
Fanshaw Ga. La. *Holm* —9M **133**
Fanshaw Rd. *Dron* —8J **135**
Fanshaw Rd. *Eck* —8J **137**
Fanshaw Way. *Eck* —8J **137**
Faraday Rd. *S9* —6M **109**
Faranden Rd. *S9* —7A **110**

Far Bank—Flask Vw.

Far Bank. —2B 26
Far Bank La. *Fish* —2B 26
Farcliff. *Spro* —6F 62
Far Comn. Rd. *Hat W* —3K 47
Far Cres. *Roth* —6A 96
Far Cft. *Bol D* —5B 60
Farcroft Gro. *S4* —3N 109
Far Dalton La. *Roth* —4D 96
Fardell Gdns. *Braml* —9J 97
Farfield Av. *Hep* —7J 31
Far Fld. Clo. *E'thpe* —5K 45
Farfield Ct. *S Elm* —5F 20
Farfield Dri. *Hep* —7J 31
Far Fld. La. *B'ley* —2M 37
Farfield La. *S Hien* —2D 18
Far Fld. La. *Wath D* —9A 60
Farfield Pk. *Manv* —8A 60
Farfield Rd. *S3* —6F 108
Far Fld. Rd. *E'thpe* —5K 45
Far Fld. Rd. *Roth* —8B 96
Fargate. *S1* —9H 109 (3F 5)
Far Golden Smithies. *Swint* —2B 78
Farhouse La. *O'bri* —6J 91
Farish Pl. *S2* —5J 123
Far La. *S6* —3C 108
Far La. *Hep* —8H 31
Far La. *Roth* —5A 96
Far Lawns. *Car* —8L 17
Farlawns Ct. *Bal* —2M 81
Farlow Cft. *High G* —6D 74
Farm Bank Rd. *S2* —1K 123 (6J 5)
Farm Clo. *S12* —9B 124
Farm Clo. *B'ley* —4K 37
Farm Clo. *B'wth* —5H 111
Farm Clo. *Coal A* —6J 135
Farm Clo. *E'thpe* —7K 45
Farm Ct. *Adw S* —2G 42
Farm Cres. *Mosb* —4J 137
Farm Fields Clo. *Wat* —1K 137
Farm Grange. *Donc* —2L 81
Farm Gro. *Work* —3E 142
Farmhill Clo. *Donc* —2J 63
Farm Ho. La. *B'ley* —6B 36
Farm La. *Tick* —2M 99
Far Moor Clo. *H'ton* —5H 61
Farmoor Gdns. *Soth* —9A 126
Farm Rd. *S2* —2J 123 (7H 5)
Farm Rd. *B'ley* —1J 57
Farmstead Clo. *S14* —6L 123
Farm Vw. Clo. *S12* —8H 125
Farm Vw. Clo. *Roth* —5D 94
Farm Vw. Dri. *S12* —8H 125
Farm Vw. Gdns. *S12* —8H 125
Farm Vw. Rd. *Roth* —5D 94
Farm Wlk. *Mosb* —3J 137
Farm Way. *D'fld* —1G 58
Farnaby Dri. *High G* —6E 74
Farnaby Gdns. *High G* —6E 74
Farnborough Dri. *Donc* —9K 65
Farndale. *Work* —3E 142
Farndale Rd. *S6* —2D 108
Farndale Rd. *Donc* —9H 43
Farndon Gro. *Gate* —3A 142
Farnes Ct. *Work* —5E 142
Farnley Av. *S6* —9E 92
Farnworth Rd. *Roth* —6B 96
Far Pl. *Roth* —6A 96
Farquhar Rd. *Maltby* —8F 98
Farrand St. *Birdw* —8F 56
Farrar Rd. *S7* —4G 123
Farrar St. *B'ley* —7E 36
Farrier Ga. *High G* —8F 74
Farringdon Dri. *New R* —7K 83
Farrington Ct. *Wick* —9H 97
Farrow Clo. *Dod* —9B 36
Farthing Gale M. *Donc* —2K 63
Far Townend. *Dod* —9A 36
Far Vw. Rd. *S5* —9J 93
Far Vw. Ter. *B'ley* —9F 36
Farwater Clo. *Dron* —9H 135
Farwater La. *Dron* —9G 135
Far Well La. *New M* —1M 31
Fathers Gdns. *Kiv P* —9J 127
Favell Rd. *S3* —9F 108 (3B 4)
Favell Rd. *Roth* —6C 96
Fawcett St. *S3* —8F 108 (1A 4)
(in two parts)
Fearn Ho. Cres. *Hoy* —1K 75
Fearnley Ct. *Holmf* —3H 31
Fearnley La. *Holmf* —3G 31
Fearnley Rd. *Hoy* —1K 75
Fearn's Bldgs. P'stne —4M 53
(off Stottercliffe Rd.)
Fearnville Gro. *Roy* —6K 17
Featherbed La. *Darf* —8J 141
Featherston Av. *Work* —8E 142
Felkirk. —3B 18
Felkirk Dri. *Ryh* —1A 18
Felkirk Vw. *Shaf* —6B 18
Fellbrigg Rd. *S2* —4L 123
Fellowsfield Way. *Roth* —6E 94
Fellows Wlk. *Womb* —3B 58
Fell Rd. *S9* —5A 110
Fell St. *S9* —4N 109
Fence. —3M 125
Fen Ct. *E'thpe* —6K 45
Fenland Rd. *Thorne* —3L 27
Fenney La. *S11* —9N 121
Fenn Rd. *Tank* —1G 74
Fensome Way. *D'fld* —1G 58
Fenton Clo. *Arm* —2L 65
Fenton Clo. *S Kirk* —8A 20
Fenton Cft. *Roth* —5G 94
Fenton Fields. *Roth* —5G 94
Fenton Rd. *S Elm* —3G 94
Fenton St. *B'ley* —7F 36
Fenton St. *Eck* —8H 137
Fenton St. *Roth* —6F 94
Fentonville St. *S11* —3F 122
Fenton Way. *Roth* —3H 95
Fenwick. —5D 8
Fenwick Comn. La. *Moss & Fenw* —9C 8
Fenwick La. *Fenw* —8N 7
(in two parts)
Feoffees Rd. *E'fld* —5J 93
Ferguson St. *S9* —6N 109
Ferham Clo. *Roth* —7G 94
Ferham Pk. Av. *Roth* —7G 95
Ferham Rd. *Roth* —7G 94
Fern Av. *Beig* —7M 125
Fern Av. *Donc* —9L 43
Fern Bank. *Adw S* —2F 42
Fernbank. *K'wth* —6E 94
Fernbank Clo. *Blax* —9H 67
Fernbank Clo. *Wors* —1G 56
Fernbank Dri. *Arm* —8L 45
Fernbank Dri. *Eck* —7H 137
Fern Clo. *D'fld* —3G 58
Fern Clo. *Donc* —1F 64
Fern Clo. *Eck* —7H 137
Ferncroft Av. *Mosb* —3J 137
Ferndale Clo. *Coal A* —7L 135
Ferndale Dri. *Braml* —7H 97
Ferndale Dri. *Moor* —8L 11
Ferndale Pl. *Hems* —3K 19
Ferndale Ri. *Coal A* —7L 135
Ferndale Rd. *Coal A* —7L 135
Ferndale Rd. *Con* —4N 79
Ferndale Vw. *Donc* —2K 63
Fernhall Clo. *Kirk S* —5K 45
Fern Hollow. *Wick* —1H 113
Fernhurst Rd. *Donc* —1F 64
Fernlea Clo. *Cusw* —2K 63
Fern Lea Gro. *Bol D* —5A 60
Fern Lea Gro. *E'fld* —5J 93
Fernleigh Dri. *B'wth* —2H 111
Fern Rd. *S6* —6C 108
Fernvale Wlk. *Swint* —6C 78
Fern Way. *Eck* —7H 137
Ferrara Clo. *D'fld* —1E 58
Ferrars Clo. *S9* —2F 110
Ferrars Dri. *S9* —3F 110
Ferrars Rd. *S9* —1E 110
Ferrars Way. *S9* —3F 110
Ferrers Rd. *Donc* —2C 64
Ferriby Rd. *S6* —2C 108
Ferry Boat La. *Roth & Old De* —2H 79
(in two parts)
Ferry La. *Con* —3A 80
Ferry La. *Eve* —9L 103
Ferry Moor La. *Cud* —2D 38
Ferrymoor Way. *Grim* —2E 38
Ferrymore Ho. Donc —5N 63
(off St James St.)
Ferry Rd. *Thorne* —8G 11
Ferry Ter. *Con* —3A 80
Fersfield St. *S4* —6L 109
Festival Av. *Harw* —9K 101
Festival Clo. *Kiv P* —9H 127
Festival Rd. *Wath D* —1M 77
Fewston Way. *Donc* —7E 64
Fiddler's Dri. *Arm* —3M 65
Fiddler's Elbow. *Hath* —9B 120
Fidlers Clo. *Bam* —8E 118
Fidlers Well. *Bam* —7E 118
Field Clo. *D'fld* —1G 58
Field Clo. *Dron W* —8D 134
Field Clo. *Work* —3D 142
Field Cres. *S Elm* —7E 20
Field Dri. *Cud* —3B 38
Field End La. *Holmb* —6A 30
Fielders Way. *Edl'tn* —3G 80
Fieldfare Dri. *Gate* —3N 141
Field Ga. *Ross* —4K 83
Field Head Ct. *Hoy* —9M 57
Fieldhead Rd. *S8* —4H 123
Field Head Rd. *Hoy* —1M 75
Field Ho. Rd. *Spro* —7F 62
Fieldhouse Way. *S4* —5L 109
Fielding Dri. *Braml* —8J 97
Fielding Gro. *Rawm* —7M 77
Fielding Rd. *S6* —2D 108
Field La. *B'ley* —9M 37
Field La. *Kil* —5A 138
Field La. *Mill G* —6G 52
Field La. *S Elm* —5G 21
Field La. *Upt* —1F 20
Field La. *Whis & Morth* —5E 112
Field Rd. *Crow* —8M 29
Field Rd. *Holmf* —4F 30
Field Rd. *Stain* —5A 26
Field Rd. *Thorne* —2K 27
Fields End. *Oxs* —7D 54
Fields End Bus. Pk. *Thurn* —1C 60
Fieldsend Ct. *Upt* —1F 20
Fieldsend Gdns. *E'fld* —5J 93
Fields End Rd. *Gold* —1C 60
Fieldside. *Crow* —7M 29
Fieldside. *E'thpe* —7J 45
Field Side. *Thorne* —1J 27
Field Sta. Rd. *Ark* —1B 44
Field Vw. *B'wth* —3J 111
Field Way. *Roth* —5K 95
Fife Clo. *S9* —9A 94
Fife Gdns. *S9* —9A 94
Fife St. *S9* —9A 94
Fife St. *B'ley* —8E 36
Fife Way. *S9* —9A 94
Fifth Av. *Donc F* —3D 84
Fifth Av. *W'land* —5F 42
Fifth Sq. *Stain* —5A 26
Fiftyeights Rd. *Finn* —5J 85
Fig Tree La. *S1* —2F 5
Filby Rd. *Donc* —2J 63
Filey Av. *Roy* —5L 17
Filey La. *S3* —1F 122 (5B 4)
Filey St. *S10* —9F 108 (4B 4)
Finch Clo. *Thry* —3E 96
Finch Gdns. *Braml* —9K 97
Finch Ri. *Ast* —5D 126
Finch Rd. *Donc* —9K 63
Finchwell Clo. *S13* —1F 124
Finchwell Cres. *S13* —1F 124
Finchwell Rd. *S13* —1F 124
Findon Cres. *S6* —4B 108
Findon Pl. *S6* —4B 108
Findon Rd. *S6* —4B 108
Findon St. *S6* —4C 108
Finghall Rd. *Skell* —7D 22
Fingleton. *Work* —5E 142
Finkle Clo. *Wool* —2A 16
Finkle Ct. Thorne —2K 27
(off Finkle St.)
Finkle St. *Ben* —8M 43
Finkle St. *Stain* —4A 26
Finkle St. *Thorne* —2K 27
Finkle St. *Wool* —2A 16
Finkle St. La. *Wort* —3L 73
Finlay Rd. *Roth* —5N 95
Finlay St. *S3* —8F 108 (1B 4)
Finningley. —3G 84
Finningley Lodge. Kiv P —9J 127
(off Station Rd.)
Firbeck. —7L 115
Firbeck Av. *Lghtn* —8C 114
Firbeck Cres. *L'gld* —9B 116
Firbeck Ho. Donc —5N 63
(off St James St.)
Firbeck La. *Lghtn* —7C 114
Firbeck La. *Whitw* —9E 140
Firbeck Rd. *S8* —8F 122
Firbeck Rd. *Donc* —5C 64
Firbeck Way. *Ross* —4L 83
Fir Clo. *Wath D* —1M 77
Fircroft Av. *S5* —8L 93
Fircroft Rd. *S5* —8M 93
Fire & Police Mus. —8H 109 (1E 4)
Firethorn Ri. *Rav* —5K 97
Firham Clo. *Roy* —5H 17
Fir Pl. *S6* —7D 108
Fir Pl. *Kil* —5B 138
Fir Rd. *Eck* —8J 137
Firsby La. *Con* —8K 79
Firshill Av. *S4* —4J 109
Firshill Clo. *S4* —4J 109
Firshill Cres. *S4* —4H 109
Firshill Cft. *S4* —4H 109
Firshill Gdns. *S4* —4H 109
Firshill Glade. *S4* —4H 109
Firshill M. S3 —4J 109
(off Pitsmoor Rd.)
Firshill Ri. *S4* —4J 109
Firshill Rd. *S4* —4J 109
Firshill Wlk. *S4* —4H 109
Firshill Way. *S4* —4H 109
Firs La. *H'swne* —9N 33
First Av. *Donc F* —2D 84
First Av. *Roth* —5N 95
First Av. *Roy* —5L 17
First Av. *S Kirk* —8M 19
First Av. *Upt* —2F 20
First Av. *W'land* —4G 42
Firs, The. *B'ley* —1K 57
Firs, The. *Roy* —5H 17
First La. *Ans* —8C 128
First La. *Wick* —1H 113
Fir St. *S6* —7D 108
First Sq. *Stain* —5A 26
Firth Av. *Cud* —3A 38
Firth Cres. *Maltby* —9E 98
Firth Cres. *New R* —5H 83
Firth Dri. *S4* —6L 109
Firth Fld. Rd. *Hat* —9G 27
Firth Park. —1L 109
Firth Pk. Av. *S5* —1M 109
Firth Pk. Cres. *S5* —1L 109
Firth Pk. Rd. *S5* —1L 109
Firth Rd. *Wath D* —9H 59
Firth's Homes. *S11* —3A 122
Firth St. *B'ley* —6G 37
Firth St. *Donc* —6M 63
Firth St. *Roth* —2J 95
Firth St. *Shep* —1B 32
Firthwood Av. *Coal A* —7L 135
Firthwood Clo. *Coal A* —7L 135
Firthwood Rd. *Coal A* —7L 135
Fir Tree. *T'land* —8J 55
Fir Tree Av. *Auc* —2C 84
Firtree Clo. *Hick* —9H 41
Fir Tree Dri. *Nor* —7G 7
Fir Tree Dri. *Wal* —9F 126
Firtree Ri. *C'town* —1H 93
Fir Vale. —3L 109
Firvale. *H'hill* —5K 139
Fir Va. Pl. *S5* —3K 109
Fir Va. Rd. *S5* —3K 109
Fir Vw. Gdns. *S4* —4L 109
Fir Wlk. *Maltby* —8A 98
Fish Dam La. *B'ley* —9L 17
Fisher Clo. *Roth* —7J 95
Fisher La. *S9* —7C 110
Fisher Rd. *Maltby* —9F 98
Fisher St. *Ben* —6M 43
Fisher Ter. *Donc* —2L 63
Fishings La. *Epw* —9H 49
Fishlake. —2C 26
Fishlake Nab. *Fish* —4A 26
Fish Pond La. *Braith* —5E 98
Fishponds Rd. *S13* —3C 124
Fishponds Rd. W. *S13* —3C 124
Fitzalan Rd. *S13* —2F 124
Fitzalan Sq. *S1* —9J 109 (3G 5)
Fitzgerald Rd. *S10* —8C 108
Fitzhubert Rd. *S2* —3A 124
Fitzmaurice Rd. *S9* —6B 110
Fitzroy Rd. *S2* —5J 123
Fitzwalter Rd. *S2* —1L 123 (5K 5)
Fitzwilliam Av. *Con* —4L 79
Fitzwilliam Av. *Wath D* —1L 77
Fitzwilliam Ct. *Rawm* —1M 95
Fitzwilliam Ct. *Wath D* —9L 59
Fitzwilliam Dri. *H'ton* —6H 61
Fitzwilliam Ga. *S1* —1H 123 (6D 4)
Fitzwilliam Rd. *D'fld* —1J 59
Fitzwilliam Rd. *S Kirk* —6L 95
Fitzwilliam Sq. Else —2B 76
(off Wath Rd.)
Fitzwilliam Sq. *Roth* —1H 95
Fitzwilliam St. *S1* —9G 108 (4C 4)
Fitzwilliam St. *B'ley* —7F 36
Fitzwilliam St. *Else* —1A 76
Fitzwilliam St. *H'fld* —8B 58
Fitzwilliam St. *Hoy* —1J 75
Fitzwilliam St. *P'gte* —2M 95
Fitzwilliam St. *Swint* —3B 78
(in three parts)
Fitzwilliam St. *Wath D* —1L 77
Five Acres. *Caw* —3H 35
Five La. Ends. *Skell* —8C 22
Five Oaks. *Ark* —5B 44
Five Trees Av. *S17* —4B 134
Five Trees Clo. *S17* —4B 134
Five Trees Dri. *S17* —4B 134
Five Weirs Wlk. *S9* —6N 109
Fixby Ho. Donc —5N 63
(off St James St.)
Flanders Ct. *Thpe H* —9N 75
Flanderwell. —7G 96
Flanderwell Av. *Braml* —8H 97
Flanderwell Ct. *Braml* —7H 97
Flanderwell Gdns. *Braml* —7H 97
Flanderwell La. *S'side* —6G 97
Flash La. *S6* —8G 107
Flash La. *Braml* —9K 97
Flashley Carr La. *Fenw* —9H 9
Flask Vw. *S6* —5L 107

Flat La.—Garden Ter.

Flat La. *Holmf* —3B **30**
Flat La. *L Hou* —2L **59**
Flat La. *Maltby* —4J **115**
(in two parts)
Flat La. *Whis* —3A **112**
Flats, The. *Wort* —3M **73**
Flat St. *S1* —9J **109** (3G **5**)
Flatts Clo. *Tree* —7L **111**
Flatts La. *Tree* —7L **111**
Flatts La. *Wath D* —9K **59**
Flavell Clo. *S Kirk* —8A **20**
Flaxby Rd. *S9* —7B **110**
Flax Lea. *Wors* —2H **57**
Flea La. *Kir Sm* —6B **6**
Fleet Clo. *Bram B* —8H **59**
Fleet Hill Cres. *B'ley* —3H **37**
Fleet La. *Stain* —4A **26**
Fleet La. *Worr* —9N **91**
Fleets Clo. *Stain* —4A **26**
Fleet St. *S9* —5N **109**
Fleet St. *Scis* —8A **14**
Fleetway. *Work* —3B **142**
Fleetwood Av. *B'ley* —3K **37**
Fleming Pl. *B'ley* —8F **36**
Fleming Sq. *Wath D* —9L **59**
Fleming Way. *Flan* —8F **96**
Fletcher Av. *Dron* —9H **135**
Fletcher Ho. Roth —6L 95
(off Wharncliffe Hill)
Fleury Clo. *S14* —7M **123**
Fleury Cres. *S14* —7M **123**
Fleury Pl. *S14* —7M **123**
Fleury Ri. *S14* —7M **123**
Fleury Rd. *S14* —7M **123**
Flight Hill. *Hade E* —2G **50**
Flint La. *Hep & Dunf B* —1K **51**
Flint La. Head. *Dunf B* —3M **51**
Flint Rd. *Donc* —1F **64**
Flintway. *Wath D* —3M **77**
Flockton Av. *S13* —3J **125**
Flockton Ct. *S1* —9G **109** (4D **4**)
Flockton Cres. *S13* —3H **125**
Flockton Dri. *S13* —3J **125**
Flockton Ho. *S1* —4D **4**
Flockton Rd. *S13* —3H **125**
Flodden St. *S10* —8C **108**
Floodgate Dri. *E'fld* —5J **93**
Flora St. *S6* —6F **108**
Florence Av. *Donc* —7L **63**
Florence Av. *Swal* —4C **126**
Florence Ri. *D'fld* —2F **58**
Florence Rd. *S8* —9F **122**
Florence Rd. *Roth* —7H **95**
Flower St. *Gold* —2E **60**
Flowitt St. *Donc* —5M **63**
Flowitt St. *Mexb* —1E **78**
Folderings La. *Bols* —8E **72**
Folder La. *Spro* —6E **62**
Foldrings. —5J 91
Folds Cres. *S8* —1D **134**
Folds Dri. *S8* —1D **134**
Folds La. *S8* —1D **134**
Folds La. *Tick* —2A **116**
Fold, The. *Roth* —5C **96**
Foley Av. *Womb* —5C **58**
Foley St. *S4* —7L **109**
Foljambe Cres. *New R* —5G **83**
Foljambe Dri. *Dalt* —4D **96**
Foljambe Rd. *Roth* —5A **96**
Foljambe St. *P'gte* —1M **95**
Follett Rd. *S5* —8K **93**
Folly La. *Thurls* —1J **53**
Fonteyn Ho. *Donc* —1C **64**
Fontwell Dri. *Mexb* —9G **61**
Footershaw La. *S6* —9L **89**
Footgate Clo. *O'bri* —6M **91**
Forbes Rd. *S6* —5D **108**
Ford. —5E 136
Ford Clo. *Dron* —9G **135**
Ford Ga. *Holmf* —6A **30**
Ford La. *S'bri* —4E **72**
Fordoles Head La. *Maltby* —5A **98**
Ford Rd. *S11* —5C **122**
Ford Rd. *Mar L* —5E **136**
Fordstead La. *Ark & Barn D* —3C **44**
Fore Hill Av. *Donc* —9G **64**
Foremark Rd. *S5* —9L **93**
Fore's Rd. *Arm* —2M **65**
Forest Clo. *O'bri* —9A **92**
Forest Edge. *S11* —1B **134**
Forest Hill. *Work* —3E **142**
Forest Hill Rd. *Work* —3D **142**
Forest La. *Work* —8F **142**
Forest Ri. *Donc* —1J **81**
Forest Rd. *B'ley* —9G **17**
Forge Hill. *O'bri* —6M **91**
Forge La. *Else* —2B **76**
Forge La. *Kil* —3A **138**
Forge La. *O'bri* —6M **91**
Forge La. *Roth* —7K **95**
Forge La. *Wort* —2J **73**
Forge Rd. *Wal* —8G **127**
Formby Ct. *B'ley* —2L **37**
Forncett St. *S4* —6L **109**
Fornham St. *S2* —1J **123** (6G **5**)
(in two parts)
Forres Av. *S10* —9B **108**
Forres Rd. *S10* —9B **108**
Forrester Clo. *Flan* —7G **96**
Forrester's Clo. *Nor* —7G **6**
Forrester's La. *Coal A* —6K **135**
Forrest's Yd. Work —8B 142
(off Bridge St.)
Forster Rd. *Donc* —9M **63**
Forth Av. *Dron W* —8E **134**
Fort Hill Rd. *S9* —1N **109**
Fortway Rd. *B'wth* —2J **111**
Fossard Clo. *Donc* —9D **44**
Fossard Way. *Scawt* —7K **43**
Fossdale Rd. *S7* —6E **122**
Fosterhouses. —8C 10
Fosterhouses Grn. *Fish & Syke* —7B **10**
Foster Pl. La. *Hep* —6K **31**
Foster Rd. *Thorne* —1J **27**
Foster Rd. *Wick* —8G **97**
Foster's Clo. *Swint* —3B **78**
Fosters, The. *High G* —7E **74**
Foster St. *B'ley* —8L **37**
Foster Way. *High G* —6E **74**
Fothergill Dri. *E'thpe* —5K **45**
Foulstone Rd. *Hope V & S6* —2C **104**
Foulstone Row. *Womb* —5E **58**
Foundry Climbing Cen., The. —7H 109
Foundry Ct. *S3* —5J **109**
Foundry La. *Thorne* —2D **27**
Foundry Rd. *Donc* —6M **63**
Foundry St. *B'ley* —8F **36**
(in two parts)
Foundry St. *Else* —1A **76**
Foundry St. *P'gte* —2M **95**
Fountain Clo. *Dart* —8N **15**
Fountain Ct. *B'ley* —8F **16**
Fountain Precinct. *S1* —3F **5**
Fountain Sq. *Dart* —8N **15**
Fountains Way. *B'ley* —5L **37**
Fountside. *S7* —5E **122**
Fourlands Clo. *Bar G* —3N **35**
Four Lane End. —5F 54
Four Lane Ends. —6D 124
(Frecheville)
Fourlane Ends. —7G 123
(Norton Woodseats)
Four Row. *Birds* —4D **32**
Fourth Av. *Donc F* —3D **84**
Fourth Av. *W'land* —5F **42**
Fourth Sq. *Stain* —5A **26**
Fourwells Dri. *S12* —7G **125**
Fowdall La. *Syke* —5A **10**
Fowler Bri. Rd. *Ben* —8N **43**
Fowler Cres. *New R* —5H **83**
Fox Clo. *Roth* —3D **94**
Foxcote Lea. *Thry* —3F **96**
Fox Ct. *Crow* —6M **29**
Fox Ct. *Swint* —5C **78**
Foxcovert Clo. *Gold* —4B **60**
Fox Covert Rd. *Darr* —8C **6**
Fox Cft. *Hoy* —1L **75**
Foxcroft Chase. *Kil* —4B **138**
Foxcroft Dri. *Kil* —4B **138**
Foxcroft Gro. *Kil* —4B **138**
Foxcroft Meadows. *Maltby* —9D **98**
Foxdale Av. *S12* —6B **124**
Fox Fields. *Oxs* —6C **54**
Foxfield Wlk. *B'ley* —1L **57**
Fox Glen Rd. *Deep* —6F **72**
Foxglove Clo. *Blax* —9H **67**
Foxglove Clo. *Work* —8E **142**
Foxglove Rd. *S5* —9M **93**
Fox Gro. *Warm* —9G **63**
Foxhall La. *S10* —5H **121**
Fox Hill. *S3* —6J **109**
Fox Hill Av. *S6* —8D **92**
Fox Hill Clo. *S6* —8D **92**
Fox Hill Cres. *S6* —8D **92**
Fox Hill Dri. *S6* —8D **92**
Fox Hill Pl. *S6* —7D **92**
Fox Hill Rd. *S6* —9D **92**
Foxhill Rd. *Thorne* —3L **27**
Fox Hill Way. *S6* —7D **92**
Fox Hole La. *Tick* —4A **100**
Foxholes Gro. *Crow E* —2A **52**
Foxland Av. *Swint* —4N **77**
Fox La. *S12* —9C **124**
Fox La. *S17* —4E **134**
Fox La. *Barn* —4H **61**
Fox La. Ct. *S12* —7C **124**
Fox La. Vw. *S12* —7C **124**
Fox Rd. *S6* —6F **108**
Foxroyd Clo. *B'ley* —8N **37**
Fox St. *S3* —6H **109**
Fox St. *Roth* —7E **94**
Fox Wlk. *S6* —6E **108**
Foxwood Av. *S12* —5B **124**
Foxwood Dri. *S12* —5B **124**
Foxwood Gro. *S12* —6B **124**
Foxwood Rd. *S12* —5B **124**
Framlingham Pl. *S2* —4L **123**
Framlingham Rd. *S2* —4L **123**
France Rd. *S6* —3M **107**
Frances St. *Donc* —4A **64**
France St. *P'gte* —2M **95**
Francis Cres. N. *Roth* —1C **112**
Francis Cres. S. *Roth* —1C **112**
Francis Dri. *Roth* —9C **96**
Francis Gro. *High G* —7E **74**
Francis St. *Roth* —8L **95**
Francus Royd. *B'ley* —8K **17**
Frank Hillock Fld. *Deep* —5G **73**
Franklin Cres. *Donc* —4C **64**
Frank Pl. *S9* —5A **110**
Frank Rd. *Donc* —1M **63**
Fraser Clo. *S8* —8F **122**
Fraser Cres. *S8* —8F **122**
Fraser Dri. *S8* —8G **122**
Fraser Rd. *S8* —8F **122**
Fraser Rd. *Roth* —8M **95**
Fraser Wlk. *S8* —9G **122**
Frecheville. —7D 124
Frederick Av. *B'ley* —8E **36**
Frederick Dri. *Gren* —4C **92**
Frederick Rd. *S7* —4G **122**
Frederick St. *S9* —7B **110**
Frederick St. *Cat* —7J **111**
Frederick St. *Gold* —2D **60**
Frederick St. *Mexb* —2E **78**
Frederick St. *Roth* —6K **95**
Frederick St. *Wath D* —8K **59**
Frederick St. *Womb* —4C **58**
Frederick St. *Work* —7B **142**
Frederic Pl. *B'ley* —9G **37**
Freedom Ct. *S6* —5E **108**
Freedom Rd. *S6* —6D **108**
Freeman Gdns. *High G* —8E **74**
Freeman Rd. *Wick* —8G **97**
Freeman St. *B'ley* —8G **36**
Freemans Yd. *B'ley* —7G **37**
Freesia Clo. *Ans* —7A **128**
Freeston Pl. *S9* —5A **110**
French Ga. *Donc* —3N **63**
(in two parts)
Frenchgate Shop. Cen. *Donc* —4N **63**
French St. *Ben* —6M **43**
French St. *Skell* —8E **22**
Fretson Clo. *S2* —3A **124**
Fretson Grn. *S2* —3A **124**
Fretson Rd. *S2* —3A **124**
Fretson Rd. S. *S2* —4A **124**
Fretwell Clo. *Maltby* —7C **98**
Fretwell Rd. *H'by* —8N **97**
Fretwell Rd. *Roth* —5B **96**
Friar Clo. *S6* —6M **107**
Friars Ga. *Donc* —3N **63**
Friars La. *Tick* —7B **100**
Friar's Rd. *B'ley* —5M **37**
Frickley. —3D 40
Frickley Bri. La. *Brie* —5E **18**
Frickley La. *Fric & S Elm* —2E **40**
Frickley Rd. *S11* —3A **122**
Friers Cft. *W'wth* —5B **76**
Frithbeck Clo. *Arm* —1L **65**
Frith Clo. *S12* —6B **124**
Frith Rd. *S12* —6B **124**
Frobisher Grange. *Finn* —4G **84**
Frobisher Gro. *Maltby* —7C **98**
Froggatt La. *S1* —1H **123** (5F **5**)
Frogmore Clo. *Braml* —7J **97**
Frog Wlk. *S11* —3F **122**
Front St. *Tree* —8L **111**
Frostings Clo. *Gren* —4D **92**
(in two parts)
Frostings, The. *Gren* —4D **92**
Fulford Clo. *S9* —7C **110**
Fulford Clo. *Dart* —8B **16**
Fulford Pl. *S9* —7C **110**
Fulford Way. *Con* —3C **80**
Fullerton Av. *Con* —4L **79**
Fullerton Clo. *Skell* —7D **22**
Fullerton Cres. *Thry* —2D **96**
Fullerton Dri. *B'wth* —4H **111**
Fullerton Rd. *Roth* —9J **95**
Fullshaw La. *P'stne* —8E **52**
Fulmar Way. *Gate* —3N **141**
Fulmar Way. *Thpe H* —8A **76**
Fulmer Clo. *B'ley* —2J **37**
Fulmere Cres. *S5* —7F **92**
Fulmere Rd. *S5* —7F **92**
Fulmer Rd. *S11* —4D **122**
Fulney Rd. *S11* —3A **122**
Fulstone. —1L 31
Fulstone Hall La. *New M* —2K **31**
Fulton Rd. *S6* —7D **108**
Fulwood. —3L 121
Fulwood Chase. *S10* —3N **121**
Fulwood Dri. *Donc* —2M **81**
Fulwood Head Rd. *S10* —5F **120**
Fulwood La. *S10* —5F **120**
Fulwood Rd. *S10* —4M **121**
Furlong Ct. *Gold* —4C **60**
Furlong Rd. *Bol D & Gold* —5C **60**
Furlong Rd. *H'ton* —6F **60**
Furlong Vw. *Barn* —5G **61**
Furlong Vw. *H'ton* —5G **61**
Furnace Hill. *S3* —8H **109** (1E **4**)
Furnace La. *S13* —4L **125**
Furness Clo. *S6* —5M **107**
Furness Clo. *Dinn* —4D **128**
Furness Dene. *B'ley* —3L **37**
Furness Rd. *High G* —7D **74**
Furniss Av. *S17* —4M **133**
Furniss M. *S17* —4N **133**
Furnival Clo. *Tod* —6K **127**
Furnival Ga. *S1* —1H **123** (5E **4**)
Furnivall Rd. *Donc* —7L **63**
Furnival Rd. *S4* —8J **109** (2H **5**)
Furnival Rd. *Tod* —6K **127**
Furnival Sq. *S1* —1H **123** (5F **5**)
Furnival St. *S1* —1H **123** (5F **5**)
Furnival St. *Work* —9D **142**
Furnival Way. *Whis* —3C **112**
Fylde Clo. *B'ley* —2L **37**

Gadding Moor Rd. *H'swne* —8A **34**
Gainford Rd. *Moor* —6M **11**
Gainford Sq. *Moor* —6M **11**
Gainsborough Clo. *Flan* —8G **97**
Gainsborough Rd. *S11* —4E **122**
Gainsborough Rd. *Baw* —7C **102**
Gainsborough Rd. *Dron* —9F **134**
Gainsborough Way. *B'ley* —4J **37**
Gainsford Rd. *S9* —8C **110**
Gaitskell Clo. *Gold* —4C **60**
Gaitskell Clo. *Maltby* —9F **98**
Gala Cres. *Maltby* —7B **98**
Gallery, The. *S1* —8J **109** (2H **5**)
Galley Dri. *Wat* —1K **137**
Gallon Cft. *S Elm* —6D **20**
Galloway La. *B'wte* —9K **9**
Gallows La. *Wool* —1A **16**
Gallow Tree Rd. *Roth* —9B **96**
Galpharm Way. *Dod* —8N **35**
Galsworthy Av. *S5* —1G **108**
Galsworthy Clo. *Donc* —1K **81**
(in two parts)
Galsworthy Rd. *S5* —2F **108**
Galway Av. *Birc* —8N **101**
Galway Clo. *Rawm* —8N **77**
Galway Clo. *Roy* —5K **17**
Galway Dri. *Birc* —8N **101**
Galway M. *Harw* —1K **117**
Galway Rd. *Birc* —8N **101**
Game La. *S6* —6E **106**
Gamston Rd. *S8* —4G **123**
Gannow Clo. *Kil* —3E **138**
Gannow Hill. —3E 138
Gant Ct. *Tick* —5D **100**
Ganton Pl. *B'ley* —1F **36**
Ganton Rd. *S6* —2C **108**
Garbroads Cres. *Thry* —3D **96**
Garbutt St. *Bol D* —6C **60**
Garden Ct. *B'ley* —7C **36**
Garden Cres. *Roth* —2N **111**
Garden Dri. *Bram* —7G **58**
Garden Gro. *H'fld* —7C **58**
Garden Ho. Clo. *B'ley* —3K **37**
Garden Ho. Dri. *Kiv P* —8L **127**
Gardenia Rd. *Kirk S* —5H **45**
Garden La. *Cad* —9B **62**
Garden La. *Donc* —6K **63**
Garden La. *Rav* —2J **97**
Garden La. Roth —6J 95
(off Amen Corner)
Garden Rd. *Moor* —6M **11**
Gardens La. *Con* —4N **79**
Gardens, The. *S7* —3F **122**
Gardens, The. *Donc* —8G **65**
Garden St. *S1* —8G **109** (2D **4**)
Garden St. *B'ley* —8G **37**
Garden St. *D'fld* —2G **59**
Garden St. *Gold* —2E **60**
Garden St. *Mexb* —1F **78**
Garden St. *Roth* —6H **95**
Garden St. *Thurn* —8C **40**
Garden St. *Wath D* —8K **59**
Garden Ter. *Ben* —8M **43**
Garden Ter. *Denb D* —3J **33**

Garden Village. —5C 72
Garden Wlk. *Beig* —8N 125
Garden Wlk. *Roth* —2N 111
Gardom Clo. *Dron W* —9E 134
Garfield Mt. *Roth* —7L 95
Gargrave Clo. *Ask* —1N 23
Gargrave Cres. *Hems* —3J 19
Gargrave Pl. *Hems* —3J 19
Garland Clo. *W'fld* —2L 137
Garland Cft. *W'fld* —3L 137
Garland Dri. *S6* —3N 107
Garland Mt. *W'fld* —2L 137
Garland Way. *W'fld* —3L 137
Garraby Clo. *Gt Hou* —6L 39
Garry Rd. *S6* —3C 108
Garside's Bldgs. *P'stne* —4M 53
(off Stottercliffe Rd.)
Garside St. *Work* —7D 142
Garter St. *S4* —5L 109
Garth Clo. *S9* —7A 110
Garth Way. *Dron* —9G 135
Garth Way Clo. *Dron* —9G 135
Gartrice Gdns. *Half* —5N 137
Gartrice Gro. *Half* —5N 137
Gashouse La. *Mosb & Eck* —5K 137
Gas Works Yd. *Denb D* —2K 33
Gate Cres. *Dod* —8A 36
Gatefield Rd. *S7* —5F 122
Ga. Foot La. *New M & Cumb* —2N 31
Gateford. —3A 142
Gateford Av. *Work* —4A 142
Gateford Clo. *Work* —3A 142
Gateford Common. —2M 141
Gateford Dri. *Work* —4A 142
Gateford Gdns. *Work* —4A 142
Gateford Glade. *Work* —4B 142
Gateford Ri. *Work* —3A 142
Gateford Rd. *Gate & Work* —2L 141
Ga. Head La. *Hep* —8L 31
Gate Ho. La. *Auc* —1D 84
Gatesbridge Pk. *Finn* —2H 85
(in two parts)
Gate, The. *Dod* —8A 36
Gateway Clo. *P'gte* —4L 95
Gateway Ct. *P'gte* —3L 95
Gateway Ind. Est., The. *P'gte* —3L 95
Gateway Pl. *P'gte* —4L 95
Gateway, The. *P'gte* —3L 95
Ga. Wood La. *Bran* —3D 66
Ga. Wood La. *Cant & Bran* —5M 65
Gatewood La. *Hat* —4F 46
Gateworth Gro. *Ask* —1M 23
Gattison La. *New R* —6J 83
Gatty Rd. *S5* —6L 93
Gaunt Clo. *S14* —8L 123
Gaunt Clo. *Braml* —7J 97
Gaunt Clo. *Kil* —4B 138
Gaunt Dri. *S14* —8L 123
Gaunt Dri. *Braml* —7J 97
Gaunt Pl. *S14* —7L 123
Gaunt Rd. *S14* —8L 123
Gaunt Rd. *Braml* —7J 97
Gaunt Way. *S14* —8L 123
Gawber. —5C 36
Gawber Rd. *B'ley* —5D 36
Gawtress Row. *Wath D* —9L 59
Gayle Ct. *B'ley* —6E 36
Gayton Clo. *Donc* —1L 81
Gayton Ct. *Donc* —1L 81
Gayton Rd. *S4* —4K 109
Geer La. *S12* —5C 136
Geeseness La. *Syke & Thorne*
—7D 10
Gelderd Pl. *Dron* —9H 135
Gell St. *S3* —9F 108 (4B 4)
Geneva Sq. *Moor* —7M 11
Genn La. *B'ley & Wors* —1E 56
Genoa Clo. *D'fld* —9E 38
Genoa St. *Mexb* —1G 79
George Buckley Ct. *S Kirk* —7N 19
George La. *Notton* —3E 16
George Pl. *Mexb* —1H 79
George Pl. *Rawm* —9N 77
George Sq. *B'ley* —7F 36
George St. *S1* —9J 109 (3G 5)
George St. *Arm* —9J 45
George St. *B'ley* —7F 36
George St. *Ben* —6L 43
George St. *Carc* —7F 22
George St. *Cud* —9C 18
George St. *Gold* —2B 60
George St. *Hems* —3L 19
George St. *Hoy* —1M 75
George St. *L Hou* —9K 39
George St. *M'well* —8C 16
George St. *Roth* —6K 95
(in two parts)
George St. *S Hien* —3D 18
George St. *Thurn* —9E 40

George St. *Womb* —5D 58
(High St.)
George St. *Womb* —3F 58
(Stonyford Rd.)
George St. *Work* —7C 142
George St. *Wors* —3H 57
(Broomroyd)
George St. *Wors* —3K 57
(High St.)
George Woofindin Almshouses. *S11*
—3D 122
George Yd. *B'ley* —7F 36
Gerald Clo. *B'ley* —9K 37
Gerald Cres. *B'ley* —8K 37
Gerald Pl. *B'ley* —9K 37
Gerald Rd. *B'ley* —9K 37
Gerald St. *S9* —5A 110
Gerald Wlk. *B'ley* —9K 37
Gerard Av. *Thry* —3F 96
Gerard Clo. *S8* —5J 123
Gerard Rd. *Roth* —8L 95
Gerard St. *S8* —5J 123
Gertrude St. *S6* —6F 108
Gervase Av. *S8* —4F 134
Gervase Dri. *S8* —4F 134
Gervase Pl. *S8* —4F 134
Gervase Rd. *S8* —4F 134
Gervase Wlk. *S8* —4F 134
Ghest Vs. *Cost* —2C 130
Gibbet Hill La. *Scro* —9B 102
Gibbing Greaves Rd. *Roth* —9D 96
Gibbon La. *Thorne* —4G 27
Gibbon La. S. *Hat* —6K 27
Gibbons Dri. *S14* —9M 123
Gibbons Wlk. *S14* —9M 123
(off Gibbons Dri.)
Gibbons Way. *S14* —9M 123
Gibdyke. *Misson* —3L 103
Gibraltar St. *S3* —8H 109 (1E 4)
Gibson Clo. *Work* —1B 142
Gibson La. *S'bri* —4D 72
Gibson Rd. *Lind* —8J 47
Gibson Wlk. *Swint* —5C 78
(off Haythorne Way)
Gifford Dri. *Warm* —9H 63
Gifford Rd. *S8* —4H 123
Gilbert Ct. *S2* —5K 5
Gilbert Gro. *B'ley* —8L 37
Gilbert Hill. *P'stne* —9E 52
Gilberthorpe Ct. *Roth* —7M 95
Gilberthorpe Dri. *Roth* —7N 95
Gilberthorpe Rd. *Donc* —8K 63
Gilberthorpe St. *Roth* —7M 95
Gilbert Rd. *Birc* —9L 101
Gilbert Row. *S2* —9K 109 (3J 5)
Gilbert St. *S2* —9J 109 (3H 5)
Gilder Way. *Shaf* —7C 18
Gildhurst Ct. *Birdw* —9G 57
Gildingwells. —4K 129
Gildingwells Rd. *Gild & Letw* —2K 129
Gildingwells Rd. *W'sett* —7J 129
Giles Av. *Wath D* —9J 59
Gill Clo. *Wick* —1H 113
Gill Cft. *S6* —6L 107
Gilleyfield Av. *S17* —3N 133
Gill La. *Holmf* —6C 30
Gill La. *Moss* —2D 24
Gill Meadows. *S6* —6L 107
Gillott Dell. *Wick* —1G 113
Gillott Ind. Est. *B'ley* —6E 36
Gillott La. *Wick* —1G 112
(in two parts)
Gillott Rd. *S6* —9D 92
Gill Royd La. *Mid* —3H 71
Gill St. *Donc* —5A 64
Gill St. *Hoy* —1N 75
Gilpin La. *S6* —7F 108
Gilpin St. *S6* —6F 108
Gilroyd. —1B 56
Gilroyd La. *Dod* —2B 56
Gilthwaites Cres. *Denb D* —1K 33
Gilthwaites Gro. *Denb D* —2K 33
Gilthwaites La. *Denb D* —1K 33
(in two parts)
Gilthwaites Top. *Denb D* —1K 33
Ginhouse La. *Roth* —5J 95
Gipsy Grn. La. *Wath D* —2M 77
Gipsyhill La. *Whitw* —9N 139
Gipsy La. *App* —9A 136
Gisborne Rd. *S11* —5C 122
Glade Cft. *S12* —7A 124
Glade Lea. *S12* —7A 124
Glade, The. *S10* —2C 122
Glade Vw. *Kirk S* —4J 45
Gladstone M. *S10* —2N 121
Gladstone Pl. *Mexb* —1D 78
Gladstone Rd. *S10* —2A 122
Gladstone Rd. *Donc* —6L 63
Gladstone Rd. *Maltby* —7C 98

Gladstone St. *Work* —7B 142
Gladys St. *Roth* —7N 95
Glaisdale. *Work* —3E 142
Glaisdale Clo. *Dinn* —9A 114
Glaisdale Ct. *Dinn* —9A 114
Glamis Rd. *Carl L* —5B 130
Glamis Rd. *Donc* —4D 64
Glasshouse La. *Kiln* —7D 78
Glasshouse Rd. *Kiln* —7D 78
Glasshouse St. *Roth* —6J 95
Glastonbury Ga. *Donc* —2H 63
Gleadless. —7A 124
Gleadless Av. *S12* —7N 123
Gleadless Bank. *S12* —7N 123
Gleadless Comn. *S12* —5N 123
Gleadless Ct. *S2* —5J 123
Gleadless Cres. *S12* —6N 123
Gleadless Dri. *S12* —7N 123
Gleadless Mt. *S12* —8A 124
Gleadless Rd. *S2 & S12* —4H 123
Gleadless Rd. *S14 & S12* —6M 123
Gleadless Townend. —8A 124
Gleadless Valley. —7M 123
Glebe Av. *H'hill* —3K 139
Glebe Clo. *Swint* —5B 78
Glebe Clo. *Work* —7N 141
Glebe Ct. *Tank* —1G 74
Glebe Cres. *Thry* —4D 96
Glebe Farm Clo. *Arm* —9K 45
Glebe Farm Clo. *H'hill* —3L 139
Glebeland Clo. *Rawm* —7L 77
Glebelands Rd. *S'bri* —6E 72
Glebe Rd. *S10* —8D 108
Glebe Rd. *Cam* —9H 7
Glebe Rd. *Swint* —5B 78
Glebe Rd. *Thorne* —2L 27
Glebe St. *Warm* —9H 63
Gledhill Av. *P'stne* —6M 53
Gledhill Clo. *Dron* —9H 135
Glenalmond Rd. *S11* —4C 122
Glen Bungalow Cvn. Pk. *Ask* —3J 23
Glencairn Clo. *Maltby* —8G 98
(off Lumley Clo.)
Glencoe Clo. *D'cft* —9C 26
Glencoe Dri. *S2* —1K 123 (5K 5)
Glencoe Pl. *S2* —1K 123 (5K 5)
Glencoe Rd. *S2* —1K 123 (5K 5)
Glencroft. *S11* —4B 122
Glendale Clo. *B'ley* —6C 36
Glendale Rd. *Spro* —6F 62
Gleneagles Dri. *Donc* —9L 65
Gleneagles Ri. *Swint* —4C 78
Gleneagles Rd. *Dinn* —3D 128
Glen Fld. Av. *Donc* —6L 63
Glen Head. *S17* —1M 133
Glenholme Dri. *S13* —4E 124
Glenholme Pl. *S13* —4F 124
Glenholme Rd. *S13* —3F 124
Glenholme Way. *S13* —3E 124
Glenmoor Av. *B'ley* —8C 36
Glenmore Cft. *S12* —5B 124
Glenmore Ri. *Womb* —6E 58
Glenorchy Rd. *S7* —6E 122
Glen Rd. *S7* —5F 122
Glen Rd. *Bran* —7A 66
Glen, The. *S10* —2C 122
Glenthorn Clo. *S'oaks* —3K 141
Glentilt Rd. *S7* —6E 122
Glen Vw. *S11* —3A 122
Glen Vw. Rd. *S8* —2F 134
Glenville Clo. *Hoy* —1L 75
Glenwood Cres. *C'town* —9J 75
Gliwice Way. *Donc* —6E 64
Glossop La. *S10* —9F 108 (4A 4)
Glossop Rd. *S10* —1D 122 (5A 4)
Glossop Row. *O'bri* —6M 91
Gloucester Cres. *S10* —1F 122 (5A 4)
Gloucester Rd. *Donc* —2D 64
Gloucester Rd. *Roth* —4F 94
Gloucester Rd. *Work* —3D 142
Gloucester St. *S10* —1F 122 (5A 4)
Glover Rd. *S8* —4H 123
Glover Rd. *S17* —6A 134
Glyn Av. *Donc* —3B 64
Goathland Clo. *S13* —4K 125
Goathland Dri. *S13* —4K 125
Goathland Pl. *S13* —4K 125
Goathland Rd. *S13* —4K 125
Goddard Av. *S'bri* —4B 72
Goddard Hall Rd. *S5* —3K 109
Godfrey Rd. *Thorne* —2J 27
Godfrey's Ct. *Work* —7B 142
Godley Clo. *Roy* —5L 17
Godley St. *Roy* —5L 17
Godnow Bridge. —5M 29
Godnow Rd. *Crow* —5M 29
Godric Dri. *B'wth* —3H 111
Godric Grn. *B'wth* —3H 111
Godric Rd. *S5* —6K 93

Godstone Rd. *Roth* —8L 95
Goldcrest Ri. *Gate* —3N 141
Goldcrest Wlk. *Thpe H* —9A 76
Gold Cft. *B'ley* —8H 37
Golden Oak Dell. *S6* —5L 107
Golden Smithies La. *Swint & Wath D*
—3A 78
Goldsborough Rd. *Donc* —4D 64
Goldsmith Dri. *Roth* —7A 96
Goldsmith Rd. *Donc* —9N 63
Goldsmith Rd. *Roth* —7A 96
Goldsmith Rd. *Work* —5E 142
Gold St. *B'ley* —8H 37
Goldthorpe. —2E 60
Goldthorpe Av. *L'gld* —9C 116
Goldthorpe Clo. *L'gld* —9C 116
Goldthorpe Grn. *Gold* —3C 60
Goldthorpe Ind. Est. *Gold* —3A 60
Goldthorpe Rd. *Gold* —3D 60
Gomersal La. *Dron* —9H 135
Gomersall Av. *Con* —4L 79
Gooder Av. *Roy* —6K 17
Goodison Boulevd. *Donc* —7H 65
Goodison Ct. *Donc* —7H 65
Goodison Cres. *S6* —6A 108
Goodison Ri. *S6* —6A 108
Goodwin Av. *Rawm* —8M 77
Goodwin Cres. *Swint* —2B 78
Goodwin Rd. *S8* —5H 123
Goodwin Rd. *Roth* —1G 94
Goodwin Way. *Roth* —1G 94
Goodwood Gdns. *Donc* —5G 64
Goodyear Cres. *Womb* —5D 58
Goole Green. —4M 121
Goore Av. *S9* —1B 124
Goore Dri. *S9* —9B 110
Goore Rd. *S9* —1B 124
Gooseacre Av. *Thurn* —7B 40
Goosebutt Ct. *P'gte* —1M 95
Goosebutt St. *P'gte* —1M 95
Goose Carr La. *Tod* —4J 127
Goosecroft Av. *Thry* —3D 96
Goose Grn. *Holmf* —4E 30
Goosehill Ct. *Bal* —2M 81
Goosehole La. *S Elm* —8G 20
Goose La. *Wick* —9H 97
Gordon Av. *S8* —9H 123
Gordon Clo. *Work* —7E 142
Gordon Pl. *S Elm* —7E 20
(in four parts)
Gordon Rd. *S11* —3E 122
Gordon Rd. *Edl'tn* —4F 80
Gordon Sq. *Stain* —6B 26
Gordon St. *B'ley* —8M 37
Gordon St. *Donc* —4N 63
Gordon Ter. *Roth* —7M 95
Gorehill Clo. *Wath D* —9N 59
Gore La. *Balne* —1A 8
Gorse Clo. *Bram* —9F 68
Gorse Clo. *D'ville* —3B 46
Gorse Clo. *Rav* —5L 97
Gorse Dri. *Kil* —5C 138
Gorseland Ct. *Wick* —9F 96
Gorselands Av. *Work* —9F 142
Gorse La. *S10* —4H 121
Gorse, The. *Roth* —8B 96
Gorse, The. *Wick* —1G 112
Gorsey Brigg. *Dron W* —9E 134
Gosber Rd. *Eck* —7L 137
Gosber St. *Eck* —7K 137
Gosforth Clo. *Dron* —9G 135
Gosforth Cres. *Dron* —9G 135
Gosforth Dri. *Dron* —9E 134
Gosforth Grn. *Dron* —9G 134
Gosforth La. *Dron* —9G 134
Gosling Ga. Rd. *Gold* —2D 60
Gotham Rd. *B'wth* —2J 111
Gough Clo. *Roth* —9B 96
Goulding St. *Mexb* —2E 78
Gowdall Grn. *Ben* —5L 43
Gower St. *S4* —6K 109
Gower St. *Womb* —5E 58
Grace Rd. *Edl'tn* —3G 81
Grace St. *B'ley* —2N 37
Graftdyke Clo. *Ross* —5L 83
Grafton St. *S2* —1K 123 (5K 5)
Grafton St. *B'ley* —7E 36
Grafton St. *Work* —6B 142
Grafton Way. *Roth* —6L 95
Graham Av. *B'wth* —5K 111
Graham Av. *Upt* —1J 21
Graham Ct. *S10* —3A 122
Graham Knoll. *S10* —3A 122
Graham Ri. *S10* —3A 122
Graham Rd. *S10* —2N 121
Graham Rd. *Kirk S* —5J 45
Graham's Orchard. *B'ley* —7F 36
Grainger Clo. *Edl'tn* —5E 80
Grainger Ct. *S10* —2N 121

Grammar St.—Greenway

Grammar St. S6 —5E 108
(in two parts)
Grampian Clo. B'ley —6C 36
Grampian Clo. Donc —2J 63
Grampian Way. Thorne —4J 27
(in two parts)
Granary Ct. Ans —5B 128
(off Quarry La.)
Granary Ct. Carl L —5D 130
Granby Ct. Arm —2M 65
Granby Ct. S Elm —4F 20
Granby Cres. Donc —5C 64
Granby La. New R —4G 83
Granby Rd. S5 —2L 109
Granby Rd. Edl'tn —4G 80
Grange Av. Aug —2B 126
Grange Av. Baw —5B 102
Grange Av. Donc —8L 63
Grange Av. Dron W —9F 134
Grange Av. Hat —9D 26
Grange Av. S Elm —6F 20
Grange Av. W'sett —8J 129
Grange Cliffe Clo. S11 —7C 122
Grange Clo. Ask —1N 23
Grange Clo. Bram M —7J 113
Grange Clo. Brie —6F 18
Grange Clo. Carl L —5D 130
Grange Clo. Donc —9J 65
Grange Clo. Hat —9D 26
Grange Ct. Bes —9J 65
Grange Ct. Donc —1M 63
Grange Ct. Wick —1G 112
Grange Cres. S11 —3F 122
Grange Cres. B'ley —6M 37
Grange Cres. Thurn —7D 40
Grange Cres. Rd. S11 —3F 122
Grange Dri. Harw —8K 101
Grange Dri. H'by —9N 97
Grange Dri. Roth —4D 94
Grange Farm Clo. B'wth —5K 111
Grange Farm Ct. W'sett —8J 129
Grange Farm Dri. Worr —9M 91
Grangefield Av. New R —5J 83
Grangefield Cres. New R —5J 83
Grangefield Ter. New R —5J 83
Grange Gdns. Tod —4K 127
Grange Gro. Moor —6L 11
Grange Ho. Brie —6F 18
Grange Lane. —5N 93
Grange La. S5 & Thpe H —5N 93
Grange La. S13 —3G 124
Grange La. A'ley —2J 81
(in two parts)
Grange La. B'ley —7M 37
Grange La. B'wth —1G 110
Grange La. Burg —6D 22
Grange La. H'ton —5J 61
Grange La. Maltby —8E 98
Grange La. New R —6G 83
(in two parts)
Grange La. Ind. Est. B'ley —7L 37
Grange Mill La. S5 & S9 —5N 93
Grange Pk. Kirk S —3K 45
Grange Pk. Golf Course. —4A 94
Grange Ri. Hems —2K 19
Grange Rd. S11 —3F 122
Grange Rd. Beig —8M 125
Grange Rd. Brie —6F 18
Grange Rd. Cam —9H 7
Grange Rd. Donc —9J 65
Grange Rd. Moor —6L 11
Grange Rd. New R —6H 83
Grange Rd. Rawm —7N 77
Grange Rd. Roth —2A 112
Grange Rd. Roy —6H 17
Grange Rd. Swint —4A 78
Grange Rd. Toll B —4L 43
Grange Rd. Wath D —1K 77
Grange Rd. W'land —5G 42
Grange Sq. Moor —6M 11
Grange St. Thurn —8D 40
Grange Ter. Thurn —8D 40
(off Chapman St.)
Grange, The. Scho —3C 94
Grange, The. Skell —7E 22
Grange Vw. Bal —7L 63
Grange Vw. Bla H —6L 57
Grange Vw. Harw —8K 101
Grange Vw. Hems —3K 19
Grange Vw. Cres. Roth —5D 94
Grange Vw. Rd. Roth —5D 94
Grange Way. Den M —3L 79
Grangeway. Hems —2K 19
Grangewood Rd. Lghtn —8C 114
Granham Acre. Shaf —7C 18
Grantham St. New R —5H 83
Grantley Clo. Womb —7F 58
Granville Cres. Stain —6B 26
Granville Rd. S2 —1J 123 (6H 5)
Granville Sq. S2 —1J 123 (6H 5)
Granville St. S2 —1J 123 (6H 5)
Granville St. B'ley —5E 36
Granville Ter. Roth —7M 95
Grasby Ct. Braml —6J 97
Grasmere Av. Donc —3F 64
Grasmere Clo. Ans —5D 128
Grasmere Clo. Bol D —6B 60
Grasmere Clo. Mexb —9J 61
Grasmere Clo. P'stne —3N 53
Grasmere Cres. Dart —7B 16
Grasmere Rd. S8 —6F 122
Grasmere Rd. B'ley —7H 37
Grasmere Rd. Carc —8G 22
Grasmere Rd. Con —4N 79
Grasmere Rd. Dron W —9E 134
Grasmere Rd. Work —3C 142
Grassdale Vw. S12 —8F 124
Grassington Clo. S12 —8H 125
Grassington Dri. S12 —8H 125
Grassington Way. C'town —8G 75
Grassmoor Clo. S12 —6N 123
Grassthorpe Rd. S12 —7B 124
Grattan St. Roth —7E 94
Graven Clo. Gren —5C 92
Graves Art Gallery. —9J 109 (4G 5)
Graves Moor La. Blyth —2N 131
Graves Pk. Animal Farm. —9J 123
Graves Tennis & Leisure Cen. —3J 135
Graves Trust Homes. S8 —2G 134
(Greenhill Av.)
Graves Trust Homes. S8 —2H 135
(Lit. Norton La.)
Graves Trust Homes. S12 —6A 124
Gray Av. Swal —3C 126
Gray Clo. Roth —5L 95
Gray Gdns. Donc —9M 63
Grays Ct. Den M —2M 79
Grayson Clo. Rav —5J 97
Grayson Clo. S'bri —6E 72
Grayson Rd. Roth —1G 95
Gray's Rd. B'ley —8K 17
Gray St. S3 —6J 109
Gray St. Else —1A 76
Gray St. Mosb —3J 137
Greasbro Rd. S9 —2D 110
Greasbrough. —2J 95
Greasbrough La. Rawm —1J 95
Greasbrough Rd. P'gte —2K 95
Greasbrough Rd. Roth —3J 95
(in three parts)
Greasbrough St. Roth —6J 95
Gt. Bank Rd. Roth —9B 96
Gt. Black La. Tick —7F 100
Gt. Central Av. Donc —7M 63
Gt. Cliffe Rd. Dod —8N 35
Great Cft. Dron W —8E 134
Gt. Eastern Way. P'gte —3M 95
Great Houghton. —7L 39
Gt. North Rd. Adw S & W'land —1C 42
Gt. North Rd. Donc —8G 65
Gt. North Rd. Kir Sm —1A 22
Gt. North Rd. Ross & Baw —3M 83
Gt. North Rd. Scro —9B 102
Gt. North Rd. S'brke & Skell —3B 22
(in two parts)
Gt. North Rd. W'land & Scawt —6G 43
Gt. Park Rd. Roth —5E 94
Greave Rd. Hade E —8E 30
Greaves Clo. S6 —6L 107
Greaves Fold. B'ley —6C 36
Greaves La. S6 —6L 107
Greaves La. High G —4E 74
Greaves Rd. S5 —5H 93
Greaves Rd. Roth —6G 95
Greaves Sike La. Mickle —4N 97
Greaves St. S6 —5E 108
Grn. Abbey. Hade E —9F 30
Greenacre Clo. D'ville —4B 46
Greenacre Dri. Up Den —5H 33
Greenacre Rd. Upt —1H 21
Greenacre Rd. Work —4D 142
Green Acres. Grim —1G 38
Green Acres. Hoy —1M 75
Green Acres. P'stne —4A 54
Green Acres. Rawm —9N 77
Grn. Arbour Ct. Thur —7K 113
Grn. Arbour Rd. Thur —6K 113
Green Av. H Mel —4A 62
Green Balk. Maltby —9D 80
Green Bank. B'ley —8G 16
Green Bank. Thorne —7C 28
Grn. Bank Dri. S'side —5H 97
Greenbank Wlk. Grim —1F 38
Green Boulevd. Donc —7H 65
Green Chase. Eck —7J 137
Green Comn. Arm —2L 65
Greencroft. Roth —9M 95
Green Cross. Dron —8J 135
Greendale Ct. Dron —8J 135
Greendale Shop. Cen. Dron —8J 135
Grn. Dyke La. Donc —6N 63
Grn. Dyke Way. B'ley —4B 36
Grn. Farm Hamlet. S'bri —5A 72
Greenfield. Rawm —9M 77
Greenfield Clo. S8 —3G 134
Greenfield Clo. Arm —2M 65
Greenfield Clo. Barn D —2K 45
Greenfield Clo. Roth —5C 96
Greenfield Clo. Up Den —5J 33
Greenfield Cotts. B'ley —9K 17
Greenfield Ct. Adw D —7E 60
Greenfield Ct. Flan —7G 96
Greenfield Dri. S8 —3G 134
Greenfield Gdns. B'ley —8F 16
Greenfield Gdns. Donc —8K 65
Greenfield Gdns. Flan —7G 96
Greenfield La. Donc —6L 63
Greenfield Rd. S8 —3G 134
Greenfield Rd. Hems —4K 19
Greenfield Rd. Holmf —3A 30
Greenfield Rd. Hoy —9M 57
Greenfield Rd. Roth —5C 96
Green Fields. Eck —7J 137
Greenfields Way. Carl L —4C 130
Greenfinch Clo. B'wth —4K 111
Greenfinch Dale. Gate —3N 141
Greenfoot Clo. B'ley —5E 36
Greenfoot La. B'ley —4E 36
(in two parts)
Greengate Clo. S13 —5K 125
Grn. Gate Clo. Bol D —4C 60
Greengate La. S13 —5J 125
Greengate La. Darr —8D 6
Greengate La. High G —8E 74
Greengate Rd. S13 —5K 125
Greenhall Rd. Eck —7J 137
Greenhead. Bam —7E 118
Greenhead Gdns. C'town —9H 75
Greenhead La. C'town —9H 75
Greenhead Pk. Bam —7E 118
Green Hill. —2K 19
(Hemsworth)
Greenhill. —3F 134
(Lowedges)
Greenhill Av. S8 —2F 134
Greenhill Av. B'ley —5G 36
Greenhill Av. H'by —9N 97
Greenhill Bank Rd. Tot & New M —3H 31
Grn. Hill Gro. H'swne —1C 54
Greenhill Main Rd. S8 —3F 134
Greenhill Parkway. S8 —4E 134
Greenhill Rd. S8 —9G 122
Greenhouse La. S10 —6H 121
Green Ho. Rd. Donc —1E 64
Greenhow St. S6 —7D 108
Green Ings La. Bol D —8N 59
Greenland. —5C 110
Greenland. Bla H —6L 57
Greenland. H Hoy —9D 14
Greenland Av. S. Maltby —7E 98
(in two parts)
Greenland Clo. S9 —6C 110
Greenland Clo. Ans —5B 128
Greenland Ct. S9 —6C 110
Greenland Dri. S9 —6C 110
Greenland Rd. S9 —5C 110
Greenland Rd. Ind. & Bus. Pk. S9 —5C 110
Greenlands Av. Ross —4K 83
Greenland Vw. S9 —7C 110
Greenland Vw. Wors —3G 57
Greenland Wlk. S9 —6C 110
Greenland Way. S9 —6C 110
(Greenland Dri.)
Greenland Way. S9 —5C 110
(Greenland Rd.)
Greenland Way. Maltby —6E 98
Green La. S3 —7G 109 (1E 4)
Green La. Ask —2K 23
Green La. Ast —4F 126
Green La. Barn —4F 60
Green La. Belt —4N 49
Green La. Cant —6L 65
Green La. Carl L —5A 130
Green La. Cat —5H 111
Green La. Dod —1B 56
Green La. Dron —9J 135
Green La. Dunf B —3N 51
Green La. D'ville —5M 45
Green La. E'fld —5K 93
Green La. Hat —6E 46
Green La. Holmf —6E 30
Green La. Hoy —1H 75
Green La. Kil —6B 138
Green La. K'wth —6C 94
Green La. Kirk B —5K 25
Green La. Maltby —4A 114
Green La. Misson —5K 103
Green La. Notton —3H 17
Green La. O'bri —5K 91
Green La. Rawm —9M 77
Green La. Roth —2N 111
Green La. Scawt —6C 42
Green La. Silk —9E 34
Green La. Skell —6C 22
Green La. S Kirk —7A 20
Green La. S'bri —4A 72
Green La. Thur —3J 113
Green La. Tick —8C 100
Green La. Ulley —8C 112
Green La. Up Den —6E 32
Green La. Upt —1H 21
Green La. Wadw —8L 81
Green La. Wath D —3K 77
Green La. Whar S —3E 90
(Bank Side)
Green La. Whar S —4K 91
(Main Rd.)
Green La. Wick —8F 96
Green La. W'land —4E 42
Green La. Wors —2D 56
Greenlaws Clo. U'thng —3B 30
Green Lea. Dron W —8D 134
Greenleafe Av. Donc —9F 44
Green Moor. —3G 72
Grn. Moor Rd. Wort —2F 72
Grn. Oak Av. S17 —6N 133
Grn. Oak Cres. S17 —6N 133
Grn. Oak Dri. S17 —6N 133
Grn. Oak Dri. Wal —9F 126
Grn. Oak Gro. S17 —6N 133
Grn. Oak Rd. S17 —7N 133
Grn. Oak Vw. S17 —6N 133
Greenock St. S6 —4C 108
Green Ri. Rawm —7K 77
Green Rd. P'stne —5N 53
Green Rd. Work —6N 143
Green Royd. Fish —2C 26
Greenset Vw. B'ley —8F 16
Greenside. —7B 136
(Apperknowle)
Greenside. —8D 16
(Staincross)
Greenside. Denb D —2J 33
Greenside. Have —1B 18
Greenside. H'swne —1C 54
Greenside. Lwr C —1H 33
Greenside. M'well —8D 16
Greenside. Roth —2H 95
Greenside. Shaf —5B 18
Greenside Av. Kiv P —9H 127
Greenside Av. M'well —8D 16
Greenside Gdns. H'swne —1C 54
Greenside Ho. M'well —8D 16
Greenside La. Hoy —8M 57
Greenside M. S12 —8H 125
Greenside Pl. M'well —8D 16
Grn. Spring Av. Birdw —7G 56
Green's Rd. D'ville —3B 46
Greens Rd. Roth —7A 96
Green St. Deep —5F 72
Green St. Donc —9K 63
Green St. Hoy —9M 57
Green St. Roth —1H 95
Green St. Wors —2K 57
Green, The. —5N 53
Green, The. S9 —8C 110
(off Avenue, The)
Green, The. S17 —6M 133
Green, The. S26 —8C 126
Green, The. Ans —5B 128
Green, The. Auc —8C 66
Green, The. Bam —7E 118
(off Fidlers Well)
Green, The. Barn —4J 61
Green, The. Bol D —4B 60
Green, The. Carl L —5D 130
Green, The. Finn —3G 84
Green, The. Harw —1H 117
Green, The. H'fld —8C 58
Green, The. Hood G —5M 55
Green, The. Moor —6M 11
Green, The. Old De —3H 79
Green, The. P'stne —5M 53
Green, The. Roth —1M 111
Green, The. Roy —6K 17
(in two parts)
Green, The. Shaf —6B 18
Green, The. S Kirk —6B 20
Green, The. Swint —4A 78
Green, The. Thorne —2K 27
Green, The. Thurls —3K 53
Green, The. Whis —4A 112
Green, The. Wool —2B 16
Green Vw., The. Shaf —5B 18
Greenway. Carl L —5D 130
Greenway. Kiv P —9J 127

Greenway, The—Hall Mdw. Dri.

Greenway, The. S8 —2G 134
Greenway, The. Deep —6G 73
Greenway Vw. H'fld —8D 58
Greenwood Av. S9 —9A 110
Greenwood Av. Bal —7K 63
Greenwood Av. Harw —8J 101
Greenwood Av. Upt —1H 21
Greenwood Av. Wors —2J 57
Greenwood Clo. S9 —9B 110
Greenwood Clo. Upt —1H 21
Greenwood Clo. Work —1A 142
Greenwood Cres. S9 —9A 110
Greenwood Cres. Roy —5J 17
Greenwood Cres. Wick —8H 97
Greenwood Dri. S9 —9A 110
Greenwood La. S13 —4K 125
Greenwood Rd. S9 —9B 110
Greenwood Rd. High G —7G 74
Greenwood Rd. Kiln —7D 78
Greenwood Ter. B'ley —6F 36
Greenwood Wlk. Ask —1N 23
Greenwood Way. S9 —9A 110
Greeton Dri. O'bri —7N 91
Gregg Ho. Cres. S5 —8L 93
Gregg Ho. Rd. S5 —7L 93
Greggs Ct. B'ley —9L 37
Gregory Cres. Harw —9H 101
Gregory Rd. S8 —5H 123
Gregory's Bldgs. Gt Hou —6K 39
Grendon Vs. Roth —6N 95
Grenfell Av. Mexb —1G 78
Grenfolds Rd. Gren —5E 92
Grenobank Rd. Gren —5E 92
Greno Cres. Gren —5E 92
Greno Ga. Gren —4D 92
Greno Ho. Gren —4D 92
Grenomoor Clo. Gren —5D 92
Greno Rd. Swint —4C 78
Grenoside. —4D 92
Grenoside Crematorium. Gren —6C 92
Greno Vw. Hood G —5M 55
Greno Vw. Hoy —1K 75
Greno Vw. Rd. High G —7F 74
Greno Wood Ct. Gren —4D 92
Grenville Pl. B'ley —5D 36
Grenville Rd. Donc —9J 63
Gresham Av. B'wth —3J 111
Gresham Rd. S6 —6D 108
Gresley Av. Baw —5C 102
Gresley Rd. S8 —5F 134
Gresley Rd. Bal —6M 63
Gresley Wlk. S8 —5F 134
Greyfriars. S11 —4B 122
Greyfriars Rd. Donc —3N 63
Greystock St. S4 —6M 109
(Corby St.)
Greystock St. S4 —7L 109
(Sutherland St.)
Greystone Clo. Tick —7C 100
Greystone La. Tick —5B 100
Greystones. —4B 122
Greystones Av. S11 —4C 122
Greystones Av. Wors —3G 56
Greystones Cliffe. —4A 122
Greystones Clo. S11 —4B 122
Greystones Ct. S11 —4B 122
Greystones Ct. H'hill —4J 139
Greystones Cres. S11 —4B 122
Greystones Dri. S11 —4B 122
Greystones Grange. S11 —4B 122
Greystones Grange Cres. S11 —4B 122
Greystones Grange Rd. S11 —4B 122
Greystones Hall Rd. S11 —3B 122
Greystones Ri. S11 —4B 122
Greystones Rd. S11 —4A 122
Greystones Rd. Whis —3C 112
Grice Clo. Donc —5J 65
Griffin Rd. Swint —3A 78
Griffiths Clo. P'gte —1M 95
Griffiths Rd. High G —8F 74
Griffs. —6J 107
Grime La. Holmf —7N 31
Grimesthorpe. —3N 109
Grimesthorpe Rd. S4 —6K 109
(in three parts)
Grimesthorpe Rd. S. S4 —6K 109
Grimethorpe. —9G 18
Grimethorpe St. S Elm —6E 20
Grimpit Hill. Notton —3H 17
Grimsell Clo. S6 —6E 92
Grimsell Cres. S6 —6E 92
Grimsell Dri. S6 —6E 92
Grimsell Wlk. S6 —7E 92
Grinders Hill. S1 —5G 5
Grinders Wlk. S6 —3A 108
Grindlow Clo. S14 —5K 123
Grindlow Dri. S14 —5K 123
Grisedale Wlk. Dron W —9F 134
Grizedale Av. Soth —9N 125
Grizedale Clo. Soth —9N 125
Grogan Vw. S Elm —6E 20
Grosvenor Av. Upt —2F 20
Grosvenor Ct. Fish —2D 26
Grosvenor Cres. Ark —6A 44
Grosvenor Cres. Warm —9H 63
Grosvenor Dri. B'ley —7D 36
Grosvenor Rd. Birc —9L 101
Grosvenor Rd. Roth —5M 95
Grosvenor Rd. W'land —3F 42
Grosvenor Sq. S2 —3G 123
Grosvenor Ter. Clayt W —7B 14
Grosvenor Ter. Warm —9H 63
Grouse Cft. S6 —6E 108
Grouse St. S6 —5D 108
Grove Av. S6 —2B 108
Grove Av. S17 —6M 133
Grove Av. Donc —2L 63
Grove Av. Hems —3L 19
Grove Av. S Kirk —7B 20
Grove Clo. P'stne —6N 53
Grove Clo. Wath D —7J 59
Grove Ct. Maltby —8B 98
(off Leslie Av.)
Grove Ct. Marr —9A 42
Grove Dri. S Kirk —7A 20
Gro. Hall Clo. E'thpe —6K 45
Grove Head. S Kirk —7A 20
Gro. Hill Rd. Donc —9F 44
Grove Ho. Hems —3L 19
Grove Ho. Ct. S17 —5N 133
Gro. House Dri. Clayt W —7A 14
Grove La. Hems —3L 19
Grove La. S Kirk —7A 20
Gro. Lea Clo. Hems —3L 19
Grove Mt. S Kirk —7A 20
Grove Pl. Donc —5N 63
Grove Pl. Hems —3L 19
Grove Rd. S7 —8D 122
Grove Rd. S17 —5N 133
Grove Rd. Fish —2D 26
Grove Rd. K Ind —4G 45
Grove Rd. M'well —8B 16
Grove Rd. Roth —8K 95
Grove Rd. Wath D —7J 59
Grove Sq. S6 —5F 108
Grove St. B'ley —7H 37
Grove St. Deep —6H 73
Grove St. S Kirk —7A 20
Grove St. Wors —2K 57
Grove Ter. Hems —3L 19
Grove, The. S6 —4N 107
Grove, The. S17 —6M 133
Grove, The. Barn D —9H 25
Grove, The. Cud —8B 18
Grove, The. Donc —2D 64
(in two parts)
Grove, The. Rawm —9N 77
Grove, The. Roth —6A 96
Grove, The. Ryh —1A 18
Grove, The. S Elm —5E 20
Grove, The. S Kirk —7B 20
Grove, The. Whar S —2K 91
Grove, The. Wick —8G 96
Grove, The. Work —3C 142
Grove Va. Donc —9F 44
Grove Way. S Kirk —7A 20
Grudgby La. P'stne —9C 54
Gudgeon Hole La. Cra M & Hood G —8M 55
Guernsey Rd. S2 —4H 123
Guest La. Silk —7J 35
Guest La. Warm —8H 63
Guest Pl. Hoy —8M 57
Guest Pl. Roth —9M 95
Guest Rd. S11 —3D 122
Guest Rd. B'ley —5E 36
Guest Rd. Roth —9M 95
Guest St. Hoy —8M 57
Guilbert Av. Thur —7K 113
Guildford Av. S2 —3L 123
Guildford Clo. S2 —3L 123
Guildford Dri. S2 —3L 123
Guildford Ri. S2 —3M 123
Guildford Rd. Donc —9E 44
Guildford Rd. Roy —4J 17
Guildford Vw. S2 —4M 123
Guildford Wlk. S2 —3M 123
Guildford Way. S2 —3L 123
Guildhall Ind. Est. K Ind —5H 45
Guild Rd. Roth —7A 96
Guildway. Tod —6K 127
Guile Carr La. D'cft —7D 26
Guilthwaite. —5B 112
Guilthwaite Comn. La. Whis —7B 112
Guilthwaite Cres. Whis —3N 111
Guilthwaite Hill. Whis —6B 112
Gullane Dri. Warm —9H 63
Gulling Wood Dri. Thry —3F 96
Gully. —4F 30
Gully Ter. Holmf —4F 30
Gully, The. Shep —3N 31
Gunhills La. Arm —9M 45
Gunhills La. Ind. Est. Arm —9M 45
Gun La. S3 —8J 109 (1H 5)
Gunthwaite. —6L 33
Gunthwaite La. P'stne —7L 33
Gunthwaite La. Up Den & P'stne —5J 33
Gurney Rd. Donc —9M 63
Gurth Av. E'thpe —6K 45
Gurth Av. Cvn. Site. E'thpe —6K 45
Gurth Dri. Thur —7K 113
Gwendoline M. Wath D —1M 77
Gwyn Reed Nature Reserve —8B 78
Gypsy La. Maltby —3G 114
Gypsy La. Womb —6E 58
Gypsy La. Wool —4N 15

Habershon Ct. C'town —9H 75
Habershon Dri. C'town —8G 74
Habershon Rd. Roth —4F 94
Hackenthorpe. —8H 125
Hacking Hill. —6G 21
Hacking La. S Elm —6G 20
Hackings Av. P'stne —6M 53
Hackness La. B'wth —3H 111
Hackthorn Rd. S8 —8G 123
Haddingley. —2A 32
Haddingley La. Cumb —5N 31
Haddon Clo. Dod —9N 35
Haddon Clo. Dron —8J 135
Haddon Clo. S Elm —4F 20
Haddon Ri. Mexb —9J 61
Haddon Rd. B'ley —2J 37
Haddon St. S3 —6G 109
Haddon Way. Ast —4E 126
Hadds La. Thorne —4G 10
Hadds Nook Rd. Thorne —6G 11
Hade Edge. —9F 30
Haden St. S6 —4D 108
Hadfield St. S6 —7D 108
Hadfield St. Womb —6D 58
Hadleigh Clo. Rawm —1M 95
Hadrian Rd. B'wth —2J 111
Hadrians Clo. Ross —7K 83
Haggard Rd. S6 —4E 108
Hagg Hill. S6 —8C 92
(Midhurst Rd.)
Hagg Hill. S6 —7A 108
(Rivelin Valley Rd.)
Hagg La. S10 —9L 107
(in two parts)
Hagg La. Aus —4G 102
Hagg La. Cotts. S10 —8M 107
Haggs La. Fenw —7D 8
Haggstones Dri. O'bri —7L 91
Haggstones Rd. O'bri & Worr —7L 91
Hag Hill. Emley —3A 14
Hag Hill La. Emley —3A 14
Hague Av. Rawm —7L 77
Hague Av. Ren —9A 138
Hague Cres. Hems —4L 19
Hague La. High G —7D 74
Hague La. Ren —9N 137
Hague La. W'wth —8B 76
Hague Pk. Clo. S Kirk —6A 20
Hague Pk. Coppice. S Kirk —6A 20
Hague Pk. Dri. S Kirk —6A 20
Hague Pk. Gdns. S Kirk —6A 20
Hague Pk. La. S Kirk —6A 20
Hague Pk. Wlk. S Kirk —6A 20
Hague Row. S2 —9K 109 (3J 5)
Hague Ter. Hems —3L 19
Haids Clo. Maltby —6D 98
Haids La. Maltby —6D 98
Haids Rd. Maltby —6C 98
Haig Cres. New R —6H 83
Haig Cres. Stain —6B 26
Haigh Clo. H'swne —1B 54
Haigh Ct. Bram —9F 58
Haigh Cft. Roy —5J 17
Haigh Head Rd. H'swne —9B 34
Haigh Hill. Haigh —3L 15
Haigh La. Haigh —4L 15
Haigh La. H'swne —9C 34
Haigh Memorial Homes. S8 —3H 135
(off Meadowhead)
Haigh M. Haigh —4L 15
Haigh Moor Clo. S13 —2F 124
Haigh Moor Dri. Dinn —2A 128
Haigh Moor Rd. S13 —3F 124
Haigh Moor Wlk. S13 —3E 124
Haigh Moor Way. Roy —4K 17
Haigh Moor Way. Swal —4N 125
Haigh Rd. Donc —8L 63
Haig Rd. Moor —6M 11
Hail Mary Dri. S13 —3K 125
Haise Mt. Dart —8B 16
Hakehill Clo. Donc —9G 64
Halcyon Clo. S12 —8F 124
Haldane Clo. Brie —6F 18
Haldane Rd. Roth —5N 95
Haldene. Wors —3J 57
Haldynby Gdns. Arm —1M 65
Hale Hill La. Hat W —3G 46
(in two parts)
Hale St. S7 —5G 123
Halesworth Rd. S13 —1E 124
Halfway. —3L 137
Halfway Cen. Half —3L 137
Halfway Dri. Half —3L 137
Halfway Gdns. Half —3L 137
Halifax Av. Con —4M 79
Halifax Cres. Donc —1K 63
Halifax Dri. Work —2B 142
Halifax Hall. S10 —2D 122
Halifax Rd. S6 & Gren —9E 92
Halifax Rd. P'stne & H'swne —1M 53
Halifax Rd. T'land & Cra M —8H 55
Halifax St. B'ley —4F 36
Hallam Chase. S10 —2C 122
(Endcliffe)
Hallam Chase. S10 —1M 121
(Sandygate)
Hallam Clo. Aug —2B 126
Hallam Clo. Donc —8F 64
Hallam Ct. S10 —2E 122
(off Clarke Dri.)
Hallam Ct. Bol D —6A 60
Hallam Ct. Dron —9H 135
Hallam Dale Ct. Rawm —7N 77
Hallamgate Rd. S10 —1C 122
Hallam Grange Clo. S10 —3L 121
Hallam Grange Cres. S10 —2L 121
Hallam Grange Cft. S10 —2L 121
Hallam Grange Ri. S10 —2L 121
Hallam Grange Rd. S10 —2L 121
Hallam Head. —1M 121
Hallam La. S1 —1H 123 (6F 5)
Hallam Pl. Rawm —9N 77
Hallam Rd. Roth —2M 111
Hallam Rock. S5 —3J 109
Hallamshire Bus. Pk. S11 —2F 122 (7B 4)
Hallamshire Clo. S10 —3K 121
Hallamshire Ct. C'town —9H 75
Hallamshire Dri. S10 —3K 121
Hallamshire Golf Course. —1K 121
Hallamshire Rd. S10 —3K 121
Hallam Way. E'fld —5J 93
Hall Av. Jump —8A 58
Hall Av. Mexb —1G 78
Hall Balk La. B'ley —5E 36
Hall Balk La. Love —4N 81
Hall Brig. Clayt —4B 40
Hall Broome Gdns. Bol D —4B 60
Hallcar St. S4 —7K 109
Hall Clo. Ans —5B 128
Hall Clo. Bram B —8H 59
Hall Clo. Dron W —8D 134
Hall Clo. Hems —2K 19
Hall Clo. Wors —5H 57
Hall Clo. Av. Whis —3B 112
Hall Cotts. Morth —4G 113
Hall Ct. Dinn —3C 128
Hall Ct. Rav —1H 97
Hall Cres. Roth —2A 112
Hall Cft. Wick —9H 97
Hallcroft Dri. Arm —3M 65
Hall Cft. Ri. Roy —6J 17
Hall Cross Hill. Donc —5B 64
Hall Dri. Wath D —1K 77
Hall Dri. Work —8A 142
Hall Farm Clo. Aug —1B 126
Hall Farm Cft. Dinn —3D 128
Hall Farm Dri. Thurn —9C 40
Hall Farm Gro. H'swne —1C 54
Hall Farm Ri. Thurn —9C 40
Hall Fld. La. Ryh —2A 18
Hall Flat La. Donc —8L 63
Hall Ga. Donc —4A 64
Hall Ga. Mexb —2H 79
Hall Ga. P'stne —3N 53
Hallgate. Thurn —9C 40
Hallgate Rd. S10 —9B 108
Hall Gro. M'well —8D 16
Hall Gro. Roth —8L 95
Halliday Clo. Work —7A 142
Halliwell Clo. S5 —1E 108
Halliwell Cres. S5 —1F 108
Hall La. S6 —9L 89
Hall La. H'swne —1C 54
Hall La. N Elm —3G 20
Hall La. Nor —7H 7
Hall La. Stain —5K 25
Hall Mdw. Cft. Half —5M 137
Hall Mdw. Dri. Half —4M 137

Hall Mdw. Gro.—Hawson Way

Hall Mdw. Gro. Half —5M 137
Hall M. Rav —1H 97
Hallowes Ct. Dron —9J 135
Hallowes La. Dron —9J 135
Hallowes Ri. Dron —9K 135
Hallowmoor. —3B 108
Hallowmoor Rd. S6 —3A 108
Hall Pk. Head. S6 —7M 107
Hall Pk. Hill. S6 —7N 107
Hall Pk. Mt. S6 —7N 107
Hall Pl. B'ley —4K 37
Hall Rd. S9 —9E 110
Hall Rd. S13 —1E 124
Hall Rd. Aug —2B 126
Hall Rd. Maltby —8A 98
Hall Rd. Roth —8L 95
Hall Rd. Stain —5A 26
Hall Royd La. Silk C —1J 55
Hall Royd Wlk. Silk C —2J 55
Hallside Ct. Cant —6L 65
Hallside Ct. Mosb —4K 137
Hall St. Barn —4J 61
Hall St. Gold —3D 60
Hall St. Hoy —9M 57
Hall St. Roth —7J 95
Hall St. Womb —5E 58
Hallsworth Av. H'fld —8B 58
Hall Vw. C'town —8H 75
Hall Vw. Work —8A 142
Hall Vw. Rd. Ross —7K 83
Hall Villa La. Toll B —3L 43
Hall Wood Rd. C'town —9D 74
Hallworth Wlk. Mar L —8E 136
Hallyburton Clo. S2 —5K 123
Hallyburton Dri. S2 —5K 123
Hallyburton Rd. S2 —5K 123
Halmshaw Ter. Ben —8L 43
Halsall Av. S9 —9C 110
Halsall Dri. S9 —9B 110
Halsall Rd. S9 —9C 110
Halsbury Rd. Roth —5N 95
Halstead Gro. M'well —7B 16
Halsteads. S13 —2D 124
Halton Ct. S12 —8J 125
Hamble Ct. M'well —9D 16
Hambleton Clo. B'ley —6C 36
Hambleton Clo. Else —9B 58
Hambleton Ct. Carl L —4B 130
Hameline Rd. Con —4N 79
Hamel Ri. Hems —3K 19
Hamer Wlk. Roth —6B 96
Hamilton Clo. Donc —6C 64
Hamilton Clo. Mexb —9H 61
Hamilton Pk. Rd. Donc —1H 63
Hamilton Rd. S5 —2L 109
Hamilton Rd. Donc —6C 64
Hamilton Rd. Gold —1E 60
Hamilton Rd. Maltby —9F 98
Hamilton St. Work —4A 142
Hammerton Clo. S6 —5D 108
Hammerton Rd. S6 —5D 108
Hammond St. S3 —8F 108 (1B 4)
Hampden Cres. Lind —8J 47
Hampden Rd. Mexb —1F 78
Hamper La. H'swne —1B 54
(in two parts)
Hampole. —8N 21
Hampole Balk La. Skell —8C 22
Hampole Dri. Thurn —9B 40
Hampole Fld. La. Ham —8L 21
Hampson Gdns. E'thpe —5K 45
Hampstead Grn. Roth —4E 94
Hampton Rd. S5 —3K 109
Hampton Rd. Donc —4C 64
Hampton Rd. D'cft —9B 26
Hanbury Clo. B'ley —4L 37
Hanbury Clo. Donc —2L 81
Hanbury Clo. Dron —9G 135
Hand La. T'land —7K 55
Handley Sq. Donc F —2D 84
Handley St. S3 —7J 109
Hands Rd. S10 —8D 108
Handsworth. —2H 125
Handsworth Av. S9 —9D 110
Handsworth Cres. S9 —9D 110
Handsworth Gdns. Arm —1M 65
Handsworth Grange Clo. S13 —3G 125
Handsworth Grange Cres. S13 —2G 125
Handsworth Grange Dri. S13 —2H 125
Handsworth Grange Rd. S13 —2G 124
Handsworth Grange Way. S13 —2H 125
Handsworth Hill. —8D 110
Handsworth Rd. S9 & S13 —9D 110
Hanging Bank Ct. Ans —6C 128
Hanging Water. —3A 122
Hangingwater Clo. S11 —3A 122
Hangingwater Cotts. S11 —4A 122
(off Hangingwater Rd.)
Hangingwater Rd. S11 —4A 122
Hangman Stone La. H Mel —3M 61
Hangman Stone Rd. H Mel —6L 61
Hangram La. S11 —7K 121
Hangsman La. Dinn —9A 114
Hangthwaite La. W'land —5G 43
Hangthwaite Rd. Adw S —1H 43
Hanley Clo. S12 —7H 125
Hanmoor Rd. S6 —6L 107
Hannah Rd. S13 —4K 125
Hannas Royd. Dod —9B 36
Hanover Ct. S3 —1F 122 (6B 4)
Hanover Ct. Wors —2H 57
Hanover Sq. S3 —1G 122 (6C 4)
Hanover Sq. Thurn —8D 40
Hanover St. S3 —1G 122 (6B 4)
Hanover St. Thurn —7D 40
Hanover Way. S3 —1F 122 (5B 4)
Hansby Clo. Tick —6E 100
Hanslope Vw. Kirk S —3H 45
Hanson Rd. S6 —4M 107
Hanson St. B'ley —6G 36
Hanwell Clo. E'fld —5J 93
Harbord Rd. S8 —9F 122
Harborough Av. S2 —9N 109
Harborough Clo. S2 —1A 124
Harborough Dri. S2 —1A 124
Harborough Hill Rd. B'ley —7G 37
Harborough Ri. S2 —1A 124
Harborough Rd. S2 —1A 124
Harborough Way. S2 —2A 124
Harbury St. S13 —3L 125
Harcourt Clo. Donc —8F 64
Harcourt Cres. S10 —8E 108
Harcourt Ri. C'town —1J 93
Harcourt Rd. S10 —9E 108
Harcourt Ter. Roth —7M 95
Hardcastle Dri. S13 —4G 124
Hardcastle Gdns. S13 —4G 124
Hardcastle Rd. S13 —5G 124
Harden Clo. B'ley —6B 36
Harden Clo. P'stne —5N 53
Hardie Clo. Maltby —9F 98
Hardie Pl. Rawm —8M 77
Hardie Rd. Have —1C 18
Hardie St. Eck —7K 137
Harding Av. Rawm —6K 77
Harding Clo. Rawm —7K 77
Harding Ct. Rawm —6K 77
Harding St. S9 —6B 110
Hard La. Kiv P —3K 139
Hardwick. —2H 127
Hardwick Clo. Ast —4E 126
Hardwick Clo. Dron —8J 135
Hardwick Clo. Ryh —1A 18
Hardwick Clo. Wors —3H 57
Hardwick Ct. Birc —8L 101
Hardwick Cres. S11 —3D 122
Hardwick Cres. B'ley —1H 37
Hardwick Cres. Work —8E 142
Hardwicke Rd. Roth —5L 95
Hardwick Gro. Dod —1A 56
Hardwick La. Ast —4G 127
Hardwick Rd. E. Work —8E 142
Hardwick Rd. W. Work —8E 142
Hardwick St. Roth —5C 96
Hardy Pl. S6 —6E 108
Hardy Rd. Donc —1B 64
Hardy St. Roth —6J 95
Hardy St. Work —8B 142
Haredon Clo. M'well —7B 16
Harefield Rd. S11 —3E 122
Hare Hills La. Bols —9J 73
Harehills Rd. Roth —8L 95
Harewood Av. B'ley —7C 36
Harewood Av. Kirk S —4J 45
Harewood Av. W'land —3D 42
Harewood Ct. Birc —8L 101
Harewood Ct. Ross —6L 83
Harewood Gro. Braml —7J 97
Harewood La. Upt —1H 21
(in two parts)
Harewood Rd. Baw —5C 102
Harewood Rd. Donc —4D 64
Harewood Rd. Work —3C 142
Harewood Way. S11 —9B 122
Hargrave Pl. Thry —3E 96
Harland Rd. S11 —2F 122
Harlech Clo. C'town —8G 74
Harlech Fold. S10 —2H 121
Harlech Grn. S10 —2H 121
Harlech Gro. S10 —2H 121
Harlech Mead. S10 —2H 121
Harleston St. S4 —6L 109
(in two parts)
Harley. —5L 75
Harley Rd. S11 —6A 122
Harley Rd. Harl —5L 75
Harlington. —5H 61
Harlington Ct. Den M —3M 79
Harlington Rd. Adw D —7E 60
Harlington Rd. Mexb —1G 79
Harmby Clo. Skell —7D 22
Harmer La. S1 —9J 109 (4G 5)
Harmony Way. Cat —6J 111
Harney Clo. S9 —7C 110
Harold Av. B'ley —4M 37
Harold Av. W'land —3E 42
Harold Cft. Roth —1J 95
Harold St. S6 —6E 108
Harpenden Clo. D'cft —2C 46
Harpenden Dri. D'cft —2C 46
Harriet Clo. B'ley —9H 37
Harrington Ct. B'ley —4M 37
Harrington Rd. S2 —3H 123
Harrington St. Donc —3A 64
Harrington St. Work —8A 142
Harrison Dri. L'gld —9B 116
Harrison Dri. Bus. Cen. L'gld —8C 116
Harrison La. S10 —4H 121
Harrison Rd. S6 —5C 108
Harrison St. Roth —7G 94
Harris Rd. S6 —2C 108
Harrogate Dri. Den M —3K 79
Harrogate Rd. Swal —5B 126
Harrop Dri. Swint —5B 78
Harrop Garden Flats. Swint —3C 78
(off Queen St.)
Harrop La. S10 —5H 121
Harrowden Ct. S9 —2E 110
Harrowden Rd. S9 —2E 110
Harrowden Rd. Donc —1B 64
Harrow Rd. Arm —9M 45
Harrow St. S11 —2G 122 (7C 4)
Harrow St. S Elm —6D 20
Harry Firth Clo. S9 —7A 110
Harry Rd. B'ley —5C 36
Harstoft Av. Work —5C 142
Hartcliff Av. P'stne —4M 53
Hartcliffe La. P'stne —6H 53
Hartcliffe Vw. T'land —8H 55
Hartcliff Hill Rd. P'stne —7J 53
Hartcliff Rd. P'stne —7F 52
Hartford Clo. S8 —8H 123
Hartford Rd. S8 —8H 123
Harthill. —4K 139
Hart Hill. Rawm —6K 77
Harthill Fld. Rd. H'hill —5L 139
Harthill La. Blbgh —9K 139
Harthill Rd. S13 —4B 124
Harthill Rd. Con —5M 79
Harthill Rd. H'hill & Thor S —3A 140
Hartington Av. S7 —8D 122
Hartington Clo. Roth —7G 94
Hartington Ct. Dron —8J 135
Hartington Dri. B'ley —4G 36
Hartington Rd. S7 —8D 122
Hartington Rd. Dron —8J 135
Hartington Rd. Roth —7G 95
Hartland Av. Soth —9N 125
Hartland Ct. Soth —9N 125
Hartland Cres. E'thpe —6J 45
Hartland Dri. Soth —9N 125
Hartland Rd. Work —8B 142
Hartley Brook Av. S5 —7K 93
Hartley Brook Rd. S5 —7K 93
Hartley Clo. S Elm —5F 20
Hartley La. Roth —6J 95
Hartley St. S2 —4H 123
Hartley St. Mexb —2E 78
Hartopp Av. S2 —5K 123
Hartopp Clo. S2 —5K 123
Hartopp Dri. S2 —5L 123
Hartopp Rd. S2 —5K 123
Harts Head. S1 —8J 109 (2F 5)
Harvest Clo. Bal —7K 63
Harvest Clo. E'thpe —5K 45
Harvest Clo. Maltby —9A 98
Harvest Clo. Work —3E 142
Harvest Clo. Wors —3H 57
Harvest La. S3 —7H 109
Harvest Rd. Wick —8G 96
Harvey Clo. Finn —2G 85
Harvey Clough M. S8 —8J 123
Harvey Clough Rd. S8 —8H 123
Harvey Rd. C'town —9H 75
Harvey St. B'ley —8E 36
Harvey St. Deep —5F 72
Harwell. —9K 103
Harwell La. Eve —9K 103
Harwell Rd. S8 —4G 123
Harwell Sluice La. H'well —8K 103
Harwich Rd. S2 —2M 123
Harwood Clo. S2 —3H 123
Harwood Dri. Wat —1K 137
Harwood Gdns. Wat —1L 137
Harwood St. S2 —3H 123
Harwood Ter. B'ley —6M 37
Harworth. —9J 101
Harworth Av. Blyth —6K 117
Harworth Pk. Ind. Est. Harw —3K 117
Harworth Pl. Baw —6C 102
Harworth Rd. Blyth —5K 117
Haslam Cres. S8 —4E 134
Haslam Pl. Maltby —7F 98
Haslam Rd. New R —5J 83
Haslehurst Rd. S2 —1M 123
Haslemere Gro. Donc —1L 63
Hassop Clo. Dron —8K 135
Hastilar Clo. S2 —3B 124
Hastilar Rd. S2 —3B 124
Hastilar Rd. S. S13 —3C 124
Hastings Mt. S7 —7D 122
Hastings Rd. S7 —7D 122
Hastings St. Grim —1G 39
Hatchell Dri. Donc —1K 83
Hatchell Wood Vw. Donc —1L 83
Hatfield. —9E 26
Hatfield Clo. B'ley —1F 36
Hatfield Cres. Dinn —1A 128
Hatfield Gdns. Roy —5J 17
Hatfield Ho. Donc —5N 63
(off St James St.)
Hatfield Ho. Ct. S5 —8L 93
Hatfield Ho. Cft. S5 —8L 93
Hatfield Ho. La. S5 —9K 93
Hatfield La. Barn D —1J 45
(in two parts)
Hatfield La. E'thpe & Arm —6L 45
Hatfield Rd. Thorne —3K 27
Hatfield Water Pk. —8F 26
Hatfield Woodhouse. —2H 47
Hatherley Rd. S9 —1E 110
Hatherley Rd. Roth —5L 95
Hatherley Rd. Swint —1C 78
Hathersage Rd. Bam —9D 118
Hathersage Rd. Grin & S17 —5D 132
Hatter Dri. Edl'tn —6F 80
Hatton Clo. Dron W —9E 134
Hatton Rd. S6 —5E 108
Haugh Grn. Rawm —6K 77
Haugh La. S11 —7A 122
Haugh Rd. Rawm —6J 77
Haughton Rd. S8 —9G 123
Hauxwell Clo. Skell —7D 22
Havelock Rd. Donc —6N 63
Havelock St. S10 —1F 122 (5A 4)
Havelock St. B'ley —8E 36
Havelock St. D'fld —2G 58
Havenfield. D'fld —1G 59
Haven Hill. Blyth —6A 116
Havercroft. —1C 18
Havercroft Pl. Kil —4A 138
Havercroft Ri. S Hien —3E 18
Havercroft Rd. S8 —7F 122
Havercroft Rd. Roth —1B 112
Havercroft Ter. Kil —3A 138
Haverdale Ri. B'ley —5E 36
Haverdale Rd. Have —1C 18
Haverlands La. Wors —3E 56
Haverlands Ridge. Wors —3G 57
Haverlands, The. Hems —3L 19
Haw Ct. Silk —7H 35
Hawes Clo. Mexb —9H 61
Hawfield Clo. Donc —6L 63
Hawke Clo. Nor —7J 7
Hawke Clo. Rawm —7J 77
Hawkehouse Grn. La. Moss —2F 24
Hawke Rd. Donc —1C 64
Hawke St. S9 —4A 110
Hawk Hill La. Thur —8J 113
Hawkhills. S6 —6A 108
Hawkins Av. Burn —9F 74
Hawkins Clo. Harw —8K 101
Hawkshead Av. Dron W —9E 134
Hawkshead Cres. Ans —5D 128
Hawkshead Rd. S4 —3N 109
Hawksley Av. S6 —4D 108
Hawksley Clo. Arm —1L 65
Hawksley Ct. Arm —9L 45
Hawksley M. S6 —4D 108
Hawksley Ri. O'bri —7M 91
Hawksley Rd. S6 —4D 108
Hawks Nest Owl Sanctuary. —8B 102
Hawksway. Eck —7H 137
Hawksworth Clo. Roth —6B 96
Hawksworth Rd. S6 —6E 108
Hawksworth Rd. Roth —6B 96
Hawkwell Bank. Ard —8A 38
Hawley St. S1 —8H 109 (2E 4)
Hawley St. App —9A 136
Hawley St. Rawm —9M 77
Haworth Bank. Roth —3M 111
Haworth Clo. B'ley —5J 37
Haworth Cres. Roth —3M 111
Hawshaw La. Hoy —9K 57
Hawson St. Womb —5E 58
Hawson Way. Gate —3N 141

Hawthorn Av.—Highfield Cen.

Hawthorn Av. Arm —8L 45
Hawthorn Av. Maltby —8B 98
Hawthorn Av. Wat —1K 137
Hawthorne Av. Ans —8B 128
Hawthorne Av. Dron —7H 135
Hawthorne Av. D'ville —4A 46
Hawthorne Av. Hems —3K 19
Hawthorne Av. Nor —7K 7
Hawthorne Av. Rawm —9N 77
Hawthorne Av. S'bri —4B 72
Hawthorne Av. Thorne —9K 11
Hawthorne Chase. Swint —3B 78
Hawthorne Clo. Kil —5C 138
Hawthorne Ct. Dart —9K 15
Hawthorne Ct. Roth —6A 96
Hawthorne Cres. Dod —8N 35
Hawthorne Cres. Hems —3J 19
Hawthorne Cres. Mexb —1D 78
Hawthorne Cres. Skell —8E 22
Hawthorne Cft. Gold —2B 60
Hawthorne Farm Ct. Bol D —5C 60
Hawthorne Flats. Thurn —7C 40
Hawthorne Gro. Ben —6M 43
Hawthorne Gro. Thorne —9K 11
Hawthorne Rd. Auc —2C 84
Hawthorne Rd. Thorne —9K 11
Hawthorne Rd. Wath D —1N 77
Hawthornes, The. Beig —7M 125
Hawthorne St. S6 —6C 108
Hawthorne St. B'ley —8F 36
Hawthorne St. Shaf —6C 18
Hawthorne Way. Shaf —6C 18
Hawthorn Gro. Con —6M 79
Hawthorn Gro. Silk —7H 35
Hawthorn Rd. S6 —4C 108
Hawthorn Rd. Eck —8H 137
Hawthorn Rd. High G —7F 74
Hawthorn Ter. S10 —9D 108
(off Parker's La.)
Hawthorn Way. Carl L —4B 130
Hawtop La. Wool —3A 16
Haxby Clo. S13 —5E 124
Haxby Pl. S13 —5E 124
Haxby St. S13 —5E 124
Haybrook Ct. S17 —5N 133
Haydn Rd. Maltby —9F 98
Haydock Clo. Mexb —9G 61
Haydon Gro. Flan —7G 96
Hayes Ct. Half —4L 137
Hayes Cft. B'ley —7G 36
Hayes Dri. Half —4K 137
Hayes La. Fish —9C 10
(in two parts)
Hayfield Clo. Barn D —1K 45
Hayfield Clo. Dod —9N 35
Hayfield Clo. Dron W —9E 134
Hayfield Clo. Schol —4H 31
Hayfield Cres. S12 —8D 124
Hayfield Dri. S12 —8D 124
Hayfield La. Auc —3M 83
Hayfield Pl. S12 —8D 124
Hayfield Vw. Eck —7H 137
Hayfield Wlk. Roth —4E 94
(off Byrley Rd.)
Hay Green. —1D 26
(Fishlake)
Hay Green. —7G 57
(Worsbrough)
Hay Grn. La. Birdw —8G 56
Hayhurst Cres. Maltby —9E 98
Hayland St. S9 —2B 110
Haylock Clo. Hghm —5N 35
Haymarket. S1 —8J 109 (2G 5)
Haynes Clo. Thorne —3L 27
Haynes Gdns. Thorne —2L 27
Haynes Grn. Thorne —2L 27
Haynes Gro. Thorne —3L 27
Haynes Rd. Thorne —2L 27
Haythorne Way. Swint —5C 78
Haywagon Mobile Home Pk. Adw S —1H 43
Haywood. —3B 24
Haywood Av. Deep —5F 72
Haywood Clo. Roth —6B 96
Haywood La. Deep —5F 72
Haywood La. H'lme —5N 23
(in two parts)
Haywood Pl. Ask —1M 23
Haywood Rd. Deep —5F 72
Hazel Av. Auc —2C 84
Hazel Av. Crow —6M 29
Hazel Av. Kil —5B 138
Hazelbadge Cres. S12 —8E 124
Hazel Ct. Rav —5K 97
Hazel Gro. Arm —9M 45
Hazel Gro. C'town —1H 93
Hazel Gro. Con —5N 79
Hazel Gro. New R —6J 83
Hazel Gro. Wick —8H 97
Hazelhurst. S8 —4J 135
(off Jordanthorpe Cen.)
Hazelhurst Clo. Dalt —4C 96
Hazelhurst La. S8 —2N 135
Hazel La. Ham —7M 21
Hazel Rd. D'cft —8B 26
Hazel Rd. Eck —8J 137
Hazel Rd. Edl'tn —4F 80
Hazel Rd. Maltby —8B 98
Hazelshaw. Dod —1B 56
Hazelshaw Gdns. High G —7E 74
Hazelwood Clo. Dron W —9D 134
Hazelwood Dri. Swint —6C 78
Hazelwood Gdns. Hems —3L 19
Hazelwood Gro. Work —8M 141
Hazlebarrow Clo. S8 —4J 135
Hazlebarrow Ct. S8 —3J 135
Hazlebarrow Cres. S8 —4J 135
Hazlebarrow Dri. S8 —3J 135
Hazlebarrow Gro. S8 —3K 135
Hazlebarrow Rd. S8 —4J 135
Hazledene Cres. Shaf —8D 18
Hazledene Rd. Shaf —8C 18
Headford Gdns. S3 —1G 122 (5B 4)
Headford Gro. S3 —1G 122 (5C 4)
Headford M. S3 —1G 122 (6C 4)
Headford Pde. S3 —5C 4
Headford St. S3 —1G 122 (5C 4)
Headingley Clo. Kirk S —3J 45
Headingley Rd. Nor —7H 7
Headingley Way. Edl'tn —3G 80
Headland Dri. S10 —9B 108
Headland Rd. S10 —9B 108
Headlands Rd. Hoy —9L 57
Heads La. Bols —8B 72
Heald La. Caw —5B 34
Heath Av. Kil —5C 138
Heath Bank Rd. Donc —9F 44
Heathcote St. S4 —3L 109
Heatherbank Rd. Donc —8H 65
Heather Clo. Roth —9L 95
Heather Clo. S Kirk —6C 20
Heather Clo. Tick —5E 100
Heather Ct. Bol D —4A 60
Heather Ct. Braml —9J 97
Heatherdale Rd. Maltby —8F 98
Heather Knowle. Dod —9B 36
Heather Lea Av. S17 —3L 133
Heather Lea Pl. S17 —3L 133
Heather Rd. S5 —1M 109
Heather Wlk. Bol D —4A 60
Heatherwood Clo. Donc —1F 64
Heathfield Clo. Barn D —2K 45
Heathfield Clo. Dron —9G 135
Heathfield Rd. S12 —7D 124
Heath Gro. Bol D —6A 60
Heath Ho. Donc —5N 63
(off St James St.)
Heath Rd. S6 —9E 92
Heath Rd. Deep —6F 72
Heathy La. S6 —7K 105
Heaton Clo. Dron W —9E 134
Heaton Gdns. Edl'tn —4G 80
Heatons Bank. Rawm —8N 77
Heator La. Up Cum —1D 32
Heavens Wlk. Donc —6A 64
Heavygate Av. S10 —6C 108
Heavygate Rd. S10 —6D 108
Hebble Dri. Holmf —1E 30
Hebble La. Melt —2E 30
Hedge Hill Rd. Thurls —4K 53
Hedge La. Dart —1M 35
(in three parts)
Hedgerows, The. Adw D —7F 60
Heeley. —5J 123
Heeley Bank Rd. S2 —4J 123
Heeley Baths. —5G 123
Heeley City Farm. —4H 123
Heeley Grn. S2 —5J 123
Heeley Retail Pk. S8 —5G 123
Heelis St. B'ley —8G 36
Heighton Vw. Aug —2C 126
Heights, The. Holmf —5G 31
Heights Vw. T'land —9J 55
Helena Clo. B'ley —8E 36
Helena St. Mexb —1F 78
Helensburgh Clo. B'ley —6D 36
Hellaby. —8N 97
Hellaby (Euroway) Ind. Est. H'by —7M 97
Hellaby Hall Rd. H'by —9N 97
Hellaby La. H'by —8N 97
(in two parts)
Hellaby Vw. Rav —6J 97
Hellin La. Caw —3H 35
Helliwell Ct. Deep —7G 72
Helliwell La. Deep —7G 73
Helmsley Av. Half —3K 137
Helmsley Clo. Swal —5B 126
Helmton Dri. S8 —9H 123
Helmton Rd. S8 —9G 123
Helston Cres. B'ley —5J 37
Helston Ri. S7 —7D 122
Hemingfield. —8C 58
Hemingfield Hatt. —9C 58
Hemmingfield Clo. Work —2C 142
Hemmingfield Cres. Work —2C 142
Hemmingfield Ri. Work —2C 142
Hemmingfield Rd. Womb —6B 58
Hemmingfield Rd. Work —3C 142
Hemmingfield Way. Work —2D 142
Hemmingway Clo. Tree —8L 111
Hemper Gro. S8 —3E 134
Hemper La. S8 —4E 134
Hemp Pits Rd. Ark —7A 44
Hemsworth. —9L 123
(Gleadless)
Hemsworth. —2K 19
(Highfield)
Hemsworth By-Pass. Brie & Hems —5H 19
Hemsworth Marsh. —1M 19
Hemsworth Rd. S8 —9H 123
Hemsworth Rd. Hems —4L 19
Henderson Glen. Roy —6H 17
Hendon St. S13 —2F 124
Hengist Rd. Donc —5K 63
Henley Av. S8 —2J 135
Henley Gro. Rd. Roth —6H 95
(in two parts)
Henley La. Roth —5G 95
Henley Ri. Roth —5G 95
Henley Rd. Donc —2F 64
Henley Way. Roth —5G 95
Hennings Clo. Donc —8E 64
Hennings La. Donc —7E 64
Hennings Rd. Donc —1F 82
Henry Av. Have —1C 18
Henry Clo. Shaf —6C 18
Henry Ct. Roth —6K 95
Henry Ct. Thorne —9L 11
Henry La. New R —4G 83
Henry Pl. Mexb —1H 79
Henry Rd. Wath D —9N 59
Henrys St. Wors —2H 57
Henry St. S3 —7G 108 (1C 4)
Henry St. Eck —7K 137
Henry St. High G —7D 74
Henry St. P'gte —2M 95
Henry St. Roth —6K 95
(in two parts)
Henry St. Womb —3F 58
Henshall St. B'ley —8H 37
Henson St. S9 —6B 110
Heppenstall La. S9 —6N 109
Heptinstall St. Wors —2J 57
Hepworth. —6J 31
Hepworth Cres. Hep —6J 31
Hepworth Dri. Swal —4C 126
(in two parts)
Hepworth Rd. Donc —8K 63
Hepworth Rd. Jack B —5J 31
Herald Rd. E'thpe —7H 45
Herbert Clo. Donc —2L 63
Herbert Rd. S7 —5F 122
Herbert Rd. Donc —2L 63
Herbert St. Mexb —1G 79
Herbert St. Roth —6E 94
Herdings. —8M 123
Herdings Ct. S12 —8A 124
Herdings Rd. S12 —8A 124
Herdings Vw. S12 —8N 123
Hereford Clo. Hems —1K 19
Hereford Clo. Work —4D 142
Hereford Rd. Donc —9E 44
Hereford St. S1 —2H 123 (6E 4)
(in three parts)
Hereward Ct. Con —4C 80
Hereward Rd. S5 —9J 93
Hereward's Rd. S8 —1L 135
Hermes Clo. Baw —5B 102
Hermitage St. S2 —2G 123 (7D 4)
Hermitage, The. Moor —7M 11
Hermit Hill. —9B 56
Hermit Hill La. Wort —2M 73
Hermit La. Hghm —6N 35
Heron Glade. Gate —3N 141
Heron Hill. Ast —5D 126
Heron Mt. S2 —1M 123
Herons Way. Bal —8A 64
Herons Way. Birdw —7G 57
Herrick Dri. Work —6F 142
Herrick Gdns. Donc —9N 63
Herrick Rd. Barn D —9J 25
Herries Av. S5 —2H 109
Herries Dri. S5 —2H 109
Herries Pl. S5 —2H 109
Herries Rd. S6 & S5 —2D 108
(in two parts)
Herries Rd. S. S6 —2D 108
Herril Ings. Tick —5E 100
Herringthorpe. —8A 96
Herringthorpe Av. Roth —9A 96
Herringthorpe Clo. Roth —8A 96
Herringthorpe Gro. Roth —9B 96
Herringthorpe La. Roth —8B 96
Herringthorpe Valley Rd. Roth —5B 96
Herriot Gro. Birc —9K 101
Herschell Rd. S7 —4G 123
(in two parts)
Herten Way. Donc —6E 64
Hesketh Dri. Kirk S —4K 45
Hesley Bar. Thpe H —1M 93
Hesley Ct. Den M —3L 79
Hesley Ct. Swint —5B 78
Hesley Grange. Scho —3B 94
Hesley Gro. C'town —1K 93
Hesley La. Thpe H —1M 93
Hesley M. Scho —3C 94
Hesley Rd. S5 —6L 93
Hesley Rd. New R —6J 83
Hesley Ter. S5 —6L 93
Heslop Ct. Work —7A 142
Heslow Gro. Thpe H —9M 75
Hessey St. S13 —5F 124
Hessle Rd. S6 —2C 108
Hethersett Way. New R —7H 83
Hewitt Pl. H'hill —5K 139
Hewitt St. Mexb —1H 79
Hexthorpe. —5M 63
Hexthorpe Bus. Pk. Donc —6M 63
Hexthorpe Rd. Donc —5M 63
Heycliffe Rd. Holmf —3F 30
Heyhouse Dri. C'town —7G 75
Heyhouse Way. C'town —7G 75
Heys Gdns. T'bri —1F 30
Heysham Grn. B'ley —2L 37
Hey Slack La. Cumb —6N 31
Heys Rd. T'bri —1G 30
Heyworth La. Moss —1A 24
Hibberd Pl. S6 —4B 108
Hibberd Rd. S6 —4B 108
(in two parts)
Hibbert Ter. B'ley —9G 37
(off Walnut Clo.)
Hickleton. —9H 41
Hickleton Ct. Thurn —9B 40
Hickleton Golf Course. —8G 41
Hickleton Rd. Barn —3H 61
Hickleton St. Den M —3L 79
Hickleton Ter. Thurn —9D 40
Hickmott Rd. S11 —3E 122
Hickson Dri. B'ley —4M 37
Hicks St. S3 —6H 109
Hides St. S9 —4B 110
High Alder Rd. Bes —7F 64
Higham. —5N 35
Higham Comn. Rd. Hghm —5N 35
Higham Ct. Hghm —5N 35
Higham La. Hghm & Dod —6N 35
Higham Vw. Dart —1M 35
High Ash Av. Clayt W —7C 14
High Ash Clo. Notton —2G 17
High Ash Dri. Ans —8B 128
High Bank. Thry —3D 96
High Bank. Thurls —3K 53
High Bank La. Thurls —2G 52
High Bradfield. —7D 90
High Bri. Rd. Thorne —3N 27
Highbury Av. Donc —7H 65
Highbury Cres. Donc —7H 65
Highbury Va. Edl'tn —5E 80
Highcliffe Ct. S11 —4B 122
Highcliffe Ct. Swint —3C 78
Highcliffe Dri. S11 —5A 122
Highcliffe Dri. O'bri —7M 91
Highcliffe Dri. Swint —3C 78
Highcliffe Pl. S11 —5A 122
Highcliffe Rd. S11 —4A 122
High Clo. Dart —8M 15
High Comn. La. Aus —7A 84
High Comn. La. Tick —5J 101
High Ct. S1 —8J 109 (2G 5)
Highcroft. S11 —4B 122
High Cft. Hoy —1M 75
Highcroft. U'thng —3C 30
High Cft. Dri. B'ley —9G 16
Higher Stubbin. —7H 77
Highfield. —3K 19
(Hemsworth)
Highfield. —2H 123 (7F 5)
(Sheffield)
Highfield. Wath D —9M 59
Highfield Av. B'ley —2H 37
Highfield Av. Birds —4D 32
Highfield Av. Gold —2C 60
Highfield Av. Kiv P —8K 127
Highfield Av. Wors —1G 56
Highfield Cen. Hems —3K 19

Highfield Clo. *Barn D* —1K **45**
Highfield Ct. *Shep* —2B **32**
Highfield Ct. *Swint* —3B **78**
Highfield Ct. *Womb* —4C **58**
Highfield Cres. *Thorne* —1J **27**
Highfield Gro. *Carl L* —6E **130**
Highfield Gro. *Wath D* —8G **59**
Highfield La. *S13* —1H **125**
Highfield La. *Ask* —5E **24**
High Field La. *Baw* —2D **102**
Highfield La. *Wome* —1G **7**
Highfield La. *Work* —9F **142**
Highfield Pk. *Maltby* —7B **98**
Highfield Pl. *S2* —3H **123**
Highfield Pl. *Hems* —3J **19**
Highfield Range. *D'fld* —9G **39**
Highfield Ri. *S6* —6K **107**
Highfield Rd. *Ask* —1M **23**
Highfield Rd. *Baw* —2D **102**
Highfield Rd. *Con* —4B **80**
Highfield Rd. *D'fld* —1G **58**
Highfield Rd. *Donc* —3B **64**
Highfield Rd. *Hems* —4J **19**
Highfield Rd. *Roth* —3J **95**
Highfield Rd. *Swint* —3A **78**
Highfields. —6F 42
Highfields. *Crow* —7N **29**
Highfields. *H'swne* —1B **54**
Highfields Country Pk. —7F **42**
High Fld. Spring. *S13* —8G **111**
Highfields Rd. *Dart* —9K **15**
Highfield Vw. *Cat* —6J **111**
Highfield Vs. *Cost* —3C **130**
High Fisher Ga. *Donc* —3A **64**
High Flatts. —5F 32
Highgate. —2B 60
Highgate. *S9* —2E **110**
(in two parts)
High Ga. *Holmf* —6E **30**
Highgate. *Womb* —5H **59**
Highgate Clo. *New R* —6K **83**
Highgate Ct. *Gold* —3B **60**
Highgate La. *Bol D & Gold* —4B **60**
High Ga. Way. *Shaf* —7C **18**
Highgreave. *S5* —6K **93**
High Greave Av. *S5* —6J **93**
High Greave Ct. *S5* —6K **93**
High Greave Pl. *Roth* —6B **96**
High Greave Rd. *Roth* —5B **96**
High Green. —6E 74
High Grounds Rd. *Rhod* —6M **141**
High Grounds Way. *Rhod* —6M **141**
Highgrove Ct. *Donc* —9K **65**
High Hazel Ct. *Tree* —8L **111**
High Hazel Cres. *Cat* —6J **111**
High Hazel Rd. *Moor* —6M **11**
High Hazels Clo. *S9* —8D **110**
High Hazels Mead. *S9* —8D **110**
High Hoe Ct. *Work* —7D **142**
High Hoe Dri. *Work* —7D **142**
High Hoe Rd. *Work* —7D **142**
High Hooton Rd. *Lghtn & Hoot L* —4C **114**
High Ho. Farm Ct. *Wal* —9G **126**
High Ho. Ter. *S6* —5E **108**
High Hoyland. —8E 14
High Hoyland La. *H Hoy* —1D **34**
Highland Gro. *Work* —5D **142**
Highlane. —1E 136
High La. *S12* —1E **136**
High La. *Holmf* —5G **30**
High La. *P'stne* —9G **32**
High La. *Thur* —1G **127**
High Lee La. *H'swne* —2B **54**
High Levels Bank. *Thorne & Crow* —6L **27**
Highlow Vw. *B'wth* —3J **111**
High Matlock Av. *S6* —6M **107**
High Matlock Rd. *S6* —5M **107**
High Mdw. *Baw* —6B **102**
High Melton. —7N 61
Highmill Av. *Swint* —3N **77**
High Moor. —5E 138
Highmoor Av. *Kiv P* —9H **127**
Highnam Cres. Rd. *S10* —9D **108**
High Nook Rd. *Dinn* —3E **128**
High Pk. *Darf* —9K **141**
High Pavement Row. *S2* —8K **109** (2K **5**)
High Ridge. *Wors* —2G **57**
Highridge Clo. *Con* —5B **80**
High Rd. *Carl L* —6D **130**
High Rd. *Donc* —8L **63**
High Rd. *Edl'tn* —5F **80**
High Rd. *Warm* —9G **63**
High Royd Av. *Cud* —2B **38**
High Royd La. *Hoy* —7J **57**
High Royd La. *H'swne* —2C **54**
Highroyds. *Wors* —1G **56**
High St. *Barn* —4H **61**
Highstone Av. *B'ley* —9F **36**
Highstone Corner. *Wors* —1G **57**

Highstone Cres. *B'ley* —9F **36**
Highstone La. *Wors* —1G **56**
Highstone Rd. *B'ley* —9G **36**
Highstone Va. *B'ley* —9F **36**
High Storrs Clo. *S11* —5A **122**
High Storrs Cres. *S11* —4B **122**
High Storrs Dri. *S11* —5A **122**
High Storrs Ri. *S11* —4B **122**
High Storrs Rd. *S11* —5A **122**
High St. *S1* —9J **109** (3F **5**)
High St. *S9* —2C **110**
High St. *S17* —3M **133**
High St. *Ans* —7B **128**
High St. *App* —9A **136**
High St. *Ark* —6A **44**
High St. *Ask* —2L **23**
High St. *Aus* —4E **102**
High St. *Barn D* —1H **45**
High St. *B'ley* —6F **36**
High St. *Baw* —7C **102**
High St. *Beig* —7N **125**
High St. *Belt* —4N **67**
High St. *Ben* —9L **43**
High St. *Blyth* —9L **117**
High St. *Bol D* —5B **60**
High St. *Braith* —3E **98**
High St. *Cam* —1G **22**
High St. *Carc* —9G **22**
High St. *Clayt W* —7B **14**
High St. *Con* —4A **80**
High St. *Crow* —7M **29**
High St. *Dart* —7B **16**
High St. *Dod* —9A **36**
High St. *Donc* —4N **63**
High St. *Dron* —9H **135**
High St. *D'ville* —5N **45**
High St. *E'fld* —5H **93**
High St. *Eck* —7J **137**
High St. *Gold* —2D **60**
High St. *Gt Hou* —6K **39**
High St. *Grim* —2F **38**
High St. *Hat* —1E **46**
High St. *Hoy* —9M **57**
High St. *Kil* —4C **138**
High St. *K'wth* —6E **94**
High St. *Lghtn* —7B **114**
High St. *L Hou* —9M **39**
High St. *Maltby* —8E **98**
High St. *Mexb* —2F **78**
High St. *Misson* —3K **103**
High St. *Monk B* —4K **37**
High St. *Mosb* —3J **137**
High St. *Nor* —7H **7**
High St. *P'stne* —4N **53**
High St. *Rawm* —1M **95**
High St. *Roth* —7K **95**
High St. *Roy* —6H **17**
High St. *Shaf* —6C **18**
High St. *Silk* —9J **35**
High St. *S Elm* —6F **20**
High St. *S Hien* —4E **18**
High St. *Swal* —4B **126**
High St. *Thurn* —8A **40**
High St. *Upt* —2F **20**
High St. *Wadw* —7M **81**
High St. *Wath D* —9M **59**
High St. *Whis* —3A **112**
High St. *Womb* —4D **58**
High St. *Wool* —2A **16**
High St. *Wors* —2J **57**
High St. La. *S2* —9K **109** (3J **5**)
Highthorne Way. *Kiv P* —8L **127**
Highthorn Rd. *Kiln* —5C **78**
High Thorns. *Silk* —8H **35**
Highthorn Vs. *Kiln* —5D **78**
Highton St. *S6* —6D **108**
Hightown La. *Holmf* —3E **30**
High Trees. *S17* —3M **133**
High Trees. *Roth* —1A **112**
High Vw. *S5* —4H **109**
High Vw. *Roy* —6J **17**
High Vw. Clo. *D'fld* —1H **59**
High Well Hill La. *S Hien* —3B **18**
High Wincobank. —9A 94
Highwood Clo. *Dart* —9L **15**
Highwood Pl. *Eck* —7J **137**
Highwoods. —1D 78
Highwoods Cres. *Mexb* —1D **78**
Highwoods Rd. *Mexb* —1D **78**
High Wray Clo. *S11* —7C **122**
Higson Row. *Clayt W* —6B **14**
Hilary Way. *Swal* —4C **126**
Hilda Ter. *Grim* —2F **38**
Hild Av. *Cud* —4D **38**
Hill. —3D 30
Hillary Ho. *Donc* —1C **64**
Hill Clo. *S6* —6L **107**
Hill Clo. *Roth* —9D **96**
Hillcote Clo. *S10* —2M **121**

Hillcote Dri. *S10* —2M **121**
Hillcote M. *S10* —2M **121**
Hillcote Ri. *S10* —2M **121**
Hillcrest. *Harw* —9K **101**
Hill Crest. *Have* —1C **18**
Hillcrest. *Hems* —3K **19**
(off Highfield Rd.)
Hill Crest. *Hoy* —1K **75**
Hill Crest. *Skell* —8C **22**
Hill Crest. *Thry* —2D **96**
Hillcrest. *Thurn* —9B **40**
Hillcrest Dri. *Ans* —7B **128**
Hillcrest Dri. *O'bri* —7L **91**
Hillcrest Ri. *Deep* —6H **73**
Hill Crest Rd. *C'town* —9G **75**
Hillcrest Rd. *Deep* —6G **73**
Hillcrest Rd. *Donc* —1D **64**
Hill Crest Rd. *Roth* —6A **96**
Hill End Rd. *M'well* —1D **36**
Hill Est. *Upt* —1G **20**
Hill Farm Clo. *Thurn* —9A **40**
Hillfold. *S Elm* —6G **20**
Hillfoot. —5E 108
(Owlerton)
Hillfoot. —5M 133
(Totley)
Hillfoot Rd. *S3* —6F **108**
Hillfoot Rd. *S17* —5L **133**
Hill Gdns. *Harw* —9K **101**
Hill Ho. La. *Holmf* —6B **30**
Hill Ho. Rd. *Holmf* —6C **30**
Hill La. *U'thng* —3B **30**
(in two parts)
Hill Rd. *Birc* —9J **101**
Hillsborough. —2C 108
Hillsborough Arc., The. *S6* —4D **108**
Hillsborough Barracks Bus. & Shop. Cen.
          S6 —4E **108**
Hillsborough Golf Course. —1M **107**
Hillsborough Leisure Cen. —3E **108**
Hillsborough Pl. *S6* —4D **108**
Hillsborough Rd. *S6* —4D **108**
Hillsborough Rd. *Donc* —7H **65**
Hills Clo. *Spro* —5J **63**
Hillscroft Rd. *Blax* —1G **85**
Hillside. —7G 18
(Brierley)
Hill Side. —5J 53
(Penistone)
Hillside. *Ans* —5B **128**
Hillside. *B'ley* —8A **38**
Hillside. *Denb D* —2J **33**
Hillside. *Mosb* —3J **137**
Hill Side. *Thpe H* —1N **93**
Hill Side. *Thry* —3D **96**
Hill Side. *Whis* —3A **112**
Hillside Av. *S5* —7J **93**
Hillside Av. *Dron* —9H **135**
Hill Side Av. *Hep* —6J **31**
Hillside Clo. *H'swne* —1B **54**
Hillside Ct. *Roth* —4K **95**
Hillside Ct. *S Elm* —5F **20**
Hillside Ct. *Spro* —7F **62**
Hillside Cres. *Brie* —7G **18**
Hillside Cres. *Work* —5C **142**
Hillside Dri. *Edl'tn* —5E **80**
Hillside Dri. *Hoy* —1N **75**
Hillside Gdns. *C'town* —7G **74**
Hillside Gro. *Brie* —7F **18**
Hill Side La. *Thurls* —5J **53**
Hillside Mt. *Brie* —7G **18**
Hillside Rd. *Donc* —9F **44**
Hillside Way. *Wort* —2M **73**
Hills Rd. *Deep* —5F **72**
Hill St. *S2* —2G **123**
Hill St. *B'ley* —8M **37**
Hill St. *D'fld* —2G **58**
Hill St. *Else* —1A **76**
Hill St. *Jack B* —5J **31**
Hill St. *Work* —8B **142**
Hill Top. —2G 36
(Barnsley)
Hill Top. —7L 79
(Conisbrough)
Hill Top. —6N 121
(Ecclesall)
Hill Top. —9E 34
(Hoylandswaine)
Hill Top. —7C 94
(Kimberworth)
Hill Top. —5K 91
(Oughtibridge)
Hill Top. —5G 106
(Stannington)
Hilltop. *Brie* —6F **18**
Hill Top. *Caw* —3G **35**
Hilltop Av. *B'ley* —8F **16**
Hill Top Clo. *B'wth* —3H **111**
Hill Top Clo. *K'wth* —7D **94**

Hill Top Clo. *Maltby* —7B **98**
Hill Top Clo. *Notton* —3J **17**
Hill Top Ct. *Birc* —9K **101**
Hill Top Cres. *Donc* —9F **44**
Hill Top Cres. *Edl'tn* —6F **80**
Hill Top Cres. *Wat* —1K **137**
Hilltop Dri. *O'bri* —4K **91**
Hilltop Est. *S Kirk* —8M **19**
Hilltop Gdns. *Den M* —4L **79**
Hill Top La. *B'ley* —5C **36**
Hill Top La. *Gren* —5B **92**
Hill Top La. *Roth* —7D **94**
(S61)
Hill Top La. *Roth & Flan* —6E **96**
(S65)
Hill Top La. *Wort* —3E **72**
Hill Top Ri. *Gren* —6E **92**
Hill Top Rd. *S6* —5F **106**
Hill Top Rd. *Birdw* —7G **56**
Hill Top Rd. *Den M & Con* —3K **79**
Hill Top Rd. *Gren* —6E **92**
Hill Top Rd. *Holmf* —7D **30**
Hill Top Smithies. *B'ley* —2G **36**
Hill Top Ter. *Clayt W* —7C **14**
Hill Top Vw. *Hade E* —8F **30**
Hill Turrets Clo. *S11* —7A **122**
Hill Vw. E. *Roth* —5D **94**
Hill Vw. Rd. *Roth* —5D **94**
Hillwood Clo. *Work* —8M **141**
Hilmian Way. *Hems* —4M **19**
Hilton Dri. *E'fld* —5J **93**
Hilton St. *Ask* —1L **23**
Hilton St. *B'ley* —6E **36**
Hindburn Clo. *Donc* —8E **64**
Hinde Ho. Cres. *S4* —2M **109**
Hinde Ho. Cft. *S4* —2M **109**
Hinde Ho. La. *S4* —3L **109**
Hinde St. *S4* —3M **109**
Hindewood Clo. *S4* —2M **109**
Hindle St. *B'ley* —7E **36**
Hindley La. *Tick* —6N **99**
Hind Rd. *Whis* —2B **112**
Hinds Cres. *S Elm* —6E **20**
Hirst Comn. La. *S6* —7C **92**
Hirst Dri. *Roth* —6C **96**
Hirst Ga. *Mexb* —1H **79**
Hirst La. *Cumb* —4M **31**
Hirst La. *S'ton* —4J **99**
Hoads Av. *W'sett* —7J **129**
Hoar Stones La. *S6* —3M **105**
Hobart St. *S11* —3G **123**
Hobcroft Ter. *Carc* —8F **22**
Hob La. *Holm* —9A **134**
Hob La. *S Kirk* —7N **19**
Hob La. *Whar S* —3G **90**
Hobson Av. *S6* —5F **108**
Hobson Pl. *S6* —5F **108**
Hodder Ct. *C'town* —8G **75**
Hoddesdon Cres. *D'cft* —3C **46**
Hodge La. *Kir Sm* —4C **6**
Hodgkinson Av. *P'stne* —4N **53**
Hodgson St. *S3* —1G **123** (6D **4**)
Hodroyd Clo. *Shaf* —8D **18**
Hodroyd Cotts. *Brie* —7G **18**
Hodsock. —4H 131
Hodsock La. *Carl L* —5E **130**
Hodsock Priory Gardens. —4H **131**
Hodster La. *Gt Hou* —4J **39**
Hogarth Ri. *Dron* —9G **134**
Hog Clo. La. *Holmf* —8N **31**
Hogley La. *Holmf* —4A **30**
Holbein Clo. *Dron* —9G **134**
Holberry Clo. *S10* —1F **122** (5B **4**)
Holberry Gdns. *S10* —1F **122** (5A **4**)
Holborn Av. *Dron* —8H **135**
Holbourne Gro. *High G* —5E **74**
Holbrook. —2N 137
Holbrook Av. *H'brk* —2M **137**
Holbrook Dri. *S13* —5B **124**
Holbrook Grn. *H'brk* —2N **137**
Holbrook Ri. *H'brk* —1M **137**
Holbrook Rd. *S13* —4B **124**
Holbrook Trad. Est. *H'brk* —2N **137**
Holden Ct. *B'ley* —7F **36**
Holderness Clo. *Harw* —9K **101**
Holderness Dri. *Swal* —3C **126**
Holdin Causeway. *Misson* —2G **102**
Holding. *Work* —5E **142**
Holdings Rd. *S2* —2L **123**
Holdroyds Yd. *Dod* —1A **56**
Holdworth. —9H 91
Holdworth La. *S6* —9H **91**
Hole Ho. La. *S'bri* —5D **72**
Holgate. *Womb* —2B **58**
Holgate Av. *S5* —8G **92**
Holgate Clo. *S5* —7G **92**
Holgate Cres. *S5* —7H **93**
Holgate Cres. *Hems* —2J **19**
Holgate Dri. *S5* —7H **93**

Holgate Gdns.—Hoyland

Holgate Gdns. Hems —2J 19
Holgate Hospital. Hems —3G 18
Holgate Mt. Wors —1G 56
Holgate Rd. S5 —7H 93
Holgate Vw. Brie —6G 19
Holiwell Clo. Maltby —7F 98
Holkham Ri. S11 —9A 122
Holland Av. Crow —7N 29
Holland Clo. Rawm —7M 77
Holland Pl. S2 —3H 123
Holland Rd. S2 —3H 123
Holland Rd. High G —7E 74
Holland St. S1 —9G 109 (3D 4)
Holles St. Work —9C 142
Hollinberry La. Wort —5C 74
Hollin Bri. La. Hat W —3K 47
Hollin Bri. Rd. Hat W —2J 47
Hollin Brigg La. Holmb —6A 30
Hollin Busk. —7D 72
Hollin Busk La. Deep —7E 72
Hollin Busk Rd. Deep —6E 72
Hollin Clo. Ross —4L 83
Hollin Cft. Dod —8B 36
Hollindale Dri. S12 —6C 124
Hollin Edge. Denb D —2K 33
Hollin Edge La. Bols —9H 73
Holling Cft. Deep —5G 72
Holling Hill La. Wick —9E 96
Holling Moor La. Wick —9F 96
Holling's La. Thry —3E 96
Hollingworth Clo. Mexb —9J 61
Hollin Ho. La. S6 —1H 107
Hollin Ho. La. Clayt W —1B 34
Hollin Ho. La. New M —3K 31
Hollin La. Bols —9E 72
Hollin La. Mill G —3D 52
Hollin Moor La. T'land —7K 55
Hollin Rd. O'bri —7L 91
Hollins Clo. S6 —7A 108
Hollins Ct. S6 —6A 108
Hollins Dri. S6 —7B 108
Hollins End. —6C 124
Hollinsend Av. S12 —6C 124
Hollinsend Pl. S12 —6C 124
Hollinsend Rd. S12 —7A 124
Hollins La. S6 —6A 108
Hollins La. S'brke —5L 21
Hollins Mt. Hems —2J 19
Hollins Spring Av. Dron —9H 135
Hollins, The. Dod —1B 56
Hollins Wood Gro. Cud —4D 38
Hollis Clo. Rawm —6K 77
Hollis Cft. S1 —8G 109 (2D 4)
Hollis Cft. Woodh —5G 125
Hollowdene. B'ley —5C 36
Hollowgate. Barn —5G 61
Hollow Ga. Barn —1A 80
Hollow Ga. C'town —9E 74
Hollowgate. Holmf —3E 30
Hollowgate. Roth —8L 95
Hollow Ga. Whis —3A 112
Hollowgate Av. Wath D —7J 59
Hollow La. Half —4K 137
Hollow Meadows M. S6 —8B 106
Hollows, The. Auc —9C 66
Hollows, The. Donc —9H 65
Hollow, The. Bam —8E 118
Holly Av. Donc —9L 43
Holly Bank. Hems —1K 19
(off Wakefield Rd.)
Hollybank Av. S12 —5C 124
Hollybank Av. Up Cum —2F 32
Hollybank Clo. S12 —5D 124
Hollybank Cres. S12 —5C 124
Hollybank Dri. S12 —5C 124
Hollybank Rd. S12 —5C 124
Hollybank Way. S12 —5D 124
Holly Barn Fold. Hoot R —8H 79
Holly Bush Dri. Thurn —8C 40
Holly Bush La. Kirk S —5J 45
Hollybush St. P'gte —2M 95
Holly Clo. C'town —1G 92
Holly Clo. Kil —5B 138
Holly Clo. S Elm —7E 20
Holly Ct. S10 —2C 122
Holly Ct. B'ley —9G 37
(off Hornby St.)
Holly Ct. Harw —9H 101
Holly Cres. S'side —7H 97
Hollycroft Av. Roy —6J 17
Holly Cft. Gro. Tick —6F 100
Holly Dene. Arm —8K 45
Holly Dri. Ben —6M 43
Holly Farm Ct. Burg —5E 22
Holly Gdns. S12 —5C 124
Holly Ga. Wors —2K 57
Holly Gro. S12 —5C 124
Holly Gro. Brie —6G 18
Holly Gro. Gold —2B 60
Holly Gro. Ross —4K 83
Holly Gro. Wath D —2M 77
Holly Hall La. Wort —3H 73
Holly La. S1 —9H 109 (3E 4)
Holly Mt. Wick —9H 97
Holly Rd. Auc —2C 84
Holly Rd. Thorne —8L 11
Holly's Ho. Rd. Rav —4K 97
Holly St. S1 —9H 109 (3E 4)
(in two parts)
Holly St. Donc —6N 63
Holly St. Hems —2K 19
Holly Ter. Donc —8K 63
Holly Ter. Swal —3B 126
Hollythorpe Cres. S8 —7H 123
Hollythorpe Ri. S8 —7J 123
Hollythorpe Rd. S8 —7J 123
Hollytree Av. Maltby —7B 98
Holly Wlk. Thorne —8L 11
Hollywell Clo. Rawm —7A 78
Holmbridge. —6A 30
Holm Clo. Dron W —8E 134
Holmclose. Holmb —6A 30
Holmdale Cres. N'thng —1D 30
Holme Clo. S6 —4D 108
Holme Ct. Gold —3B 60
Holme Ct. New M —1J 31
Holme Ct. Roth —2L 111
Holmefield Clo. Work —5D 142
Holme Fleet La. Kirk B —7G 25
Holme Gdns. Stain —5B 26
Holme Hall La. S'ton —5J 99
Holme Ho. La. New M —3L 31
Holme La. S6 —5C 108
Holme La. Gren —6E 92
Holme La. H'lme —8L 23
Holme La. New M —1J 31
Holme Oak Way. S6 —5L 107
Holme Ri. S Elm —7F 20
Holmeroyd Rd. Adw S —1J 43
Holmes. —8G 95
Holmes Carr Cres. New R —5G 82
Holmes Carr Rd. Donc —9G 65
Holmes Carr Rd. New R —5G 82
Holmes Ct. Roth —7H 95
Holmes Cres. Tree —8L 111
Holmesdale. —8K 135
Holmesdale Clo. Dron —7K 135
Holmesdale Rd. Dron —7J 135
Holmesfield. —9B 134
Holmesfield. Roth —7G 94
(off Rosebery St.)
Holmesfield Rd. Dron W —9C 134
Holmesfield Rd. O'bri —7M 91
Holmes La. Hoot R —6G 79
Holmes La. Roth —7G 95
Holmes Mkt., The. Donc —3B 64
(off Holmes, The)
Holmes Rd. Braml —9J 97
Holmes, The. Donc —3A 64
Holmestyes La. Holmf —8E 30
Holme, The. Dron —7J 135
Holme Vw. Av. U'thng —3B 30
Holme Vw. Dri. U'thng —3B 30
Holme Vw. Pk. U'thng —3C 30
Holme Vw. Rd. Dart —9K 15
Holme Way. Work —1A 142
Holme Wood Ct. E'thpe —6K 45
Holme Wood Gdns. Donc —8H 65
Holme Wood La. Arm —1N 65
(in two parts)
Holmfield. Clayt W —7B 14
Holmfield Av. Clayt W —7B 14
Holmfield Clo. Clayt W —7B 14
Holmfield Rd. Clayt W —7B 14
Holmfield Ter. Clayt W —7B 14
(off Holmfield Rd.)
Holmfirth. —3E 30
Holmfirth Info. Cen. —3E 30
Holmfirth Rd. New M —1H 31
Holmfirth Rd. Shep —2N 31
Holm Flatt St. P'gte —2L 95
Holmhirst Clo. S8 —9F 122
Holmhirst Dri. S8 —8F 122
Holmhirst Rd. S8 —8F 122
Holmhirst Way. S8 —8F 122
Holmhurst Clo. Work —5A 142
Holmley Bank. Dron —7H 135
Holmley Common. —7H 135
Holmley La. Dron —7H 135
Holmoak Clo. Swint —5C 78
Holmshaw Dri. S13 —3E 124
Holmshaw Gro. S13 —3E 124
Holmsley Av. S Kirk —7N 19
Holmsley Gro. S Kirk —7N 19
Holmsley La. S Kirk —8K 19
Holmsley Mt. S Kirk —7N 19
Holt Ho. Gro. S7 —7E 122
Holt La. Holmf —2D 30
Holtwood Rd. S4 —5J 109
Holwick Clo. Silk —8H 35
Holwick Ct. B'ley —7F 36
Holy Grn. S1 —1H 123 (6E 4)
Holyoake Av. S13 —2E 124
Holyrood Av. S10 —2H 121
Holyrood Ri. Braml —6J 97
Holyrood Rd. Donc —4D 64
Holyrood Vw. S10 —2H 121
Holywell Ct. S4 —2A 110
Holywell Cres. Braith —4E 98
Holywell La. Braith —4E 98
Holywell La. Con —5A 80
Holywell Pl. Roth —6L 95
(off Nottingham St.)
Holywell Rd. S4 & S9 —3N 109
Holywell Rd. Kiln —5C 78
Homecroft Rd. Gold —2C 60
Home Farm Ct. Hick —9H 41
Home Farm Ct. Hoot P —3J 41
Home Farm Ct. Wort —2M 73
Homefield Cres. Donc —8J 43
Home Meadows. Tick —7D 100
Homestead Clo. S5 —8L 93
Homestead Dri. B'wth —3H 111
Homestead Dri. Rawm —7M 77
Homestead Gth. Hat —8D 26
Homestead Rd. S5 —8K 93
Homestead, The. Ben —7M 43
Honey Lands La. H'lme —7A 24
Honeysuckle Clo. D'fld —3G 59
Honeysuckle Ct. Finn —3G 84
Honeysuckle Rd. S5 —1N 109
Honeywell. —5G 36
Honeywell Clo. B'ley —5G 36
Honeywell Gro. B'ley —4G 36
Honeywell La. B'ley —5F 36
Honeywell Pl. B'ley —5F 36
Honeywell St. B'ley —5G 36
Honister Clo. Bram B —8G 59
Hoober. —5G 77
Hoober Av. S11 —6A 122
Hoober Ct. Rawm —6K 77
Hoober Fld. Rd. Rawm & Wath D —5G 77
Hoober Hall La. W'wth & Wath D —3E 76
Hoober La. Rawm —5G 76
Hoober Rd. S11 —6B 122
Hoober Stand. —4F 76
(Folly)
Hoober St. Wath D —8H 59
Hoober Vw. Rawm —6K 77
Hoober Vw. Womb —6F 58
Hood Green. —5N 55
Hood Grn. Rd. Hood G —5N 55
Hood Hill. —6L 75
Hoodhill Rd. W'wth —6L 75
Hood St. S Elm —8D 20
Hoole La. S10 —1D 122
Hoole Rd. S10 —9D 108
Hoole St. S6 —6D 108
Hooley Rd. S13 —5K 125
Hooton Clo. Lghtn —7C 114
Hooton Cres. Ryh —1A 18
Hooton La. Hoot L —9C 98
Hooton La. Lghtn —7C 114
Hooton La. Rav —2H 97
Hooton Levitt. —9C 98
Hooton Pagnell. —3J 41
Hooton Rd. Hoot P —4L 41
Hooton Rd. Kiln —7D 78
Hooton Roberts. —7J 79
Hope Av. Gold —2C 60
Hopedale Rd. S12 —7D 124
Hopefield Av. S12 —7D 124
Hopefield Ct. Hade E —9F 30
Hope Rd. Hope & Bam —9A 118
Hope Rd. O'bri —7N 91
Hope Sq. S9 —4N 109
Hope St. B'ley —2N 37
(Burton Rd.)
Hope St. B'ley —6E 36
(Gawber Rd.)
Hope St. Have —2C 18
Hope St. M'well —9D 16
Hope St. Mexb —2F 78
Hope St. Roth —6J 95
Hope St. S'bri —5E 72
Hope St. Womb —5E 58
(Gower St.)
Hope St. Womb —3F 58
(Pitt St.)
Hope St. Ind. Est. Roth —5J 95
Hopewell St. B'ley —8L 37
Hop Hills La. D'cft —8C 26
Hop Inge, The. H'hill —5L 139
Hopping La. T'land —6H 55
Hopwood La. S6 —8K 107
Hopwood St. B'ley —6F 36
Hopyard La. Tick —4F 100
Horace St. Roth —8L 95
Horbiry End. Tod —6K 127
Horbury La. Burn —1F 92
Horbury Rd. Cud —9B 18
Hordron Rd. Mid —2N 69
Hornbeam Clo. C'town —1G 93
Hornbeam Rd. Flan —7G 97
Hornby Ct. S11 —4B 122
Hornby St. B'ley —9G 37
(in two parts)
Horn Cote La. New M —1L 31
(in two parts)
Horn Cft. Caw —3G 35
Horndean Rd. S5 —3L 109
Horner Clo. S'bri —5D 72
Horner Rd. S7 —4G 123
Hornes La. M'well —8D 16
Horninglow Clo. S5 —1K 109
Horninglow Clo. Donc —8K 65
Horninglow Mt. S5 —1K 109
Horninglow Rd. S5 —1K 109
Horn La. New M —2K 31
Horn La. P'stne —7D 32
Hornsby Rd. Arm —2M 65
Hornthorpe Rd. Eck —8H 137
Hornthwaite Hill Rd. Thurls —5J 53
Horse Carr Vw. B'ley —8A 38
Horse Cft. La. Whar S —5K 91
Horsefair Clo. Swint —3C 78
Horse Fair Grn. Thorne —2K 27
Horsehills La. Arm —2K 65
Horsemoor Rd. Thurn —8A 40
Horseshoe Clo. Wal —8H 127
Horseshoe Gdns. Wal —8G 127
Horseshoe La. Maltby —4J 115
Horsewood Clo. B'ley —8C 36
Horsewood Rd. S13 —3K 125
Horten Vw. Kirk S —3H 45
Horton Clo. Half —3L 137
Horton Dri. Half —3L 137
Hough La. Womb —5C 58
Houghton Rd. N Ans —2N 127
Houghton Rd. Thurn —8N 39
Hound Hill La. Adw D —7C 60
Hound Hill La. Wors —3E 56
Houndkirk Rd. S11 —4E 132
Hounsfield Cres. Roth —6C 96
Hounsfield La. S3 —9F 108 (4B 4)
Hounsfield Rd. S3 —9F 108 (3B 4)
Hounsfield Rd. Roth —6C 96
Houps Rd. Thorne —2L 27
Ho. Carr La. Hood G —3K 55
Housley La. C'town —9G 75
Housley Pk. C'town —8G 75
Houstead Rd. S9 —9D 110
Hoveringham Ct. Swal —5B 126
Howard Hill. —7D 108
Howard La. S1 —1J 123 (5G 5)
Howard Rd. S6 —7D 108
Howard Rd. Birc —9M 101
Howard Rd. Braml —8J 97
Howard Rd. Maltby —9F 98
Howards Clo. Thur —6M 113
Howard St. S1 —1J 123 (5G 5)
Howard St. B'ley —9G 37
Howard St. D'fld —2J 59
Howard St. Dinn —2E 128
Howard St. Roth —6K 95
(in two parts)
Howard St. Work —8D 142
Howarth Dri. B'wth —5K 111
Howarth La. B'wth —4L 111
(in two parts)
Howarth Rd. B'wth —4K 111
Howbeck Clo. Edl'tn —5E 80
Howbeck Dri. Edl'tn —5E 80
Howbrook. —5C 74
Howbrook Clo. High G —6D 74
Howbrook La. Wort —3M 73
(in two parts)
Howden Av. Skell —8C 22
Howden Clo. Dart —8A 16
Howden Clo. Donc —9F 64
Howden Rd. S9 —5A 110
Howdike La. Hoot R —7G 79
Howe La. Lghtn —4C 114
Howell Gdns. Thurn —9B 40
Howell La. Grim —2L 39
Howell Wood Country Pk. —1M 39
Howitt Ho. La. Caw —4D 34
Howlett Clo. Whis —3C 112
Howlett Dri. B'wth —5J 111
Howse St. Else —9B 58
Howson Clo. Rav —5K 97
Howson Rd. Deep —5F 72
Howville Av. Hat —2G 47
Howville Rd. Hat —2G 47
Hoylake Dri. Swint —5C 78
Hoyland. —9M 57

Hoyland Clo. *Mill G* —4G **53**
Hoyland Common. —1J 75
Hoyland Leisure Cen. & Swimming Pool.
—9K **57**
Hoyland Lowe. —8K 57
Hoyland Mkt. *Hoy* —9M **57**
Hoyland Rd. *S3* —5F **108**
Hoyland Rd. *Hoy* —1J **75**
Hoyland St. *Maltby* —9F **98**
Hoyland St. *Womb* —5D **58**
Hoylandswaine. —1C 54
Hoyland Ter. *S Kirk* —7N **19**
Hoy La. *Adw D* —8D **60**
Hoyle Cft. La. *Braith* —4C **98**
Hoyle Mill. —7J 37
Hoyle Mill La. *Thurls* —3L **53**
Hoyle Mill Rd. *B'ley* —8L **37**
Hoyle St. *S3* —8G **109** (1D **4**)
Hucklow Dri. *S5* —1L **109**
Hucklow Rd. *S5* —2L **109**
Huddersfield Rd. *B'ley* —4D **36**
Huddersfield Rd. *Bret* —1G **14**
(Bar La.)
Huddersfield Rd. *Bret & Haigh* —1H **15**
(Bower Hill La.)
Huddersfield Rd. *Dart* —5K **15**
Huddersfield Rd. *Holmf* —3E **30**
Huddersfield Rd. *New M* —1H **31**
Huddersfield Rd. *P'stne* —7H **33**
Hudson Av. *Notton* —3J **17**
Hudson Clo. *H'hill* —3K **139**
Hudson Haven. *Womb* —4B **58**
Hudson Rd. *S13* —3L **125**
Hudson Rd. *Roth* —3E **94**
Hudson's M. *Donc* —4N **63**
Huggin Carr Rd. *Hat W* —7H **47**
Hugh Hill La. *Stain* —5D **26**
(in two parts)
Humber Clo. *Skell* —8E **22**
Humber Ct. *Carc* —8E **22**
Humberside Way. *B'ley* —2L **37**
Humber St. *Work* —6B **142**
Humphrey Rd. *S8* —2F **134**
Humphries Av. *Rawm* —7K **77**
Humphries Gdns. *Work* —9B **142**
Hund Oak Dri. *Hat* —9D **26**
Hundred Acre La. *Work* —8E **130**
Hungerhill Clo. *Roth* —5D **94**
Hungerhill La. *E'thpe* —6G **45**
Hunger Hill La. *Whis* —3B **112**
Hungerhill Rd. *K'wth* —4D **94**
Hunger Hill Rd. *Whis* —2A **112**
Hunningley Clo. *B'ley* —9L **37**
Hunningley La. *B'ley* —2L **57**
(in two parts)
Hunsdon Rd. *Eck* —7J **137**
Hunshelf. —9C 54
Hunshelf Hall La. *S'bri* —2C **72**
Hunshelf La. *E'fld* —3J **93**
Hunshelf Pk. *S'bri* —4E **72**
Hunshelf Rd. *C'town* —9G **75**
Hunshelf Rd. *S'bri* —4D **72**
(Pea Royd La.)
Hunshelf Rd. *S'bri* —2B **72**
(Underbank La.)
Hunsley St. *S4* —4M **109**
Hunter Clo. *Donc* —8J **65**
Hunter Flat La. *New R* —7J **83**
Hunter Gro. *New R* —6J **83**
Hunstone Av. *S8* —3H **135**
Hunt Clo. *B'ley* —4K **37**
Hunter Ct. *S11* —4C **122**
Hunter Hill Rd. *S11* —3D **122**
Hunter Ho. Rd. *S11* —4C **122**
Hunter Rd. *S6* —4C **108**
Hunter's Av. *B'ley* —8B **36**
Hunters Bar. *S11* —3D **122**
Hunters Chase. *Dinn* —9D **114**
Hunters Clo. *Dinn* —9D **114**
Hunters Ct. *Dinn* —9D **114**
Hunters Dri. *Dinn* —9D **114**
Hunters Gdns. *S6* —3M **107**
Hunters Gdns. *Dinn* —9D **114**
Hunters Grn. *Dinn* —9D **114**
Hunters La. *S13* —5C **124**
Hunters Pk. *Dinn* —9D **114**
Hunters Ri. *B'ley* —7B **36**
Hunters Way. *Dinn* —9D **114**
Huntingdon Cres. *S11* —3F **122**
Huntingdon Rd. *Donc* —2F **64**
Huntington St. *Ben* —6L **43**
Huntington Way. *Maltby* —6C **98**
Huntingtower Rd. *S11* —4C **122**
Hunt La. *Donc* —2M **63**
Huntley Gro. *S11* —5A **122**
Huntley Rd. *S11* —5B **122**
Huntsman Rd. *S9* —8D **110**
Huntsmans Gdns. *S9* —5C **110**
Hunt St. *Hoy* —1J **75**

Hurl Dri. *S12* —6N **123**
Hurley Cft. *Bram B* —8G **59**
(in two parts)
Hurl Field. —6M 123
Hurlfield Av. *S12* —6N **123**
Hurlfield Ct. *S12* —5A **124**
Hurlfield Dri. *S12* —5N **123**
Hurlfield Dri. *Rav* —6J **97**
Hurlfield Rd. *S12* —6M **123**
Hurlfield Vw. *S12* —5N **123**
Hurlingham Clo. *S11* —6D **122**
Hurlstone Clo. *E'thpe* —5K **45**
Hursley Clo. *Soth* —1N **137**
Hursley Dri. *Soth* —1N **137**
Hurstclough La. *Bam* —9G **118**
Hurst Grn. *High G* —7E **74**
Hurst La. *Auc* —5N **83**
Hushells La. *Fish* —7A **10**
Huskar Clo. *Silk* —8H **35**
Hutchinson Clo. *Roth* —8L **95**
Hutchinson La. *S7* —8E **122**
Hutchinson Rd. *S7* —8E **122**
Hutchinson Rd. *Rawm* —8N **77**
Hutcliffe Dri. *S8* —9E **122**
Hutcliffe Wood Crematorium. *S8* —9E **122**
Hutcliffe Wood Rd. *S8* —9E **122**
Huthwaite La. *T'land* —1H **73**
Hut La. *Kil* —6E **138**
Hutton Cft. *S12* —8H **125**
Hutton Dri. *S Elm* —5F **20**
Hutton Rd. *Roth* —4E **94**
Hut Yd. *Love* —4N **81**
Huxterwell Dri. *Bal* —2M **81**
Hyacinth Clo. *S5* —1N **109**
Hyacinth Rd. *S5* —1N **109**
Hyde Park. —5B 64
Hyde Pk. Ind. Est. *Donc* —7B **64**
Hyde Pk. Ter. *S2* —9K **109** (3K **5**)
Hyde Pk. Wlk. *S2* —9K **109** (3K **5**)
Hyland Cres. *Donc* —9J **63**
Hyman Clo. *Warm* —8H **63**
Hyman Wlk. *S Elm* —5F **20**
Hyperion Way. *New R* —6H **83**

Ibberson Av. *M'well* —9C **16**
Ibbotson Rd. *S6* —6D **108**
Ibsen Cres. *Barn D* —9J **25**
Icarus Clo. *Bam* —9B **118**
Ickles. —9H 95
Ickles Roundabout. *Roth* —8J **95**
Ickles Way. *Roth* —9H **95**
Icknield Way. *B'wth* —4J **111**
Ida Gro. *Maltby* —7B **98**
Ida's Rd. *Eck* —6K **137**
Idle Bank. *Epw & Sandt* —9G **48**
Idle Ct. *Baw* —6C **102**
Idsworth Rd. *S5* —2L **109**
Ilkley Cres. *Swal* —5B **126**
Ilkley Rd. *S5* —9K **93**
Illsley Rd. *D'fld* —1G **58**
Imperial Bldgs. *Roth* —7K **95**
Imperial Cres. *Donc* —3C **64**
Imperial St. *B'ley* —9G **37**
Imrie Pl. *Kiv P* —9J **127**
Inch La. *S Elm* —3E **20**
Industry Rd. *S9* —7B **110**
Industry Rd. *Car* —1K **37**
Industry St. *S6* —6D **108**
(in two parts)
Infield La. *S9* —8D **110**
Infirmary Rd. *S6* —6F **108**
Infirmary Rd. *P'gte* —2N **95**
Ingbirchworth. —7H 33
Ingbirchworth La. *P'stne* —8H **33**
(in two parts)
Ingbirchworth Rd. *Thurls* —3K **53**
Ingdale Dri. *Holmf* —2F **30**
Ingelow Av. *S5* —8J **93**
Ingfield Av. *S9* —2E **110**
Ingham Bungalows. *Cost* —3C **130**
Ingham Rd. *Baw* —5B **102**
Ingleborough Cft. *C'town* —8G **75**
Ingleborough Dri. *Donc* —5J **63**
Ingleby Clo. *Dron W* —9D **134**
Ingledene M. *Barn D* —1J **45**
Ingle Gro. *Donc* —5J **63**
Inglemere Clo. *Work* —5D **142**
Inglenook Dri. *Thorne* —1L **27**
Ingleton Wlk. *B'ley* —6E **36**
Inglewood. *Dart* —8B **16**
Inglewood Av. *Soth* —1N **137**
Inglewood Ct. *Soth* —1N **137**
Inglewood Dell. *Soth* —1N **137**
Ingram Ct. *S2* —1L **123**
Ingram Cres. *D'cft* —1B **46**
Ingram Gro. *D'cft* —1B **46**
Ingram Rd. *S2* —1L **123**
Ingram Rd. *D'cft* —2B **46**

Ings Clo. *S Kirk* —6C **20**
Ingsfield La. *Bol D* —5L **59**
(in two parts)
Ingshead Av. *Rawm* —9M **77**
Ings Holt. *S Kirk* —5C **20**
Ings La. *Ark* —6C **44**
(Arksey Comn. La.)
Ings La. *Ark* —5J **63**
(Melton Rd.)
Ings La. *Ark* —6B **44**
(Station Rd.)
Ings La. *Hat* —3N **25**
(in two parts)
Ings La. *L Hou* —9H **39**
(in two parts)
Ings La. *Nor* —9E **22**
Ings La. *Skell* —8H **7**
Ings Mill Av. *Clayt W* —6B **14**
Ings Mill Dri. *Clayt W* —6B **14**
Ings Rd. *Cad* —9B **62**
Ings Rd. *Donc* —2M **63**
Ings Rd. *Kins* —1H **19**
Ings Rd. *Womb* —3F **58**
(in two parts)
Ings, The. *Clayt W* —7B **14**
Ings Wlk. *S Kirk* —6C **20**
Ings Way. *Ark* —6A **44**
Ings Way. *P'stne* —7G **33**
Ingswell Av. *Notton* —2G **17**
Ingswell Dri. *Notton* —2G **17**
Inkerman Ct. *Denb D* —3K **33**
Inkerman Rd. *D'fld* —2G **58**
Inkerman Way. *Denb D* —3J **33**
Inkersall Dri. *W'fld* —2L **137**
Innovation Way. *B'ley* —4D **36**
Insley Gdns. *Donc* —8H **65**
Instone Ter. *Ask* —3K **23**
Instoneville. —2K 23
Intake. —3E 64
(Doncaster)
Intake. —5B 124
(Sheffield)
Intake Cres. *Dod* —1A **56**
Intake Gdns. *B'ley* —6C **36**
(off Wade St.)
Intake La. *B'ley* —5C **36**
Intake La. *Cud* —9C **18**
Intake La. *Cumb* —4M **31**
Intake La. *Wool* —2M **15**
Interchange Way. *B'ley* —6G **36**
Inverness Rd. *D'cft* —9C **26**
Ironside Clo. *S14* —9L **123**
Ironside Pl. *S14* —8M **123**
Ironside Rd. *S14* —9L **123**
Ironside Wlk. *S14* —9L **123**
Ironstone Dri. *C'town* —7G **74**
Ironworks Pl. *Else* —2B **76**
(off Forge La.)
Ironworks Row. *Else* —2B **76**
(off Forge La.)
Irving St. *S9* —8C **110**
Irwell Gdns. *Donc* —5G **65**
Islay St. *S10* —9C **108**
Isle Clo. *Crow* —6M **29**
Issott St. *B'ley* —5G **36**
Ivanbrook Clo. *Dron W* —9D **134**
Ivanhoe Av. *Kiv P* —8K **127**
Ivanhoe Clo. *Donc* —3K **63**
Ivanhoe M. *Swal* —3B **126**
Ivanhoe Rd. *S6* —6B **108**
Ivanhoe Rd. *Con* —4N **79**
Ivanhoe Rd. *Donc* —9J **63**
Ivanhoe Rd. *E'thpe* —7J **45**
Ivanhoe Rd. *Edl'tn* —5F **80**
Ivanhoe Rd. *Thur* —6K **113**
Ivanhoe Way. *Donc* —3K **63**
Ivatt Clo. *Baw* —5C **102**
Ivor Gro. *Donc* —7L **63**
Ivy Clo. *Hat* —9E **26**
Ivy Clo. *Ross* —5K **83**
Ivy Clo. *S Elm* —7D **20**
Ivy Cottage La. *S11* —5M **121**
Ivy Cotts. *S11* —4N **121**
Ivy Cotts. *Roy* —5L **17**
Ivy Ct. *S8* —9K **123**
Ivy Ct. *Cud* —2B **38**
Ivy Ct. *Old De* —3J **79**
Ivy Dri. *S10* —8E **108**
Ivy Farm Clo. *B'ley* —8L **17**
Ivy Farm Cft. *Dalt* —4C **96**
Ivy Gro. *S10* —8E **108**
(off Ivy Dri.)
Ivy Hall Rd. *S5* —7M **93**
Ivyhouse Ct. *Auc* —8B **66**
Ivy La. *Beig* —7N **125**
Ivy Lodge La. *Firb* —8M **115**
Ivy Pk. Ct. *S10* —2N **121**
Ivy Pk. Rd. *S10* —1N **121**
Ivy Rd. *Thorne* —8K **11**

Ivy Side Clo. *Kil* —4C **138**
Ivy Side Gdns. *Kil* —4C **138**
Ivy Ter. *B'ley* —8H **37**
Ivy Ter. *S Elm* —6F **20**

Jack Clo. Orchard. *Roy* —5K **17**
Jackey La. *O'bri* —6K **91**
Jack La. *Bols* —1E **90**
Jack Row La. *B'wte* —2L **25**
Jackson Bridge. —5J 31
Jackson Cres. *Rawm* —7L **77**
Jackson Ho. Hems —3K **19**
(off Lilley St.)
Jackson St. *Cud* —2A **38**
Jackson St. *Gold* —2D **60**
Jackys La. *H'hill* —4K **139**
Jacobs Clo. *S5* —9M **93**
Jacobs Dri. *S5* —9M **93**
Jacobs Hall Ct. *Dart* —9L **15**
Jacques Pl. *B'ley* —6L **37**
Jamaica St. *S4* —5L **109**
James Andrew Clo. *S8* —3G **134**
James Andrew Cres. *S8* —3F **134**
James Andrew Cft. *S8* —3G **134**
James Ct. *Thorne* —9L **11**
James Rd. *Adw S* —1H **43**
James St. *S9* —9C **110**
James St. *B'ley* —6G **37**
James St. *Mexb* —1J **79**
James St. *Roth* —6J **95**
(in two parts)
James St. *S Hien* —4F **18**
James St. *Work* —5B **142**
James St. *Wors D* —2K **57**
Janet's Wlk. *Womb* —3A **58**
Janson St. *S9* —4A **110**
Jaque's Bank. *Thorne* —8H **29**
Jardine. *Work* —4E **142**
Jardine Clo. *S9* —9A **94**
Jardine St. *S9* —9B **94**
Jardine St. *Womb* —5D **58**
Jarratt St. *Donc* —5A **64**
Jarrow Rd. *S11* —3E **122**
Jasmine Av. *Beig* —8M **125**
Jasmine Clo. *Con* —5B **80**
Jaunty Av. *S12* —8B **124**
Jaunty Clo. *S12* —8B **124**
Jaunty Cres. *S12* —7B **124**
Jaunty Dri. *S12* —8B **124**
Jaunty La. *S12* —7B **124**
Jaunty Mt. *S12* —8C **124**
Jaunty Pl. *S12* —8B **124**
Jaunty Rd. *S12* —8C **124**
Jaunty Vw. *S12* —8C **124**
Jaunty Way. *S12* —7B **124**
Jay La. *Ast* —5D **126**
Jebb La. *Haigh* —6F **14**
Jedburgh Dri. *S9* —9A **94**
Jedburgh St. *S9* —9A **94**
Jeffcock Pl. *High G* —7F **74**
Jeffcock Rd. *S9* —8C **110**
Jeffcock Rd. *High G* —7F **74**
Jefferson Av. *Donc* —7G **45**
Jeffery Cres. *Deep* —6F **72**
Jeffery Grn. *S10* —4H **121**
Jeffery St. *S2* —5J **123**
Jenkin Av. *S9* —2A **110**
Jenkin Clo. *S9* —1A **110**
Jenkin Dri. *S9* —2A **110**
Jenkin Rd. *S5* —1N **109**
Jenkin Wood Clo. *S'side* —6H **97**
Jennings Clo. *Roth* —5L **95**
Jenny La. *Balne* —1B **8**
Jenny La. *Cud* —2B **38**
Jepson Rd. *S5* —9N **93**
Jericho St. *S3* —8G **108** (1B **4**)
Jermyn Av. *S12* —7E **124**
Jermyn Clo. *S12* —8F **124**
Jermyn Cres. *S12* —8F **124**
Jermyn Cft. *Dod* —9A **36**
Jermyn Dri. *S12* —8F **124**
Jermyn Sq. *S12* —8F **124**
Jermyn Way. *S12* —8F **124**
Jersey Rd. *S2* —4H **123**
Jesmond Av. *Roy* —6J **17**
Jessamine Rd. *S5* —9M **93**
Jessell St. *S9* —7N **109**
Jessop Ct. *Dinn* —1D **128**
Jessop St. *S1* —1H **123** (6E **4**)
Jewitt Rd. *Roth* —3E **94**
Jew La. *S1* —3H **5**
Joan Cft. La. *H'lme* —8B **24**
Joan La. *Bam* —7E **118**
Joan La. *Hoot L* —9C **98**
Joan Royd La. *P'stne* —6L **53**
Joan's Wlk. *Jump* —8N **57**
Jockell Dri. *Rawm* —9M **77**
Jockey Rd. *Oxs* —5D **54**

John Calvert Rd.—Kings Way

John Calvert Rd. Woodh —5K 125
John Eaton's Almshouses. S8 —9J 123
John Hartop Pl. Else —2B 76
(off Forge La.)
John Hibbard Av. S13 —4L 125
John Hibbard Clo. S13 —4L 125
John Hibbard Cres. S13 —4L 125
John Hibbard Ri. S13 —4L 125
John La. New R —5H 83
John Moor Long La. Moor —1L 11
Johnny Hall La. Fish —9A 10
Johnson Ct. Edl'tn —3G 80
Johnson Ct. Roth —8M 95
(off Johnson St.)
Johnson La. S3 —8J 109 (1G 5)
Johnson La. E'fld —4J 93
Johnson's La. Crow —8M 29
Johnson St. S3 —7J 109 (1G 5)
Johnson St. B'ley —6E 36
Johnson St. Roth —8M 95
Johnson St. S'bri —5D 72
Johnston's Rd. Stain —4E 26
John St. S2 —2G 123 (7F 5)
John St. B'ley —8G 36
John St. Eck —7K 137
John St. Gt Hou —7L 39
John St. L Hou —9L 39
John St. Mexb —2F 78
John St. Roth —7J 95
John St. S Elm —7E 20
John St. Thur —5K 113
John St. Thurn —8C 40
John St. Womb —4C 58
John St. Work —6B 142
John St. Wors —3H 57
John Trickett Ho. C'town —9G 74
(off Lansbury Av.)
John Ward St. S13 —4K 125
John West St. S'bri —6D 72
Joiner St. S3 —8J 109 (1G 5)
Jones Av. Womb —4B 58
Jons Av. S Kirk —7N 19
Jordan. —8F 94
Jordan Beck. Birds —4D 32
Jordan Cres. Roth —8E 94
Jordanthorpe. —4J 135
Jordanthorpe Cen. S8 —4J 135
Jordanthorpe Grn. S8 —4K 135
Jordanthorpe Parkway. S8 —5H 135
Jordanthorpe Vw. S8 —3K 135
Joseph Ct. B'ley —8G 36
Josephine Rd. Roth —7G 95
Joseph La. Mid —2F 70
Joseph Rd. S6 —7D 108
Joseph St. B'ley —8G 36
Joseph St. Eck —7K 137
Joseph St. Grim —2G 38
Joshua Rd. S7 —5F 122
Josselin Ct. C'town —9G 74
Jossey La. Donc —8H 43
Jowitt Clo. Maltby —9F 98
Jowitt Rd. S11 —5C 122
Jubb Clo. Roth —9C 96
Jubilee Clo. Hems —4M 19
Jubilee Clo. Misson —2K 103
Jubilee Cotts. B'wth —3H 111
Jubilee Cotts. Have —1C 18
Jubilee Cotts. Hoy —1H 75
Jubilee Ct. Donc —1F 64
Jubilee Cres. Kil —3D 138
Jubilee Gdns. Roy —5L 17
Jubilee Rd. S9 —6B 110
Jubilee Rd. Donc —2B 64
Jubilee St. Roth —9K 95
Jubilee Ter. B'ley —8J 37
Judd Fld. La. P'stne —9L 53
Judith Rd. Ast —5C 126
Judy Row. B'ley —4K 37
Julian Rd. S9 —1B 110
Julian Way. S9 —1B 110
Jumble La. E'fld —4L 93
Jumble Rd. S11 —9H 121
Jump. —8A 58
Junction Clo. Womb —6G 58
Junction Rd. S11 —3D 122
Junction Rd. New R —6H 83
Junction Rd. Stain —6A 26
Junction Rd. Woodh —4K 125
Junction St. B'ley —8J 37
Junction St. Womb —6F 58
Junction Ter. B'ley —8J 37
Junction 34 Ind. Est. S9 —2D 110
June Rd. Woodh —4K 125
Juniper Ri. Kil —5B 138
Justice Hall La. Crow —7M 29

Kashmir Gdns. S9 —7B 110
Katherine Rd. Thur —5K 113
Katherine St. Thur —6L 113
Kathleen Gro. Gold —1E 60
Kathleen St. Gold —1E 60
Kay Cres. Rawm —6J 77
Kaye Pl. S10 —8E 108
Kaye St. B'ley —6G 36
Kay's Ter. B'ley —9M 37
Kay St. Hoy —1J 75
Kea Pk. Clo. H'by —8M 97
Kearsley La. Con —6N 79
Kearsley Rd. S2 —3H 123
Keats Cres. Work —6E 142
Keats Dri. Dinn —3F 128
Keats Gro. P'stne —3N 53
Keats Rd. S6 —7E 92
Keats Rd. Donc —9M 63
Keble Martin Way. Wath D —9K 59
Kedleston Rd. Work —4C 142
Keenan Av. S Elm —8D 20
Keeper La. Notton —4E 16
Keepers Clo. Ross —4L 83
Keeton Hall Rd. Kiv P —8L 127
Keeton's Hill. S2 —3G 123
Keighley Wlk. Con —5L 79
Keir Pl. Rawm —8A 78
Keir St. B'ley —6E 36
Keir Ter. B'ley —6E 36
Kelgate. Mosb —4K 137
Kelham Bank. —6N 63
Kelham Ct. Donc —6N 63
Kelham Island. —7H 109
Kelham Island. S3 —7H 109
Kelham Island Mus. —7H 109
Kelham St. Donc —6N 63
Kelly St. Gold —2D 60
Kelsey Gdns. Donc —1H 83
Kelsey Ter. B'ley —9G 37
Kelso Dri. Warm —8H 63
Kelvin Ct. Scho —3C 94
Kelvin Gro. Womb —5E 58
Kelvin St. Mexb —1F 78
Kemp Clo. Kil —4B 138
Kemps Way. Hep —6J 31
Kempton Dri. D'ville —4A 46
Kempton Gdns. Mexb —9N 61
Kempton Pk. Rd. Donc —1H 63
(in two parts)
Kempton St. Donc —5G 65
Kempwell Dri. Rawm —6M 77
Kenbourne Gro. S7 —4F 122
Kenbourne Rd. S7 —4F 122
Kendal Av. Ans —5D 128
Kendal Clo. Spro —6E 62
Kendal Clo. Work —2B 142
Kendal Cres. Con —4B 80
Kendal Cres. Wors —3H 57
Kendal Dri. Bol D —6B 60
Kendal Dri. Dron W —9F 134
Kendal Grn. Wors —3F 56
Kendal Grn. Rd. Wors —3F 56
Kendal Gro. B'ley —8A 38
Kendal Pl. S6 —4C 108
Kendal Rd. S6 —4C 108
Kendal Rd. Donc —9L 43
Kendal Va. Wors B —3H 57
Kendon Gdns. Thorne —1L 27
Kendray. —9K 37
Kendray St. B'ley —7G 36
Kenilworth Clo. Donc —1H 63
Kenilworth Clo. Work —9D 142
Kenilworth Ct. S11 —7A 122
Kenilworth Dri. Carl L —5C 130
Kenilworth Pl. S11 —3D 122
Kenilworth Rd. Donc —8J 63
Kenley Clo. Work —2A 142
Kenmare Cres. Donc —2D 64
Kennedy Clo. Mill G —4G 53
Kennedy Ct. S10 —9C 108
Kennedy Ct. Work —6D 142
Kennedy Dri. Gold —4C 60
Kennedy Rd. S8 —9F 122
Kenneth Av. D'ville —4B 46
Kenneth Av. Stain —5A 26
Kenneth St. Roth —6L 95
Kenninghall Clo. S2 —4L 123
Kenninghall Dri. S2 —4L 123
Kenninghall Rd. S2 —4L 123
Kennington Av. W'land —3D 42
Kennington Gro. Edl'tn —3G 81
Kenrock Clo. Ark —7B 44
Kensington Av. Thurls —3K 53
Kensington Chase. S10 —3H 121
Kensington Ct. S10 —2H 121
Kensington Dri. S10 —2H 121
Kensington Pk. S10 —3H 121
Kensington Rd. B'ley —5E 36
Kent Av. Rawm —7L 77
Kent Clo. Roy —5K 17
Kent Clo. Work —4D 142
Kent Ho. Clo. S12 —2E 136
Kentmere Clo. Dron W —9F 134
Kent Rd. S8 —6J 123
Kent Rd. Donc —8M 63
Kent Rd. Roth —4E 94
Kents Gdns. Moor —7M 11
Kenwell Dri. S17 —5C 134
Kenwood Av. S7 —4F 122
Kenwood Bank. S7 —3F 122
Kenwood Chase. S7 —3G 122
(off Wostenholm Rd.)
Kenwood Clo. B'ley —8L 37
Kenwood Pk. Rd. S7 —4F 122
Kenwood Ri. Braml —7H 97
Kenwood Rd. S7 —4E 122
Kenworthy Rd. B'ley —9G 36
Kenworthy Rd. S'bri —6D 72
Kenyon All. S1 —2C 4
Kenyon Bank. Denb D —3J 33
Kenyon Clo. Thorne —1K 27
Kenyon St. S1 —8G 109 (2C 4)
Kenyon St. S Elm —6F 20
Keppel Dri. Scho —3B 94
Keppel Heights. Scho —3B 94
Keppel Pl. S5 —7M 93
Keppel Rd. S5 —7N 93
Keppel Rd. Scho —3B 94
Keppel's Column. —3B 94
Keppel Vw. Rd. Roth —5D 94
Kepple Clo. New R —7J 83
Keresforth Clo. B'ley —8D 36
Keresforth Ct. B'ley —8D 36
Keresforth Hall Dri. B'ley —9D 36
Keresforth Hall Rd. B'ley —9E 36
Keresforth Hill Rd. B'ley —1C 56
(in two parts)
Keresforth Rd. Dod —1A 56
Kerwin Clo. S17 —2L 133
Kerwin Dri. S17 —2L 133
Kerwin Rd. S17 —2L 133
Kesteven Gro. Crow —7N 29
Kestrel Av. Thpe H —9A 76
Kestrel Clo. Kil —3A 138
Kestrel Dri. Adw S —2F 42
Kestrel Dri. Eck —7H 137
Kestrel Dri. Ross —5K 83
Kestrel Grn. S2 —1M 123
Kestrel M. Gate —3A 142
Kestrel Ri. Birdw —7G 56
Keswick Clo. S6 —4N 107
Keswick Clo. Donc —8L 43
Keswick Cres. B'wth —5H 111
Keswick Pl. Dron W —9E 134
Keswick Rd. S7 —7F 122
Keswick Rd. Dart —6B 16
Keswick Rd. Work —2B 142
Keswick Wlk. B'ley —8A 38
Keswick Way. Ans —5D 128
Ket Hill La. Brie —6F 18
Kettlebridge Rd. S9 —9A 110
Ketton Av. S8 —8J 123
Ketton Wlk. B'ley —5D 36
Kevin Gro. H'by —9N 97
Kew Cres. S12 —9N 123
Kexbrough. —9L 15
Kexbrough Dri. Dart —9M 15
Key Av. Hoy —9N 57
Keyworth Clo. Ask —1M 23
Keyworth Pl. S13 —5G 124
Keyworth Rd. S6 —3D 108
Khartoum Rd. S11 —2E 122
Kibroyd Dri. Dart —1L 35
Kid La. Firb —7L 115
Kieran Clo. Dinn —1A 128
Kier Hardie Av. New R —6J 83
Kilburn Rd. Dron W —9D 134
Kildale Gdns. Mosb —3K 137
Kildonan Gro. S12 —8C 124
Kilham La. Bran —6A 66
Killamarsh. —4C 138
Killamarsh La. H'hill —5F 138
Kilner Way. S6 —1E 108
Kiln Hill. Coal A —7K 135
Kilnhouse Bank La. Holmb —7A 30
Kilnhurst. —7D 78
Kilnhurst Bus. Pk. Kiln —8D 78
Kilnhurst Rd. Hoot R —7E 78
Kilnhurst Rd. Rawm & Kiln —7N 77
Kiln La. Clayt W —4A 14
Kiln Rd. Roth —5F 94
Kilnsea Wlk. B'ley —7F 36
(off Fitzwilliam St.)
Kilton. —6E 142
Kilton Clo. Work —6D 142
Kilton Cres. Work —6D 142
Kilton Forest Golf Course. —4E 142
Kilton Glade. Work —6E 142
Kilton Hill. S3 —6J 109
Kilton Hill. Work —6D 142
Kilton Pl. S3 —6J 109
Kilton Rd. Work —7D 142
Kilton Ter. Work —7D 142
Kilton Ter. Ind. Est. Work —7D 142
Kilvington Av. S13 —4B 124
Kilvington Cres. S13 —5B 124
Kilvington Rd. S13 —5B 124
Kimberley St. S9 —6N 109
Kimberworth. —6E 94
Kimberworth Park. —4F 94
Kimberworth Pk. Rd. Roth —3D 94
(in three parts)
Kimberworth Rd. Roth —6F 94
Kinder Gdns. S5 —8J 93
Kinder Ho. S10 —2H 121
Kine Moor La. Silk —1F 54
King Av. Maltby —9F 98
King Av. New R —5H 83
King Ecgbert Rd. S17 —5N 133
King Edward Cres. Thorne —9K 11
King Edward Rd. Donc —7M 63
King Edward Rd. Thorne —1K 27
King Edwards. S6 —8K 107
King Edwards App. S6 —9K 107
King Edwards Gdns. B'ley —8F 36
King Edwards Rd. Tick —6C 100
King Edward St. B'ley —2L 37
King Edward St. Hems —3L 19
Kingfield Ct. S11 —4E 122
Kingfield Rd. S11 —4E 122
Kingfisher Clo. Donc —9E 44
Kingfisher Ct. Ross —5K 83
Kingfisher Ri. Thpe H —8A 76
Kingfisher Rd. Adw S —2F 42
Kingfisher Wlk. Gate —4N 141
(in two parts)
King Georges Clo. New R —6G 83
King Georges Ct. Stain —7B 26
King George Sq. Kirk S —4J 45
King George's Rd. New R —4G 83
King George Ter. B'ley —8J 37
King James St. S6 —6E 108
King's Clo. Hat —9D 26
Kings Coppice. S17 —4M 133
Kings Ct. S1 —6C 4
Kings Ct. Kins —1H 19
Kings Ct. Rd. Thorne —9L 11
King's Cres. Edl'tn —3F 80
Kings Cft. S Kirk —6A 20
Kings Cft. Wors D —3K 57
Kingscroft Clo. S17 —2N 133
Kingsdale. Work —2E 142
Kingsforth La. Thur —4K 113
Kingsforth Rd. Thur —5K 113
Kingsgate. Donc —4A 64
Kingsgate Flats. Donc —4A 64
(off Kingsgate)
Kingsland Ct. Roy —5L 17
Kingsley Av. Donc —3K 63
Kingsley Clo. B'ley —2H 37
Kingsley Cres. Arm —1M 65
Kingsley Pk. Av. S7 —7C 122
Kingsley Pk. Gro. S11 —7C 122
Kingsley Rd. Adw S —3E 42
Kingsmead Dri. Bran —7N 65
Kings M. Donc —4A 64
Kings M. Eck —7L 137
King's Own Yorkshire Light Infantry Mus. (Mus. & Art Gallery) —4A 64
King's Rd. Ask —1M 23
King's Rd. Cud —8C 18
King's Rd. Donc —3B 64
King's Rd. Mexb —1G 78
Kings Rd. Womb —5E 58
King's Stocks. L Hou —1L 59
Kings St. Donc —4A 64
King's St. Grim —2G 38
Kings Ter. Ask —1M 23
Kingston Clo. Bran —6A 66
Kingston Clo. Work —9F 142
Kingstone. —9E 36
Kingstone Pl. B'ley —9E 36
Kingston Rd. Carl L —5B 130
Kingston Rd. Donc —3E 64
Kingston Rd. Work —9E 142
Kingston St. S4 —5L 109
King St. S3 —8J 109 (2G 5)
King St. Arm —9J 45
King St. B'ley —8G 37
King St. C'town —8H 75
King St. Gold —2D 60
King St. Hoy —9M 57
King St. Swal —3B 126
King St. Swint —3C 78
King St. Thorne —2K 27
King St. Thurn —9D 40
King St. Work —8B 142
Kingsway. M'well —8B 16
Kings Way. Roth —2N 111

174 A-Z South Yorkshire

Latham Sq.—Lindrick Clo.

Latham Sq. S11 —6N 121
Latham Sq. Kirk S —3K 45
Lathe Rd. Roth —2B 112
Lathkill Clo. S13 —4C 124
Lathkill Rd. S13 —4C 124
Latimer Clo. Kiv P —9L 127
Latin Gdns. Donc —9G 43
Lauder Rd. Donc —1L 63
Lauder St. S4 —2L 109
Laudsdale Clo. Roth —6C 96
Laudsdale Rd. Roth —5B 96
Laughton Common. —9A 114
Laughton Comn. Rd. Thur —8M 113
Laughton en le Morthen. —7C 114
Laughton Rd. S9 —1B 110
Laughton Rd. Dinn —3D 128
Laughton Rd. Donc —5M 63
Laughton Rd. Thur —6L 113
Launce Rd. S5 —9G 92
Laurel Av. B'ley —9L 37
Laurel Av. Braml —8J 97
Laurel Av. Donc —2J 63
Laurel Av. Moor —7L 11
Laurel Clo. Ans —8B 128
Laurel Clo. Eck —8J 137
Laurel Ct. S10 —2C 122
Laurel Dri. Kil —6B 138
Laurel Rd. Arm —9L 45
(in two parts)
Laurel Sq. Auc —2C 84
Laurel Ter. Donc —8L 63
Laurel Ter. Skell —7E 22
Laurold Av. Hat W —2J 47
Lavender Clo. Con —5B 80
Lavenham M. Work —8C 142
(off Newgate St.)
Lavenham Pl. Skell —7C 22
Laverack Clo. S13 —2F 124
Laverack St. S13 —2F 124
Laverdene Av. S17 —6A 134
Laverdene Clo. S17 —6N 133
Laverdene Dri. S17 —6A 134
Laverdene Rd. S17 —6N 133
Laverdene Way. S17 —6A 134
Laverock Way. S5 —8L 93
Lavinia Rd. Gren —5F 92
Law Comn. Rd. Hade E —2H 51
Lawn Av. Donc —4B 64
Lawn Av. W'land —2D 42
(in two parts)
Lawndale. Skell —7D 22
Lawndale Fold. Dart —8A 16
Lawn Gth. Donc —9L 43
Lawn La. Fenw —5E 8
Lawn Rd. Carl L —4B 130
Lawn Rd. Donc —4B 64
Lawns, The. S11 —5C 122
Lawnswood Ct. Bes —7F 64
Lawn, The. Dron —8J 135
(in two parts)
Lawnwood Dri. Gold —2B 60
Lawrence Clo. Flan —8G 97
Lawrence Clo. Hghm —4N 35
Lawrence Ct. Swint —5B 78
Lawrence Dri. Swint —4B 78
Lawrence St. S9 —6N 109
Law Slack Rd. Hade E —2H 51
Lawson Rd. S10 —1C 122
Lawson Sq. Blyth —1L 131
Lawton La. Roth —1L 111
Lawton Ter. S6 —4C 108
Laxey Rd. S6 —7N 107
Laxton Clo. Maltby —7B 98
Laxton Rd. B'ley —9G 16
Laycock Av. Ast —4D 126
Layden Ct. Maltby —9C 98
Layden Dri. Donc —8G 43
Lea Brook. —3E 76
Lea Brook La. W'wth —3E 76
Leabrook Rd. Dron W —9D 134
Leach La. Mexb —2G 78
Lea Ct. Work —8N 141
Leadbeater Dri. S12 —6N 123
Leadbeater Rd. S12 —7N 123
Leader Ct. S6 —3C 108
Leader Rd. S6 —3C 108
Lead Hill. Work —8B 142
Leadley St. Gold —2D 60
Leadmill Rd. S2 —2J 123 (7G 5)
Leadmill St. S1 —1J 123 (6G 5)
Leaf Clo. Maltby —7F 98
Lea Gdns. Holmf —4J 31
Lea Head. Shep —1B 32
Leake Rd. S6 —2D 108
Leak Hall Cres. Denb D —2J 33
Leak Hall La. Denb D —2J 33
Leak Hall Rd. Denb D —2J 33
Leamington Gdns. Donc —2E 64
Leamington St. S10 —8D 108
Leapings La. Thurls —4J 53
(in two parts)
Lea Rd. B'ley —1J 37
Lea Rd. Dron —9H 135
Leas Av. Holmf —1D 30
Lease Ga. Rd. Whis —2A 112
Leas, The. Cusw —2K 63
Lea, The. Swint —4A 78
Lea, The. Wat —9K 125
Leaton Clo. S6 —3M 107
Leavy Greave. S3 —9F 108 (4B 4)
Leavygreave Rd. S3
(in two parts) —9F 108 (3B 4)
Leawood Pl. S6 —6M 107
Le Brun Sq. Carl L —4B 130
Ledbury Gdns. Donc —2H 63
Ledbury Rd. B'ley —2G 37
Ledger Clo. Kiv P —9H 127
Ledsham Ct. Else —8B 58
Ledsham Rd. Roth —9N 95
Ledstone Rd. S8 —7F 122
Lee Av. Deep —5F 72
Leebrook Av. Owl —1H 137
Leebrook Ct. Owl —1H 137
Leebrook Dri. Owl —1H 137
Leebrook Pl. Owl —1H 137
Lee Cft. S1 —8H 109 (2F 5)
Lee Cft. Maltby —1F 114
Leedham Clo. S5 —9N 93
Leedham Rd. S5 —9N 93
Leedham Rd. Roth —9B 96
Leeds Av. Ans —4C 128
Leeds Rd. S9 —6A 110
Leeds Rd. S'oaks —3K 141
Lee Ho. La. S'bri —6B 72
Lee La. Deep —1N 89
Lee La. Mill G —3C 52
Lee La. Roy —7E 16
Lee Mills Ind. Pk. Holmf —4G 31
Leeming Ct. Baw —7B 102
Lee Moor La. S6 —5G 107
Lee Rd. S6 —3M 107
Lees Av. P'stne —4N 53
Lees Hall Av. S8 —6J 123
Lees Hall Golf Course. —9H 129
Lees Hall Pl. S8 —6J 123
Lees Hall Rd. S8 —6J 123
Lees Ho. Ct. S8 —7H 123
Lees Nook. S8 —6H 123
Lees, The. S8 —8H 123
Lees, The. Ard —8B 38
Leger Ct. Donc —4B 64
Leger Way. Donc —5D 64
Legion Dri. Ast —4D 126
Leicester Av. Donc —4D 64
Leicester Rd. Dinn —2E 128
Leicester Wlk. S3 —8G 108 (2C 4)
Leigh St. S9 —5A 110
Leighton Clo. B'ley —5G 36
Leighton Dri. S14 —8N 123
Leighton Pl. S14 —8N 123
Leighton Rd. S14 —7M 123
Leighton Vw. S14 —6M 123
Leinster Av. Donc —2D 64
Leisure La. Emley —1A 14
Lemont Rd. S17 —6N 133
Lengdale Ct. Rawm —9M 77
Lennox Rd. S6 —3C 108
Lennox Rd. Donc —2E 64
Lenny Balk. Moorh —1J 41
Lenton St. S2 —2J 123 (7G 5)
Leonard Clo. S2 —4A 124
Leopold Av. Dinn —3D 128
Leopold St. S1 —9H 109 (3E 4)
Leopold St. B'ley —8E 36
Leopold St. Dinn —2D 128
Leppings La. S6 —2D 108
(in two parts)
Lepton Gdns. B'ley —1L 57
Lerwick Clo. Work —1B 142
Lescar La. S11 —3D 122
Lesley Rd. Gold —2D 60
Leslie Av. Con —4M 79
Leslie Av. Maltby —8B 98
Leslie Rd. S6 —3C 108
Leslie Rd. B'ley —8L 37
Lesmond Cres. L Hou —1L 59
Lestermoor Av. Kiv P —9H 127
Letard Dri. B'wth —3J 111
Letsby Av. S9 —6E 110
Letwell. —9K 115
Letwell Ct. Donc —1L 83
Levels La. Blax —7H 67
Levels La. Misson —7N 85
Leverick Dri. Rawm —7B 78
Leverstock Grn. D'cft —1C 46
Leverton Dri. S11 —2G 123 (7D 4)
Leverton Gdns. S11 —2G 123 (7D 4)
Leverton Way. Dalt —4D 96
Leveson St. S4 —7L 109
Levet Rd. Donc —6J 65
Lewdendale. Wors —3H 57
Lewden Farm La. Wors D —3L 57
Lewden Gth. Wors D —3L 57
Lewes Rd. Con —5N 79
Lewis Rd. S13 —4C 124
Lewis Rd. B'ley —4M 37
Lewyns Dri. Donc —6J 65
Leybourne Rd. Roth —4E 94
Leybrook Cft. Hems —2L 19
Leyburn Clo. Donc —8J 65
Leyburn Dri. Swal —3B 126
Leyburn Gro. C'town —8H 75
Leyburn Rd. S8 —5G 122
(in two parts)
Leyburn Rd. Skell —7C 22
Ley End. Wors —3G 56
Leyfield Bank. Holmf —1G 30
Leyfield Ct. Arm —2M 65
Leyfield Rd. S17 —3M 133
Leyland Av. Hat —1E 46
Leylands, The. B'ley —4C 36
Leys Clo. Donc —2K 81
Leys La. Dinn —2F 128
Leys La. Ham —8N 21
Leys La. L Sme —3A 6
Leys, The. S Kirk —8N 19
Liberty Clo. S6 —7N 107
Liberty Dri. S6 —7N 107
Liberty Hill. —7N 107
Liberty Hill. S6 —7N 107
Liberty La. Wort —3M 73
Liberty Pl. S6 —7N 107
Liberty Rd. S6 —7N 107
Library Clo. Roth —2G 94
Lichen Clo. E'thpe —7J 45
Lichfield Clo. Work —3D 142
Lichfield Gdns. Edl'tn —5E 80
Lichfield Rd. Donc —1C 64
Lichfield Rd. D'cft —9C 26
Lichfield Wlk. Carl L —4B 130
Lichfield Way. B'wth —4K 111
Lichford Rd. S2 —5K 123
Lidgate Cres. S Kirk —7C 20
Lidgate La. Shaf —6B 18
Lidget. —9C 66
Lidget Clo. Donc —8H 65
Lidget Clo. Swal —5A 126
Lidget La. Braml —7J 97
Lidget La. Thurn & Hick —9D 40
Lidget La. Ind. Est. Thurn —8E 40
Lidgett Clo. Dinn —3D 128
Lidgett Gdns. Auc —9C 66
Lidgett La. Dinn —3D 128
Lidgett La. Tank —1E 74
Lidgett Way. Roy —5K 17
Lidster La. Ans —7C 128
Lifestyle Ho. S10 —1D 122
Liffey Av. Donc —2D 64
Lifford Pl. Else —1B 76
Lifford Rd. Donc —2C 64
Lifford St. S9 —1E 110
Lightwood. —1M 135
(Dronfield)
Lightwood. —8F 136
(Eckington)
Lightwood La. S8 —1M 135
Lightwood Rd. Mar L —9E 136
Lignum Ter. Ask —1L 23
Lilac Av. S'bri —6D 72
Lilac Clo. Ans —7B 128
Lilac Cres. Edl'tn —5F 80
Lilac Cres. Hoy —8M 57
Lilac Farm Clo. Wick —9G 97
Lilac Gro. Auc —2C 84
Lilac Gro. Baw —6B 102
Lilac Gro. Braml —8H 97
Lilac Gro. Carl L —4B 130
Lilac Gro. Con —5M 79
Lilac Gro. Donc —7J 65
Lilac Gro. Maltby —8B 98
Lilac Rd. S5 —1M 109
Lilac Rd. Arm —9M 45
Lilac Rd. Beig —8M 125
Lilacs, The. Roy —5M 17
Liley La. Mill G —6F 52
Lilian St. Roth —8L 95
Lilian St. S. Roth —8L 95
Lillee Ct. Work —5E 142
Lilley St. Hems —3K 19
Lilley Ter. S Kirk —7A 20
Lillford Rd. Bran —7A 66
Lilly Hall Clo. Maltby —7B 98
Lilly Hall Rd. Maltby —7B 98
Lilydene Av. Grim —1F 38
Lily Ter. Jump —8N 57
Limb La. S17 —2M 133
Limbreck Ct. Ben —7L 43
Limbrick Clo. S6 —5D 108
Limbrick Rd. S6 —5D 108
Lime Av. Auc —2C 84
Lime Av. Firb —6L 115
Lime Clo. Rav —3J 97
Lime Ct. Spro —6H 63
Lime Cres. S Elm —8D 20
Limedale Vw. Barn D —2K 45
Lime Gro. B'ley —8K 17
Lime Gro. C'town —1H 93
Lime Gro. Maltby —8F 98
Lime Gro. Roth —9N 95
Lime Gro. S Elm —8D 20
Lime Gro. S'bri —6D 72
Lime Gro. Swint —4C 78
Limekiln La. S'ton —5J 99
(Raw La.)
Limekiln La. S'ton —3J 99
(Ruddle Mill La.)
Limekilns. Ans —5B 128
Limelands Rd. Dinn —2C 128
Lime Rd. Eck —9H 137
Limes Av. B'ley —5C 36
Limes Av. M'well —7D 16
Limes Clo. M'well —7D 16
Limestone Clo. W'sett —8J 129
Limestone Cottage La. S6 —9C 92
Lime St. S6 —6F 108
Lime St. Beig —7M 125
Limesway. B'ley —5C 36
Limesway. Maltby —8D 98
Lime Tree Av. Arm —9L 45
(in two parts)
Lime Tree Av. Carl L —4B 130
Lime Tree Av. Donc —5B 64
Lime Tree Av. Kil —5B 138
Limetree Av. Kiv P —8H 127
Limetree Av. Thur —6L 113
Lime Tree Clo. Cud —1B 38
Lime Tree Ct. Donc —6C 64
Lime Tree Ct. Hems —3J 19
Lime Tree Cres. Baw —6B 102
Lime Tree Cres. New R —6K 83
Lime Tree Cres. Rawm —8A 78
Lime Tree Gro. Thorne —1K 27
Lime Tree Wlk. Den M —2L 79
Limpool Clo. Donc —8J 65
Limpsfield Rd. S9 —2A 110
Linaker Rd. S6 —6B 108
Linburn Clo. Roy —5H 17
Linburn Rd. S8 —9G 122
Linby Rd. B'ley —9G 16
Lincoln Clo. Crow —8N 29
Lincoln Clo. Den M —4L 79
Lincoln Cres. S Elm —5F 20
Lincoln Gdns. Gold —2C 60
Lincoln Rd. Donc —1C 64
Lincoln Rd. Lind —9J 47
Lincoln St. S9 —2B 110
Lincoln St. Maltby —9E 98
Lincoln St. New R —4H 83
Lincoln St. Roth —5K 95
Lincoln St. Work —9D 142
Lincoln Vw. Work —8D 142
Lincroft Dri. P'gte —2M 95
Lindale Clo. Ans —6D 128
Lindale Gdns. Gold —3E 60
Lindales, The. B'ley —6D 36
Linden Av. S8 —9F 122
Linden Av. Dron —7J 135
Linden Av. Wick —7H 97
Linden Clo. Hat —9D 26
Linden Ct. S10 —2C 122
Linden Ct. E'fld —4J 93
Linden Cres. S'bri —5D 72
Linden Gro. Edl'tn —5F 80
Linden Gro. Maltby —8B 98
Linden Rd. E'fld —4J 93
Linden Rd. Wath D —9H 59
Linden Wlk. Toll B —4L 43
Lindey Dri. Crow —7N 29
Lindholme Bank Rd. Hat W —6L 47
Lindholme Dri. Ross —4L 83
Lindholme Gdns. Owl —9J 125
Lindhurst Lodge. B'ley —9G 17
Lindhurst Rd. B'ley —9F 16
Lindley Ct. Finn —3G 85
Lindley Cres. Thurn —9C 40
Lindley Rd. S5 —2L 109
Lindley Rd. Finn —3G 84
Lindley's Cft. Tod —6L 127
Lindley St. Roth —5L 95
Lindrick. Tick —7C 100
Lindrick Av. Swint —4D 78
Lindrick Clo. Carl L —5C 130
Lindrick Clo. Con —3C 80
Lindrick Clo. Cud —8C 18
Lindrick Clo. Donc —9F 64
Lindrick Clo. Tick —7C 100

Lindrick Clo.—Low Edges

Lindrick Clo. Work —5C 142
Lindrick Ct. W'sett —8K 129
Lindrick Dri. Arm —2L 65
Lindrick Golf Course. —1J 141
Lindrick La. Tick —8C 100
Lindrick Rd. Hat W —2H 47
Lindrick Rd. W'sett —8J 129
Lindsay Av. S5 —9J 93
Lindsay Clo. S5 —8J 93
Lindsay Cres. S5 —8J 93
Lindsay Dri. S5 —8J 93
Lindsay Pl. Swal —4C 126
Lindsay Rd. S5 —8J 93
Lindsey Clo. Donc —1G 83
Lindum Dri. Wick —9H 97
Lindum Gro. Crow —3N 29
Lindum St. Donc —5M 63
Lindum Ter. Roth —7L 95
(off Doncaster Rd.)
Lindwall Ct. Work —5E 142
Lingamore Leys. Thurn —7C 40
Lingard Ct. B'ley —6E 36
Lingard La. Worr —8M 91
Lingard St. B'ley —5E 36
Lingfield Clo. Braml —9K 97
Lingfield Dri. Donc —2H 63
Ling Fld. Rd. Brod —5N 41
Lingfield Wlk. Mexb —9H 61
Lingfoot Av. S8 —4J 135
Lingfoot Clo. S8 —4J 135
Lingfoot Cres. S8 —4J 135
Lingfoot Dri. S8 —4J 135
Lingfoot Pl. S8 —4J 135
Lingfoot Wlk. S8 —4K 135
Ling Ho. La. Stain —7L 25
(in two parts)
Ling La. Brod —3M 41
Lingmoor Clo. Donc —9J 63
Lingodell Clo. Lghtn —8D 114
Lings La. Hat —2D 46
Lings La. Upt —1M 21
Lings La. Wick —9H 97
Lings, The. Arm —2N 65
Lings, The. Braml —9J 97
Lingwaite. Dod —9B 36
Lingwood Clo. New M —1H 31
Link Rd. Roth —3F 96
Link Row. S2 —2K 5
Links Vw. M'well —7C 16
Linkswood Av. Donc —9F 44
Linkswood Rd. Dalt —4C 96
Link, The. Dod —1B 56
Linkway. Donc —1E 64
Linkway. Hat W —2H 47
Linkway. Nor —7H 7
Linley La. S12 & S13 —6D 124
Linnet Mt. Thpe H —9N 75
Linnets, The. Gate —3A 142
Linscott Rd. S8 —9F 122
Linshaws Rd. Holmf —2C 50
Linthwaite La. Else & W'wth —2C 76
Linton Clo. B'ley —8C 36
Linton Clo. Baw —7B 102
Lionel Hill. Cra M —8L 55
Liphill Bank. —3B 30
Liphill Bank Rd. Holmf —3A 30
Lip Hill La. Holmf —2A 30
Lipp Av. Kil —3B 138
Liquorice La. Work —7D 130
Liskeard Pl. Adw S —3E 42
Lisle Rd. Roth —9N 95
Lismore Rd. S8 —6J 123
Lister Av. S12 —7B 124
Lister Av. Donc —7M 63
Lister Av. Rawm —7L 77
Lister Clo. S12 —8B 124
Lister Ct. Donc —2D 64
Lister Cres. S12 —8A 124
Listerdale. —9F 96
Listerdale Shop. Cen. Roth —9D 96
Lister Dri. S12 —8B 124
Lister Pl. S12 —8B 124
Lister Rd. S6 —5D 108
Lister Row. Gt Hou —5K 39
Lister St. S9 —8C 110
Lister St. Roth —7M 95
Lister Way. S12 —8B 124
Litherop La. Clayt W —3E 14
Litherop Rd. H Hoy —5F 14
Lit. Black La. Tick —6G 100
Lit. Bridge Rd. P'gte —4L 95
Little Cake. Holmf —6G 31
Lit. Cockhill La. Old E —7F 80
Little Common. —8A 122
Lit. Common La. S11 —8A 122
Lit. Common La. Balne —1C 8
Lit. Common La. K'wth —6D 94
(in two parts)
Lit. Common La. Whis —3D 112
Littledale Rd. S9 —1C 124
Little Fld. La. Womb —4D 58
(in two parts)
Littlefield Rd. Dinn —2C 128
Lit. Haynooking La. Maltby —8D 98
Little Hemsworth. —3L 19
Lit. Hemsworth. Hems —3L 19
Littlehey Clo. Maltby —7B 98
Little Houghton. —9K 39
Lit. Houghton La. D'fld —1H 59
Little John's Well. —7D 132
Little La. S4 —3M 109
Little La. S12 —5B 124
Little La. Blyth —9L 117
Little La. Donc —7F 44
Little La. H Hoy —8E 14
Little La. Holmf —3D 30
(Prickleden)
Little La. Holmf —2G 31
(Town End)
Little La. Scho —1B 94
Little La. S Elm —6G 20
(Chapel La.)
Little La. S Elm —6E 20
(Minsthorpe Va.)
Little La. Spro —3E 62
Little La. Thpe H —8M 75
Little La. Thor S —4F 140
Little La. Upt —2G 20
Little La. Wome —3E 6
Little La. Ind. Est. Donc —7E 44
Little Leeds. Hoy —9M 57
Lit. London Pl. S8 —5G 123
Lit. London Rd. S8 —7F 122
Lit. Matlock Gdns. S6 —6M 107
Lit. Matlock Way. S6 —6M 107
Littlemoor. Eck —7L 137
Littlemoor Av. Kiv P —9H 127
Littlemoor La. Donc —6M 63
Littlemoor St. Donc —6M 63
Lit. New Clo. Gawber —5C 36
Little Norton. —2H 135
Lit. Norton Av. S8 —3H 135
Lit. Norton Dri. S8 —2H 135
Lit. Norton La. S8 —2H 135
Lit. Norton Way. S8 —3H 135
Little Sheffield. —2G 122
Little Smeaton. —4C 6
Little Westfields. Roy —5H 17
Littlewood Dri. S12 —8A 124
Littlewood La. Thor S —4C 140
Littlewood Rd. S12 —8A 124
Littlewood Rd. Thorne —2L 27
Littlewood St. Donc —5M 63
Littlewood Way. Maltby —7F 98
Littleworth. —5L 83
Littleworth Clo. Ross —5L 83
Littleworth La. B'ley —4L 37
Littleworth La. Ross —4L 83
Littleworth M. Ross —4L 83
Litton Clo. Shaf —6C 18
Littondale. Work —3D 142
Litton Wlk. B'ley —6E 36
Litton Wlk. Shaf —6C 18
Liverpool Av. Donc —1C 64
Liverpool Pl. S9 —5N 109
Liverpool St. S9 —5N 109
Livesey St. S6 —4E 108
Livingstone Av. Donc —7G 44
Livingstone Cres. B'ley —3J 37
Livingstone Rd. C'town —9F 74
Livingstone Ter. B'ley —8F 36
Livingston Rd. S9 —6M 109
Llewelyn Cres. Ask —2K 23
Lloyds Ter. D'cft —8B 26
Lloyd St. S4 —3L 109
Lloyd St. P'gte —2M 95
Load Brook. —6E 106
Load Fld. Rd. S6 —4B 90
Loakfield Dri. S5 —6G 92
Lobelia Ct. Ans —7B 128
Lobelia Cres. Kirk S —5J 45
Lobwood. Wors —2H 57
Lobwood La. Wors —2J 57
Locarno Rd. Moor —7M 11
(in two parts)
Lockeaflash Cres. B'ley —9L 37
Locke Av. B'ley —8F 36
Locke Av. Wors —1G 56
Locke Rd. Dod —1B 56
Lockesley Av. Con —4M 79
Locke St. B'ley —9E 36
Lockgate Rd. Balne —2C 8
Lock Hill. Thorne —2J 27
Lock Ho. Rd. S9 —3C 110
Locking Dri. Arm —2M 65
Lock La. S9 —9E 94
Lock La. Thorne —2J 27
Locksley Av. E'thpe —6J 45
Locksley Dri. Thur —6K 113
Locksley Gdns. Birdw —9G 57
Locksley Gdns. Cam —9G 7
(off Park Dri.)
Lock St. S6 —6F 108
Lockton Clo. High G —6D 74
Lockton Way. Con —3B 80
Lockwood Av. Ans —8B 128
Lockwood Clo. Roth —6B 96
Lockwood Clo. Thorne —2M 27
Lockwood La. B'ley —9G 36
Lockwood La. Thurn —9D 40
Lockwood Rd. Donc —2B 64
Lockwood Rd. Gold —2D 60
Lockwood Rd. Roth —6B 96
Lodge Ct. Hat —1D 46
Lodge Dri. Harl —5L 75
Lodge Farm Clo. Ans —5B 128
Lodge Farm M. Ans —5B 128
Lodge Hill Dri. Kiv P —9G 127
Lodge La. S6 & S10 —9J 107
Lodge La. Ast —5C 126
Lodge La. B'wte —2L 25
Lodge La. Dinn —2F 128
Lodge La. Thpe H —2N 93
Lodge Moor. —2J 121
Lodge Moor Rd. S10 —3G 121
Lodge Rd. Skell —7F 22
Lodge St. Hems —1K 19
Lodge, The. S11 —6B 122
Lodge Way. B'wth —3J 111
Lodore Rd. Work —3C 142
Logan Rd. S9 —8D 110
Loicher La. E'fld —4K 93
Lomas Clo. S6 —5L 107
Lomas Lea. S6 —6K 107
Lombard Clo. B'ley —5F 36
Lombard Cres. D'fld —2E 58
London La. Moss —8E 8
London Rd. S2 —2G 123 (7D 4)
London Way. Thpe H —1M 93
Long Acre. B'ley —8J 17
Longacre Clo. H'brk —1N 137
Longacre Vw. H'brk —2N 137
Longacre Way. H'brk —2N 137
Long Balk. B'ley —3N 35
Long Brecks La. Blyth —3M 131
Longcar La. B'ley —8E 36
Long Causeway. B'ley —4K 37
Long Causeway. Hath & S10 —6J 119
Long Cliffe Clo. Shaf —7C 18
Long Clo. Donc —1G 83
Long Clo. Shep —1N 31
Long Clo. La. New M & Shep —2M 31
Long Clo. La. N Elm —2H 21
Long Cft. M'well —8C 16
Longcroft Av. Dron W —8D 134
Longcroft Cres. Dron W —8D 134
Longcroft Rd. Dron W —8D 134
Longdale Dri. S Elm —5D 20
Long Edge La. Donc —7J 43
Longfellow Dri. Roth —8A 96
Longfellow Dri. Work —6E 142
Longfellow Rd. Donc —9N 63
Longfield Clo. Womb —3B 58
Longfield Dri. Donc —9G 65
Long Fld. Dri. E'thpe —6K 45
Longfield Dri. M'well —8C 16
Longfield Dri. Rav —5J 97
Longfield Rd. S10 —7C 108
Long Fld. Rd. E'thpe —5K 45
Longfields Cres. Hoy —9L 57
Long Fold. Wath D —9J 59
Longford Clo. S17 —5B 134
Longford Cres. S17 —5B 134
Longford Dri. S17 —6A 134
Longford Rd. S17 —6A 134
Longford Spinney. S17 —6A 134
Long Ga. Tick —9K 81
Long Gro. Stain —5A 26
Long Henry Row. S2 —9K 109 (3J 5)
Longhurst. Work —5E 142
Long Ing Rd. Hade E —9E 30
Longland La. Cam —2F 22
Longlands Av. Kiv P —9H 127
Longlands Bank. T'bri —1F 30
Longlands Dri. M'well —9C 16
Longlands Dri. Thry —2F 96
Long Lands La. Brod —4B 42
Long La. S6 —7E 106
(Beeton Grn.)
Long La. S6 —7M 107
(Oldfield Rd.)
Long La. S6 & Worr —3L 107
Long La. S10 —8N 107
Long La. Carl L —5B 130
Long La. Clayt W —6B 14
Long La. Kil —4D 138
Long La. Kir Sm —1A 22
Long La. Mar L —9C 136
Long La. P'stne —2L 53
(Anna La.)
Long La. P'stne —6B 54
(Castle La.)
Long La. Spro —3F 62
Long La. S'bri —6N 71
Long La. Whis —4M 111
Long La. Worr —6K 91
Longley Av. W. S5 —2F 108
Longley Clo. S5 —2J 109
Longley Clo. Bar G —4N 35
Longley Cres. S5 —1J 109
Longley Dri. S5 —2J 109
Longley Edge La. Holmf —7F 30
Longley Edge Rd. Holmf —8F 30
Longley Est. S5 —1J 109
Longley Farm Vw. S5 —2J 109
Longley Hall Gro. S5 —2J 109
Longley Hall Ri. S5 —1J 109
Longley Hall Rd. S5 —1K 109
Longley Hall Way. S5 —2K 109
Longley La. S5 —2J 109
Longley La. Holmf —8E 30
Long Leys La. Maltby & Braith —9E 80
Longley St. Bar G —4N 35
Long Line. S11 —9J 121
Longman Rd. B'ley —5F 36
Long Plantation. E'thpe —6K 45
Longridge Rd. B'ley —2L 37
Long Rd. Thur —9J 113
Long Royd La. Up Cum —1E 32
Long Sandall. —6G 45
Long Sandall Bri. Donc —5F 44
Longshaw Country Pk. —7C 132
Longshaw Country Pk. Vis. Cen. —6C 132
Longside Way. B'ley —6B 36
Longsight Rd. M'well —8B 16
Longspring Gro. Tank —1F 74
Long Steps. S2 —2K 5
Longstone Cres. S12 —7D 124
Longthwaite Clo. Lghtn —8C 114
Longton Rd. Kirk S —4K 45
Long Wlk. S10 —8B 108
Long Walls. —6A 30
Lonsborough Way. S Elm —5F 20
Lonsdale Av. B'ley —8B 38
Lonsdale Av. Donc —4E 64
Lonsdale Clo. Ans —5D 128
Lonsdale Ho. Donc —2F 64
Lonsdale Rd. S6 —5D 108
Loosemore Dri. S12 —6N 123
Lopham Clo. S3 —7J 109
Lopham St. S3 —6J 109
(in two parts)
Lordens Hill. Dinn —2E 128
Lords Clo. Edl'tn —3G 81
Lord's Head La. Warm —1G 81
Lord St. B'ley —6K 37
Lord St. Roth —6N 95
Lord St. Stain —6A 26
Loretta Cotts. Hoy —9L 57
Lorna Rd. Mexb —1F 78
Lorne Clo. Dron W —8E 134
Lorne Rd. Thurn —8A 40
Loscoe Gro. Gold —2B 60
Lothian Rd. Donc —2F 64
Louden Clo. Scho —3B 94
Louden Rd. Scho —3B 94
Lounde Clo. Spro —6G 62
Lound La. Donc —2L 41
Lound Rd. S9 —9D 110
Lound Side. C'town —8H 75
Lousy Busk La. Mexb —9D 60
Louth Rd. S11 —4C 122
Love La. Barn D —7J 25
Lovell St. S4 —7L 109
Loversall. —4A 82
Loversall Clo. Donc —1M 81
Love St. S3 —8H 109 (1F 5)
Lovetot Av. Ast —3C 126
Lovetot Rd. S9 —7M 109
(in two parts)
Lovetot Rd. Roth —3E 94
Low Barugh. —2A 36
Low Bradfield. —9C 90
Lowburn Rd. S13 —4C 124
Low Comn. Harw —9G 100
Low Comn. Rd. Aus —2E 102
(in two parts)
Low Comn. Rd. Dinn —2B 128
Low Cft. Roy —5L 17
Low Cronkhill La. B'ley —7M 17
Low Cross St. Crow —7M 29
Low Cudworth. Cud —3B 38
Low Cudworth Grn. Cud —3B 38
Low Deeps La. Misson —5J 85
Lowedges. —4G 134
Low Edges. S8 —4H 135

Lowedges Cres. *S8* —4G **134**
Lowedges Dri. *S8* —4G **135**
Lowedges Pl. *S8* —4H **135**
Lowedges Rd. *S8* —5E **134**
(in three parts)
Lowe La. *S'bgh* —4N **55**
Lowell Av. *Donc* —9M **63**
Lower Binns. —3D 30
Lwr. Boundary Rd. *Ark* —1C **44**
Lower Bradway. —4D 134
Lwr. Castlereagh St. *B'ley* —7F **36**
Lwr. Collier Fold. *Caw* —3H **35**
Lwr. Common La. *Scis* —9A **14**
Lower Crabtree. —4K 109
Lower Cumberworth. —1H 33
Lower Denby. —4L 33
Lwr. Denby La. *Lwr D* —4L **33**
Lwr. Dolcliffe Rd. *Mexb* —1E **78**
Lwr. Haigh Head. *H'swne* —9B **34**
Lwr. High Royds. *Dart* —9B **16**
Lwr. Kenyon St. *Thorne* —1K **27**
Lower Lewden. —3L 57
Lwr. Malton Rd. *Scaw* —9J **43**
Lwr. Maythorn La. *Holmf* —8N **31**
Lwr. Meadows. *U'thng* —3B **30**
Lwr. Mill Clo. *Gold* —3B **60**
Lwr. Northcroft. *S Elm* —6F **20**
Lwr. Northfield La. *S Kirk* —5B **20**
Lower Pasture. *Blax* —2G **84**
Lower Pilley. —1F 74
Lwr. Putting Mill. *Denb D* —1L **33**
Lwr. Thomas St. *B'ley* —7F **36**
Lwr. Town End Rd. *Holmf* —1G **30**
Lwr. Unwin St. *P'stne* —5N **53**
Lower Walkley. —5D 108
Lowfield. —4H 123
Lowfield Av. *S12* —1E **136**
Lowfield Av. *Roth* —2J **95**
Lowfield Clo. *Barn D* —2L **45**
Lowfield Ct. *S2* —4H **123**
Lowfield Cres. *Hems* —2L **19**
Lowfield Gro. *Bol D* —6D **60**
Low Fld. La. *Aus* —4E **102**
Lowfield La. *Bol D* —5D **60**
Lowfield Meadows. *Bol D* —6C **60**
Lowfield Rd. *Bol D* —5C **60**
Lowfield Rd. *Donc* —9F **44**
Lowfield Rd. *Hems* —2L **19**
Lowfield Wlk. *Den M* —2L **79**
Low Fisher Ga. *Donc* —3A **64**
Low Fold. *Lwr C* —1H **33**
Low Fold Ct. *Up Den* —5J **33**
Lowgate. *Balne* —1D **8**
Lowgate. *Donc* —9J **43**
Low Ga. *Holmf* —4F **30**
Low Ga. *S Elm* —6F **20**
Low Golden Smithies. *Swint* —2B **78**
Low Grange Rd. *Thurn* —8B **40**
Low Grange Sq. *Thurn* —8B **40**
Lowgreave. *Roth* —5B **96**
Low Hill. *Thorne* —9H **11**
Lowhouse Rd. *S5* —6M **93**
Low Ings Grn. *Clayt W* —6A **14**
Low Ings La. *Syke* —6F **10**
Low Laithes. —1B 58
Low Laithes Vw. *Womb* —3B **58**
Lowlands Clo. *B'ley* —3L **37**
Lowlands Clo. *Ben* —5M **43**
Lowlands Wlk. *Ask* —2M **23**
Low La. *B'wte* —4J **25**
Low La. *Donc* —9F **64**
Low La. *Maltby* —2A **114**
Low La. *Roth* —5F **94**
Low Levels Bank. *Hat* —9M **27**
Low Matlock La. *S6* —5M **107**
Low Moor La. *Mid* —3F **70**
Low Moor La. *Wool* —1M **15**
Low Pasture Clo. *Dod* —9B **36**
Low Riddings. *S'side* —7G **97**
Low Rd. *S6* —6B **108**
Low Rd. *Con* —3A **80**
Low Rd. *Donc* —8L **63**
Low Rd. *O'bri* —6M **91**
Low Rd. *Oxs* —6F **54**
Low Rd. E. *Warm* —9H **63**
(in two parts)
Low Rd. W. *Warm* —1G **81**
Low Row. *Dart* —6N **15**
Lowry Dri. *Dron* —9G **134**
Low St. *Carl L* —6D **130**
Low St. *Dod* —1C **56**
Low Stubbin. —6J 77
Lowther Rd. *S6* —3E **108**
Lowther Rd. *Donc* —2B **64**
Lowther Sq. *Carl L* —4B **130**
Lowton Way. *H'by* —8M **97**
Lowtown Clo. *Work* —8D **142**
Lowtown St. *Work* —8D **142**
Lowtown Vw. *Work* —8D **142**

Low Valley. —3F 58
Low Valley Ind. Est. *Womb* —3F **58**
Low Vw. *Dod* —9N **35**
Low Wincobank. —8A 94
Low Wood Clo. *Swint* —5B **78**
Loxley. —4N 107
Loxley Av. *Womb* —5C **58**
Loxley Bottom. —4B 108
Loxley Ct. *S6* —5D **108**
Loxley Ct. *Roth* —2M **111**
Loxley Mt. *Cam* —1G **22**
Loxley New Rd. *S6* —5C **108**
Loxley Rd. *S6* —8D **90**
Loxley Rd. *B'ley* —5N **37**
Loxley Vw. Rd. *S10* —7C **108**
Loy Clo. *Roth* —2G **95**
Lucas St. *S4* —5K **109**
Lucknow Ct. *S7* —5F **122**
Ludgate Clo. *New R* —7K **83**
Ludwell Clo. *Barn* —5K **61**
Ludwell Hill. *Barn* —5K **61**
Lugano Gro. *D'fld* —1E **58**
Luke La. *S6* —3A **108**
Lulworth Clo. *B'ley* —8J **37**
Lumb La. *S6 & Whar S* —6F **90**
Lumley Clo. *Maltby* —8G **98**
Lumley Cres. *Maltby* —9G **98**
Lumley Dri. *Dinn* —1A **128**
Lumley Dri. *Maltby* —9F **98**
Lumley Dri. *Tick* —6E **100**
Lumley St. *S4* —4K **109**
Lumley St. *S9* —8N **109**
Lump La. *Gren* —4D **92**
Luna Cft. *S12* —9N **123**
Lunbreck Rd. *Warm* —1G **80**
Lund Av. *B'ley* —5N **37**
Lund Clo. *B'ley* —5N **37**
Lund Cres. *B'ley* —5N **37**
Lundhill Clo. *Womb* —6E **58**
Lundhill Farm M. *H'fld* —7D **58**
Lundhill Gro. *Womb* —6E **58**
Lund Hill La. *Roy* —5N **17**
Lundhill Rd. *Womb* —7E **58**
Lund Rd. *Worr* —8M **91**
Lundwood. —5M 37
Lundwood Clo. *Owl* —9J **125**
Lundwood Dri. *Owl* —9J **125**
Lundwood Gro. *Owl* —9J **125**
Lundwood Ho. *Donc* —5N **63**
(off Bond Clo.)
Lunn Rd. *Cud* —2B **38**
Lupton Cres. *S8* —4G **135**
Lupton Dri. *S8* —4G **135**
Lupton Rd. *S8* —4G **135**
Lupton Wlk. *S8* —4H **135**
Luterel Dri. *Swal* —3C **126**
Lutterworth Dri. *Adw S* —2E **42**
Lyceum Theatre. —9J 109 (3F 5)
Lych Ga. Clo. *Donc* —8K **63**
Lydgate. —9B 108
Lydgate Clo. *New M* —2J **31**
Lydgate Ct. *S10* —9C **108**
Lydgate Dri. *New M* —1H **31**
Lydgate Hall Cres. *S10* —9B **108**
Lydgate La. *S10* —9B **108**
Lydgate Ri. *S Kirk* —6C **20**
Lydgetts. *U'thng* —2B **30**
Lymegate. *Bram* —9F **58**
Lyme St. *Roth* —7J **95**
Lyme Ter. *Skell* —8C **22**
Lyminster Rd. *S6* —8D **92**
Lyminton La. *Tree* —8L **111**
Lymister Av. *Roth* —2M **111**
Lyncroft Clo. *B'wth* —4K **111**
Lyndale Av. *E'thpe* —7H **45**
Lynden Av. *Adw S* —3E **42**
Lyndhurst Clo. *S11* —4D **122**
Lyndhurst Clo. *Nor* —7J **7**
Lyndhurst Clo. *Thorne* —1H **27**
Lyndhurst Ct. *Nor* —7H **7**
Lyndhurst Cres. *E'thpe* —5H **45**
Lyndhurst Dri. *Nor* —7H **7**
Lyndhurst Ri. *Nor* —7J **7**
Lyndhurst Rd. *S11* —4D **122**
Lyndhurst Vs. *Nor* —7H **7**
Lynham Av. *Birdw* —9G **57**
Lynmouth Rd. *S7* —6F **122**
Lynn Pl. *S9* —4B **110**
Lynton Av. *Roth* —1N **111**
Lynton Dri. *E'thpe* —6H **45**
Lynton Pl. *Dart* —9M **15**
Lynton Rd. *S11* —3E **122**
Lynwood Clo. *Dron W* —9E **134**
Lynwood Dri. *B'ley* —8K **17**
Lynwood Dri. *Mexb* —1F **78**
Lyons Clo. *S4* —5K **109**
Lyons Rd. *S4* —5K **109**
Lyons St. *S4* —5K **109**
Lysander Way. *Work* —2B **142**

Lytham Av. *B'ley* —2L **37**
Lytham Av. *Dinn* —4D **128**
Lytham Clo. *Donc* —9L **65**
Lyttleton Cres. *P'stne* —6M **53**
Lytton Av. *S5* —8F **92**
Lytton Clo. *Donc* —9M **63**
Lytton Cres. *S5* —8F **92**
Lytton Dri. *S5* —8F **92**
Lytton Rd. *S5* —8F **92**

Mabel St. *Roth* —8M **95**
Mable St. *Rhod* —6L **141**
Macaulay Clo. *Work* —6F **142**
Macaulay Cres. *Arm* —1M **65**
McConnel Cres. *New R* —5G **83**
Machin Ct. *Dron* —8H **135**
Machin Dri. *Rawm* —6J **77**
Machin Gro. *Gate* —3N **141**
Machin La. *S'bri* —4N **71**
Machon Bank. *S7* —5F **122**
Machon Bank Rd. *S7* —4E **122**
McIntyre Rd. *S'bri* —5D **72**
Mackenzie Cres. *S10* —1F **122** (6A 4)
Mackenzie Cres. *Burn* —1E **92**
Mackenzie St. *S11* —3F **122**
McKenzie Way. *Kiv P* —9J **127**
Mackey Cres. *Brie* —6E **18**
Mackey La. *Brie* —6E **18**
Mackinnon Av. *Kiv P* —9J **127**
McLaren Av. *Upt* —1J **21**
McLaren Cres. *Maltby* —9E **98**
McLintock Way. *B'ley* —7E **36**
McLoughlin Way. *Kiv P* —9J **127**
McManus Av. *Rawm* —6M **77**
Macnaughten Rd. *Tank* —1G **74**
Macro Rd. *Womb* —5E **58**
Madam La. *Barn D* —9H **25**
Madehurst Gdns. *S2* —4J **123**
Madehurst Ri. *S2* —4J **123**
Madehurst Rd. *S2* —4J **123**
Madehurst Vw. *S2* —4J **123**
Madingley Clo. *Donc* —1L **81**
Madison Dri. *Baw* —7B **102**
Mafeking Pl. *C'town* —8H **75**
Magellan Rd. *Maltby* —7C **98**
Maggot La. *Oxs* —4F **54**
Magna Clo. *Flan* —7G **96**
Magna Cres. *Flan* —7F **96**
Magna La. *Dalt* —4C **96**
Magna Science Adventure Pk. —9G 94
Magnolia Clo. *Ans* —8B **128**
Magnolia Clo. *Kirk S* —5J **45**
Magnolia Clo. *Shaf* —7D **18**
Magnolia Ct. *S10* —3N **121**
Magpie Clo. *Gate* —3N **141**
Magpie Gro. *S2* —1M **123**
Magup La. *Holmf* —7J **31**
Mahon Av. *Rawm* —8M **77**
Maidstone Rd. *S6* —9E **92**
Maidwell Way. *Kirk S* —4H **45**
Main Av. *S17* —6N **133**
Main Av. *Edl'tn* —3F **80**
Main Ga. *Hep* —6J **31**
Main Rd. *S6* —3F **106**
Main Rd. *S9* —7C **110**
Main Rd. *S12* —2E **136**
Main Rd. *Bam* —8E **118**
Main Rd. *Holm* —9C **134**
Main Rd. *Mar L* —8E **136**
Main Rd. *Ren* —9N **137**
Main Rd. *Whar S* —2K **91**
Main St. *S12* —7H **125**
Main St. *Ans* —6B **128**
Main St. *Auc* —8B **66**
Main St. *Aug* —2B **126**
Main St. *Braml* —8J **97**
Main St. *Cant* —6L **65**
Main St. *Cat* —7K **111**
Main St. *Fish* —2C **26**
Main St. *Gold* —2D **60**
Main St. *Greasb* —1J **95**
Main St. *Gren* —4D **92**
Main St. *Ham* —8N **21**
Main St. *Harw* —9H **101**
Main St. *Hat W* —2G **47**
(in two parts)
Main St. *Kir Sm* —4B **6**
Main St. *Mexb* —1E **78**
Main St. *Oldc* —6C **116**
Main St. *Rav* —2J **97**
Main St. *Rawm* —8N **77**
Main St. *Roth* —7J **95**
Main St. *S Hien* —3D **18**
Main St. *Spro* —7F **62**
Main St. *Sty* —3F **116**
Main St. *Sutton* —4J **23**
Main St. *Swal* —4B **126**
Main St. *Ulley* —8D **112**

Main St. *Upt* —1J **21**
Main St. *Wadw* —7M **81**
Main St. *W'wth* —5A **76**
Main St. *Womb* —4C **58**
Main St. Shop. Cen. *Braml* —8J **97**
Main Vw. *Stain* —5D **26**
Mair Ct. *Roth* —3N **111**
Majuba St. *S6* —6E **108**
Makin St. *Mexb* —2H **79**
Malcolm Clo. *B'ley* —8L **37**
Malham Clo. *Baw* —5B **102**
Malham Clo. *Shaf* —6C **18**
Malham Ct. *B'ley* —6E **36**
Malham Gdns. *Half* —3K **137**
Malham Gro. *Half* —3L **137**
Malham Pl. *C'town* —8G **75**
Malham Tarn Ct. *Donc* —7E **64**
Malinbridge. —5C 108
Malincroft. *M'well* —9C **16**
Malinda St. *S3* —7G **108** (1C 4)
Malin Rd. *S6* —5B **108**
Malin Rd. *Roth* —5C **96**
Mallard Av. *Barn D* —2J **45**
Mallard Clo. *Donc* —9K **63**
Mallard Clo. *Thpe H* —8A **76**
Mallard Dri. *Kil* —3A **138**
Mallards, The. *Gate* —3N **141**
Mallinder Clo. *Kil* —4C **138**
Mallin Dri. *Edl'tn* —6F **80**
Mallory Av. *Rawm* —8L **77**
Mallory Dri. *Mexb* —9J **61**
Mallory Rd. *Roth* —5B **96**
Mallory Way. *Cud* —1C **38**
Maltas Ct. *Wors* —2K **57**
Maltby. —8E 98
Maltby Ho. *Donc* —5N **63**
(off Burden Clo.)
Maltby La. *Braith* —4E **98**
Maltby Rd. *Oldc* —6B **116**
Maltby Sports Cen. —8E 98
Maltby St. *S9* —5A **110**
Maltby Vs. *Hat* —9E **26**
Malthouse Cotts. *Kiv S* —1N **139**
Malthouse Rd. *B'ley* —7G **37**
Malting La. *S4* —1J **5**
Maltings, The. *Blyth* —9L **117**
Maltings, The. *P'stne* —5M **53**
(off Mortimer Rd.)
Maltings, The. *Roth* —8K **95**
Maltkiln Cotts. *Kirk S* —3J **45**
Maltkiln Dri. *Bret* —1H **15**
Malt Kiln Row. *Caw* —3G **35**
(off Hill Top)
Maltkiln St. *Roth* —8K **95**
Malton Dri. *Ast* —4D **126**
Malton Pl. *B'ley* —1F **36**
Malton Rd. *Intake* —2E **64**
Malton Rd. *Scaw* —9H **43**
Malton Rd. *Upt* —1J **21**
Malton St. *S4* —5K **109**
Maltravers Clo. *S2* —1M **123**
Maltravers Cres. *S2* —9L **109**
Maltravers Pl. *S2* —9M **109**
Maltravers Rd. *S2* —8L **109**
Maltravers Ter. *S2* —1M **123**
(in two parts)
Maltravers Way. *S2* —9M **109**
Malvern Av. *Donc* —2J **63**
Malvern Clo. *B'ley* —6C **36**
Malvern Clo. *Thorne* —3J **27**
Malvern Rd. *S9* —7B **110**
Malvern Rd. *Donc* —3F **64**
Malwood Way. *Maltby* —7F **98**
Manchester Rd. *S6 & S10* —1F **120**
Manchester Rd. *Bols & Mill G* —7D **52**
Manchester Rd. *Mill G & Thurls* —4G **53**
Manchester Rd. *S'bri & Deep* —3A **72**
Mandale Rd. *Barn D* —9J **25**
Mandeville St. *S9* —7C **110**
Mangham La. *Tick* —5D **100**
Mangham Rd. *Roth & P'gte* —4K **95**
Mangham Way. *Roth* —4K **95**
Mannering Rd. *Donc* —9J **63**
Manners St. *S3* —6G **109**
Manor. —2B 124
Manor App. *Roth* —6E **94**
Manor Av. *Gold* —2D **60**
Manor Bungalows. *Dron* —9G **135**
Manor Clo. *Barn D* —1H **45**
Manor Clo. *Bram B* —8H **59**
Manor Clo. *Kir Sm* —5B **6**
Manor Clo. *Maltby* —8D **98**
Manor Clo. *Misson* —2L **103**
Manor Clo. *Nor* —7G **7**
Manor Clo. *Notton* —2G **16**
Manor Clo. *Rawm* —6J **77**
Manor Clo. *Tod* —6L **127**
Manor Clo. *Work* —8N **141**
Manor Ct. *Den M* —3L **79**

Manor Ct. *H'ton* —5H **61**
Manor Ct. *Roth* —5C **96**
Manor Ct. *Roy* —6H **17**
Manor Cres. *B'wth* —4H **111**
Manor Cres. *Dron* —9G **135**
Manor Cres. *Grim* —9G **18**
Manor Cft. *S Hien* —3D **18**
Manor Dri. *Cad* —1B **80**
Manor Dri. *Donc* —5C **64**
Manor Dri. *Roy* —6J **17**
Manor Dri. *S Hien* —3D **18**
Manor Dri. *Tod* —6L **127**
Manor Dri. *Whis* —3B **112**
Manor End. *Wors* —2G **56**
Manor Est. *Toll B* —4K **43**
Mnr. Farm Clo. *Adw S* —2F **42**
Mnr. Farm Clo. *Aug* —1C **126**
Mnr. Farm Clo. *B'ley* —9L **17**
Mnr. Farm Clo. *Sutton* —4J **23**
Mnr. Farm Ct. B'ley —8B **38**
  (off Doncaster Rd.)
Mnr. Farm Ct. *Beig* —8N **125**
Mnr. Farm Ct. *Cud* —2B **38**
Mnr. Farm Ct. *Thry* —1E **96**
Mnr. Farm Cft. *W'sett* —7J **129**
Mnr. Farm Dri. *Swint* —4B **78**
Mnr. Farm Est. *Rawm* —6J **77**
Mnr. Farm Est. *S Elm* —6F **20**
Mnr. Farm Gdns. *Ans* —7B **128**
Mnr. Farm La. *Syke* —5K **9**
  (in two parts)
Mnr. Farm M. Beig —8N **125**
  (off Broomwood Clo.)
Manor Fields. *Gt Hou* —6L **39**
Manor Fields. *Roth* —5E **94**
Manor Gdns. *B'ley* —8B **38**
Manor Gdns. *Crow* —8M **29**
Manor Gdns. *Hat* —1E **46**
Manor Gdns. *Shaf* —7C **18**
Manor Gdns. *Spro* —6F **62**
Manor Gth. *Nor* —7J **7**
Manor Gro. *Grim* —9F **18**
Manor Gro. *Roy* —6J **17**
Manor Gro. *S Kirk* —8N **19**
Manor Gro. *Work* —8N **141**
Manor Ho. *S6* —6L **107**
Manor Ho. Clo. *Hoy* —9M **57**
Manor Ho. Ct. *Scawt* —7K **43**
Manor Ho. Rd. *Roth* —5E **94**
Mnr. Laith Rd. *S2* —1L **123**
Manor La. *S2* —9N **109**
Manor La. *Adw D* —7E **60**
Manor La. *Dinn* —9E **114**
Manor La. *Oxs* —6E **54**
Mnr. Oaks Clo. *S2* —9M **109**
Mnr. Oaks Ct. *S2* —9L **109** (3K **5**)
Mnr. Oaks Dri. *S2* —9K **109** (3K **5**)
Mnr. Oaks Gdns. *S2* —9K **109** (3K **5**)
Mnr. Oaks Pl. *S2* —1M **123**
Mnr. Oaks Rd. *S2* —9K **109** (4K **5**)
Mnr. Occupation Rd. *Roy* —5J **17**
Manor Park. —1A 124
Manor Pk. *Silk* —9H **35**
Mnr. Park Av. *S2* —2N **123**
Mnr. Park Cen. *S2* —1N **123**
Mnr. Park Clo. *S2* —2N **123**
Mnr. Park Ct. *S2* —2N **123**
Mnr. Park Cres. *S2* —2N **123**
Mnr. Park Dri. *S2* —2N **123**
Mnr. Park Ind. Est. *S9* —8A **110**
Mnr. Park Pl. *S2* —1N **123**
Mnr. Park Ri. *S2* —1N **123**
Mnr. Park Rd. *S2* —1N **123**
Mnr. Park Way. *S2* —1N **123**
Manor Pl. *Hoy* —9N **57**
Manor Pl. *Rawm* —9N **77**
Manor Ri. *Wadw* —8N **81**
Manor Rd. *Ask* —2K **23**
Manor Rd. *Barn D* —9H **25**
Manor Rd. *Bram B* —8G **59**
Manor Rd. *B'wth* —4H **111**
Manor Rd. *Clayt W* —5C **14**
Manor Rd. *Crow* —3N **29**
Manor Rd. *Cud* —2A **38**
Manor Rd. *Dinn* —9D **114**
Manor Rd. *H'ton* —6H **61**
Manor Rd. *H'hill* —3L **139**
Manor Rd. *Hat* —1D **46**
Manor Rd. *Kil* —5D **138**
Manor Rd. *K'wth* —7E **94**
Manor Rd. *Maltby* —8E **98**
Manor Rd. *Swint* —4C **78**
Manor Rd. *Thurn* —8B **40**
Manor Rd. *Toll B* —4L **43**
Manor Rd. *Wal* —8G **127**
Manor Sq. *Thurn* —8B **40**
Manor St. *B'ley* —9L **17**
Manor Vw. *Half* —3L **137**
Manor Vw. *Shaf* —7C **18**

Manor Wlk. *Wadw* —8M **81**
Manor Way. *S2* —8M **109**
Manor Way. *Ask* —3K **23**
Manor Way. *Hoy* —9M **57**
Manor Way. *Tod* —6L **127**
Manse Clo. *Donc* —7K **65**
Mansel Av. *S5* —7F **92**
Mansel Ct. *S5* —7F **92**
Mansel Cres. *S5* —7F **92**
Mansel Rd. *S5* —7F **92**
Mansfield Cres. *Arm* —9H **45**
Mansfield Cres. *Skell* —7F **22**
Mansfield Dri. *S12* —5B **124**
Mansfield Rd. *S12* —5A **124**
Mansfield Rd. *B'ley* —9G **17**
Mansfield Rd. *Donc* —6M **63**
Mansfield Rd. *Kil* —3E **138**
Mansfield Rd. *Roth* —7L **95**
Mansfield Rd. *Swal & Ast* —4B **126**
  (in two parts)
Mansfield Rd. *Work* —9L **141**
Mansion Ct. Gdns. *Thorne* —1K **27**
Manston Way. *Work* —2N **141**
Manton —9D 142
Manton Cres. *Work* —9E **142**
Manton Dale. *Work* —9E **142**
Manton Ho. Donc —5N **63**
  (off St James St.)
Manton St. *S2* —2J **123** (7G **5**)
Manton Vs. *Work* —8F **142**
Manton Wood Enterprise Pk. *Work*
  —9J **143**
Manvers Clo. *Ans* —4C **128**
Manvers Clo. *Swal* —4C **126**
Manvers Rd. *S6* —5D **108**
Manvers Rd. *Beig* —7M **125**
Manvers Rd. *Mexb* —1D **78**
Manvers Rd. *Swal* —4B **126**
Manvers St. Work —7B **142**
  (off Cresswell St.)
Manvers Way. *Manv* —6J **59**
Maori Av. *Bol D* —5N **59**
Maple Av. *Auc* —2C **84**
Maple Av. *Crow* —9M **29**
Maple Av. *Donc* —7J **65**
Maple Av. *Maltby* —8B **98**
Maplebeck Dri. *S9* —2F **110**
Maplebeck Rd. *S9* —2F **110**
Maple Clo. *B'ley* —9J **37**
Maple Ct. *Rawm* —9N **77**
Maple Ct. *Tank* —3E **74**
Maple Cft. Cres. *S9* —1N **109**
Maple Cft. Rd. *S9* —1N **109**
Maple Dri. *Auc* —8C **66**
Maple Dri. *Flan* —7G **97**
Maple Dri. *Kil* —5B **138**
Maple Dri. *Work* —3C **142**
Maple Gro. *S9* —9E **110**
Maple Gro. *Arm* —9L **45**
Maple Gro. *Ast* —3E **126**
Maple Gro. *Baw* —6B **102**
Maple Gro. *Con* —6L **79**
Maple Gro. *S'bri* —6D **72**
Maple Leaf Ct. *Mexb* —1E **78**
Maple Pl. *C'town* —1H **93**
Maple Rd. *Kiv P* —8H **127**
Maple Rd. *M'well* —8B **16**
Maple Rd. *Mexb* —1E **78**
Maple Rd. *Tank* —3E **74**
Maple Rd. *Thorne* —9L **11**
Maple Wlk. *Thorne* —9L **11**
Mapperley Rd. *Dron W* —9D **134**
Mappin Ct. S1 —9G **108** (4C **4**)
  (off Mappin St.)
Mappin's Rd. *Cat* —7J **111**
Mappin St. *S1* —9G **108** (3C **4**)
Mapplewell. —9D 16
Mapplewell Dri. M'well —9D **16**
Maran Av. *D'fld* —2J **59**
Marbeck Clo. *Dinn* —2B **128**
Marcham Dri. *Beig* —7N **125**
March Bank. *Thry* —2F **96**
March Flatts Rd. *Thry* —3F **96**
March Ga. *Con* —5A **80**
March St. *S9* —5B **110**
March St. *Con* —4A **80**
March Va. Ri. *Con* —5A **80**
Marchwood Av. *S6* —6N **107**
Marchwood Dri. *S6* —5N **107**
Marchwood Rd. *S6* —6N **107**
Marcliff Clo. *Wick* —9E **96**
Marcliff Cres. *Wick* —9E **96**
Marcliff La. *Wick* —9E **96**
Mardale Wlk. *Donc* —1F **64**
Margaret Clo. *Ast* —5C **126**
Margaret Clo. *D'fld* —2F **58**
Margaret Rd. *D'fld* —2F **58**

Margaret Rd. *Womb* —5E **58**
Margaret St. *S1* —2H **123** (7F **5**)
Margaret St. *Maltby* —1F **114**
Margate Dri. *S4* —4L **109**
Margate St. *S4* —4M **109**
Margate St. *Grim* —1G **38**
Margerison St. *S8* —4H **123**
Margetson Cres. *S5* —7G **92**
Margetson Dri. *S5* —7G **92**
Margetson Rd. *S5* —7G **92**
Marian Cres. *Ask* —2J **23**
Marian Rd. *E'thpe* —5H **45**
Marigold Clo. *S5* —1M **109**
Marina Ri. *D'fld* —2E **58**
Marina Vw. *Thorne* —4K **27**
Marion Clo. *S Kirk* —7N **19**
Marion Rd. *S6* —2C **108**
Marjorie St. *Rhod* —6L **141**
Mark Bottoms La. *Holmf* —2D **30**
Markbrook Dri. *High G* —6D **74**
Market Clo. *B'ley* —7H **37**
Market Ct. *Crow* —8M **29**
Market Hill. *B'ley* —7F **36**
Market Pde. *B'ley* —7G **36**
Market Pl. *S1* —8J **109** (2G **5**)
Market Pl. *Ask* —1L **23**
Market Pl. *Baw* —6C **102**
Market Pl. *C'town* —9J **75**
Market Pl. *Crow* —8M **29**
Market Pl. *Cud* —1B **38**
Market Pl. *Dinn* —2D **128**
Market Pl. *Donc* —4A **64**
Market Pl. *Else* —1A **76**
Market Pl. *Gold* —2D **60**
Market Pl. *Hems* —3L **19**
Market Pl. Maltby —8E **98**
  (off Blyth Rd.)
Market Pl. *P'stne* —4N **53**
Market Pl. *Roth* —7K **95**
Market Pl. Thorne —2K **27**
  (off Silver St.)
Market Pl. *Tick* —6D **100**
Market Pl. *Womb* —5E **58**
Market Pl. Cvn. Pk. Stain —5A **26**
  (off Hall Rd.)
Market Rd. *Donc* —3A **64**
Market Sq. *S13* —5J **125**
Market Sq. *Gold* —2D **60**
Market Sq. Roth —7K **95**
  (off Market Pl.)
Market Sq. *Roth* —6L **95**
  (Henry St.)
Market St. *S9* —2C **110**
Market St. *S13* —5J **125**
Market St. *B'ley* —7F **36**
Market St. *C'town* —9J **75**
Market St. *Cud* —1B **38**
Market St. *Eck* —7K **137**
Market St. *Gold* —8B **40**
  (Church St.)
Market St. *Gold* —2D **60**
  (Doncaster Rd.)
Market St. *Hems* —2K **19**
Market St. *High* —6F **42**
Market St. *Holmf* —3E **30**
Market St. *Hoy* —8M **57**
Market St. *Mexb* —2F **78**
  (Bank St., in two parts)
Market St. *Mexb* —3D **78**
  (William St.)
Market St. *P'stne* —4N **53**
Market St. *Roth* —7K **95**
Market St. *Work* —7C **142**
Markfield Dri. *Flan* —7G **96**
Mark Gro. *Flan* —8G **97**
Markham Av. *Arm* —9K **45**
Markham Av. *Carc* —8G **23**
Markham Av. *Con* —4M **79**
Markham Cotts. Con —4M **79**
  (off Leslie Av.)
Markham Ct. *Con* —4M **79**
Markham Ho. Donc —5N **63**
  (off Burden Clo.)
Markham Rd. *Edl'tn* —4F **80**
Markham Rd. *L'gld* —9B **116**
Markham Sq. *Edl'tn* —4G **80**
Markham Ter. *S8* —5G **123**
Markham Ter. *Edl'tn* —4F **80**
Mark La. *S10* —5J **121**
Mark St. *B'ley* —7F **36**
Marlborough Av. *Donc* —3K **63**
Marlborough Clo. *Ans* —4B **128**
Marlborough Clo. *Thurn* —8B **40**
Marlborough Clo. *Work* —2A **142**
Marlborough Cres. *Ask* —2M **23**
Marlborough Cft. *S Elm* —5E **20**
Marlborough Ri. *Ast* —5D **126**
Marlborough Rd. *S10* —9D **108**
Marlborough Rd. *Ask* —1M **23**

Marlborough Rd. *Donc* —3C **64**
Marlborough Rd. *Thorne* —3L **27**
Marlborough Ter. *B'ley* —8F **36**
Marlcliffe Rd. *S6* —1B **108**
Marley Rd. *S2* —2M **123**
Marlfield Cft. *E'fld* —5J **93**
Marlow Clo. *Donc* —2F **64**
Marlowe Clo. *Braml* —9J **97**
Marlowe Dri. *Roth* —8A **96**
Marlowe Gdns. *Work* —6E **142**
Marlowe Rd. *Barn D* —9J **25**
Marlowe Rd. *Roth* —8A **96**
Marlow Rd. *Donc* —2F **64**
Marmion Rd. *S11* —4C **122**
  (Ecclesall Rd.)
Marmion Rd. *S11* —3C **122**
  (Rustlings Rd.)
Marples Clo. *S8* —4G **123**
Marples Dri. *S8* —4G **123**
Marquis Gdns. *Barn D* —1J **45**
Marr. —9A 42
Marr Grange La. *Marr* —9C **42**
Marrick Ct. *C'town* —9G **75**
Marrion Rd. *Rawm* —8N **77**
Marriott La. *S7* —8E **122**
Marriott Pl. *Rawm* —7K **77**
Marriott Rd. *S7* —8E **122**
Marriott Rd. *Swint* —2D **78**
Marrison Dri. *Kil* —4B **138**
Marr Ter. *S10* —2A **122**
Marsala Wlk. *D'fld* —1F **58**
Marsden Ind. Est. *S13* —1F **124**
Marsden La. *S3* —8G **108** (2C **4**)
Marsden Rd. *S'bri* —5E **72**
Marsden Row. *Bam* —7E **118**
Marsdin Gro. *Thorne* —1J **27**
Marshall Av. *Donc* —8L **63**
Marshall Clo. *P'gte* —2M **95**
Marshall Dri. *S Elm* —6E **20**
Marshall Gro. *Wath D* —1M **77**
Marshall Hall. *S10* —2E **122**
Marshall Mill Ct. *Scis* —8A **14**
Marshall Rd. *S8* —9F **122**
Marsh Av. *Dron* —7J **135**
Marsh Clo. *Mosb* —4J **137**
Marshfield. *Birdw* —6G **56**
Marsh Ga. *Donc* —3M **63**
Marsh Hill. *Mickle* —4A **98**
Marsh Hill La. *Syke* —3B **10**
Marsh Ho. Rd. *S11* —6A **122**
Marshland Rd. *Moor* —6L **11**
Marsh Lane. —8E 136
Marsh La. *S10* —9A **108**
Marsh La. *Ark* —3A **44**
  (in two parts)
Marsh La. *Barn D* —1F **44**
  (DN3)
Marsh La. *Barn D* —7F **24**
  (DN6)
Marsh La. *Beal* —3B **10**
Marsh La. *New M* —2N **31**
Marsh La. *Thorne* —4H **11**
  (in two parts)
Marsh Lea Gro. *Hems* —2M **19**
Marsh Quarry. *Eck* —9G **137**
Marsh Rd. *Ask* —5F **24**
Marsh Rd. *Crow* —4L **29**
Marsh Rd. *Donc* —2N **63**
Marsh Rd. *Schol* —5H **31**
Marsh St. *Deep* —5F **72**
Marsh St. *Roth* —8J **95**
Marsh St. *Womb* —4E **58**
Marsh Vw. *Eck* —8H **137**
Marsh Wlk. *S2* —2K **5**
Marson Av. *W'land* —3D **42**
Marston Clo. *Dron W* —9E **134**
Marston Cres. *B'ley* —2G **36**
Marstone Cres. *S17* —5N **133**
Marston Rd. *S10* —8C **108**
Martin Beck La. *Tick* —5K **101**
Martin Clo. *S6* —7F **108**
Martin Clo. *Aug* —1B **126**
Martin Clo. *Birdw* —7G **57**
Martin Ct. *Eck* —7J **137**
Martin Cres. *S5* —7J **93**
Martin Cft. *Silk* —8H **35**
Martindale Ter. C'town —9H **75**
  (off Greenhead Gdns.)
Martindale Wlk. *Carc* —9G **22**
Martin La. *Baw* —3M **101**
  (in two parts)
Martin La. *Bla H* —6L **57**
Martin Ri. *Eck* —7J **137**
Martin Ri. *Thpe H* —8A **76**
Martin's Rd. *B'ley* —5N **37**
Martin St. *S6* —8F **108** (1A **4**)
  (in three parts)
Martin Well's Rd. *Edl'tn* —5G **80**
Martlet Way. *Work* —9D **142**

Marton Av.—Middle Hay Clo.

Marton Av. Hems—3J 19
Marton Gro. Hat—1D 46
Marton Rd. Toll B—3K 43
Marvell Rd. Donc—1H 63
Mary Ann Clo. B'ley—6L 37
Mary La. D'fld—2H 59
Mary Rd. Ask—2K 23
Mary's Pl. B'ley—6D 36
Mary St. S1—2H 123 (7F 5)
Mary St. Bar G—4M 35
Mary St. Eck—7K 137
Mary St. L Hou—9L 39
Mary St. Rhod—5L 141
Mary St. Roth—6J 95
Marys Wlk. S2—2K 5
Mary Tozer Ho. S10—9C 108
Masbrough. —7H 95
Masbrough Roundabout. Roth—7J 95
Masbrough St. Roth—7H 95
(in two parts)
Masefield Clo. Dinn—3E 128
Masefield Flats. Wath D—8J 59
(off Masefield Rd.)
Masefield Pl. Work—6E 142
Masefield Rd. S13—4C 124
Masefield Rd. Donc—9F 44
Masefield Rd. Wath D—8J 59
Masham Rd. Donc—8H 65
Mason Av. Swal—2C 126
Mason Cres. S13—4D 124
Mason Dri. Swal—2C 126
Mason Gro. S13—4D 124
Mason Lathe Rd. S5—8M 93
Mason St. Gold—2D 60
Masons Way. B'ley—1K 57
Mason Way. Hoy—8L 57
Massey Rd. Woodh—6K 125
Mastall La. Ark—6B 44
Masters Cres. S5—8J 93
Masters Rd. S5—8J 93
Mather Av. S9—9B 110
Mather Ct. S9—9B 110
Mather Cres. S9—9B 110
Mather Dri. S9—9B 110
Mather Rd. S9—9B 110
Mather Wlk. S9—9B 110
Matilda La. S1—1J 123 (6G 5)
Matilda St. S1—1H 123 (5E 4)
(in three parts)
Matilda Way. S1—1H 123 (5E 4)
Matlock Rd. S6—7D 108
Matlock Rd. B'ley—2J 37
Mattersey Clo. Donc—1H 83
Matthews Av. Wath D—9K 59
Matthews Clo. Wath D—1L 77
Matthews Dri. Wick—1G 112
Matthews Fold. S8—1K 135
Matthews La. S8—1K 135
Matthew St. S3—7G 109 (1D 4)
Mauds Ter. B'ley—3K 37
Maugerhay. S8—1K 135
Mauncer Cres. S13—4H 125
Mauncer Dri. S13—4H 125
Mauncer La. S13—5H 125
Maun Way. S5—1K 109
Maurice St. P'gte—2M 95
Mawfa Av. S14—9L 123
(in two parts)
Mawfa Cres. S14—9L 123
Mawfa Dri. S14—9L 123
Mawfa La. S14—8L 123
(in two parts)
Mawfa Rd. S14—1L 135
Mawfa Wlk. S14—9L 123
Mawfield Rd. B'ley—4A 36
Mawson Green. —4B 10
Mawson Grn. La. Syke—4B 10
Maxey Pl. S8—5H 123
Maxfield Av. S10—9D 108
Maxwell St. S4—6K 109
Maxwell Way. S4—6K 109
May Av. Donc—9L 63
Mayberry Dri. Silk—8H 35
Maycock Av. Roth—3D 94
May Day Grn. B'ley—7G 36
May Day Grn. Arc. B'ley—7G 36
(off May Day Grn.)
Mayfair Clo. Harw—9J 101
Mayfair Pl. Hems—2K 19
Mayfield. Ask—1L 23
Mayfield. B'ley—4J 37
Mayfield. Oxs—7D 54
Mayfield Av. Stain—4D 26
Mayfield Ct. S10—3L 121
Mayfield Ct. Oxs—7D 54
Mayfield Cres. New R—6J 83
Mayfield Cres. Wors—1F 56
Mayfield Heights. S10—4M 121
Mayfield Ri. Ryh—1A 18
Mayfield Rd. S10—4H 121
Mayfield Rd. Donc—2L 63
Mayfields. Scawt—7H 43
Mayfields Way. S Kirk—8A 20
Mayfield Ter. Ask—1L 23
Mayflower Clo. Baw—5C 102
Mayflower Ct. Aus—4E 102
Mayflower Cres. Warm—1G 80
Mayflower Rd. Warm—1G 80
Maynard Rd. Grin—9A 132
Maynard Rd. Roth—1B 112
May Rd. S6—4C 108
May Ter. B'ley—7D 36
Maythorn. —8A 32
Maythorne Clo. M'well—9D 16
Maytree Clo. D'fld—3G 58
May Tree Clo. Wat—1L 137
May Tree Cft. Wat—1L 137
May Tree La. Wat—1L 137
Meaburn Clo. Donc—7J 65
Meade Dri. Work—3D 142
Meadow Av. Cud—4D 38
Meadow Av. Rawm—7K 77
Meadow Bank. Holmf—2G 30
Mdw. Bank Av. S7—4E 122
Meadowbank Clo. Roth—7G 94
Mdw. Bank Ind. Est. Roth—8F 94
Mdw. Bank Rd. S11—4E 122
Mdw. Bank Rd. Roth—9C 94
Mdw. Bank Works. Roth—8D 94
Meadowbrook Ind. Est. Half—2N 137
Meadowbrook Pk. Half—3N 137
Meadow Clo. Coal A—6K 135
Meadow Clo. Dalt—4D 96
Meadow Clo. Hems—3J 19
Meadow Clo. Kiv P—8L 127
Meadowcourt. S9—2B 110
Meadow Ct. Adw S—2G 42
Meadow Ct. New R—6H 83
Meadow Ct. Roy—6L 17
Meadow Ct. S Elm—6G 20
Meadow Court Stadium. —7A 26
Meadow Cres. Grim—1F 38
Meadow Cres. Mosb—3H 137
Meadow Cres. Roy—5L 17
Meadow Cft. E'thpe—6K 45
Meadow Cft. Hems—4L 19
Meadow Cft. Shaf—6C 18
Meadow Cft. Spro—7H 63
Meadow Cft. Swint—6B 78
Meadowcroft Clo. Whis—4A 112
Meadowcroft Gdns. W'fld—2L 137
Meadowcroft Glade. W'fld—2L 137
Meadowcroft Ri. W'fld—2L 137
Meadow Dri. B'ley—4L 37
Meadow Dri. C'town—9F 74
Meadow Dri. D'fld—2H 59
Meadow Dri. Swint—4B 78
Meadow Dri. Tick—7E 100
Meadow Dri. Work—8N 141
Meadowfield Dri. Hoy—2M 75
Mdw. Field Rd. Barn D—2K 45
Meadowgate. Bram—9F 58
Meadow Ga. Womb—6G 58
Mdw. Gate Av. Soth—8A 126
Mdw. Gate Clo. Soth—9A 126
Meadowgate Lake Nature Reserve. —2C 138
Mdw. Gate La. Soth—1A 138
Meadowgates. Bol D—4B 60
Meadow Gro. S17—6N 133
Mdw. Grove Rd. S17—6M 133
Meadowhall. —1C 110
Meadowhall Dri. S9—3B 110
Meadowhall Retail Pk. S9—4C 110
Meadowhall Rd. S9—2B 110
Meadowhall Rd. Roth—8C 94
Meadowhall Shop. Mall. S9—2C 110
Meadowhall Way. S9—1C 110
Meadow Head. —9G 122
Meadowhead. S8—1G 134
Mdw. Head Av. S8—3F 134
Mdw. Head Clo. S8—3F 134
Mdw. Head Dri. S8—2G 134
Meadow Ho. Dri. S10—2M 121
Meadowland Ri. Cud—3C 38
Meadow La. Blyth—8H 117
Meadow La. Dart—1N 35
Meadow La. Maltby—9E 98
Meadow La. Old De—3F 78
Meadow La. Rawm—6K 77
Meadow Lea. Work—8N 141
Meadowpark Cft. Dinn—3C 128
Meadow Ri. Barn D—1K 45
Meadow Ri. Hems—2J 19
Meadow Ri. Wadw—8N 81
Meadow Rd. Roy—6L 17
Meadow Rd. Work—8N 141
Meadows Ct. Ross—6L 83
Meadows Rd. Manv—8N 59
Meadows, The. Denb D—3J 33
Meadows, The. Tod—6K 127
Meadow St. S3—7G 108 (1C 4)
Meadow St. B'ley—6G 37
Meadow St. Dinn—1A 128
(in two parts)
Meadow St. Roth—7G 94
Meadow Ter. S11—3D 122
Meadow, The. Spro—6G 62
Meadow View. —6C 78
Meadow Vw. Ask—2N 23
Meadow Vw. H'swne—1B 54
Meadow Vw. Wors—2H 57
Mdw. View Clo. Hoy—1L 75
Mdw. View Rd. S8—2G 135
Mdw. View Rd. Kiln—6C 78
Meadow Wlk. E'thpe—5K 45
Meadow Way. Harw—8J 101
Meadow Way. Swint—3E 78
(in two parts)
Meadstead Dri. Roy—6J 17
Meads, The. S8—2J 135
Meadway Dri. S17—3L 133
Meadway, The. S17—3M 133
Meal Hill La. Hep—6K 31
Mearhouse Ter. New M—4J 31
Mears Clo. P'stne—4A 54
Measborough Dike. —8J 37
Measham Dri. Stain—4C 26
Mede, The. W'land—3D 42
Medina Way. Bar G—3N 35
Medley Vw. Con—5B 80
Medlock Clo. S13—2G 124
Medlock Cres. S13—1G 124
Medlock Cft. S13—1G 124
Medlock Dri. S13—2G 124
Medlock Rd. S13—2G 124
Medlock Way. S13—1G 125
Medway Clo. Bar G—3A 36
Medway Pl. Womb—6F 58
Meersbrook. —6J 123
Meersbrook Av. S8—6G 122
Meersbrook Bank. —6H 123
Meersbrook Pk. Rd. S8—5H 123
Meersbrook Rd. S8—6J 123
Meetinghouse Cft. S13—5J 125
Meetinghouse La. S1—8J 109 (2G 5)
Meetinghouse La. Woodh—5J 125
Mekyll Clo. S'side—7G 97
Melbeck Ct. C'town—9F 74
Melbourne Av. S10—1D 122
Melbourne Av. Ast—3D 126
Melbourne Av. Bol D—5A 60
Melbourne Av. Dron W—9C 134
Melbourne Gro. Harw—9J 101
Melbourne Rd. Donc—9J 63
Melbourne Rd. S'bri—5C 72
Melbourne Vs. Hems—3H 19
Melbourn Rd. S10—8D 108
Melciss Rd. Wick—9F 96
Meld Clo. New R—7J 83
Melford Clo. M'well—8C 16
Melford Dri. Donc—2L 81
Melfort Glen. S10—9A 108
Mell Av. Hoy—9M 57
Mellinder La. Marr—1A 62
Melling Av. Donc—4K 63
Mellington Clo. S8—9K 123
Mellish Rd. L'gld—1B 130
Mellor La. Holmf—3A 30
Mellor Lea Farm Chase. E'fld—3J 93
Mellor Lea Farm Clo. E'fld—3J 93
(off Mellor Lea Farm Dri.)
Mellor Lea Farm Dri. E'fld—3J 93
Mellor Lea Farm Gth. E'fld—3J 93
(off Mellor Lea Farm Dri.)
Mellor Rd. Womb—5D 58
Mellow Fields Rd. Lghtn—8B 114
Mellwood Gro. H'fld—7C 58
Mellwood Ho. S Elm—6D 20
(off Little La.)
Mellwood La. S Elm—6D 20
Melrose Clo. Donc—8J 63
Melrose Clo. Thur—6J 113
Melrose Cotts. Whis—3B 112
Melrose Gro. Roth—2N 111
Melrose Rd. S3—5J 109
Melrose Wlk. Work—8C 142
(off Pilgrim Way)
Melrose Way. B'ley—6L 37
Meltham Ho. La. New M—4K 31
Melton Av. Bram—7H 59
Melton Av. Gold—2D 60
Melton Clo. S Elm—4F 20
Melton Ct. Ast—4F 126
Melton Ct. Den M—2L 79
Meltonfield Clo. Arm—2M 65
Melton Gdns. Spro—6F 62
Melton Grn. Wath D—9J 59
Melton Gro. Owl—9G 124
Melton High St. Wath D—9J 59
Melton Mill La. H Mel—6L 61
Melton Rd. Donc & Spro—6B 62
Melton St. Bram—7H 59
Melton St. Mexb—2H 79
Melton Ter. Wors—2K 57
Melton Vw. Barn—4H 61
Melton Way. Roy—4K 17
Melton Wood Gro. Spro—6F 62
Melville Av. Donc—8L 63
Melville Rd. S2—3A 124
Melville St. Womb—4D 58
Melvinia Cres. B'ley—4E 36
Melwood Ct. Arm—3M 65
Memoir Gro. New R—7H 83
Memorial Av. Work—8C 142
Mendip Clo. B'ley—6C 36
Mendip Clo. Donc—2J 63
Mendip Ri. B'wth—5K 111
Menson Dri. Hat—9D 26
Merbeck Dri. High G—5F 74
Merbeck Gro. High G—6F 74
Mercel Av. Arm—8M 45
Merchants Cres. S4—8K 109 (2H 5)
Mercia Clo. Work—3D 142
Mercia Dri. S17—4N 133
Meredith Cres. Donc—9M 63
Meredith Rd. S6—4C 108
Mere Gro. Arm—8K 45
Mere La. E'thpe & Arm—7K 45
Merlin Clo. Adw S—2F 42
Merlin Clo. Birdw—7G 56
Merlin Way. S5—1K 109
Merlin Way. Thpe H—8A 76
Merrill Rd. Thurn—8B 40
Merton La. S9—9B 94
Merton Ri. S9—9B 94
Merton Rd. S9—9B 94
Metcalfe Av. Kil—4B 138
Methley Clo. S12—5N 123
Methley Ho. Donc—5N 63
(off St James St.)
Methley St. Cud—2B 38
Metrodome Leisure Complex, The. —6H 37
Metro Trad. Cen. B'ley—3N 35
Mews Ct. Owl—9G 124
Mews, The. Blyth—9K 117
Mews, The. Hick—9H 41
(off Doncaster Rd.)
Mexborough. —2F 78
Mexborough Bus. Cen. Mexb—1G 78
Mexborough Pk. Homes. Mexb—2H 79
Mexborough Rd. Bol D—6C 60
Meynell Cres. S5—9E 92
Meynell Rd. S5—9E 92
Meynell Way. Kil—4B 138
(off Sheepcote Rd.)
Meyrick Dri. Dart—1M 35
Michael Cft. Wath D—9K 59
Michael Rd. B'ley—6M 37
Michael's Est. Grim—1G 38
Mickelden Way. B'ley—7B 36
Micklebring Gro. Con—6M 79
Micklebring La. Mickle & Braith—3B 98
Micklebring Way. H'by—6N 97
Micklethwaite Gro. Moor—6L 11
Micklethwaite Rd. Moor—6L 11
Mickley. —7C 134
Mickley La. S17 & Dron W—6N 133
Middle Av. Rawm—9M 77
Middle Bank. Donc—7B 64
Middlebrook La. Thorne—2K 27
Middleburn Clo. B'ley—9H 37
Middlecliff Clo. Wat—1L 137
Middlecliff Cotts. L Hou—9L 39
Middlecliff Ct. Wat—1L 137
Middlecliffe. —9L 39
Middlecliffe Dri. Crow E—2A 52
Middlecliff La. L Hou—8J 39
Middlecliff Ri. Wat—1L 137
Middle Clo. Dart—8L 15
Middle Cross La. H'well—9K 103
Middle Dri. Roth—3M 111
Middlefield Clo. S17—3L 133
Middlefield Cft. S17—3L 133
Middlefield La. Kir Sm—6A 6
Middle Fld. La. Wool—3N 15
Middlefield Rd. Donc—8G 64
Middlefield Rd. Roth—2N 111
Middle Fld. Rd. Silk—8M 35
Middlefields Dri. Whis—3B 112
Middlegate. Donc—7J 43
(in two parts)
Middleham Rd. Donc—8H 65
Middle Handley. —9E 136
Middle Hay Clo. S14—6M 123

Middle Hay Pl. *S14* —7M **123**
Middle Hay Ri. *S14* —7M **123**
Middle Hay Vw. *S14* —7M **123**
Middle La. *S6* —6B **108**
Middle La. *Gren* —4C **92**
Middle La. *H'lme* —6N **23**
Middle La. *Roth* —6M **95**
Middle La. S. *Roth* —7N **95**
Middle Ox Clo. *Half* —4M **137**
Middle Ox Gdns. *Half* —4M **137**
Middle Pl. *Roth* —6A **96**
Middlesex St. *B'ley* —9G **36**
Middle St. *Misson* —2L **103**
Middleton Av. *Dinn* —3C **128**
Middleton La. *Gren* —5E **92**
Middleton Rd. *Roth* —7M **95**
Middlewood. —9A 92
Middlewood Dri. *Scho* —3C **94**
Middlewood Dri. E. *S6* —9A **92**
Middle Wood La. *Misson* —8J **85**
Middlewood Rd. *S6* —9B **92**
Middlewood Rd. N. *O'bri* —7N **91**
Middlewoods. *Dod* —9B **36**
Midfield Rd. *S10* —8B **108**
Midhill Rd. *S2* —4J **123**
Midhope Cliff La. *Mid* —1F **70**
Midhope Hall La. *Mid* —2H **71**
Midhope La. *Mid* —2G **70**
Midhopestones. —3K 71
Midhope Way. *B'ley* —7B **36**
Midhurst Gro. *Bar G* —3N **35**
Midhurst Rd. *S6* —7C **92**
Midland Ct. *Roth* —7H **95**
Midland Rd. *Roth* —7G **95**
Midland Rd. *Roy* —5K **17**
Midland Rd. *Swint* —3D **78**
Midland St. *S1* —2H **123** (7F **5**)
Midland St. *B'ley* —7G **36**
Midland St. *P'gte* —3M **95**
Midvale Av. *S6* —6F **108**
Midvale Clo. S6 —6F 108
(off Midvale Av.)
Milano Ri. *D'fld* —2F **58**
Milbanke St. *Donc* —3A **64**
Milburn Ct. *Soth* —1N **137**
Milburn Gro. *Soth* —1N **137**
Milcroft Cres. *Hat* —9C **26**
Milden Pl. *B'ley* —9H **37**
Milden Rd. *S6* —2B **108**
Mile End Av. *Hat* —3C **46**
Milefield Ct. *Grim* —1F **38**
Milefield La. *Grim* —1E **38**
Milefield Vw. *Grim* —1F **38**
Mile Oak Rd. *Roth* —1M **111**
Miles Clo. *S5* —3H **109**
Miles Rd. *S5* —3G **109**
Miles Rd. *High G* —7F **74**
Mileswood Clo. *Gt Hou* —5K **39**
Milethorn La. *Donc* —2A **64**
Milford Av. *Else* —9B **58**
Milford St. *S9* —4B **110**
Milgate St. *Roy* —5L **17**
Milgrove Cres. *High G* —6E **74**
Milking La. *Bram* —8G **58**
Millais Ri. *Flan* —6G **96**
Millard Av. *Hat* —9C **26**
Millard La. *Maltby* —8E **98**
Millard Nook. *Hat* —1D **46**
Millars Wlk. *S Kirk* —8N **19**
Millbank Clo. *High G* —8E **74**
Mill Clo. *Lghtn* —6B **114**
Mill Clo. *Roth* —9J **95**
Mill Clo. *S Kirk* —7N **19**
Mill Clo. *Tod* —7L **127**
Mill Ct. *E'fld* —4J **93**
Mill Ct. *Wors* —2H **57**
Mill Cft. *Stain* —6A **26**
Milldale Rd. *S17* —5A **134**
Milldyke Clo. *Whis* —3C **112**
Millennium Art Gallery. —4F **5**
Miller Clo. *Thorne* —3L **27**
Miller Cft. *S13* —5G **124**
Miller Dale Dri. *B'wth* —5K **111**
Miller Hill. *Denb D* —3K **33**
Miller Hill Bank. *Denb D* —3K **33**
Miller La. *Mid* —2L **71**
Miller La. *Thorne* —3L **27**
Miller Rd. *S7* —4G **123**
Millers Cft. *Roy* —5K **17**
Millers Dale. *Wors* —3H **57**
Miller St. *Deep* —5H **73**
Millfield Cvn. Site. *Stain* —6N **25**
Millfield Ct. *Barn D* —2K **45**
Millfield Ind. Est. *Ben* —7N **43**
Millfield Rd. *Ben* —8N **43**
Mill Fld. Rd. *Fish* —1A **26**
Millfield Rd. *Thorne* —1K **27**
Mill Fields. *Tod* —7K **127**
Millfield Vw. *Work* —8N **141**

Mill Gdns. *Work* —8N **141**
Mill Ga. *Ben* —8M **43**
Mill Haven. *Ans* —6B **128**
Mill Hill. *Whis* —3B **112**
Mill Hill. *Womb* —3B **58**
Millhill Clo. *Arm* —3M **65**
Mill Hill Clo. *Donc* —4K **63**
Mill Hill Rd. *Hat* —3E **46**
Mill Hills. *Tod* —6L **127**
Mill House Animal Sanctuary. —5J **121**
Mill Ho. Cvn. Site. *Ask* —1N **23**
Millhouse Ct. *Dalt* —4B **96**
Millhouse Green. —4G 53
Millhouse La. *Mill G* —4G **53**
Millhouses. —1K 59
(Darfield)
Millhouses. —8E 122
(Heeley)
Millhouses Ct. *S11* —7C **122**
Millhouses Glen. *S11* —7C **122**
Millhouses La. *S11 & S7* —6B **122**
Millhouses St. *Hoy* —1M **75**
Millicent Sq. *Maltby* —9E **98**
Millindale. *Maltby* —9E **98**
Mill La. *S17* —5A **134**
Mill La. *Adw S* —2F **42**
Mill La. *Ans* —6B **128**
Mill La. *Bran* —3E **124**
Mill La. *Dart* —8N **15**
Mill La. *Deep* —1B **90**
(Dwarriden La.)
Mill La. *Deep* —5H **73**
(Wortley La.)
Mill La. *Dron* —9J **135**
Mill La. *H'ton* —6H **61**
Mill La. *Love* —5N **81**
Mill La. *Notton* —1E **16**
Mill La. *P'stne* —8G **32**
Mill La. *Ren* —3M **137**
Mill La. *Ryh* —1B **18**
Mill La. *Scro* —9B **102**
Mill La. *Skell* —6D **22**
Mill La. *S Elm* —4F **20**
Mill La. *S Kirk* —8N **19**
Mill La. *Thurls* —4J **53**
Mill La. *Tree* —8K **111**
Mill La. *Warm* —7F **62**
Mill La. *Wath D* —1J **77**
Mill La. *W'wth* —4N **75**
Mill Lee La. *S6* —1C **106**
Mill Lee Rd. *S6* —1C **106**
Mill Mdw. Clo. *Soth* —1A **138**
Mill Mdw. Gdns. *Soth* —1A **138**
Mill Mdw. Vw. *Blyth* —9L **117**
Millmoor Ct. *Womb* —3F **58**
Millmoor La. *Roth* —7H **95**
Millmoor Rd. *Donc* —7H **65**
Millmoor Rd. *Womb* —3E **58**
Millmount Rd. *S8* —6G **122**
Millmount Rd. *Hoy* —1N **75**
Millrace Dri. *Gold* —3B **60**
Mill Race Fold. *T'bri* —1G **30**
Mill Rd. *Crow* —7M **29**
Mill Rd. *E'fld* —4J **93**
Mill Rd. *Eck* —6K **137**
Mill Rd. *Tree* —8K **111**
Mill Rd. Clo. *E'fld* —4J **93**
Millsands. *S3* —7J **109** (1G **5**)
Mills Dri. *Lind* —8H **47**
Mill Shaw La. *Hep & Cumb* —6L **31**
Millside. *Shaf* —6C **18**
Millside Ct. *Ben* —8M **43**
Millside Wlk. *Shaf* —6C **18**
Millstone Clo. *Dron W* —8E **134**
Millstone Dri. *Swal* —3C **126**
Millstones. *Oxs* —6E **54**
Millstream Clo. *Spro* —6H **63**
Mill St. *Arm* —1L **65**
Mill St. *B'ley* —7J **37**
Mill St. *Roth* —8K **95**
(S60)
Mill St. *Roth* —1H **95**
(S61)
Mill St. *S Kirk* —7N **19**
Mill St. *Work* —8M **142**
Millthorpe Rd. *S5* —9L **93**
Mill Vw. *Bol D* —6A **60**
Mill Vw. *Hems* —3J **19**
Mill Vw. *Stain* —6A **26**
Mill Wlk. *S3* —8J **109** (1G **5**)
Millwood Rd. *Donc* —1K **81**
Millwood Vw. *S6* —5L **107**
Milne Av. *Birc* —9M **101**
Milne Dri. *Birc* —9M **101**
Milne Gro. *Birc* —9M **101**
Milner Av. *P'stne* —3L **53**
Milner Ga. *Con* —3B **80**
(in two parts)

Milner Ga. Ct. *Con* —4C **80**
Milner Ga. La. *Con* —4B **80**
Milne Rd. *Birc* —9M **101**
Milner Rd. *Donc* —8K **63**
Milnes St. *B'ley* —8H **37**
Milne St. *Bar G* —4N **35**
Milnrow Cres. *S5* —7G **93**
Milnrow Dri. *S5* —7G **92**
Milnrow Rd. *S5* —7G **92**
Milnrow Vw. *S5* —7G **92**
Milton. —2M 75
Milton Av. *Donc* —3K **63**
Milton Clo. *Jump* —8N **57**
Milton Clo. *Roth* —1H **95**
Milton Clo. *Wath D* —7H **59**
Milton Ct. *Donc* —5A **64**
Milton Ct. *Swint* —3B **78**
Milton Cres. *Hoy* —1M **75**
Milton Dri. *Work* —6E **142**
Milton Gro. *Arm* —1L **65**
Milton Gro. *E'thpe* —6J **45**
Milton Gro. *Womb* —5E **58**
Milton La. *S3* —1G **123** (6D **4**)
Milton Rd. *S7* —4F **122**
Milton Rd. *Bran* —6A **66**
Milton Rd. *Burn* —9E **74**
Milton Rd. *Carc* —8G **22**
Milton Rd. *Dinn* —3E **128**
Milton Rd. *Hoy* —1M **75**
Milton Rd. *Mexb* —1F **78**
Milton Rd. *Roth* —5M **95**
Milton St. *S3 & S1* —1G **122** (6C **4**)
Milton St. *Gt Hou* —6K **39**
Milton St. *Maltby* —9D **98**
Milton St. *Roth* —5J **95**
Milton St. *Swint* —3B **78**
Milton Wlk. *Donc* —5N **63**
Milton Wlk. *Work* —6E **142**
Minden Clo. *Wick* —9G **97**
Minden Ct. *Ben* —8M **43**
Minna Rd. *S3* —5J **109**
Minneymoor Hill. *Con* —3B **80**
Minneymoor La. *Con* —4B **80**
Minster Clo. *Donc* —8K **65**
Minster Clo. *E'fld* —5K **93**
Minster Rd. *E'fld* —5J **93**
Minster Way. *B'ley* —5L **37**
Minsthorpe. —4F 20
Minsthorpe La. *N Elm* —3F **20**
Minsthorpe La. *S Kirk & S Elm* —6D **20**
Minsthorpe Va. *S Elm* —5E **20**
Minto Rd. *S6* —3C **108**
Miry La. *T'bri* —1F **30**
Mission Fld. *Bram* —7G **59**
Misson. —2K 103
Misson Springs. —6M 85
Mitchell Clo. *D'cft* —8C **26**
Mitchell Clo. *Work* —2B **142**
Mitchell Clo. *Wors* —2L **57**
Mitchell Rd. *S8* —9G **122**
Mitchell Rd. *Womb* —2C **58**
Mitchells Enterprise Cen. *Womb* —2C **58**
Mitchell St. *S3* —8F **108** (2B **4**)
Mitchell St. *Swait* —2M **57**
Mitchells Way. *Womb* —3C **58**
Mitchelson Av. *Dod* —9N **35**
Moat Clo. *S'side* —6H **97**
Moat Cft. *Scawt* —7K **43**
Moat Hills Ct. *Ben* —7M **43**
Moat La. *Wick* —3H **113**
(in two parts)
Modd La. *Holmf* —4D **30**
Modena Ct. *D'fld* —1E **58**
Moffat Gdns. *Donc* —7G **45**
Moffatt Rd. *S2* —4J **123**
Moira Clo. *Stain* —4D **26**
Molineaux Clo. *S5* —8L **93**
Molineaux Rd. *S5* —7K **93**
Molloy Pl. *S8* —5H **123**
Molloy St. *S8* —5H **123**
Molly Hurst La. *Wool* —2A **16**
Mona Av. *S10* —8D **108**
Mona Rd. *S10* —8D **108**
Mona Rd. *Donc* —7M **63**
Mona St. *B'ley* —6E **36**
Monckton Rd. *S5* —1N **109**
Monckton Rd. *Birc* —9M **101**
Moncrieffe Rd. *S7* —5F **122**
Monk Bretton. —4K 37
Monk Bretton Priory. —6M **37**
(remains of)
Monk's Bri. Rd. *Dinn* —1A **128**
Monk's Bri. Trad. Est. *Dinn* —1A **128**
Monks Clo. *D'cft* —8C **26**
Monks Clo. *Roth* —3C **94**
Monkspring. *Wors* —2K **57**
Monks Way. *B'ley* —5L **37**
Monks Way. *S'oaks* —3K **141**
Monk Ter. *B'ley* —3M **37**

Monkton Way. *Roy* —4K **17**
Monkwood Rd. *Rawm* —7K **77**
Monmouth Rd. *Donc* —1D **64**
Monmouth Rd. *Work* —4D **142**
Monmouth St. *S3* —1F **122** (5B **4**)
Monsal Cres. *B'ley* —1H **37**
Monsal St. *Thurn* —7B **40**
Montague Av. *Con* —4M **79**
Montague St. *S6* —5E **108**
Montague St. *S11* —2F **122**
Montague St. *Cud* —9C **18**
Montague St. *Donc* —3A **64**
Montague St. *Donc* —5J **63**
Montagu Sq. *Mexb* —2F **78**
Montagu St. *Mexb* —2G **79**
Monteney Cres. *S5* —5H **93**
Monteney Gdns. *S5* —6H **93**
Monteney Rd. *S5* —6H **93**
Montfort Dri. *S3* —6J **109**
Montgomery Av. *S7* —4F **122**
Montgomery Ct. *S11* —6B **122**
Montgomery Dri. *S7* —4F **122**
Montgomery Gdns. *Donc* —1F **64**
Montgomery Rd. *S7* —5F **122**
Montgomery Rd. *Wath D* —9M **59**
Montgomery Sq. *Wath D* —9M **59**
Montgomery Ter. Rd. *S6* —7G **108**
Montgomery Theatre. —9H **109** (3G **5**)
Montrose. *Work* —5E **142**
Montrose Av. *Dart* —8A **16**
Montrose Av. *Donc* —2E **64**
Montrose Ct. *S11* —7A **122**
Montrose Pl. *Dron W* —8E **134**
Montrose Rd. *S7* —6D **122**
Mont Wlk. *Womb* —3A **58**
Montys Mdw. *Work* —3A **142**
Moonpenny Way. *Dron* —9H **135**
Moonshine La. *S5* —1G **108**
Moonshine Way. *S5* —2G **109**
Moorbank Clo. *S10* —1M **121**
Moorbank Clo. *B'ley* —4D **36**
Moorbank Clo. *Womb* —3B **58**
Moorbank Ct. *S10* —9M **107**
Moorbank Dri. *S10* —9N **107**
Moorbank Rd. *S10* —9M **107**
Moorbank Rd. *Womb* —2B **58**
Moorbank Vw. *Womb* —2B **58**
Moor Bottom Rd. *Crow* —2K **29**
Moorbridge Cres. *Bram* —6H **59**
Moorbrow. *Holmf* —6G **31**
Moor Cres. *Mosb* —3J **137**
Moorcrest Ri. *M'well* —7C **16**
Moorcroft Av. *S10* —4K **121**
Moorcroft Clo. *S10* —4K **121**
Moorcroft Dri. *S10* —4K **121**
Moorcroft Dri. *New M* —1H **31**
Moorcroft Pk. Dri. *New M* —1J **31**
Moorcroft Rd. *S10* —4K **121**
Moordale Vw. *Rawm* —7B **78**
Moor Dike Rd. *Hat W* —3K **47**
(Stainforth Moor Rd.)
Moor Dike Rd. *Hat W* —2H **67**
(Thorne Rd.)
Moor Dike Rd. *Lind* —9H **47**
Mooredges. —3N 27
Moor Edges Rd. *Thorne* —2M **27**
Moor End Houses. *Silk C* —2K **55**
Moorend La. *Silk C* —2J **55**
Moor End Rd. *S10* —8D **108**
Moor Ends. —3L 11
(Doncaster)
Moorends. —7L 11
(Thorne)
Moorends. *Moor* —1K **11**
Moore St. *S3* —2G **122** (7C **4**)
Moor Farm Av. *Mosb* —2H **137**
Moor Farm Gth. *Mosb* —2J **137**
Moor Farm Ri. *Mosb* —2H **137**
Moorfield Av. *Rav* —6J **97**
Moorfield Clo. *Rav* —6J **97**
Moorfield Cres. *Hems* —3J **19**
Moorfield Dri. *Arm* —2L **65**
Moorfield Gro. *Rav* —6J **97**
Moorfield Pl. *Hems* —3J **19**
Moorfields. *S3* —8H **109** (1E **4**)
Moorfields Flats. S3 —7H 109 (1E 4)
(off Moorfields)
Moor Fold. *New M* —1J **31**
Moorfoot. *S1* —6E **4**
Moor Gap. *Bran* —7N **65**
Moorgate. —2N 111
Moorgate Av. *S10* —8E **108**
Moorgate Av. *Roth* —9L **95**
Moorgate Bus. Cen. Roth —8L 95
(off Moorgate Rd.)
Moorgate Chase. *Roth* —8L **95**
Moorgate Ct. *Roth* —8L **95**
Moorgate Cres. *Dron* —9J **135**
Moorgate Gro. *Roth* —9M **95**

Moorgate La. Roth —9L 95
Moorgate Rd. Roth —8L 95
Moorgate St. Roth —7K 95
Moor Grn. Clo. B'ley —7B 36
Moorhead. S1 —5E 4
Moorhead Way. Braml —8K 97
Moorhouse. —8J 21
Moorhouse Clo. Whis —3C 112
Moorhouse Common. —9H 21
Moorhouse Ct. S Elm —8F 20
Moorhouse Ct. M. S Elm —8F 20
Moorhouse Gap. Moorh —8K 21
Moorhouse La. Haigh —4L 15
Moorhouse La. Moorh —9H 21
Moorhouse La. Whis —3B 112
Moorhouse Vw. S Elm —7G 20
Moorland Av. B'ley —8C 36
Moorland Av. M'well —7C 16
Moorland Ct. Donc —4B 64
Moorland Cres. M'well —7C 16
Moorland Dri. S'bri —5C 72
Moorland Gro. Donc —6F 64
Moorland Pl. S6 —6L 107
Moorland Pl. Silk C —2J 55
Moorlands. Schol —5G 31
(in two parts)
Moorlands. Wick —9E 96
Moorlands Ct. Wath D —7J 59
Moorlands Cres. Whis —3B 112
Moorland Ter. Cud —3C 38
Moorland Vw. S12 —9A 124
Moorland Vw. App —9A 136
Moorland Vw. Ast —4D 126
Moorland Vw. Clayt W —7C 14
Moorland Vw. Wath D —7J 59
Moor La. Birdw —1G 74
Moor La. Brie —5K 39
Moor La. Deep —1M 89
Moor La. Hat —2B 48
Moor La. Kirk S —3G 45
Moor La. Mickle —4N 97
Moor La. Moor —8L 11
Moor La. N'thng —1A 30
Moor La. Oldc —1N 131
Moor La. Syke —2L 9
Moor La. Upt —2E 20
Moor La. N. Rav —3J 97
Moor La. S. Rav —5J 97
Moorley. Birdw —6F 56
Moor Oaks Rd. S10 —9D 108
Moor Owners Rd. Thorne —3N 27
Moor Rd. S6 —1H 107
Moor Rd. Crow —1M 29
Moor Rd. Roth —7A 96
Moor Rd. Thorne —4N 27
Moor Rd. Wath D —9M 59
Moorshutt Rd. Hems —3J 19
Moorside. S10 —3J 121
Moorside Av. P'stne —5N 53
Moorside Clo. M'well —9C 16
Moorside Clo. Mosb —2J 137
Moorsyde Av. S10 —7C 108
Moorsyde Cres. S10 —7C 108
Moor, The. S1 —1H 123 (6E 4)
Moorthorpe. —6D 20
Moorthorpe Dell. Owl —9H 125
Moorthorpe Gdns. Owl —9F 124
Moorthorpe Grn. Owl —9F 124
Moorthorpe Ri. Owl —1H 137
Moorthorpe Vw. Owl —1G 137
Moorthorpe Way. Owl —9F 124
(in two parts)
Moortop Dri. Hems —4K 19
Moortop Rd. App —9B 136
Moor Top Rd. Harw —8J 101
Moortown Av. Dinn —4E 128
Moor Valley. Mosb —9F 124
Moor Valley Clo. Mosb —1G 136
Moor Vw. Bran —7N 65
Moorview. Roth —7D 94
Moorview Ct. S17 —5C 134
Moorview Ct. Roth —7D 94
Moor Vw. Dri. S8 —8F 122
Moor Vw. Rd. S8 —9F 122
Moor Vw. Ter. S11 —6N 121
Moorwinstow Cft. S17 —3N 133
Moorwood La. S6 —8F 106
Moorwood La. S17 —8K 133
Moorwoods Av. C'town —9H 75
Moorwoods La. C'town —9H 75
Moray Pl. Dron W —8E 134
Mordaunt Rd. S2 —5N 123
More Hall La. Bols —9G 73
More Hall Vw. Whar S —2K 91
Morgan Av. S5 —2G 108
Morgan Clo. S5 —1G 109
Morgan Rd. S5 —2G 108
Morgan Rd. Donc —3F 64
Morland Clo. S14 —8N 123
Morland Dri. S14 —8N 123
Morland Pl. S14 —8N 123
Morland Rd. S14 —8M 123
Morley Clo. Dron W —9D 134
Morley Fold. Denb D —3J 33
Morley Pl. Con —5N 79
Morley Rd. Donc —2B 64
Morley Rd. Roth —4E 94
Morley St. S6 —5C 108
Morley St. P'gte —1M 95
Morpeth Gdns. S3 —1C 4
Morpeth St. S3 —8G 108 (1C 4)
Morpeth St. Roth —7L 95
Morrall Rd. S5 —6G 93
Morrell St. Maltby —9E 98
Morris Av. Rawm —6M 77
Morrison Av. Maltby —7E 98
Morrison Dri. New R —6K 83
Morrison Pl. D'fld —1G 58
Morrison Rd. D'fld —1F 58
Mortain Rd. Roth —2M 111
Mortains. Tod —5L 127
Morthen. —5G 112
Morthen Cotts. Morth —5F 112
Morthen Hall La. Morth —5G 112
Morthen La. Thur —4F 112
Morthen La. Whis —6D 112
Morthen Rd. Wick & Thur —9G 97
Mortimer Dri. P'stne —6M 53
Mortimer Heights. P'stne —7M 53
Mortimer Rd. S6 —2H 105
Mortimer Rd. Maltby —9G 98
Mortimer Rd. Mid —2L 71
Mortimer Rd. P'stne —6M 53
Mortimer St. S1 —1J 123 (6G 5)
Mortlake Rd. S5 —2L 109
Mortomley. —7F 74
Mortomley Clo. High G —7F 74
Mortomley Hall Gdns. High G —7F 74
Mortomley La. High G —6F 74
Morton Clo. B'ley —3L 37
Morton Gdns. Half —4M 137
Morton Gro. Work —2B 142
Morton La. Mar L —9C 136
Morton Mt. Half —3M 137
Morton Pl. Gren —5D 92
Morton Rd. Mexb —1G 79
Morton Wood Gro. Schol —5H 31
Morvern Meadows. Hems —2M 19
Mosborough. —3K 137
Mosborough Hall Dri. Half —5L 137
Mosborough Moor. Mosb —2H 137
Mosborough Parkway. S13 —2D 124
Mosborough Rd. S13 —4B 124
Moscar Cotts. S7 —7E 122
Moscar Cross Rd. S6 —7K 105
Moscrop Clo. S13 —4J 125
Moses Vw. S'oaks —2J 141
Mosgrove Clo. Gate —3N 141
Mosham Clo. Blax —1F 84
Mosham Rd. Auc & Blax —9C 66
Moss. —9E 8
Moss Beck Ct. Eck —8J 137
Moss Clo. Wick —9G 97
Mosscroft La. Hat —4E 46
Mossdale. Work —2D 142
Mossdale Av. Mosb —3K 137
Mossdale Clo. Donc —9J 43
Moss Dri. Kil —5C 138
Moss Edge Rd. Holmf —8A 30
Moss Gro. S12 —8K 125
Moss Haven. Moss —9E 8
Moss La. Ask —4E 24
Mossley Rd. P'stne —8L 53
Moss Ri. U'thng —3C 30
Moss Ri. Pl. Eck —7J 137
Moss Rd. S17 —6J 133
Moss Rd. Ask —1M 23
Moss Rd. B'wte —9E 8
Moss Ter. Moor —5L 11
Moss Vw. Mosb —4H 137
Moss Way. S20 —3K 137
Motehall Dri. S2 —2A 124
Motehall Pl. S2 —2B 124
Motehall Rd. S2 —2A 124
Motehall Wlk. S2 —2B 124
Motehall Way. S2 —2A 124
Motte, The. Roth —5F 94
Mottram St. B'ley —6G 36
Mount Av. Gt Hou —7L 39
Mount Av. Grim —9G 18
Mount Av. Hems —1K 19
Mount Av. Work —5B 142
Mountbatten Dri. Burn —9E 74
Mount Clo. Harw —8J 101
Mount Cres. Hoy —8L 57
Mountenoy Rd. Roth —8K 95
Mountfields Wlk. S Kirk —8A 20
Mountford Cft. S17 —5N 133
Mount Olive. S'bri —5D 72
Mt. Osborne Ind. Pk. B'ley —8J 37
Mount Pleasant. C'town —8H 75
Mount Pleasant. Donc —8L 63
Mount Pleasant. Grim —9G 19
Mount Pleasant. L Sme —4E 6
Mount Pleasant. Wors —3J 57
Mt. Pleasant Clo. C'town —8H 75
Mt. Pleasant Ct. Cra M —7M 55
Mt. Pleasant Residential Pk. Moor —7L 11
Mt. Pleasant Rd. S7 —3G 123
Mt. Pleasant Rd. Moor —8J 11
Mt. Pleasant Rd. Roth —6H 95
Mt. Pleasant Rd. Wath D —2M 77
Mt. Prospect. Eve —9L 103
Mount Rd. S3 —5G 108
Mount Rd. C'town —9F 74
Mount Rd. Grim —9G 19
Mt. Royd Cotts. Nor —7G 6
(off Ryecroft Rd.)
Mt. Scar Vw. Schol —4H 31
Mount St. S11 —2G 122
Mount St. Ard —8N 37
Mount St. B'ley —8F 36
Mount St. Roth —6H 95
Mount Ter. Wath D —9J 59
Mount Ter. Womb —4C 58
Mount, The. E'thpe —7K 45
Mt. Vernon Av. B'ley —9G 36
Mt. Vernon Cres. B'ley —1H 57
Mt. Vernon Rd. B'ley & Wors —9H 37
Mount Vw. Edl'tn —5F 80
Mt. View Av. S8 —8H 123
Mt. View Gdns. S8 —8H 123
Mt. View Rd. S8 —9H 123
Mt. View Rd. Hep —6J 31
Mousehole Clo. Dalt —4D 96
Mousehole La. Dalt —4D 96
Mouse Pk. Ga. O'bri —4A 92
Mowbray Gdns. Roth —5B 96
Mowbray Pl. Roth —5B 96
Mowbray Rd. Thorne —3L 27
Mowbray St. S3 —7H 109
Mowbray St. Roth —5A 96
Mowson Cres. Worr —8M 91
Mowson Dri. Worr —8M 91
Mowson La. Worr —8M 91
Moxon Clo. Deep —6G 72
Muckey La. S'brke —4N 21
Mucky La. B'ley —7A 38
Mucky La. Crow E —2A 52
Mucky La. S'bri —2C 72
(Hunshelf Rd.)
Mucky La. S'bri —7B 72
(Lee Ho. La.)
Muglet La. Maltby —1F 114
Muirfield. Work —4E 142
Muirfield Av. Donc —9L 65
Muirfield Av. Swint —4D 78
Muirfield Clo. Cud —8C 18
Muirfields, The. Dart —8B 16
Mulberry Av. Moor —8L 11
Mulberry Av. Ryh —1B 18
Mulberry Clo. Cusw —2H 63
Mulberry Clo. D'fld —3G 59
Mulberry Clo. Gold —2B 60
Mulberry Clo. P'gte —2M 95
Mulberry Cres. Carl L —4C 130
Mulberry Dri. Crow —9N 29
Mulberry Pl. Ryh —1B 18
Mulberry Rd. Ans —5C 128
Mulberry Rd. Eck —8H 137
Mulberry St. S1 —9J 109 (3G 5)
Mulberry Way. Arm —3L 65
Mulberry Way. Kil —5A 138
Mulehouse Rd. S10 —8B 108
Mundella Pl. S8 —8H 123
Mungy La. Thry —3C 96
Munro Clo. Kil —4C 138
Munsbrough La. Roth —3H 95
Munsbrough Ri. Roth —2H 95
Munsdale. Roth —2H 95
Murdoch Pl. B'ley —1F 36
Murdock Rd. S5 —9G 92
Murrayfield Dri. Half —4L 137
Murray Rd. S11 —5C 122
Murray Rd. Kil —3D 138
Murray Rd. Rawm —8N 77
Musard Way. Kil —4B 138
Mus. of the 13th/18th Royal Hussars (QMO), The. —3E 34
(Cannon Hall Mus.)
Musgrave Cres. S5 —3H 109
(in three parts)
Musgrave Dri. S5 —3H 109
Musgrave Pl. S5 —3H 109
Musgrave Rd. S5 —3G 109
Musgrove Av. Thry —3F 96
Mushroom La. S10 & S3 —9E 108 (2A 4)
Muskoka Av. S11 —6N 121
Muskoka Dri. S11 —5N 121
Mutual St. Donc —5M 63
Muxlow. S11 —5E 122
Myers Av. O'bri —5M 91
Myers Gro. La. S6 —5A 108
(in two parts)
Myers La. S6 —1J 107
Mylnhurst Rd. S11 —6C 122
Mylor Ct. B'ley —5K 37
Mylor Rd. S11 —5B 122
Myndon Wlk. Den M —3M 79
Myrtle Cres. Wick —8H 97
Myrtle Gro. Auc —8C 66
Myrtle Gro. Kiv P —9H 127
Myrtle Rd. S2 —4H 123
Myrtle Rd. D'cft —9B 26
Myrtle Rd. Womb —4C 58
Myrtle Springs. S12 —6N 123
Myrtle St. B'ley —6D 36
Mytham Bri. Bam —9E 118
Myton Rd. S9 —8A 110

Nab La. Fish —2B 26
Nabs Wood Nature Reserve. —3J 55
Nairn Dri. Dron W —9E 134
Nairn St. S10 —9C 108
Nancy Cres. Grim —2H 39
Nancy Rd. Grim —2H 39
Nanny Hill. S'bri —5E 72
Nanny Marr Rd. D'fld —2G 59
Nan Sampson Bank. Blax —7M 67
Napier Mt. Wors —2G 56
Napier St. S11 —2F 122 (7C 4)
Narrow Balk. Hoot P —3J 41
Narrow La. Ans —6C 128
Narrow La. Baw —5D 102
Narrow La. H'lme —4A 24
Narrow La. Tick —3B 100
Narrow Twitchell. Roth —7L 95
(off Hollowgate)
Narrow Wlk. S10 —9D 108
Naseby Av. Donc —1H 63
Naseby Clo. Hat —3C 46
Naseby St. S9 —2A 110
Nash Clo. Work —6F 142
Nasmyth Row. Else —2B 76
(off Wath Rd.)
Nathan Ct. Wat —1M 137
Nathan Dri. Wat —9M 125
Nathan Gro. Wat —9L 125
National Cen. for Popular Music, The.
(off Paternoster Row) —1J 123 (5G 5)
Navan Rd. S2 —4A 124
Navvy La. Notton —2L 17
Naylor Gro. Dod —9A 36
Naylor Gro. O'bri —7L 91
Naylor Rd. O'bri —6L 91
Naylor St. P'gte —2M 95
Neale Rd. Donc —8E 44
Nearcroft Rd. Roth —5F 94
Nearfield Rd. Donc —9G 64
Needham Way. S7 —6D 122
Needlewood. Dod —1A 56
Neepsend. —6F 108
Neepsend La. S3 —6F 108
Neill Rd. S11 —3D 122
Nelson Av. B'ley —4H 37
Nelson Clo. B'wth —4K 111
Nelson Mandela Wlk. S2 —2B 124
(off Saxonlea Av.)
Nelson Pl. Burn —9E 74
Nelson Rd. S6 —6A 108
Nelson Rd. Edl'tn —4F 80
Nelson Rd. Maltby —8F 98
(in two parts)
Nelson Rd. New R —5G 83
Nelson Rd. Flats. Edl'tn —4F 80
(off Nelson Rd.)
Nelson Sq. Stain —6A 26
Nelson St. B'ley —7F 36
Nelson St. Donc —6A 64
Nelson St. Roth —6L 95
Nelson St. S Hien —4E 18
Nemesia Clo. Ans —7A 128
Nene Gro. Auc —8C 66
Nene Wlk. Work —3B 142
Nesfield Way. S5 —9L 93
(in two parts)
Nether Av. Gren —4E 92
Nether Av. Kil —4B 138
Nether Cantley. —5L 65
Nether Cantley La. Cant —5L 65
Nether Cres. Gren —4E 92
Nethercroft. Bar G —3N 35
Netherdale Ct. Denb D —4N 33
Netherdene Rd. Dron —9H 135
(in two parts)

Nether Edge. —5F 122
Nether Edge Rd. *S7* —5F 122
Nether End. —4N 33
Netherfield Clo. *Deep* —6H 73
Netherfield Ct. *Roth* —5L 95
Netherfield Cft. *Shaf* —7C 18
Netherfield Dri. *Holmf* —1E 30
Netherfield La. *P'gte* —1M 95
Netherfield Rd. *S10* —7C 108
Netherfield Vw. *Roth* —5C 96
Nethergate. —7L 107
Nethergate. *S6* —7K 107
Nether Green. —3N 121
Nethergreen Av. *Kil* —3C 138
Nethergreen Ct. *Kil* —3C 138
Nethergreen Gdns. *Kil* —3C 138
Nethergreen Rd. *S11* —3A 122
Nether Hall Rd. *Donc* —4A 64
Nether Haugh. —8H 77
Nether Ho. La. *S6* —9E 90
Nether Ho. La. *P'stne* —8G 52
Netherhouses. *U'thng* —3B 30
Nether La. *E'fld* —3J 93
Netherlea Dri. *N'thng* —1D 30
Nether Ley Av. *C'town* —9H 75
Nether Ley Ct. *C'town* —9H 75
Nether Ley Cft. *C'town* —9H 75
Nether Ley Gdns. *C'town* —9H 75
Nethermoor Av. *Kil* —3C 138
Nethermoor Clo. *Kil* —3C 138
Nethermoor Dri. *Kil* —3C 138
Nethermoor Dri. *Wick* —2H 113
Nethermoor La. *Kil* —3C 138
Nether Oak Clo. *Soth* —9A 126
Nether Oak Dri. *Soth* —9A 126
Nether Oak Vw. *Soth* —9A 126
Nether Padley. —9A 132
Nether Rd. *E'fld* —4J 93
Nether Rd. *Silk* —7J 35
Nether Royd Vw. *Silk C* —2J 55
Nether Shire La. *S5* —6K 93
Netherthong. —1D 30
Netherthorpe. —3F 126
(Aston)
Netherthorpe. —3B 138
(Killamarsh)
Netherthorpe. —8F 108 (2B 4)
(Sheffield)
Netherthorpe. —4F 140
(Shireoaks)
Netherthorpe Clo. *Kil* —3B 138
Netherthorpe La. *Kil* —4B 138
Netherthorpe Pl. *S3* —7G 108 (1C 4)
Netherthorpe Rd. *S3* —9F 108 (3B 4)
Nether Thorpe Rd. *Thor S* —5E 140
Netherthorpe St. *S3* —4A 108 (1C 4)
Netherthorpe Wlk. *S3* —8G 108 (1C 4)
Netherthorpe Way. *Ans* —4C 128
Netherton Pl. *Work* —9D 142
Netherton Rd. *Work* —9D 142
Nether Wheel Row. *S13* —6F 124
Netherwood Rd. *Womb* —2D 58
Nettle Cft. *Tick* —6F 100
Nettleham Rd. *S8* —8G 123
Nettleholme. *Hat* —9A 26
Nettleholme La. *Hat* —6F 26
Nettle Ing La. *Syke* —2B 10
Nettleton Ho. *Hems* —3K 19
(off Lilley St.)
Neville Av. *B'ley* —9L 37
Neville Clo. *S3* —7J 109
Neville Clo. *B'ley* —9L 37
Neville Clo. *S Kirk* —6B 20
Neville Clo. *Womb* —3B 58
Neville Cres. *B'ley* —9L 37
Neville Dri. *S3* —6J 109
Neville La. *B'wte* —8J 9
(in two parts)
Neville Pits La. *Balne* —2N 7
Neville Rd. *Roth* —4F 94
Neville St. *Roth* —6K 95
New Arc. *S Kirk* —7A 20
Newark. *W'fld* —2L 137
(off Shortbrook Rd.)
Newark Clo. *M'well* —7C 16
Newark Rd. *Mexb* —1D 78
Newark St. *S9* —5A 110
Newark St. *New R* —4H 83
Newbigg. *Crow* —2N 29
Newbiggin Clo. *P'gte* —1L 95
Newbiggin Dri. *P'gte* —1L 95
Newbold Ter. *Donc* —2K 63
Newbolt Rd. *Donc* —9M 63
Newbould Cres. *Beig* —8N 125
Newbould La. *S10* —1D 122
Newbridge Ct. *Monk B* —5J 37
New Bri. Gro. *Edl'tn* —4G 81
Newbridge Gro. *Monk B* —5J 37

New Brighton. *Birds* —4E 32
Newburn Dri. *S9* —2E 110
Newburn Rd. S9 —2D 110
(off Town St.)
Newbury Dri. *S Elm* —4F 20
Newbury M. *Work* —8C 142
Newbury Rd. *S10* —8C 108
Newbury Way. *Donc* —1H 63
Newby Cres. *Donc* —1L 81
Newcastle Av. *Work* —8A 142
Newcastle Clo. *Ans* —4C 128
Newcastle St. *S1* —9G 109 (3D 4)
Newcastle St. *Work* —8C 142
New Chapel Av. *P'stne* —6M 53
New Clo. *Silk* —8H 35
New Clo. La. *S'brke* —3B 22
Newcomen Rd. *Donc* —2L 63
Newcroft Clo. *Soth* —8A 126
New Cross Dri. *S13* —5G 124
New Cross Wlk. *S13* —5G 124
New Cross Way. *S13* —5G 124
Newdale Av. *Cud* —3A 38
New Droppingwell Rd. *Roth* —7B 94
New Edlington. —5F 80
Newent La. *S10* —8C 108
Newfield Av. *B'ley* —4L 37
Newfield Clo. *Barn D* —1L 45
Newfield Ct. *S10* —3M 121
Newfield Cres. *S17* —3L 133
Newfield Cres. *Wath D* —1K 77
Newfield Cft. *S17* —2L 133
Newfield Green. —6L 123
Newfield Grn. Rd. *S2* —5L 123
Newfield La. *S17* —3L 133
Newfields Av. *Moor* —8L 11
Newfields Clo. *Moor* —8L 11
Newfields Dri. *Moor* —8L 11
New Fold. *Holmf* —4E 30
New Gate. —3F 30
New Ga. *Holmf* —7G 31
Newgate Clo. *High G* —7E 74
Newgate St. *Work* —8C 142
New Green. *Stain* —5A 26
Newhall. —5N 109
Newhall Av. *Wick* —2H 113
New Hall Cres. *S'bri* —4B 72
Newhall Grange. *Maltby* —1M 113
New Hall La. *B'ley* —9B 38
Newhall La. *Maltby* —1M 113
New Hall La. *S'bri* —5A 72
Newhall Rd. *S9* —4M 109
Newhall Rd. *Kirk S* —5K 45
New Haven Gdns. *S17* —6N 133
Newhill. —1K 77
New Hill. *Con* —4A 80
Newhill. *S Kirk* —8A 20
Newhill. *Wath D* —1J 77
Newhill Rd. *B'ley* —3H 37
Newhill Rd. *Wath D* —1K 77
New Holles Ct. *Work* —9C 142
New Holme Dri. *Moor* —7L 11
New Ho. La. *Syke & Fish* —8A 10
New Ings. *Arm* —1K 65
New Ings La. *Barn D* —8G 24
Newington. —4G 102
Newington Av. *Cud* —9B 18
Newington Clo. *Donc* —8J 65
Newington Dri. *Ast* —4D 126
Newington Rd. *S11* —3D 122
Newington Rd. *Aus* —5E 102
New Inn La. *Stain* —4A 26
New Laithe La. *Holmf* —3F 30
Newland Av. *Cud* —3A 38
Newland Av. *Maltby* —7D 98
Newland Rd. *B'ley* —1F 36
Newlands Av. *S12* —5A 124
Newlands Av. *Clayt W* —7B 14
Newlands Av. *Skell* —7C 22
Newlands Clo. *Donc* —8J 65
Newlands Dri. *S12* —5A 124
Newlands Dri. *Donc* —2K 63
Newlands Gro. *S12* —5B 124
Newlands La. *U'thng* —3A 30
Newlands Rd. *S12* —5A 124
Newlands Way. *Womb* —6G 59
New La. *Bol D* —3K 59
(in two parts)
New La. *Ross* —5K 83
New La. *Spro* —6E 62
New La. *Upt* —3F 20
New La. Cres. *Upt* —2F 20
New Lodge. —1F 36
New Lodge Cres. *B'ley* —1F 36
New Lodge Farm Ct. *P'stne* —7A 54
Newlyn Dri. *B'ley* —5J 37
Newlyn Pl. *S8* —8G 123
Newlyn Rd. *S8* —8G 123
Newman Av. *B'ley* —8K 17

Newman Clo. *S9* —9B 94
Newman Ct. *S9* —9B 94
Newman Ct. *Roth* —2N 111
Newman Dri. *S9* —9A 94
Newman Rd. *S9* —1A 110
Newman Rd. *Roth* —2N 111
Newmarche Dri. *Ask* —1M 23
Newmarch St. *S9* —1E 110
Newmarket Rd. *Donc* —5G 65
New Meadows. *Rawm* —6K 77
New Mill. —2J 31
New Mill Bank. *Bols* —9E 72
New Mill Fld. Rd. *Hat* —1F 46
(in two parts)
New Mill Rd. *Holmf* —2F 30
New Orchard La. *Thur* —5K 113
(in two parts)
New Orchard Rd. *Thur* —5K 113
New Oxford Rd. *Mexb* —2G 78
New Pk. Est. *Stain* —4C 26
New Rd. *S6* —9C 90
New Rd. *App* —9A 136
New Rd. *Bam* —5D 118
New Rd. *Braith* —2C 98
New Rd. *Bran* —7A 66
New Rd. *Cam* —1E 22
New Rd. *Caw* —2D 34
New Rd. *Deep* —5F 72
(Manchester Rd.)
New Rd. *Deep* —9A 72
(Yewtrees La.)
New Rd. *Dinn* —3D 128
(Laughton Rd.)
New Rd. *Dinn* —5A 128
(Penny Piece La.)
New Rd. *Firb* —7K 115
New Rd. *Goole* —3M 13
New Rd. *H'fld* —8D 58
New Rd. *Holmf* —1D 30
New Rd. *L Sme* —2B 6
New Rd. *M'well* —7B 16
New Rd. *Nor* —7K 7
New Rd. *P'stne* —7N 33
New Rd. *Roth* —8B 94
New Rd. *Tank* —1E 74
New Rd. *Wadw* —8N 81
(Carr La.)
New Rd. *Wadw* —6D 100
(St Mary's Rd.)
New Rd. *Wal B* —7D 126
New Rd. *Wath D* —9M 59
New Rd. *Wool* —2B 16
New Rossington. —5H 83
New Row. *Holmf* —3E 30
New Royd. *Mill G* —4G 53
Newsam Rd. *Kiln* —5C 78
New School Rd. *Mosb* —3J 137
Newsham Rd. *S8* —7G 123
New Smithy Av. *Thurls* —3K 53
New Smithy Dri. *Thurls* —3K 53
Newsome Av. *Womb* —4B 58
New Sta. Rd. *Swint* —3D 78
Newstead Av. *S12* —9E 124
Newstead Av. *O'bri* —5M 91
Newstead Clo. *S12* —8E 124
Newstead Clo. *Dron W* —9D 134
Newstead Dri. *S12* —9E 124
Newstead Gro. *S12* —8E 124
Newstead Pl. *S12* —9E 124
Newstead Ri. *S12* —9F 124
Newstead Rd. *S12* —8E 124
Newstead Rd. *B'ley* —9F 16
Newstead Rd. *Donc* —6K 43
Newstead Way. *S12* —9E 124
New St. *S1* —8H 109 (2F 5)
New St. *B'ley* —8M 37
(S70, in two parts)
New St. *B'ley* —8M 37
(S71)
New St. *Ben* —8L 43
New St. *Blax* —1G 85
New St. *Bol D* —6C 60
New St. *Carc* —7H 23
(in three parts)
New St. *Cat* —6K 111
New St. *D'fld* —2G 59
New St. *Deep* —5G 72
New St. *Dinn* —2D 128
New St. *Dod* —1A 56
New St. *Donc* —6N 63
New St. *Greasb* —1H 95
New St. *Gt Hou* —7L 39
New St. *Grim* —2G 38
New St. *H'fld* —8B 58
New St. *High G* —6E 74
New St. *H'brk* —3N 137
New St. *Lghtn* —8C 114
New St. *M'well* —8C 16
New St. *Mexb* —1J 79

New St. *Rawm* —9M 77
New St. *Roy* —6K 17
New St. *S Elm* —6D 20
New St. *S Hien* —3D 18
New St. *Thpe H* —1N 93
New St. *Womb* —4E 58
New St. *Wors* —3K 57
(Edmunds Rd.)
New St. *Wors* —3H 57
(West St.)
New St. La. *S2* —8K 109 (2J 5)
Newthorpe Rd. *Nor* —7G 6
Newton. —4K 63
Newton Av. *S'bri* —4B 72
Newton Chambers Rd. *C'town* —6G 75
Newton Clo. *Gate* —3N 141
Newton Cft. *S13* —5H 125
Newton Dri. *Donc* —4K 63
Newton Dri. *Roth* —7N 95
Newton La. *S1* —1H 123 (6F 5)
Newton La. *Donc* —4K 63
Newton La. *S'bri* —4B 72
Newton Pl. *Thpe H* —2N 93
Newton Rd. *High G* —7F 74
Newton St. *B'ley* —6E 36
Newton Va. *Roth* —7N 95
Newton Va. *C'town* —7H 75
New Totley. —6N 133
Newtown Av. *Cud* —3A 38
Newtown Av. *Roy* —5J 17
Newtown Grn. *Cud* —3B 38
Newtree Dri. *Wadw* —8M 81
Newven Ho. Nor —6M 95
(off St Leonard's Rd.)
New Village. —6M 43
New Winterwell. *Wath D* —8K 59
New Wortley Rd. *Roth* —6G 95
New York. —8J 95
Niagara Rd. *S6* —1D 108
Niagara Yd. *S6* —1D 108
Nicholas La. *Gold* —2B 60
Nicholas St. *B'ley* —7E 36
Nichol La. *Holmf* —6L 31
Nicholson Av. *Bar G* —4N 35
Nicholson Av. *Wath D* —1K 77
Nicholson Pl. *S8* —5J 123
Nicholson Rd. *S8* —5H 123
Nicholson Rd. *Donc* —6L 63
Nichols Rd. *S6* —7B 108
Nickerwood Dri. *Ast* —5C 126
Nickleby Ct. *Cat* —6H 111
Nidderdale Pl. *S'side* —7H 97
Nidderdale Rd. *Roth* —2F 94
Nidd Rd. *S9* —7A 110
Nidd Rd. E. *S9* —7B 110
Nightingale Clo. *Roth* —8K 95
Nightingale Ct. *Roth* —8K 95
Nightingale Cft. *Thpe H* —8A 76
Nightingale Gro. *Gate* —3A 142
Nightingale Rd. *Gren* —5E 92
Nile St. *S10* —1D 122
Ninescores La. *Finn* —7M 67
Nine Trees Ind. Est. *Thur* —4J 113
Ninian Gro. *Donc* —7H 65
Nitticarhill Rd. *Blbgh* —9H 139
Noble St. *Hoy* —1N 75
Noble Thorpe La. *Ask* —5C 24
Nodder Rd. *S13* —3C 124
Noehill Pl. *S2* —2B 124
Noehill Rd. *S2* —2B 124
Nook End. —6M 107
Nookery Clo. *Maltby* —7F 98
Nooking Clo. *Arm* —9M 45
Nook La. *S6* —6L 107
Nook La. *P'stne* —6A 54
Nook, The. *S8* —7G 122
Nook, The. *S10* —8E 108
Nook, The. *H'swne* —1C 54
Nora St. *Gold* —1E 60
Norborough Rd. *S9* —2E 110
Norborough Rd. *Donc* —2C 64
Norbreck Cres. *Warm* —2G 80
Norbreck Rd. *Ask* —2M 23
Norbreck Rd. *Warm* —1G 80
Norbrook Way. *Whis* —3C 112
Norburn Dri. *Kil* —4C 138
Norbury Clo. *Dron W* —9E 134
Norcroft. *Wors* —1G 56
Norcroft La. *Caw* —5G 35
Norcross Gdns. *D'fld* —2H 59
Norfolk Av. *Birc* —9N 101
Norfolk Clo. *B'ley* —4J 37
Norfolk Ct. Roth —6L 95
(off Wharncliffe Hill)
Norfolk Dri. *Ans* —5C 128
Norfolk Dri. *Birc* —9M 101
Norfolk Gro. *Birc* —9M 101
Norfolk Hill. *Gren* —4D 92
Norfolk Hill Cft. *Gren* —4D 92

Norfolk La. *S1* —5F **5**
Norfolk Pk. Av. *S2* —2L **123**
Norfolk Pk. Dri. *S2* —2K **123** (7J **5**)
Norfolk Pk. Rd. *S2* —2J **123** (7J **5**)
Norfolk Pk. Students Residence. *S2*
　　　　　—2L **123** (7K **5**)
Norfolk Pl. *Maltby* —8E **98**
Norfolk Rd. *S2* —1K **123** (5J **5**)
Norfolk Rd. *Birc* —9M **101**
Norfolk Rd. *Donc* —9M **63**
Norfolk Rd. *Gt Hou* —7L **39**
Norfolk Row. *S1* —9H **109** (3F **5**)
Norfolk St. *S1* —9H **109** (4F **5**)
　(in two parts)
Norfolk St. *Roth* —6L **95**
Norfolk St. *Work* —8B **142**
Norfolk Way. *Roth* —2N **111**
Norgreave Way. *Half* —3L **137**
Norman Clo. *B'ley* —4K **37**
Norman Clo. *Wors* —2H **57**
Norman Cres. *Donc* —9H **43**
Norman Cres. *New R* —5H **83**
Normancroft Ct. *S2* —2B **124**
Normancroft Cres. *S2* —2C **124**
Normancroft Dri. *S2* —2B **124**
Normancroft Way. *S2* —2C **124**
Normandale. —4N 107
Normandale Av. *S6* —4N **107**
Normandale Rd. *S6* —5E **108**
Normandale Rd. *Gt Hou* —6L **39**
Norman Dri. *Hat* —2D **46**
Norman Rd. *Denb D* —3J **33**
Norman Rd. *Hat* —2C **46**
Norman St. *S9* —5N **109**
Norman St. *Thurn* —8D **40**
Normanton Gdns. *S4* —5K **109**
Normanton Gro. *S13* —5F **124**
Normanton Hill. *S13* —5C **124**
Normanton Spring. —5E 124
Normanton Spring Ct. *S13* —5F **124**
Normanton Spring Rd. *S13* —6E **124**
Normanville Av. *B'wth* —3H **111**
Nornay. —8K 117
Nornay Clo. *Blyth* —8K **117**
No Rd. *Cam* —1G **22**
Norrel's Cft. *Roth* —9M **95**
Norrels Dri. *Roth* —9M **95**
Norridge Bottom. *Holmf* —3E **30**
Norris Rd. *S6* —4C **108**
Norroy St. *S4* —6L **109**
Norstead Cres. *Braml* —8K **97**
North Anston. —6C 128
N. Anston Bus. Cen. *Ans* —3A **128**
N. Anston Trad. Est. *Ans* —3N **127**
North Av. *Baw* —5C **102**
North Av. *S Elm* —7D **20**
N. Bridge Rd. *Donc* —3M **63**
North Carlton. —5D 130
N. Carr La. *B'ley* —8G **38**
N. Church St. *S1* —8H **109** (2F **5**)
N. Cliff Rd. *Con* —3N **79**
North Clo. *Roy* —6K **17**
N. Common Rd. *Thorne* —6H **11**
Northcote Av. *S2* —5J **123**
Northcote Ho. S8 —8G 123
　(off Chantrey Rd.)
Northcote Rd. *S2* —5J **123**
Northcote Ter. *B'ley* —6D **36**
North Cres. *Kil* —2D **138**
North Cres. *Roth* —6N **95**
North Cres. *S Elm* —5G **20**
Northcroft. *Shaf* —7C **18**
Northcroft. *S Elm* —6F **20**
Northcroft Av. *S Elm* —5F **20**
North Dri. *Roth* —5K **95**
N. Eastern Rd. *Thorne* —1J **27**
North Elmsall. —3G 20
N. End Dri. *H'ton* —5G **61**
Northern Av. *S2* —4M **123**
Northern Comn. *Dron W* —7C **134**
N. Farm Clo. *H'hill* —3K **139**
N. Farm Ct. *Ast* —4E **126**
Northferry La. *Epw* —9N **49**
Northfield. —5K 95
North Fld. *Dod* —8A **36**
North Fld. *Silk* —8H **35**
Northfield Av. *S10* —7C **108**
Northfield Av. *Rawm* —7M **77**
Northfield Av. *S Kirk* —6A **20**
Northfield Clo. *S10* —7D **108**
Northfield Ct. *Wick* —8G **97**
Northfield Dri. *W'sett* —7J **129**
Northfield Gro. *S Kirk* —6B **20**
Northfield Ind. Est. *Roth* —5K **95**
N. Field La. *Barn D* —8H **25**
Northfield La. *S Kirk* —6A **20**
Northfield La. *Wick* —8F **96**
Northfield Pl. *Crow* —7M **29**

Northfield Rd. *S10* —8C **108**
Northfield Rd. *Donc* —2L **63**
N. Field Rd. *Donc & Moorh* —2J **41**
Northfield Rd. *Roth* —6K **95**
Northfield St. *S Kirk* —6A **20**
Northgate. *B'ley* —5D **36**
North Ga. *Eck* —7K **137**
North Ga. *Mexb* —1H **79**
Northgate. *Moor* —6M **11**
Northgate. *S Hien* —3E **18**
North Ga. *Tick* —5D **100**
N. Hill Rd. *S5* —9G **92**
N. Ings La. *Hat* —8F **26**
N. Ings La. *Syke* —1B **10**
N. Ings Rd. *Hat* —8F **26**
Northlands. *Adw S* —2E **42**
Northlands. *H'hill* —3K **139**
Northlands. *Roy* —5K **17**
Northlands Rd. *S5* —9G **92**
North La. *Caw* —6B **34**
　(Gadding Moor Rd.)
North La. *Caw* —6J **35**
　(Silkstone La.)
North La. *Fish* —1E **26**
North La. *Syke* —3L **9**
　(in three parts)
North Mall. Donc —4N 63
　(off French Ga.)
Northmoor Rd. *Mess* —8M **13**
Northorpe. *Dod* —1C **56**
N. Park La. *Skell* —7F **22**
　(in two parts)
N. Pitt St. *Roth* —7F **94**
North Pl. *B'ley* —5C **36**
North Pl. *Roth* —6N **95**
Northpoint Ind. Est. *S9* —1B **110**
North Quadrant. *S5* —9L **93**
North Rd. *Barn D* —9F **24**
North Rd. *Roth* —6N **95**
North Rd. *Roy* —4L **17**
North Row. *Shep* —1A **32**
N. Royds Wood. *B'ley* —8G **16**
Northside Rd. *Wath D* —9M **59**
North Sq. *Edl'tn* —4G **80**
North St. *Crow* —7M **29**
North St. *D'fld* —1G **58**
North St. *Donc* —6B **64**
North St. *Edl'tn* —4G **81**
North St. *Rawm* —7N **77**
North St. *Roth* —6J **95**
North St. *S Kirk* —6A **20**
North St. *Swint* —3D **78**
N. Swaithe Clo. *Ben* —6L **43**
Northumberland Av. *Cost* —4B **130**
Northumberland Av. *Donc* —2E **64**
Northumberland Av. *Hoy* —8M **57**
Northumberland La. *Den M* —3K **79**
Northumberland Rd. *S10* —9E **108** (4A **4**)
Northumberland Way. *B'ley* —8N **37**
Northumbria Clo. *Work* —4D **142**
North Vw. *Grim* —1F **38**
North Wlk. *Hems* —1K **19**
Northway. *Carl L* —4C **130**
Northwood. *S6* —9B **92**
Northwood. *Work* —4D **142**
Northwood Dri. *S6* —9B **92**
Norton. —1K 135
　(Little Norton)
Norton. —7H 7
　(Walden Stubbs)
Norton & Kirk Smeaton Rd. *Kir Sm &*
　　　　　Nor —5B **6**
Norton Av. *S8 & S12* —1L **135**
Norton Av. *S14 & S12* —9M **123**
Norton Chu. Glebe. *S8* —1J **135**
Norton Chu. Rd. *S8* —1J **135**
Norton Comn. La. *Cam* —9H **7**
　(in two parts)
Norton Comn. La. *Nor* —7K **7**
Norton Comn. Rd. *Nor* —7K **7**
　(in two parts)
Norton Grn. Clo. *S8* —1K **135**
Norton Hammer. —7F 122
Norton Hammer La. *S8* —7F **122**
Norton La. *S8* —3H **135**
Norton Lawns. S8 —1K 135
　(off School La. Clo.)
Norton Lees. —7H 123
Norton Lees Clo. *S8* —8H **123**
Norton Lees Cres. *S8* —7H **123**
Norton Lees La. *S8* —7H **123**
Norton Lees Rd. *S8* —6G **123**
Norton Lees Sq. *S8* —7H **123**
Norton M. *S8* —1K **135**
Norton Mill La. *Nor* —6F **6**
Norton Pk. Av. *S8* —2J **135**
Norton Pk. Cres. *S8* —2H **135**
Norton Pk. Dri. *S8* —2H **135**
Norton Pk. Rd. *S8* —3H **135**

Norton Pk. Vw. *S8* —2H **135**
Norton Rd. *Donc* —2E **64**
Norton Rd. *Wath D* —8K **59**
Norton Woodseats. —8G 123
Norville Cres. *D'fld* —1H **59**
Norwich Rd. *Donc* —9D **44**
Norwich Row. *S2* —9K **109** (3J **5**)
Norwith Rd. *Donc* —9G **65**
Norwood. —2E 138
Norwood Av. *S5* —2J **109**
Norwood Av. *Auc* —8C **66**
Norwood Av. *Maltby* —7D **98**
Norwood Clo. *S5* —3J **109**
Norwood Clo. *Maltby* —7D **98**
Norwood Cres. *Kil* —3E **138**
Norwood Cres. *Kiv P* —9H **127**
Norwood Dri. *S5* —3J **109**
Norwood Dri. *Bar G* —3N **35**
Norwood Dri. *Ben* —5M **43**
Norwood Dri. *Brie* —6G **19**
Norwood Grange Dri. *S5* —2J **109**
Norwood La. *Thurls* —2J **53**
Norwood Pl. *Kil* —3E **138**
Norwood Rd. *S5* —3J **109**
Norwood Rd. *Con* —4N **79**
Norwood Rd. *D'cft* —8B **26**
Norwood Rd. *Hems* —4K **19**
Norwood St. *Dalt* —4C **96**
Nostel Ho. Donc —5N 63
　(off St James St.)
Nostell Fold. *Dod* —1A **56**
Nostell M. Work —8C 142
　(off Newgate St.)
Nostell Pl. *Donc* —9G **64**
Nottingham Cliff. *S3* —6J **109**
Nottingham Clo. *Ans* —7B **128**
Nottingham Clo. *B'ley* —9A **38**
Nottingham Clo. *Donc* —1H **63**
Nottingham St. *S3* —6J **109**
Nottingham St. *Roth* —6L **95**
Notton. —2H 17
Notton La. *Notton* —2H **17**
Novello St. *Maltby* —9G **98**
Nowill Ct. *S8* —5H **123**
Nowill Pl. *S8* —5H **123**
Nunnery Cres. *Cat* —6J **111**
Nunnery Dri. *S2* —8N **109**
Nunnery Ter. *S2* —9N **109**
Nunthorpe Clo. *Hat* —1D **46**
Nursery Cres. *Ans* —5B **128**
Nursery Dri. *Cat* —6J **111**
Nursery Dri. *E'fld* —5J **93**
Nursery Gdns. *B'ley* —9M **37**
Nursery Gro. *E'fld* —5K **93**
Nursery La. *S3* —7J **109** (1G **5**)
Nursery La. *Spro* —8E **62**
Nursery Rd. *Ans & Dinn* —5C **128**
　(in two parts)
Nursery Rd. *Swal* —3B **126**
Nursery St. *S3* —7J **109** (1G **5**)
Nursery St. *B'ley* —8F **36**
Nutfields Gro. *Stain* —5B **26**
Nuthatch Cres. *Work* —1A **142**
Nuttall Pl. *S2* —9L **109**
Nutwell. —2M 65
Nutwell Clo. *Donc* —9H **65**
Nutwell La. *Arm & Cant* —1M **65**
Nutwood Trad. Est. *S6* —8C **92**

Oak Apple Wlk. *S6* —5L **107**
Oak Av. *Wath D* —1N **77**
Oakbank Clo. *Swint* —6C **78**
Oakbank Ct. *S17* —5N **133**
Oakbrook Rd. *S11* —3A **122**
Oakbrook Ct. *S10* —3A **122**
Oakbrook Vw. *S10* —2B **122**
Oakbrook Wlk. *Roth* —5A **96**
Oakburn Ct. *S10* —2E **122** (7A **4**)
Oak Clo. *Flan* —7G **97**
Oak Clo. *Hoy* —1L **75**
Oak Clo. *Kil* —5B **138**
Oak Clo. *Mexb* —1D **78**
Oak Clo. *Wath D* —2N **77**
Oak Clo. *Work* —9B **142**
Oak Ct. *Mexb* —1D **78**
Oak Ct. *Spro* —6H **63**
Oak Cres. *Thorne* —9K **11**
Oakcrest. *Donc* —2L **83**
Oakdale. *Wors* —2J **57**
Oakdale Clo. *E'thpe* —7J **45**
Oakdale Clo. *Wors* —3J **57**
Oakdale Pl. *Roth* —7F **94**
Oakdale Rd. *S7* —5E **122**
Oakdale Rd. *Ans* —6D **128**
Oakdale Rd. *Roth* —7F **94**
Oak Dale Rd. *Warm* —2G **80**
Oakdell. *Dron* —7L **135**
Oakdene. *New R* —6J **83**

Oaken Wood Clo. *Thpe H* —9A **76**
Oaken Wood Rd. *Thpe H* —9N **75**
Oakes Grn. *S9* —6M **109**
Oakes Pk. Vw. *S14* —1L **135**
Oakes St. *S9* —9B **94**
Oakfern Gro. *High G* —6E **74**
Oakfield Ct. *M'well* —8B **16**
Oakfield Wlk. *B'ley* —6C **36**
Oak Gro. *Arm* —8K **45**
Oak Gro. *Con* —5M **79**
Oak Gro. *Thur* —5L **113**
Oakham Dri. *S3* —6G **109**
Oakham Pl. *B'ley* —5D **36**
Oak Haven Av. *Gt Hou* —7L **39**
Oakhill Rd. *S7* —5E **122**
Oakhill Rd. *Donc* —1E **64**
Oakhill Rd. *Dron* —8K **135**
Oakholme Av. *Work* —5C **142**
Oakholme M. *S10* —2D **122**
Oakholme Ri. *Work* —5C **142**
Oakholme Rd. *S10* —1D **122**
Oakland. *Wors* —3J **57**
Oakland Av. *D'cft* —1C **46**
Oakland Clo. *W'sett* —6J **129**
Oakland Ct. *S6* —4C **108**
Oakland Rd. *S6* —4C **108**
Oaklands. *Bes* —2M **83**
Oaklands. *Wick* —1H **113**
Oaklands Av. *B'ley* —4L **37**
Oaklands Clo. *Holmf* —1E **30**
Oaklands Dri. *Donc* —7G **64**
Oaklands Dri. *Sty* —2G **116**
Oaklands Gdns. *Donc* —8G **64**
Oaklands Pl. *Wath D* —1L **77**
Oakland Ter. *Edl'tn* —4F **80**
Oak La. *Syke* —2E **10**
Oak Lea. *Roth* —2H **95**
Oak Lea. *Wors* —3K **57**
Oak Lea Av. *Wath D* —8J **59**
Oaklea Clo. *M'well* —7C **16**
Oak Leigh. *Caw* —4G **35**
Oakley Rd. *S13* —1E **124**
Oak Lodge Rd. *High G* —7D **74**
Oak Meadows. *Roth* —5A **96**
Oakmoor Gro. *Moor* —6M **11**
Oakmoor Rd. *Moor* —6M **11**
Oak Pk. *S10* —1C **122**
Oak Pk. Ri. *B'ley* —9H **37**
Oak Pl. *S10* —1C **122**
Oak Rd. *S12* —9A **124**
Oak Rd. *Arm* —8K **45**
Oak Rd. *Beig* —7M **125**
Oak Rd. *Maltby* —8B **98**
Oak Rd. *Mexb* —1D **78**
Oak Rd. *Shaf* —7D **18**
Oak Rd. *Thorne* —9K **11**
Oak Rd. *Thurn* —8C **40**
Oak Rd. *Wath D* —1N **77**
Oaks Av. *S'bri* —5C **72**
Oaks Bus. Pk. *B'ley* —7K **37**
Oak Scar La. *Holmf* —6G **31**
Oaks Cres. *B'ley* —8K **37**
Oaks Farm Clo. *Dart* —8A **16**
Oaks Farm Dri. *Dart* —8A **16**
Oaks Fold. *S5* —7M **93**
Oaks Fold Av. *S5* —8M **93**
Oaks Fold Rd. *S5* —8M **93**
Oaks La. *S5* —8M **93**
Oaks La. *S6* —2E **106**
Oaks La. *B'ley* —8K **37**
　(S70)
Oaks La. *B'ley* —7K **37**
　(S71, in two parts)
Oaks La. *Mid* —3L **71**
Oaks La. *Roth* —4C **94**
Oaks, The. *S10* —1C **122**
Oak St. *S8* —4H **123**
Oak St. *B'ley* —7E **36**
Oak St. *Grim* —2H **39**
Oak St. *Mosb* —2J **137**
Oak St. *S Elm* —8E **20**
Oaks Wood Dri. *Dart* —9A **16**
Oak Ter. *Donc* —6N **63**
Oak Ter. *Swal* —3A **126**
Oak Tree Av. *Auc* —2B **84**
Oak Tree Av. *Cud* —1B **38**
Oak Tree Av. *Schol* —5H **31**
Oak Tree Clo. *Dart* —9M **15**
Oak Tree Gro. *Hems* —3M **19**
Oak Tree Ri. *Carl L* —4B **130**
Oak Tree Rd. *Baw* —6B **102**
Oak Tree Rd. *Bran* —6A **66**
Oakwell Bus. & Youth Enterprise Cen.
　　　　　B'ley —7J **37**
Oakwell Clo. *Maltby* —7E **98**
Oakwell Dri. *Ask* —1N **23**
Oakwell La. *B'ley* —8H **37**
Oakwell Ter. *B'ley* —8H **37**
Oakwell Vw. *B'ley* —8H **37**

Oakwood Av. *S5* —6G **92**
Oakwood Av. *Roy* —5K **17**
Oakwood Clo. *Wors* —3K **57**
Oakwood Cres. *Rawm* —7L **77**
Oakwood Cres. *Roy* —5J **17**
Oakwood Cres. *Worr* —8M **91**
Oakwood Dri. *Arm* —2K **65**
Oakwood Dri. *Bran* —7N **65**
Oakwood Dri. *Hems* —4L **19**
Oakwood Dri. *Roth* —9N **95**
Oakwood Flats. *S5* —3J **109**
Oakwood Gro. *Roth* —9N **95**
Oakwood Hall Dri. *Roth* —2M **111**
Oakwood M. *Work* —7N **141**
Oakwood Rd. *Donc* —8K **63**
Oakwood Rd. *Roy* —5J **17**
Oakwood Rd. E. *Roth* —1N **111**
Oakwood Rd. W. *Roth* —1M **111**
Oakwood Sq. *Dart* —9K **15**
Oakworth Clo. *B'ley* —5C **36**
Oakworth Clo. *Half* —4L **137**
Oakworth Dri. *Half* —4K **137**
Oakworth Gro. *Half* —4K **137**
Oakworth Vw. *Half* —4K **137**
Oasis, The. *S9* —2C **110**
Oates Av. *Rawm* —9M **77**
Oates Clo. *Roth* —6G **95**
Oates Orchard. *Mosb* —4K **137**
Oates St. *Roth* —6G **95**
Oberon Cres. *D'fld* —1F **58**
Oborne Clo. *Rav* —5K **97**
Occupation La. *S6* —3M **107**
Occupation La. *S12* —8E **124**
Occupation Rd. *Harl* —5L **75**
Occupation Rd. *P'gte* —1L **95**
Ochre Dike Clo. *Wat* —9L **125**
Ochre Dike La. *Wat* —9K **125**
Ochre Dike Wlk. *Roth* —1F **94**
Octagon Cen. *S10* —4A **4**
Octavia Clo. *B'wth* —2J **111**
Oddy La. *Tick* —2B **100**
Odom Ct. *S2* —5J **123**
Ogden Pl. *S8* —2H **135**
Ogden Rd. *Donc* —8G **45**
Oil Mill Fold. *Roth* —7K **95**
Old Acre La. *Nor* —7F **6**
Oldale Clo. *S13* —6J **125**
Oldale Ct. *S13* —5J **125**
Oldale Gro. *S13* —6J **125**
Old Anna La. *P'stne* —3K **53**
Old Bawtry Rd. *Finn* —5F **84**
Old Carpenter's Yd. *Stain* —4A **26**
Old Clifton La. *Roth* —7M **95**
Old Coach Rd. *S6* —1C **106**
Oldcotes. —6C 116
Oldcotes Clo. *Dinn* —1D **128**
Oldcotes Rd. *Dinn* —9D **114**
Old Cottage Clo. *S13* —4K **125**
Old Cross La. *Wath D* —9M **59**
Old Cubley. —7M 53
Old Denaby. —3H 79
Old Denaby Wetlands Nature Reserve.
—3H 79
Old Doncaster Rd. *Wath D* —9A **60**
Old Edlington. —7E 80
Old Epworth Rd. E. *Hat* —1G **46**
Old Epworth Rd. W. *Hat* —1F **46**
Old Farm Ct. *Mexb* —9D **60**
Oldfield Av. *S6* —6M **107**
Oldfield Av. *Con* —4L **79**
Oldfield Clo. *S6* —6M **107**
Oldfield Clo. *Barn D* —1L **45**
Oldfield Clo. *Hoy* —9M **57**
Old Fld. Clo. *Stain* —6N **25**
Oldfield Cres. *Stain* —6A **26**
Oldfield Gro. *S6* —6M **107**
Oldfield La. *Clayt W* —7B **14**
Old Fld. La. *Stain* —7L **25**
(in three parts)
Oldfield La. Flats. *Stain* —6A **26**
Oldfield Rd. *S6* —7K **107**
Oldfield Rd. *Roth* —6C **96**
Oldfield Rd. *Thorne* —3L **27**
Old Fld. Shutt La. *Roth* —5E **96**
Oldfield Ter. *S6* —7M **107**
Old Forge Bus. Pk. *S2* —4H *123*
(off Guernsey Rd.)
Old Fulwood Rd. *S10* —4M **121**
Old Garden Dri. *Roth* —6N **95**
Old Ga. La. *Thry* —4C **96**
Old Grn. La. *Moss* —1F **24**
Old Guildhall Yd. *Donc* —4N **63**
Old Hall Clo. *Braml* —8J **97**
Old Hall Clo. *Lghtn* —8B **114**
Old Hall Clo. *Spro* —6G **63**
Old Hall Clo. *Tod* —5K **127**
Old Hall Cres. *Ben* —8M **43**
Old Hall Dri. *Braml* —8J **97**
Old Hall La. *Emley* —4A **14**

Old Hall Pl. *Ben* —8M **43**
Old Hall Rd. *S9* —5A **110**
Old Hall Rd. *Ben* —8M **43**
Old Hall Rd. *Skell* —7E **22**
Old Hall Rd. *Wors* —5E **56**
Old Hall Wlk. *Gt Hou* —7L **39**
Oldhay Clo. *S17* —4M **133**
Old Hay Gdns. *S17* —4L **133**
Old Hay La. *S17* —5L **133**
Old Haywoods. —5G 72
Old Hellaby La. *H'by* —8N **97**
Old Hexthorpe. *Donc* —6K **63**
Old Hill. *Con* —4A **80**
Old Hill La. *Roth* —6E **96**
Old Ho. Clo. *H'fld* —8C **58**
Old Ho. La. *Ask* —5D **24**
Old Ings La. *Syke* —1M **9**
Old Kirk Sandall. —4H 45
Old La. *B'wte* —1M **25**
Old La. *Half* —3N **137**
Old La. *Moss* —9E **8**
Old La. *O'bri* —7J **91**
Old La. *P'stne* —2L **71**
Old Manchester Rd. *Bols* —7B **52**
Old Mnr. Dri. *Oxs* —6D **54**
Old Mkt. Pl. *Womb* —5D **58**
Old Mill. —5H 37
Old Mill Clo. *Hems* —2J **19**
Old Mill La. *B'ley* —6F **36**
Old Mill La. *T'land* —9F **54**
Old Mill Rd. *Con* —5B **80**
Old Moor La. *Wath D* —6J **59**
Old Moor Wetland Cen. —5J 59
(Nature Reserve)
Old Moor Wetland Cen. Vis. Cen. —6J 59
Old Mt. Farm. *Wool* —2B **16**
Old Orchard, The. *Hems* —2K **19**
Old Pk. Av. *S8* —3E **134**
Old Pk. Rd. *S8* —3E **134**
Old Quarry Av. *Kiv P* —8G **127**
Old Railway Yd., The. *S8* —8E **122**
Old Retford Rd. *S13* —3J **125**
Old Rd. *B'ley* —3H **37**
Old Rd. *Con* —6L **79**
Old Rd. *Holmb* —6A **30**
Old Row. *Else* —1B **76**
Oldroyd Av. *Grim* —2G **39**
Old Sallow. —8E 22
Old School Clo. *Hoy* —8M **57**
Old School Clo. *Roth* —1J **95**
Old School Ct. *Bar G* —3N **35**
Old School Dri. *S5* —8J **93**
Old School La. *Cat* —6K **111**
Old School La. *Wadw* —7M **81**
Old Scotch Spring La. *S'ton* —5J **99**
Old Sheffield Rd. *Roth* —8K **95**
Old St. *S2* —8K **109** (2K **5**)
Old St. *Donc & Ham* —2L **41**
(in three parts)
Old Thorne Rd. *Hat* —9F **26**
Old Town. —5D 36
Old Town Hall. *Roth* —6K **95**
(off Howard St.)
Old Village St. *Burg* —5E **22**
Old Warren Va. *Rawm* —7M **77**
Oldwell Clo. *S17* —6M **133**
Old Wheel. —4K 107
Old Wortley Rd. *Roth* —5E **94**
Old Yew Ga. *Whar S* —2M **91**
Old Yew La. *Holmf* —6C **30**
Olive Clo. *Swal* —4C **126**
Olive Cres. *S12* —9A **124**
Olive Gro. Rd. *S2* —4J **123**
Olive Rd. *Mosb* —3K **137**
Olive Rd. *S'bri* —5D **72**
Oliver Rd. *S7* —7D **122**
Oliver Rd. *Donc* —8L **63**
Olivers Dri. *S9* —8D **110**
Olivers Mt. *S9* —8D **110**
Oliver St. *Mexb* —1E **78**
Olivers Way. *Cat* —5H **111**
Olive Ter. *S6* —5M **107**
Olivet Rd. *S8* —8G **123**
Ollerton Rd. *B'ley* —8G **16**
Omega Boulevd. *Thorne* —2H **27**
Onchan Rd. *S6* —7N **107**
Onesacre. —6K 91
Onesacre. *O'bri* —6K **91**
Onesacre Road. *S6* —6E **90**
Onesmoor Bottom. *S6 & O'bri* —6G **90**
Onesmoor Rd. *S6* —4E **90**
Onksley La. *S6* —9E **106**
Onslow Rd. *S11* —4C **122**
Orange Cft. *Tick* —6E **100**
Orange St. *S1* —9G **109** (3D **4**)
Orchard Av. *Ans* —4C **128**
Orchard Clo. *S5* —6J **93**
Orchard Clo. *B'ley* —3K **37**
Orchard Clo. *Cat* —6K **111**

Orchard Clo. *D'ville* —3B **46**
Orchard Clo. *Kirk S* —4H **45**
Orchard Clo. *Lghtn* —7C **114**
Orchard Clo. *M'well* —4C **16**
Orchard Clo. *Nor* —7H **7**
Orchard Clo. *Silk C* —2J **55**
Orchard Cres. *S5* —6J **93**
Orchard Cft. *Baw* —6C **102**
Orchard Cft. *Dod* —1B **56**
Orchard Cft. *Wal* —8G **127**
Orchard Dri. *D'ville* —3B **46**
Orchard Dri. *Nor* —7H **7**
Orchard Dri. *S Hien* —3D **18**
Orchard Flatts Cres. *Roth* —3G **94**
Orchard Gdns. *Ans* —7B **128**
Orchard Gro. *Maltby* —7B **98**
Orchard La. *S1* —9H **109** (3E **4**)
Orchard La. *Beig* —9M **125**
Orchard La. *Cusw* —2H **63**
Orchard La. *Moor* —7M **11**
Orchard La. *Wal* —9G **126**
Orchard Lea Dri. *Swal* —4C **126**
Orchard Lee. *H'hill* —4K **139**
Orchard M. *B'ley* —5F **36**
Orchard M. *Donc* —2K **63**
Orchard Pl. *Cud* —3C **38**
Orchard Pl. *Kil* —4C **138**
Orchard Pl. *Roth* —7J **95**
Orchard Pl. *Wath D* —9K **59**
Orchard Rd. *S6* —6D **108**
Orchard Sq. *S1* —9H **109** (3F **5**)
Orchard Sq. *Dron W* —8E **134**
Orchard Sq. Shop. Cen. *S1* —9H **109** (3F **5**)
Orchard St. *S1* —9H **109** (3F **5**)
Orchard St. *Deep* —6H **73**
Orchard St. *Donc* —6M **63**
Orchard St. *Gold* —3D **60**
Orchard St. *O'bri* —6M **91**
Orchard St. *Thorne* —2K **27**
Orchard St. *Womb* —4D **58**
Orchard Ter. *Caw* —4H **35**
Orchard, The. *Ans* —5C **128**
Orchard, The. *Cam* —1G **22**
Orchard, The. *S'ton* —5J **99**
Orchard Vw. *S Kirk* —6A **20**
Orchard Vs. *Thry* —3E **96**
Orchard Wlk. *Auc* —8C **66**
Orchard Wlk. *B'ley* —5G **36**
Orchard Way. *B'wth* —5J **111**
Orchard Way. *Thurn* —8C **40**
Orchard Way. *Tick* —6C **100**
Orchard Wells. *Wick* —9H **97**
Orchid Crest. *Upt* —2F **20**
Orchid Way. *Ans* —7A **128**
Oriel Mt. *S10* —4L **121**
Oriel Rd. *S10* —4M **121**
Oriel Way. *B'ley* —5L **37**
Ormesby Clo. *Dron W* —9D **134**
Ormesby Cres. *Donc* —2J **63**
Ormesby Way. *Braml* —8K **97**
Ormes Mdw. *Owl* —9J **125**
Ormond Clo. *S8* —4J **135**
Ormond Dri. *S8* —4J **135**
Ormonde Way. *New R* —6H **83**
Ormond Rd. *S8* —4J **135**
Ormond Way. *S8* —3J **135**
Ormsby Clo. *Donc* —2L **81**
Ormsby Clo. *T'land* —1H **73**
Orpen Dri. *S14* —9M **123**
Orpen Way. *S14* —9M **123**
Orphanage Rd. *S3* —4J **109**
Orwell Clo. *Womb* —6F **58**
Osbert Dri. *Thur* —5K **113**
Osborne Pl. *S11* —3E **122**
Osberton St. *Rawm* —8A **78**
Osberton St. *Wadw* —7N **81**
Osberton Vw. *Work* —5F **142**
Osberton Way. *Dalt* —4B **96**
Osbert Rd. *Roth* —1A **112**
Osborne Av. *Ast* —3D **126**
Osborne Av. *W'land* —3D **42**
Osborne Cft. *H'hill* —4L **139**
Osborne Clo. *S11* —4D **122**
Osborne Ct. *S11* —4D **122**

Osborne Ct. *B'ley* —4L **37**
Osborne Dri. *Tod* —6L **127**
Osborne M. *B'ley* —8H **37**
Osborne Rd. *S11* —4D **122**
Osborne Rd. *Donc* —3C **64**
Osborne Rd. *Kiv P* —9L **127**
Osborne Rd. *Tod* —6L **127**
Osborne St. *B'ley* —8H **37**
Osgathorpe Cres. *S4* —4K **109**
Osgathorpe Dri. *S4* —4K **109**
Osgathorpe Rd. *S4* —4K **109**
(in two parts)
Osmaston Rd. *S8* —9G **122**
Osmond Dri. *Wors* —2H **57**
Osmond Pl. *Wors* —2H **57**
Osmond Way. *Wors* —2H **57**
Osmund Ct. *Eck* —7J **137**
Osmund Rd. *Eck* —7H **137**
Osprey Av. *Birdw* —7G **56**
Osprey Clo. *Adw S* —2F **42**
Osprey Gdns. *S2* —1M **123**
Osprey Rd. *Ast* —5D **126**
Oswestry Rd. *S5* —9K **93**
Oswin Av. *Bal* —7K **63**
Otley Clo. *Con* —4B **80**
Otley Wlk. *S6* —6E **108**
Otter St. *S9* —6N **109**
Oughtibridge. —6M 91
Oughtibridge Bri. *O'bri* —6M **91**
Oughtibridge La. *O'bri* —6N **91**
Oughton Way. *S4* —5L **109**
Oulton Av. *Braml* —7K **97**
Oulton Clo. *Con* —1C **38**
Oulton Ri. *Mexb* —9J **61**
Our Lady Bridge Chapel. —6K 95
Ouseburn Cft. *S9* —7A **110**
Ouseburn Rd. *S9* —8A **110**
Ouseburn St. *S9* —7A **110**
Ouse Rd. *S9* —7A **110**
Ouse Ter. *Con* —3A **80**
Ouson Gdns. *B'ley* —8K **17**
Outgang La. *Dinn* —9A **114**
Outgang La. *Maltby* —1F **114**
(in two parts)
Out La. *N'thng* —1D **30**
Outram Rd. *S2* —1M **123**
Oval Rd. *Roth* —6A **96**
Oval, The. *S5* —1K **109**
Oval, The. *Ans* —5C **128**
Oval, The. *Con* —3A **80**
Oval, The. *Donc* —6F **64**
Oval, The. *D'cft* —8B **26**
Oval, The. *Holmf* —1D **30**
Oval, The. *Notton* —3J **17**
Oval, The. *Tick* —5E **100**
Oval, The. *W'land* —2D **42**
Oval, The. *Work* —6D **142**
Overcroft Ri. *S17* —6M **133**
Overdale Av. *Wors* —1J **57**
Overdale Gdns. *S17* —4L **133**
Overdale Ri. *S17* —4L **133**
Overdale Rd. *Womb* —6E **58**
Overend Clo. *S14* —7L **123**
Overend Dri. *S14* —7L **123**
Overend Rd. *S14* —7L **123**
Overend Rd. *Work* —6B **142**
Overend Way. *S14* —7L **123**
Oversley Rd. *Donc* —1C **64**
Oversley St. *S9* —1E **110**
Overton Rd. *S6* —2C **108**
Owday La. *Work* —1L **141**
Owen Clo. *S6* —7E **92**
Owen Clo. *Roth* —5L **95**
Owen Pl. *S6* —7E **92**
Owen Wlk. *S6* —7E **92**
Owler Bar Rd. *Grin & S17* —5D **132**
Owler Car La. *Coal A* —6M **135**
Owler Ga. *Whar S* —5J **91**
Owler La. *S4* —3L **109**
(in three parts)
Owlerton. —4E 108
Owlerton Grn. *S6* —4E **108**
Owlerton Sports Stadium. —3E 108
(Greyhound & Speedway)
Owlet La. *S4* —3M **109**
Owlings Pl. *S6* —4B **108**
Owlings Rd. *S6* —3B **108**
Owlthorpe. —9H 125
Owlthorpe Av. *Mosb* —2H **137**
Owlthorpe Clo. *Mosb* —2H **137**
Owlthorpe Dri. *Mosb* —2H **137**
Owlthorpe Greenway. *Wat* —1K **137**
Owlthorpe Gro. *Mosb* —2H **137**
Owlthorpe La. *Mosb* —2H **137**
Owlthorpe Ri. *Mosb* —2H **137**
Owram St. *D'fld* —2G **58**
Owston. —6J 23
Owston La. *Carc* —7H **23**
Owston Pk. Golf Course. —7J 23

Owston Rd. *Carc* —8G **23**
Ox Carr. *Arm* —1K **65**
Oxclose. —4N 137
Ox Clo. Av. *S17* —5B **134**
Ox Clo. Av. *Roth* —4E **94**
Oxclose Dri. *Dron W* —9D **134**
Oxclose La. *Dron W* —9D **134**
Oxclose Pk. Rd. *Half* —3M **137**
Oxclose Pk. Rd. N. *Half* —3M **137**
Oxford Clo. *Roth* —2J **95**
Oxford Dri. *Harw* —8J **101**
Oxford Pl. *Donc* —5N **63**
Oxford Pl. *S'foot* —8M **37**
Oxford Rd. *Carl L* —5C **130**
Oxford St. *S6* —8E **108** (1A **4**)
Oxford St. *B'ley* —9H **37**
Oxford St. *Mexb* —1D **78**
Oxford St. *New R* —5H **83**
Oxford St. *Roth* —6N **95**
Oxford St. *S Elm* —7E **20**
Oxford St. *S'foot* —8M **37**
Oxford Vs. Roth —6N **95**
  (off Oxford St.)
Ox Hill. *Half* —5N **137**
Ox Lee La. *Hep* —8H **31**
Oxley Clo. *S'bri* —5C **72**
Oxley Ct. *Roth* —9M **95**
Oxley Gro. *Roth* —9M **95**
Oxspring. —6D 54
Oxspring Bank. *S5* —2E **108**
Oxspring La. *Oxs* —3C **54**
Oxspring Rd. *P'stne* —7N **53**
Oxted Rd. *S9* —2A **110**
Oxton Dri. *Warm* —9H **63**
Oxton Rd. *B'ley* —9G **17**

Pack Horse Clo. *Clayt W* —5C **14**
Pack Horse Grn. *Silk* —8H **35**
Packhorse La. *High G* —6F **74**
Packington Rd. *Donc* —8K **65**
Packman La. *H'hill* —1N **139**
Packman Rd. *Wath D* —8H **59**
Packman Rd. *Wath D & Rawm* —1J **77**
Packmans Clo. *Gren* —4D **92**
Packmans Way. *Gren* —4D **92**
Packman Way. *Wath D* —9H **59**
Packwood Clo. *Maltby* —7F **98**
Paddock Clo. *Donc* —2J **63**
Paddock Clo. *M'well* —8D **16**
Paddock Cres. *S2* —6M **123**
Paddock Cft. *Swint* —3A **78**
Paddock Dri. *S'side* —6H **97**
Paddock Gro. *Cud* —1C **38**
Paddock La. *Thorne* —9H **11**
Paddock La. *Tick* —9J **81**
Paddock Rd. *M'well* —8D **16**
Paddocks, The. *Ast* —4D **126**
Paddocks, The. *Auc* —9C **66**
Paddocks, The. *Cad* —9B **62**
Paddocks, The. *Crow* —8M **29**
Paddocks, The. *Donc* —2H **63**
Paddocks, The. *Thry* —3F **96**
Paddocks, The. *Work* —3E **142**
Paddock, The. *Adw S* —2G **42**
Paddock, The. *Barn D* —9H **25**
Paddock, The. *D'fld* —1G **59**
Paddock, The. *H'fld* —7C **58**
Paddock, The. *Scho* —1B **94**
Paddock, The. *Tick* —5E **100**
Paddock, The. *Wool* —2B **16**
Paddock Way. *Dron* —7J **135**
  (Holmesdale Rd.)
Paddock Way. *Dron* —8J **135**
  (Stonelow Rd.)
Padley Clo. *Dod* —9N **35**
Padley Gorge Nature Trail. —5B **132**
Padley Hill. *Grin* —9A **132**
Padley Rd. *Grin* —9A **132**
Padley Wlk. *S5* —9L **93**
Padley Way. *S5* —9K **93**
Padua Ri. *D'fld* —2F **58**
Pagdin Dri. *Sty* —2G **117**
Page Hall Rd. *S4* —3L **109**
Pagenall Dri. *Swal* —3C **126**
Paget St. *S9* —5N **109**
Pagnell Av. *Thurn* —9A **40**
Paitfield La. *Ask* —6C **24**
Palermo Fold. *D'fld* —1F **58**
Palgrave Cres. *S5* —9F **92**
Palgrave Rd. *S5* —9E **92**
Palington Gro. *Donc* —6H **65**
Pall Mall. *B'ley* —7G **36**
Palm Av. *Arm* —9M **45**
Palmer Clo. *P'stne* —6M **53**
Palmer Cres. *Dron* —9J **135**
Palmer La. *B'wte* —2J **25**
Palmer Rd. *S9* —6C **110**
Palmer's Av. *S Elm* —7G **20**

Palmerston Av. *Maltby* —7C **98**
Palmerston Rd. *S10* —9E **108** (4A **4**)
Palmer St. *S9* —7N **109**
Palmer St. *Donc* —6B **64**
Palmers Way. *Thur* —6J **113**
Palm Gro. *Con* —5M **79**
Palm Hollow Clo. *Wick* —9E **96**
Palm La. *S6* —6D **108**
Palm St. *S6* —6D **108**
Palm St. *B'ley* —5E **36**
Pamela Dri. *Warm* —9G **62**
Pangbourne Rd. *Thurn* —7B **40**
Pantry Grn. *Wors* —3K **57**
Pantry Hill. *Wors* —2K **57**
Pantry Well. *Wors* —3K **57**
Paper Mill La. *Tick* —5F **100**
Paper Mill Rd. *S5* —6M **93**
Parade, The. *S12* —5A **124**
Parade, The. *Hoy* —1L **75**
Parade, The. *Rawm* —7L **77**
Paradise La. *S1* —2F **5**
Paradise Sq. *S1* —8H **109** (2F **5**)
Paradise St. *S1* —8H **109** (2F **5**)
Parish Way. *B'ley* —5L **37**
Paris M. *Schol* —6G **31**
Paris Rd. *Schol* —5H **31**
Park Av. *S10* —3C **122**
Park Av. *Ans & Dinn* —4C **128**
Park Av. *Arm* —9J **45**
Park Av. *B'ley* —7F **36**
  (S70)
Park Av. *B'ley* —1G **36**
  (S71)
Park Av. *Brie* —6H **19**
Park Av. *Carc* —9G **22**
Park Av. *C'town* —1H **93**
Park Av. *Clayt W* —6B **14**
Park Av. *Con* —5A **80**
Park Av. *Crow* —9N **29**
Park Av. *Cud* —1B **38**
Park Av. *Dron* —8J **135**
Park Av. *Grim* —9G **19**
Park Av. *Mexb* —1F **78**
Park Av. *P'stne* —4M **53**
Park Av. *Roy* —6L **17**
Park Av. *S Kirk* —7A **20**
Park Av. *Spro* —6G **62**
Park Av. *Tree* —8M **111**
Park Av. *Whis* —2B **112**
Park Av. *Wort* —3M **73**
Park Clo. *Arm* —1L **65**
Park Clo. *M'well* —9D **16**
Park Clo. *Spro* —6G **62**
Park Clo. *Swint* —3B **78**
Park Clo. *Thry* —3E **96**
Park Cotts. *Wors* —4H **57**
Park Ct. *Gren* —5D **92**
Park Ct. *Thurn* —8C **40**
Park Cres. *S10* —1E **122** (6A **4**)
Park Cres. *E'fld* —5J **93**
Park Cres. *Roy* —6L **17**
Park Cres. *Thorne* —3K **27**
Park Cres. *Warm* —1G **81**
Park Crest. *Hems* —2K **19**
Park Dri. *Blyth* —9C **117**
Park Dri. *Cam* —9G **7**
Park Dri. *Spro* —6F **62**
Park Dri. *S'bgh* —3C **56**
Park Dri. *S'bri* —5D **72**
Park Dri. *Swal* —4A **126**
Park Dri. Way. *S'bri* —4D **72**
Park End Rd. *Gold* —3C **60**
Parker's La. *S10* —9D **108**
Parkers La. *S17* —2M **133**
Parker's Rd. *S10* —9D **108**
Parker's Ter. *Birdw* —8F **56**
Parker St. *B'ley* —7E **36**
Park Est. *S Kirk* —7B **20**
Park Farm. *Dron W* —8D **134**
Pk. Farm M. *Spin* —9C **138**
Parkfield Ct. P'gte —2M **95**
  (off Naylor St.)
Parkfield Pl. *S2* —3H **123**
Parkfield Rd. *Roth* —7M **95**
Parkgate. —2M 95
Parkgate. *S Kirk* —8A **20**
Parkgate Av. *Con* —4M **79**
Parkgate Bus. Pk. *P'gte* —3M **95**
Parkgate Clo. *Mosb* —2G **137**
Parkgate Ct. P'gte —3L **95**
  (off Gateway, The)
Parkgate Cft. *Mosb* —1G **137**
Parkgate Dri. *Mosb* —1G **136**
Pk. Grange Clo. *S2* —3K **123**
Pk. Grange Cft. *S2* —3K **123**
Pk. Grange Dri. *S2* —3K **123**
Pk. Grange Mt. *S2* —3K **123**
Pk. Grange Ri. *S2* —3K **123**
Pk. Grange Rd. *S2* —2K **123** (7J **5**)

Pk. Grange Vw. *S2* —4L **123**
Park Gro. *B'ley* —7F **36**
Park Gro. *Braml* —8J **97**
Park Gro. *Rawm* —7M **77**
Park Gro. *S'bri* —4D **72**
Parkhall La. *Spin* —8C **138**
Park Head. —3C 32
  (Denby Dale)
Park Head. —7M 107
  (Stannington)
Parkhead. —7A 122
  (Whirlow)
Parkhead Clo. *Roy* —5H **17**
Parkhead Ct. *S11* —7A **122**
Parkhead Cres. *S11* —7A **122**
Pk. Head La. *Cumb* —3B **32**
Park Head La. *Holmf* —3C **30**
Parkhead Rd. *S11* —8N **121**
Park Hill. —9K 109 (3J **5**)
Park Hill. *Barn* —3K **45**
Park Hill. *D'fld* —1H **59**
Park Hill. *Eck* —7L **137**
Park Hill. *Swal* —4A **126**
Parkhill Cres. *Barn D* —1K **45**
Pk. Hill Dri. *Firb* —7L **115**
Pk. Hill Gro. *Dod* —8A **36**
Parkhill Rd. *Barn D* —1K **45**
Pk. Hill Rd. *Womb* —4E **58**
Park Hollow. *Womb* —5E **58**
Park Ho. Ct. *P'stne* —8H **33**
Park Ho. La. *S9* —3F **110**
Parkin Ho. La. *Mill G* —5G **53**
Parkinson St. *Donc* —2A **64**
Parkland Dri. *Ross* —5L **83**
Parklands. *E'thpe* —7J **45**
Parklands Av. *Dinn* —3C **128**
Parklands Clo. *Ross* —5K **83**
Parkland Wlk. *Blax* —9H **67**
Park La. *S9* —1C **110**
Park La. *S10* —1E **122** (6A **4**)
Park La. *Balne* —1B **8**
Park La. *Birds* —3D **32**
Park La. *Blax* —9G **67**
Park La. *Bret* —2G **15**
Park La. *C'town* —5H **75**
Park La. *Con & Rav* —7M **79**
  (in two parts)
Park La. *Dinn* —1A **128**
Park La. *Donc* —5F **64**
Park La. *D'ville* —5A **46**
Park La. *Gt Hou* —4H **39**
Park La. *Nor* —5H **7**
Park La. *Oxs* —8C **54**
Park La. *P'stne* —4M **53**
Park La. *S'bri* —4E **72**
Park La. *Thry* —3E **96**
Pk. Lane Clo. *D'ville* —4B **46**
Pk. Lane Ct. *Thry* —2E **96**
Pk. Lane Rd. *D'ville* —4A **46**
Park Mill. —5B 14
Pk. Mill Way. *Clayt W* —6B **14**
Park Mt. *Roth* —7L **95**
Park Nook. *Thry* —3D **96**
Park Pl. *Roth* —6A **96**
Park Pl. *Work* —9C **142**
Park Ri. *Holm* —9B **134**
Park Rd. *S6* —6A **108**
Park Rd. *Ask* —2K **23**
Park Rd. *B'ley* —9E **36**
Park Rd. *Baw* —7B **102**
Park Rd. *Ben* —7L **43**
Park Rd. *Brie* —6H **19**
Park Rd. *Clayt W* —6B **14**
Park Rd. *Con* —5N **79**
Park Rd. *Donc* —4A **64**
Park Rd. *Grim* —1G **38**
Park Rd. *Mexb* —1F **78**
Park Rd. *Moor* —7M **11**
Park Rd. *Roth* —6A **96**
Park Rd. *Swint* —4A **78**
Park Rd. *Thurn* —8B **40**
Park Rd. *Wath D* —1L **77**
Park Rd. *Wors* —4H **57**
Park Side. —7M 107
Park Side. *Schol* —4J **31**
Parkside La. *S6* —7M **107**
Parkside M. *Wors B* —2H **57**
Parkside Rd. *S6* —3D **108**
Parkside Rd. *Hoy* —2J **75**
Parkside Shop. Cen. *Kil* —3C **138**
Parkson Rd. *Roth* —2A **112**
Pk. Spring Dri. *S2* —3K **123**
Pk. Spring Rd. *Grim* —2F **38**
Pk. Spring Way. *S2* —3K **123**
Park Sq. *S2* —9J **109** (2H **5**)
Parks Rd. *D'cft* —9B **26**
Parkstone Cres. *H'by* —9N **97**
Parkstone Delph. *S12* —9A **124**
Parkstone Gro. *Hat* —1D **46**

Parkstone Way. *Donc* —9F **44**
Park St. *B'ley* —8F **36**
Park St. *Rawm* —8M **77**
Park St. *Roth* —6H **95**
Park St. *Swal* —4B **126**
Park St. *Womb* —5E **58**
Park St. *Work* —8B **142**
Park Ter. *C'town* —1J **93**
Park Ter. *Donc* —4A **64**
Park Ter. *S Elm* —7G **20**
Park Ter. *Thry* —3D **96**
Park, The. *Caw* —4G **34**
Park, The. *Clayt W* —7C **14**
Park, The. *W'land* —5E **42**
Pk. Vale Dri. *Thry* —3E **96**
Park Vw. *Adw S* —3G **42**
Park Vw. *B'ley* —9E **36**
Park Vw. *Brie* —6H **19**
Park Vw. *Brod* —5A **42**
Park Vw. *Crow* —9N **29**
Park Vw. *Dod* —9A **36**
Park Vw. *Holmf* —3E **30**
Park Vw. *Kiv P* —8K **127**
Park Vw. *Maltby* —8F **98**
  (in two parts)
Park Vw. *Mexb* —1D **78**
Park Vw. *Roy* —5L **17**
Park Vw. *Shaf* —7C **18**
Park Vw. *Thorne* —3K **27**
Park Vw. *Thpe H* —1M **93**
Park Vw. *Wors* —2J **57**
Pk. View Av. *Half* —3L **137**
Parkview Ct. *S8* —9H **123**
Pk. View Rd. *S6* —3D **108**
Pk. View Rd. *C'town* —1H **93**
Pk. View Rd. *M'well* —8E **16**
Pk. View Rd. *Roth* —8C **94**
Park Wlk. *S2* —2K **5**
Park Way. *Adw S* —2F **42**
Parkway. *Arm* —2L **65**
Parkway Av. *S9* —8N **109**
Parkway Clo. *S9* —8N **109**
Parkway Dri. *S9* —9A **110**
Parkway Mkt. *S9* —8B **110**
Parkway N. *Donc* —1C **64**
Parkways. *Hat* —1D **46**
Parkways S. *Donc* —1C **64**
Parkwood Ind. Est. *S3* —6H **109**
Parkwood Ri. *Barn D* —3K **45**
Parkwood Rd. *S3* —5F **108**
Parkwood Rd. N. *S5* —2G **108**
Parkwood Springs. —5F 108
Parliament St. *S11* —2F **122**
Parma Ri. *D'fld* —2F **58**
Parsley Hay Clo. *S13* —2F **124**
Parsley Hay Dri. *S13* —2F **124**
Parsley Hay Gdns. *S13* —2F **124**
Parsley Hay Rd. *S13* —2F **124**
Parsonage Clo. *Mosb* —4K **137**
Parsonage Ct. S6 —6D **108**
  (off Parsonage Cres.)
Parsonage Cres. *S6* —6D **108**
Parsonage St. *S6* —6D **108**
Parson Cross. —8G 93
Parson Cross Rd. *S6* —9D **92**
Parson La. *Dod* —1M **55**
Parson La. *Wool* —1B **16**
Parsons Ga. *Bam* —5D **118**
Parsons La. *Hope* —9A **118**
Partridge Clo. *Eck* —7H **137**
Partridge Flatt Rd. *Donc* —9J **65**
Partridge Pl. *Ast* —5D **126**
Partridge Ri. *Donc* —9J **65**
Partridge Rd. *Barn D* —1J **45**
Partridge Vw. *S2* —1M **123**
Pashley Cft. *Womb* —5B **58**
Pashley Rd. *Thorne* —3L **27**
Passfield Rd. *New R* —6K **83**
Passhouses Rd. *S4* —4J **109**
Pasture Clo. *Arm* —2K **65**
  (in two parts)
Pasture Clo. *Work* —8N **141**
Pasture Ct. *Ross* —6L **83**
Pasture Cft. *Thur* —5L **113**
Pasture Gro. *Eck* —7J **137**
Pasture La. *Bol D* —3K **59**
Pasture La. *H'well* —8G **103**
Pasture La. *H Mel* —8M **61**
Pasture La. *Kir Sm* —4B **6**
Pasture La. *S Elm* —6J **21**
Pastures Rd. *Mexb* —1J **79**
Pastures, The. *Baw* —7C **102**
Pastures, The. *Tod* —6K **127**
Paternoster Row. *S1* —1J **123** (5G **5**)
Paterson Clo. *S'bri* —4C **72**
Paterson Ct. *S'bri* —4C **72**
Paterson Cft. *S'bri* —4C **72**
Paterson Gdns. *S'bri* —4C **72**
Paterson Rd. *Dinn* —2E **128**

Patmore Rd.—Plantation Rd.

Patmore Rd. *S5* —9L **93**
Patrick Stirling Ct. *Donc* —6L **63**
Patterdale Clo. *Carc* —8G **22**
Patterdale Clo. *Dron W* —9F **134**
Patterdale Way. *Ans* —5D **128**
Pavement, The. *S2* —3J **5**
Pavilion Clo. *Brie* —6G **19**
Pavilion La. *B'wth* —2H **111**
Pavillion Clo. *Edl'tn* —3G **81**
Paw Hill La. *P'stne* —8F **52**
Paxton Av. *Carc* —8H **23**
Paxton Ct. *S14* —7N **123**
Paxton Cres. *Arm* —9J **45**
Paxton La. *S10* —1E **122**
Peacehaven. *Barn D* —1J **45**
Peacock Clo. *Kil* —4B **138**
Peacock Clo. *Thpe H* —8N **75**
Pea Fields La. *Wort* —4A **74**
Peakdale Cres. *S12* —6E **124**
Peake Av. *Con* —4M **79**
Peake's Cft. *Baw* —6C **102**
Peak Hill Clo. *Work* —1A **142**
Peak La. *Hoot L* —1C **114**
Peak Rd. *B'ley* —1H **37**
Peaks Mt. *Cry P* —8L **125**
Peak Sq. *Cry P* —9L **125**
Peakstone Clo. *Bal* —8K **63**
Pearce Rd. *S9* —9C **110**
Pearce Wlk. *S9* —8C **110**
Pearl St. *S11* —3F **122**
Pearmain Dri. *Maltby* —7B **98**
Pea Royd La. *S'bri* —4E **72**
Pearson Cres. *Womb* —2B **58**
Pearson Pl. *S8* —6G **123**
Pearson's Clo. *Roth* —9B **96**
Pearson's Fld. *Womb* —4D **58**
Pearson St. *S'bri* —4D **72**
Pear St. *S11* —2F **122** (7B **4**)
Pear Tree Av. *Braml* —8J **97**
Peartree Av. *Thurn* —8B **40**
Pear Tree Clo. *B'wte* —4J **25**
Pear Tree Clo. *B'wth* —4K **111**
Pear Tree Clo. *Kil* —5B **138**
Pear Tree Clo. *W'sett* —7J **129**
Pear Tree Ct. *Gt Hou* —6K **39**
Pear Tree Ct. *Thurn* —8B **40**
Pear Tree La. *B'wte* —2K **25**
Pear Tree La. *Hems* —2K **19**
Pear Tree M. *Love* —4N **81**
Pear Tree Rd. *S5* —7L **93**
Pearwood Cres. *Donc* —1K **81**
Peasehill Clo. *B'ley* —8F **36**
Peashill St. *Rawm* —9M **77**
Peastack La. *Tick* —4C **100**
Peat Carr Bank. *Finn* —9N **67**
Peatfield Rd. *Kil* —3E **138**
Peat Pits La. *S6* —6E **90**
Peck Hall La. *S6* —9E **90**
Peckham Rd. *High G* —8G **75**
Peck Mill Vw. *Kiv S* —1N **139**
Pedley Av. *W'fld* —1L **137**
Pedley Clo. *W'fld* —1L **137**
Pedley Dri. *W'fld* —2L **137**
Pedley Gro. *W'fld* —1L **137**
Peel Castle Rd. *Thorne* —3L **27**
Peel Clo. *Maltby* —7C **98**
Peel Gdns. *Dron* —9G **135**
Peel Hill Rd. *Thorne* —3L **27**
Peel Pde. *B'ley* —7F **36**
Peel Pl. *B'ley* —5H **37**
Peel Sq. *B'ley* —7F **36**
Peel St. *S10* —1D **122**
Peel St. *B'ley* —9G **37**
(Highstone Rd.)
Peel St. *B'ley* —7F **36**
(Peel Sq.)
Peel St. Arc. *B'ley* —7F **36**
Peel Ter. *S10* —9F **108** (4A **4**)
Peet Wlk. *Jump* —8N **57**
Peg Folly. *S'bri* —5N **71**
Peggy La. *E'fld* —4M **93**
Peggy La. *Gren* —4E **92**
Pelham St. *Work* —9D **142**
Pell La. *Holmf* —2G **30**
Pell's Clo. *Donc* —4N **63**
Pembrey Ct. *Soth* —9N **125**
Pembridge Ct. Roy —5K 17
(off Rushton Dri.)
Pembroke Av. *Donc* —9L **63**
(in two parts)
Pembroke Cres. *High G* —8E **74**
Pembroke Dri. *Carl L* —5B **130**
Pembroke Ri. *Ans* —7B **128**
Pembroke Ri. *Donc* —1H **63**
Pembroke Rd. *Dron* —9H **135**
Pembroke Rd. *S'oaks* —3K **141**
Pembroke St. *S11* —2F **122**
Pembroke St. *Roth* —7F **94**
Penarth Av. *Upt* —2F **20**
Penarth Ter. *Upt* —2E **20**
Pendeen Rd. *S11* —3A **122**
Pendennis Av. *S Elm* —5D **20**
Pendlebury Gro. *Hoy* —1K **75**
Pendle Cft. *Soth* —1A **138**
Pendon Ho. *P'stne* —4N **53**
Pengeston Rd. *P'stne* —4L **53**
Penistone. —4N 53
Penistone Ct. *P'stne* —4A **54**
Penistone La. *Mid* —2G **71**
Penistone Rd. *S6* —3N **89**
(Load Fld. Rd.)
Penistone Rd. *S6* —3D **108**
(Parkside Rd.)
Penistone Rd. *C'town & Gren* —8C **74**
Penistone Rd. *Hade E* —8F **30**
Penistone Rd. *New M* —2J **31**
Penistone Rd. *Shep & Birds* —2C **32**
Penistone Rd. N. *S6* —1D **108**
Penistone Sports Cen. —3M 53
Penistone St. *Donc* —3A **64**
Penley St. *S11* —3G **122**
Penlington Clo. *Hems* —4K **19**
Pennine Cen., The. *S1* —2E **4**
Pennine Clo. *Dart* —7B **16**
Pennine Clo. *U'thng* —3B **30**
Pennine Dri. *Scis* —7A **14**
Pennine Gdns. *Maltby* —7B **98**
Pennine Rd. *Thorne* —4J **27**
Pennine Vw. *Dart* —7B **16**
Pennine Vw. *S'bri* —7D **72**
Pennine Vw. *Upt* —1F **20**
Pennine Way. *B'ley* —6C **36**
Pennine Way. *Hems* —2M **19**
Pennine Way. *Scis* —7A **14**
Pen Nook Clo. *Deep* —7F **72**
Pen Nook Ct. *Deep* —7G **72**
Pen Nook Dri. *Deep* —7G **72**
Pen Nook Gdns. *Deep* —7G **72**
Pen Nook Glade. *Deep* —6G **73**
Penns Rd. *S2* —5K **123**
Penny Engine La. *Eck* —6L **137**
Penny Hill. *Firb* —8J **115**
Penny Hill La. *Ulley & Thur* —8E **112**
Pennyholme Clo. *Kiv P* —9L **127**
Penny La. *S17* —6L **133**
Penny Piece La. *Ans* —5B **128**
Penny Piece Pl. *Ans* —5B **128**
Pennyshaw La. *Syke* —6N **9**
Penrhyn Rd. *S11* —4D **122**
Penrhyn Wlk. *B'ley* —8A **38**
Penrith Clo. *S5* —2F **108**
Penrith Cres. *S5* —2F **108**
Penrith Gro. *B'ley* —8N **37**
Penrith Rd. *S5* —2F **108**
Penrith Rd. *Donc* —3F **64**
Penrose Pl. *S13* —5G **124**
Penthorpe Clo. *S12* —5B **124**
Pentland Dri. *Carl L* —4B **130**
Pentland Gdns. *Wat* —9K **125**
Pentland Rd. *Dron W* —9E **134**
Penton St. *S1* —9H **109** (3E **4**)
Penyghent Clo. *C'town* —8G **74**
Pepper Clo. *Roth* —3D **94**
Pepper St. *Hoy* —7M **57**
Percival St. *Work* —5B **142**
Percy St. *S3* —7G **109**
Percy St. *Roth* —7L **95**
Percy St. *S Kirk* —7A **20**
Peregrine Ct. *Gate* —3N **141**
Peregrine Dri. *Birdw* —7G **56**
Peregrine Way. *H'hill* —5K **139**
(in two parts)
Perigree Rd. *S8* —8F **122**
Periwood Av. *S8* —8F **122**
Periwood Clo. *S8* —8F **122**
Periwood Dri. *S8* —8F **122**
Periwood Gro. *S8* —8F **122**
Periwood La. *S8* —8F **122**
Perkyn Rd. *S5* —6L **93**
Perkyn Ter. *S5* —6L **93**
Perran Gro. *Cusw* —2K **63**
Perseverance St. *B'ley* —7E **36**
Persimmon Clo. *New R* —7J **83**
Perth Clo. *Mexb* —9H **61**
Petal Clo. *Maltby* —7F **98**
Peterborough Clo. *S10* —3J **121**
Peterborough Dri. *S10* —2J **121**
Peterborough Rd. *S10* —2J **121**
Peterfoot Way. *B'ley* —8J **17**
Petersgate. *Donc* —8K **43**
Peter's Rd. *Edl'tn* —5F **80**
Peter St. *Roth* —6E **94**
Peter St. *Thur* —5K **113**
Peters Yd. Roth —6E 94
(off Peter St.)
Petre Dri. *S4* —4M **109**
Petre St. *S4* —5L **109**
Petunia Rd. *Kirk S* —5J **45**
Petworth Cft. *Roy* —5J **17**
Petworth Dri. *S11* —9A **122**
Peveril Clo. *Kiv P* —8K **127**
Peveril Cres. *B'ley* —1H **37**
Peveril Rd. *S11* —4C **122**
Peveril Rd. *Donc* —9J **63**
Peveril Rd. *Eck* —6L **137**
Pexton Rd. *S4* —4K **109**
Pheasant Bank. *Ross* —5K **83**
Philadelphia. —6G 108
Philadelphia Dri. *S6* —7F **108**
Philadelphia Gdns. *S6* —7F **108**
Philadelphia Gro. *S6* —7F **108**
Philip La. *Wort* —6C **74**
Philip Rd. *B'ley* —9L **37**
Phillimore Rd. *S9* —6B **110**
Phillips Rd. *S6* —3M **107**
Phoenix Ct. *S12* —1E **136**
Phoenix Golf Course. —1G 111
Phoenix Gro. *B'wth* —2H **111**
Phoenix La. *Thurn* —9D **40**
Phoenix Rd. *S12* —1E **136**
Piccadilly. —5B 78
Piccadilly. *Ben* —8L **43**
Piccadilly Rd. *Swint* —5B **78**
Pickburn. —5A 42
Pickburn La. *Pick* —5A **42**
Pickering Cres. *Swal* —5A **126**
Pickering Gro. *Thorne* —3K **27**
Pickering Rd. *S3* —5G **108**
Pickering Rd. *Ben* —5L **43**
Pickhill's Av. *Gold* —2E **60**
Picking La. *E'fld* —5J **93**
Pickle Wood Ct. *Finn* —2G **85**
Pickmere Rd. *S10* —8C **108**
Pickup Cres. *Womb* —6D **58**
Pickwick Dri. *Cat* —6H **111**
Piece End. *High G* —6E **74**
(in two parts)
Piece End Clo. *High G* —6E **74**
Pieces N., The. *Whis* —4A **112**
Pieces S., The. *Whis* —4A **112**
Pighills La. *Coal A* —6J **135**
Pike Lowe Gro. *M'well* —9E **16**
Pike Rd. *B'wth* —3J **111**
Pilgrim Ct. *S'oaks* —3K **141**
Pilgrim Fathers' Story. —8C 142
(Worksop Mus.)
Pilgrim Ri. *Aus* —4E **102**
Pilgrim St. *S3* —5J **109**
Pilgrim Way. *Work* —8C **142**
Pilkington's Yd. Eck —7L 137
(off Station Rd.)
Pilley. —9E 56
Pilley Green. —1E 74
Pilley Grn. *Tank* —1E **74**
Pilley Hills. —9D 56
Pilley La. *Tank* —9E **56**
Pilley La. End. *Tank* —8D **56**
Pilling La. *S'thpe & Scis* —7A **14**
Pincheon Green. —3D 10
Pincheon Grn. La. *Syke* —3C **10**
Pinchfield Ct. *Wick* —1G **113**
Pinchfield Holt. *Wick* —2G **113**
Pinchfield La. *Wick* —1G **113**
Pinchmill. —3F 112
Pinchmill Hollow. *Wick* —2G **113**
Pinch Mill La. *Whis* —3D **112**
Pinchwell Vw. *Wick* —1G **113**
Pindar Oaks Cotts. *B'ley* —8J **37**
Pindar Oaks St. *B'ley* —8H **37**
Pindar St. *B'ley* —8J **37**
Pine Av. *Ans* —8B **128**
Pine Clo. *B'ley* —1K **57**
Pine Clo. *Hoy* —1M **75**
Pine Clo. *Kil* —5B **138**
Pine Clo. *S'side* —7H **97**
Pine Cft. *C'town* —1H **93**
Pinecroft Way. *C'town* —1H **93**
Pinefield Av. *Barn D* —2K **45**
Pinefield Rd. *Barn D* —2K **45**
Pine Gro. *Con* —6M **79**
Pine Gro. Ct. *Thorne* —1L **27**
Pinehall Dri. *B'ley* —4L **37**
Pine Hall Rd. *Barn D* —2J **45**
Pinehurst Ri. *Swint* —4C **78**
Pine Rd. *Donc* —7J **65**
Pines, The. *S10* —3J **121**
Pines, The. *Wick* —1H **113**
Pine St. *S Elm* —8D **20**
Pine Tree Clo. *Work* —9B **142**
Pine Wlk. *Swint* —6C **78**
Pinewood Av. *Arm* —8L **45**
Pinewood Av. *Donc* —1J **81**
Pinewood Clo. *Dalt* —4C **96**
Pinewood Clo. *Gt Hou* —5K **39**
Pinfield Clo. *Gt Hou* —6L **39**
Pinfold. *Wath D* —9L **59**
Pinfold Clo. *B'ley* —8M **37**
Pinfold Clo. *Finn* —3G **85**
Pinfold Clo. *Swint* —4B **78**
Pinfold Clo. *Tick* —6D **100**
Pinfold Cotts. *Cud* —2C **38**
Pinfold Ct. *Barn D* —2J **45**
Pinfold Dri. *Carl L* —4C **130**
Pinfold Gdns. *Fish* —1C **26**
Pinfold Hill. *Wors* —1H **57**
Pinfold Lands. *Mexb* —2G **78**
Pinfold La. *S3* —5H **109**
Pinfold La. *D'fld* —2H **59**
(in two parts)
Pinfold La. *Fish* —8C **10**
Pinfold La. *H'well* —9J **103**
Pinfold La. *Kir Sm* —5B **6**
Pinfold La. *Moss* —1D **24**
Pinfold La. *Nor* —7H **7**
Pinfold La. *Roth* —8L **95**
Pinfold La. *Roy* —6K **17**
(in two parts)
Pinfold La. *Silk C & T'land* —4J **55**
Pinfold La. *Sty* —2G **117**
(in two parts)
Pinfold La. *Thorne* —1J **27**
Pinfold La. *Tick* —7C **100**
Pinfold Pl. *Tick* —6C **100**
Pinfold St. *S1* —9H **109** (3E **4**)
Pinfold St. *Eck* —7K **137**
Pinfold, The. *Barn* —3J **61**
Pinfold, The. *Misson* —3K **103**
Pingle Av. *S7* —8D **122**
Pingle La. *Rav* —3H **97**
Pingle Ri. *Denb D* —1K **33**
Pingle Rd. *S7* —8C **122**
Pingle Rd. *Kil* —3D **138**
Pingles Cres. *Thry* —3D **96**
Pinner Rd. *S11* —3D **122**
Pinstone St. *S1* —1H **123** (5F **5**)
Pioneer Clo. *Wath D* —9B **60**
Pipe Ho. La. *Rawm* —7M **77**
(in two parts)
Piper Clo. *S5* —1H **109**
Piper Ct. *S5* —1H **109**
Piper Cres. *S5* —9H **93**
Pipering La. E. *Donc* —9K **43**
Pipering La. W. *Donc* —9J **43**
Piper La. *Ast* —4E **126**
Piper Rd. *S5* —1J **109**
Piper Well La. *Cumb* —2B **32**
Pipeyard La. *Eck* —7J **137**
Pippin Ct. *Maltby* —7B **98**
Pipworth Gro. *S2* —2C **124**
Pipworth La. *Eck* —6M **137**
Pipworth Rd. *S2* —2B **124**
Pisgah Ho. Rd. *S10* —9D **108**
Pismire Hill. —9L 93
Pitchford La. *S10* —2M **121**
Pithouse La. *Wal* —1D **138**
Pit La. *S12* —5A **124**
Pit La. *Thpe H* —1N **93**
Pit La. *Tree* —8M **111**
Pit La. *Womb* —5A **58**
Pitman Rd. *Den M* —3K **79**
Pit Row. *H'fld* —9C **58**
Pitsmoor. —5J 109
Pitsmoor Rd. *S3* —6H **109**
(in two parts)
Pittam Clo. *Arm* —1L **65**
Pitt Clo. *S1* —4C **4**
Pitt La. *S1* —4C **4**
Pitt La. *M'well* —8B **16**
Pitt St. *S1* —9G **108** (4C **4**)
Pitt St. *B'ley* —7F **36**
Pitt St. *Eck* —8J **137**
Pitt St. *Mexb* —1H **79**
Pitt St. *Roth* —7F **94**
Pitt St. *Womb* —2E **58**
Pitt St. W. *B'ley* —7E **36**
Plains La. *Sandt* —2F **48**
Plane Clo. *Donc* —7J **65**
Plane Dri. *Wick* —8H **97**
Plane Tree Way. *Auc* —3B **84**
Planet Rd. *Adw S* —1G **42**
Plank Ga. *Whar S* —8K **73**
Plank Ga. *Wort* —5K **73**
Plantation Av. *Ans* —5C **128**
Plantation Av. *Dinn* —2D **128**
Plantation Av. *Donc* —2L **83**
Plantation Av. *Roy* —6L **17**
Plantation Clo. *Ask* —2N **23**
Plantation Clo. *Maltby* —7D **98**
Plantation Ct. *Dinn* —2D **128**
Plantation Hill. *Work* —5E **142**
Plantation La. *Blyth* —4K **131**
Plantation Rd. *S8* —5H **123**
Plantation Rd. *Ark* —1D **44**
Plantation Rd. *Bal* —2N **81**
Plantation Rd. *Thorne* —2K **27**

Plantation Wlk.—Quarry Rd.

Plantation Wlk. Dinn —2D 128
(off Plantation Av.)
Plantin Ri. Half —3L 137
Plantin, The. Half —3L 137
Plants Yd. Work —8B 142
(off Bridge St.)
Plaster Pits La. Spro —3F 62
Platts Common. —7M 57
Platts Comn. Ind. Est. Hoy —8L 57
Platts Dri. Beig —7N 125
Platts La. S6 —3A 106
Platts La. O'bri —6N 91
Platt St. S3 —6H 109
Playford Yd. Hoy —7L 57
Pleasant Av. Gt Hou —6L 39
Pleasant Clo. S12 —5B 124
Pleasant Rd. S12 —5B 124
Pleasant Vw. Cud —4C 38
Pleasant Vw. St. B'ley —4F 36
Pleasley Rd. Whis & Aug —3A 112
Plimsoll St. Hems —2K 19
Plough Dri. Carl L —4C 130
Plover Ct. S2 —1M 123
Plover Ct. Ross —5K 83
Plover Cft. Thpe H —8A 76
Plover Dene. Gate —3N 141
Plover Dri. Birdw —7G 57
Plowmans Way. Roth —2F 94
Plowright Clo. S14 —6L 123
Plowright Dri. S14 —6L 123
Plowright Mt. S14 —6L 123
Plowright Way. S14 —6L 123
Plumber St. B'ley —7E 36
Plumbley. —4H 137
Plumbley Hall M. Mosb —4J 137
Plumbley Hall Rd. Mosb —3J 137
Plumbley La. Mosb —4H 137
Plumbleywood La. Ridg & Mosb —4F 136
Plum La. S3 —8H 109 (1F 5)
Plum Leys. Tree —8L 111
Plumpers Rd. S9 —2D 110
Plumpton Av. Mexb —9H 61
Plumpton Ct. Thurls —4J 53
Plumpton Gdns. Donc —9K 65
Plumpton La. S6 —9B 90
Plumpton Pk. Rd. Donc —1K 83
Plumpton Way. Shaf —7C 18
Plum St. S3 —8H 109 (1F 5)
Plumtree. Birc —8M 101
Plumtree Caravan Pk. Birc —8L 101
Plumtree Farm Ind. Est. Birc —7M 101
Plum Tree Hill Rd. Fish —3A 26
Plumtree Rd. Birc —7M 101
Plunket Rd. Donc —3C 64
Plymouth Rd. S7 —6F 122
Pocket Handkerchief La. Tod —2L 127
Poffinder Wood Rd. Stain —4F 26
Poggy La. Braith —4F 98
Pog La. Cra M —9K 55
Pogmoor. —6C 36
Pogmoor La. B'ley —6B 36
(in two parts)
Pogmoor Rd. B'ley —6C 36
Pog Well La. Hghm —5N 35
(in two parts)
Polka Ct. S3 —5H 109
Pollard Av. S5 —1F 108
Pollard Cres. S5 —1F 108
Pollard Rd. S5 —1F 108
Pollard St. Roth —7E 94
Pollitt St. B'ley —5E 36
Pollyfox Way. Dod —9A 36
Polton Clo. Stain —4C 26
Polton Toft. Stain —4C 26
Poltontoft La. Stain —4C 26
Pomona St. S11 —2F 122 (7B 4)
Pond Clo. S6 —6M 107
Pond Comn. La. S'bri —9D 54
Pond Hill. S1 —9J 109 (3G 5)
Pond Rd. S6 —6M 107
Ponds Forge International Sports Cen. —9J 109 (3H 5)
Pond Sq. S1 —3H 5
Pond St. S1 —9J 109 (3G 5)
(in two parts)
Pond St. B'ley —8F 36
(in two parts)
Pontefract La. Bram —8H 59
Pontefract La. Upt —1F 20
Pontefract Rd. B'ley —7G 37
Pontefract Rd. Bram —7H 59
Pontefract Rd. Cud & Shaf —9B 18
Pontefract Rd. Hems —1M 19
Pontefract Ter. Hems —3L 19
Pool Av. Ask —1L 23
Pool Dri. Donc —1L 83
(in two parts)
Poole Pl. S9 —8C 110
Poole Rd. S9 —8C 110
Pool Hill La. Emley —3M 33
Pools La. Roy —6M 17
Pool Sq. S1 —9H 109 (4F 5)
Pope Av. Con —4L 79
Pop La. Con —4A 80
Poplar Av. Beig —6M 125
Poplar Av. Gold —2D 60
Poplar Av. Shaf —7C 18
Poplar Av. S'bri —6D 72
Poplar Av. Thry —3D 96
Poplar Clo. Bran —6N 65
Poplar Clo. Kil —5B 138
Poplar Clo. Mexb —9E 60
Poplar Clo. O'bri —6L 91
Poplar Clo. Work —9A 142
Poplar Dri. B'wth —4H 111
Poplar Dri. Donc —1F 64
Poplar Dri. Wath D —2M 77
Poplar Glade. Wick —9G 97
Poplar Gro. Ask —1L 23
Poplar Gro. Con —6N 79
Poplar Gro. Lund —4M 37
Poplar Gro. Rav —5K 97
Poplar Gro. Swint —3C 78
Poplar Gro. Warm —2G 81
Poplar Nook. Kiv P —8H 127
Poplar Pl. Arm —1L 65
Poplar Ri. Maltby —7B 98
Poplar Rd. D'cft —9B 26
Poplar Rd. Eck —8J 137
Poplar Rd. O'bri —6L 91
Poplar Rd. Skell —8F 22
Poplar Rd. Womb —5E 58
Poplars Rd. B'ley —9J 37
Poplars, The. Barn —4H 61
Poplars, The. Con —5N 79
Poplars, The. Thorne —9L 11
(off King Edward Rd.)
Poplar St. Grim —2H 39
Poplar Ter. Ben —8M 43
Poplar Ter. Roy —5L 17
Poplar Ter. S Elm —7F 20
Poplar Way. Auc —1C 84
Poplar Way. Cat —7H 111
Popple St. S4 —3L 109
Poppyfields Way. Bran —8M 65
Porter Av. B'ley —6D 36
Porter Brook Vw. S11 —3E 122
(in two parts)
Porter Ter. S11 —3D 122
Porter Ter. B'ley —6C 36
Portland Av. Ast —4D 126
Portland Bldgs. S6 —7F 108
(off Portland St.)
Portland Bus. Pk. S13 —1E 124
Portland Clo. Ans —3C 128
Portland Ct. S6 —6F 108
Portland La. S1 —9G 108 (4C 4)
Portland Pl. Donc —4N 63
Portland Pl. Maltby —8E 98
Portland Pl. Upt —2F 20
Portland Pl. Work —6C 142
Portland Rd. Beig —9N 125
Portland Rd. New R —7J 83
Portland St. S6 —7F 108
(in two parts)
Portland St. B'ley —8J 37
Portland St. Swint —3C 78
Portland St. Work —7B 142
Portman Ct. Baw —6B 102
Portobello. S1 —9G 108 (3C 4)
Portobello La. S1 —9G 108 (3C 4)
Portobello St. S1 —9G 109 (3D 4)
Portsea Rd. S6 —4C 108
Post Office Row. Clayt W —7A 14
(off Chapel Hill)
Pothill La. Upt —1G 20
Pothouse La. S'bri —5D 72
Potterdyke Av. Rawm —6M 77
Potter Hill. —7D 74
Potter Hill. Roth —2J 95
Potter Hill La. High G —7D 74
Potteric Carr Nature Reserve. —1E 82
Potteric Carr Rd. Donc —6B 64
Potters Ga. Cumb —8A 32
Potters Ga. High G —7D 74
(in two parts)
Potters Nook. S'oaks —3K 141
Potter St. Work —8C 142
Pottery Clo. Rawm —9M 77
Pottery Row. Roth —8G 94
Potts Ct. Crow —8M 29
Potts Cres. Gt Hou —6L 39
Potts La. Crow —8M 29
Poucher St. Roth —7D 94
Poulton St. B'ley —2L 37
Powder Mill La. Wors —4K 57
Powell Dri. Kil —4B 138
Powell St. S3 —8F 108 (2A 4)
Powell St. S Kirk —6C 20
Powell St. Wors —3J 57
Powerhouse Sq. Else —2B 76
(off Forge La.)
Powerleague Soccer Cen. —7N 109
Power Sta. Rd. Donc —3M 63
Powley Rd. S6 —8E 92
Poxton Gro. S Elm —8D 20
Poynton Av. Ulley —9D 112
Poynton Dri. Dinn —1D 128
Poynton Way. Ulley —9D 112
Poynton Wood Cres. S17 —4B 134
Poynton Wood Glade. S17 —4B 134
Prescott Gro. D'cft —9C 26
Prescott Rd. S6 —2B 108
President Way. S4 —6L 109
Preston Av. Jump —8A 58
Preston St. S8 —4H 123
Preston Way. B'ley —2L 37
Prestwich St. S9 —9B 94
Prestwood Gdns. C'town —9F 74
Prickleden. —4D 30
Priest Cft. La. B'ley —8F 38
Priestley Av. Dart —9L 15
Priestley Av. Rawm —7A 78
Priestley Clo. Donc —1K 81
Priestley St. S2 —2J 123 (7G 5)
Priest Royd. Dart —8B 16
Primrose Av. S5 —9M 93
Primrose Av. B'wth —5K 111
Primrose Av. D'fld —2F 58
Primrose Circ. New R —6K 83
Primrose Clo. Bol D —4A 60
Primrose Clo. Kil —3D 138
Primrose Cres. Beig —8M 125
Primrose Dri. E'fld —5J 93
Primrose Hill. S6 —6E 108
(in two parts)
Primrose Hill. Hoy —1M 75
Primrose Hill. Roth —5J 95
Primrose La. Kil —2D 138
Primrose Pk. Roth —5J 95
Primrose Wlk. S8 —5G 123
(off Broadfield Rd.)
Primrose Way. Hoy —2M 75
Primrose Way. Work —4D 142
Primulas Clo. Ans —7A 128
Prince Arthur St. B'ley —6E 36
Prince Charles Rd. Work —3A 142
Princegate. Donc —4A 64
Prince of Wales Rd. S2 & S9 —4A 124
Prince's Cres. Edl'tn —3F 80
Prince's Rd. Donc —6E 64
Princess Anne Rd. Work —4B 142
Princess Av. S Elm —7E 20
Princess Av. Stain —5A 26
Princess Clo. Bol D —5A 60
Princess Ct. S2 —3B 124
Princess Dri. Deep —6E 72
Princess Dri. Thurn —9D 40
Princess Gdns. Womb —5D 58
Princess Gro. Tank —1D 74
Prince's Sq. Kirk S —4J 45
Princess Rd. Dron —8H 135
Princess Rd. Gold —2D 60
Princess Rd. Mexb —1G 78
Princess St. S4 —7L 109
Princess St. B'ley —7F 36
Princess St. Cud —8C 18
Princess St. Dinn —1A 128
Princess St. Grim —2G 39
Princess St. Hoy —1J 75
Princess St. M'well —8B 16
Princess St. Wath D —8K 59
Princess St. Womb —4C 58
Princess St. W'land —4F 42
Prince's St. Donc —4A 64
Princes St. Roth —7H 95
Prince St. Swint —2C 78
Pringle Rd. B'wth —3H 111
Printing Office La. Crow —7M 29
Printing Office St. Donc —4N 63
Prior Rd. Con —5N 79
Priorswell Rd. Work —8C 142
Priory Av. S7 —3G 122
Priory Cen., The. Work —7B 142
Priory Clo. Blyth —9K 117
Priory Clo. Con —3A 80
Priory Clo. E'fld —4H 93
Priory Clo. Mexb —2H 79
Priory Clo. Wors —5G 57
Priory Ct. H'hill —5K 139
Priory Cres. B'ley —5M 37
Priory Est. S Elm —6G 21
Priory Pl. S7 —3G 122
Priory Pl. B'ley —4M 37
Priory Pl. Donc —4N 63
Priory Rd. S7 —4F 122
Priory Rd. B'ley —4M 37
Priory Rd. Bol D —5B 60
Priory Rd. E'fld —4H 93
Priory Rd. Nor —6G 7
Priory Ter. S7 —3G 122
Priory Way. Ast —4D 126
Pritchard Clo. S12 —8H 125
Probert Av. Gold —2C 60
Proctor Pl. S6 —4D 108
Progress Dri. Braml —9J 97
Prospect. Thurls —4K 53
Prospect Clo. Braml —9J 97
Prospect Cotts. B'ley —9G 36
Prospect Cotts. S Kirk —6D 20
Prospect Ct. S17 —5B 134
Prospect Dri. S17 —5A 134
Prospect Dri. Work —4C 142
Prospect Pl. S17 —4B 134
Prospect Pl. Donc —5N 63
Prospect Precinct. Work —4D 142
Prospect Rd. S2 —4H 123
Prospect Rd. S17 —5B 134
Prospect Rd. Bol D —4B 60
Prospect Rd. Cud —2B 38
Prospect Rd. Dron —7K 135
Prospect Rd. Toll B —4L 43
Prospect St. B'ley —7E 36
Prospect St. Cud —1B 38
Prospect St. Nor —7G 6
Prospect Ter. S Kirk —7A 20
Providence Ct. B'ley —8F 36
Providence Rd. S6 —6C 108
Providence St. Greasb —2J 95
Providence St. Roth —7J 95
Providence St. Womb —3F 58
Provincial Ho. S1 —8G 109 (2D 4)
Pryor Mede. H'hill —5K 139
Psalter Ct. S11 —4D 122
Psalter Cft. S11 —4C 122
Psalter La. S11 —4C 122
Psalters Dri. Oxs —6D 54
Psalters La. Roth —6F 94
Pudding and Dip La. Hat —9D 26
Pudding Poke. S6 —4G 106
Pump Riding. Edl'tn —5H 81
Pump St. Birds —5E 32
Purbeck Ct. Wat —9K 125
Purbeck Gro. Wat —9K 125
Purbeck Rd. Wat —9K 125
Purcell Clo. Maltby —9G 98
Purslove Clo. Braml —9K 97
Pye Av. M'well —9B 16
Pye Bank Clo. S3 —6H 109
Pye Bank Dri. S3 —6H 109
Pye Bank Rd. S3 —7H 109
Pym Rd. Mexb —1F 78

Quadrant, The. S17 —5N 133
Quail Ri. S2 —1M 123
Quaker Clo. Wath D —1K 77
Quaker La. B'ley —8A 38
(Doncaster Rd.)
Quaker La. B'ley —8N 37
(Northumberland Way)
Quaker La. B'ley —4J 37
(Westgate)
Quaker La. Warm —9H 63
Quantock Clo. Thorne —4J 27
Quarry Bank. Wath D —9H 59
Quarry Bank Clo. Cud —3B 38
Quarry Clo. B'wth —4G 111
Quarry Clo. Dart —9M 15
Quarryfield La. Maltby —7D 98
Quarry Fld. La. Wick —1G 113
(in two parts)
Quarry Fields. Wick —1G 113
Quarry Gro. Gate —3N 141
Quarry Hill. Mar L —7C 136
Quarry Hill. Mosb —2G 136
Quarry Hill. Roth —7K 95
Quarry Hill Rd. Wath D —2L 77
Quarry Hills. —2J 59
Quarry La. S11 —5D 122
Quarry La. Ans —5B 128
Quarry La. Bran —7N 65
Quarry La. D'fld —2J 59
Quarry La. Mexb —8E 60
Quarry La. Roth —5J 95
Quarry La. Upt —1F 20
Quarry La. W'land —4E 42
Quarry Mt. Ryh —1B 18
Quarry Rd. S13 —9E 110
Quarry Rd. S17 —5N 133
Quarry Rd. App —9A 136
Quarry Rd. Bla H —6L 57
Quarry Rd. Kil —3B 138
Quarry Rd. Nor —7K 7

Quarry St.—Reedholme La.

Quarry St. B'ley —8G 37
(S70)
Quarry St. B'ley —3H 37
(S71)
Quarry St. Cud —1B 38
Quarry St. Mexb —2G 79
Quarry St. Rawm —8M 77
Quarry Va. Cud —2B 38
Quarry Va. Gro. S12 —7C 124
Quarry Va. Rd. S12 —7C 124
Quay La. Goole —1N 13
Quay Rd. Thorne —9H 11
Quayside. Thorne —9H 11
Queen Av. Maltby —9E 98
Queen Av. New R —5H 83
Queen Elizabeth Ct. Thorne —2K 27
(off Queens Ct.)
Queen Elizabeth Cres. Rhod —6L 141
Queen Mary Clo. S2 —4A 124
Queen Mary Cres. S2 —3A 124
Queen Mary Cres. Kirk S —4J 45
Queen Mary Gro. S2 —4N 123
Queen Mary M. S2 —4A 124
Queen Mary Rd. S2 —3N 123
Queen Mary's Rd. New R —5H 83
Queen Mary St. Maltby —1E 114
Queen Rd. Grim —2H 39
Queens Acre. Swint —3C 78
Queen's Av. B'ley —6E 36
Queen's Av. Kiv P —9H 127
Queen's Av. L Hou —9K 39
Queen's Av. Swint —2C 78
Queensberry Rd. Donc —2F 64
Queen's Ct. Donc —1L 63
Queens Ct. Thorne —2J 27
Queen's Cres. Baw —6C 102
Queen's Cres. Edl'tn —3F 80
Queens Cres. Hoy —1H 75
Queen's Cres. Stain —6A 26
Queens Dri. B'ley —5D 36
Queen's Dri. Cud —8C 18
Queen's Dri. Dod —9A 36
Queen's Dri. Donc —1L 63
Queen's Dri. Shaf —6B 18
Queens Gdns. B'ley —5D 36
Queens Gdns. Hoy —1J 75
Queens Gdns. Womb —5D 58
Queensgate. Donc —4A 64
Queensgate. Gren —5E 92
Queens Retail Pk. S2 —3J 123
Queens Rd. S2 —4H 123 (7H 5)
Queen's Rd. Ask —1M 23
Queen's Rd. B'ley —7G 37
Queens Rd. Beig —7M 125
Queen's Rd. Carc —9G 23
Queens Rd. Carl L —4C 130
Queen's Rd. Cud —8C 18
Queen's Rd. Donc —3B 64
Queen's Rd. Swal —4B 126
Queen's Row. S3 —8G 109 (1D 4)
Queen's Ter. Mexb —1F 78
Queen St. S1 —8H 109 (2F 5)
Queen St. B'ley —7F 36
Queen St. C'town —9H 75
Queen St. D'fld —1H 59
Queen St. Dinn —1D 128
Queen St. Donc —7M 63
(in two parts)
Queen St. Eck —7L 137
Queen St. Gold —2D 60
Queen St. Hoy —1H 75
Queen St. Mosb —3J 137
Queen St. P'stne —4A 54
Queen St. Rawm —7N 77
Queen St. Roth —6N 95
Queen St. S Elm —7E 20
Queen St. Swint —3C 78
Queen St. Thorne —2J 27
Queen St. Thurn —9D 40
Queen St. Work —8C 142
Queen St. S. B'ley —7G 36
Queensway. B'ley —5D 36
Queensway. Hoy —9N 57
Queensway. Roth —2M 111
Queensway. Roy —5K 17
Queensway. Work —6C 142
Queensway. Wors —2J 57
Queen Victoria Rd. S17 —6A 134
Quern Way. D'fld —1G 58
Quest Av. H'fld —7C 58
Quiet La. S10 —5K 121
Quilter Rd. Maltby —9G 98
Quintec Ct. Roth —4L 95
Quoit Green. —9J 135
Quoit Grn. Dron —9J 135

Raby Rd. Donc —2C 64
Raby St. S9 —1E 110
Race Comn. Av. P'stne —7M 53
Racecommon La. B'ley —9E 36
(in two parts)
Racecommon Rd. B'ley —9E 36
Racecourse Rd. Swint —3N 77
Race La. Bols —9E 72
Race St. B'ley —7F 36
Racker Way. S6 —5C 108
Rackford La. Ans —7D 128
Rackford Rd. Ans —6C 128
Radbourne Comn. Dron W —9E 134
Radburn Rd. New R —6H 83
Radcliffe Clo. Scawt —7J 43
Radcliffe La. Scawt —7J 43
Radcliffe Mt. Ben —6L 43
Radcliffe Rd. B'ley —9G 17
Radcliffe Rd. Ben —6L 43
Radford Clo. Rav —5K 97
Radford Pk. Av. S Kirk —8A 20
Radford St. S3 —8G 108 (2C 4)
Radford St. Work —9D 142
Radiance Rd. Donc —2B 64
Radley Av. Wick —8G 96
Radnor Clo. Soth —9N 125
Radnor Way. Donc —2F 64
Raeburn Clo. S14 —9M 123
Raeburn Pl. S14 —8M 123
Raeburn Rd. S14 —9M 123
Raeburn Way. S14 —9M 123
Rag La. T'land —7G 55
Ragusa Dri. New R —7J 83
Raikes St. Mexb —2E 78
Rail Mill Way. P'gte —3M 95
Rails. —8J 107
Rails Rd. S6 —8J 107
(in two parts)
Railway Av. Cat —7J 111
Railway Cotts. Cat —6J 111
Railway Cotts. Dod —9N 35
Railway Cotts. Dunf B —5K 51
Railway Cotts. S Elm —6F 20
Railway Cotts. Upt —2K 21
Railway Ct. Clayt W —6B 14
Railway Ter. Gold —2C 60
Railway Ter. Roth —7J 95
Railway Vw. Gold —2D 60
Rainborough Ct. Bram —9F 58
Rainborough M. Bram B —8H 59
Rainborough Rd. Wath D —9H 59
Rainboro Vw. H'fld —8C 58
Rainbow Av. S12 —7H 125
Rainbow Clo. S12 —7J 125
Rainbow Cres. S12 —7J 125
Rainbow Dri. S12 —7J 125
Rainbow Gro. S12 —7J 125
Rainbow Pl. S12 —7J 125
Rainbow Rd. S12 —7J 125
Rainbow Wlk. S12 —7H 125
(off Carter Lodge Dri.)
Rainbow Way. S12 —7H 125
Raines Av. Work —4B 142
Raines Pk. Rd. Work —3B 142
Rainford Dri. B'ley —2L 37
Rainford Sq. Kirk S —3J 45
Rainsbutt Rd. Crow —1N 29
Rainstorth. —3M 93
Rainton Gro. B'ley —5C 36
Rainton Rd. Donc —5B 64
Raintree Ct. Cusw —2K 63
Raisen Hall Pl. S5 —2H 109
Raisen Hall Rd. S5 —1G 108
Rake Bri. Bank. D'ville —5D 46
(in two parts)
Rake Bri. Rd. D'ville —7B 46
Rakes La. Love —4N 81
Rakes La. Old E —9G 81
Raleigh Ct. Donc —4E 64
Raleigh Dri. Burn —9E 74
Raleigh Rd. S2 —5J 123
Raleigh Ter. Donc —9J 63
Raley St. B'ley —9E 36
(in two parts)
Ralph Ellis Dri. S'bri —6D 72
Ralston Ct. Half —4K 137
Ralston Cft. Half —4L 137
Ralston Gro. Half —4K 137
Ralston Pl. Half —4K 137
Ramper La. Barn D —1H 45
Ramper Rd. Letw —9L 115
Ramper Rd. Maltby —3N 113
Rampton Rd. S7 —4G 122
Ramsay Cres. Donc —1K 63
Ramsden Av. L'gld —9B 116
Ramsden Cres. Carl L —4C 130
Ramsden Rd. Donc —5L 63
Ramsden Rd. Holmb —9A 30
Ramsden Rd. Roth —8L 95
Ramsey Rd. S10 —8D 108
Ramsker Dri. Arm —2L 65
Ramskir La. Stain —4B 26
Ramskir Vw. Stain —5B 26
Ramsworth Clo. Donc —2J 63
Ranby Rd. S11 —4C 122
Randall Pl. S2 —3G 123
Randall St. S2 —2H 123
Randall St. Eck —8H 137
Randerson Dri. Kiln —5D 78
Rands La. Arm —9M 45
Rands La. Ind. Est. Arm —9N 45
Ranelagh Dri. S11 —6C 122
Ranfield Ct. Rav —5K 97
Rangeley Rd. S6 —7B 108
Range Rd. S4 —3N 109
Ranmoor. —2A 122
Ranmoor Chase. S10 —2C 122
Ranmoor Cliffe Rd. S10 —2N 121
Ranmoor Ct. S10 —3B 122
Ranmoor Cres. S10 —2A 122
Ranmoor Ho. S10 —1B 122
Ranmoor Pk. Rd. S10 —2A 122
Ranmoor Ri. S10 —2A 122
Ranmoor Rd. S10 —2A 122
Ranmoor Vw. S10 —2A 122
Ranskill Ct. S9 —5C 110
Ranskill Rd. Oldc —1N 131
Ranworth Rd. Braml —8K 97
Ranyard Rd. Donc —8K 63
Raseby Av. Wat —9L 125
Raseby Clo. Wat —9L 125
Raseby Pl. Wat —9L 125
Rasen Clo. Mexb —9H 61
Ratcliffe Rd. S11 —3E 122
Ratten Row. Dod —1N 55
Ratten Row. Wadw —7N 81
Rattigan Ho. Donc —1D 64
(off Beckett Rd.)
Ravencar Rd. Eck —7H 137
Ravencarr Pl. S2 —2A 124
Ravencarr Rd. S2 —2A 124
Raven Dri. Thpe H —8A 76
Ravenfield. —2J 97
Ravenfield Clo. Owl —9G 125
Ravenfield Common. —5J 97
Ravenfield Dri. B'ley —2H 37
Ravenfield La. Hoot R —8H 79
Ravenfield Pk. —9J 79
Ravenfield Rd. Arm —2M 65
Ravenfield St. Den M —2L 79
Ravenholt. Wors —3H 57
Raven La. S Hien —3A 18
Raven Meadows. Swint —5B 78
Raven Rd. S7 —5E 122
Raven Royd. B'ley —8G 16
Ravenscar Clo. Den M —3K 79
Ravens Clo. M'well —9C 16
Ravenscourt. Work —4D 142
Ravens Ct. Wors —3J 57
Ravenscroft Av. S13 —3E 124
Ravenscroft Clo. S13 —3E 124
Ravenscroft Ct. S13 —3E 124
Ravenscroft Cres. S13 —3E 124
Ravenscroft Dri. S13 —3E 124
Ravenscroft Oval. S13 —3E 124
Ravenscroft Pl. S13 —3E 124
Ravenscroft Rd. S13 —3D 124
Ravenscroft Way. S13 —3E 124
Ravensdale Rd. Dron W —9D 134
Ravenshaw Clo. B'ley —5C 36
Ravensmead Ct. Bol D —6B 60
Ravens Wlk. Con —4C 80
Ravens Way. Schol —4J 31
Ravenswood Dri. Auc —8C 66
Ravensworth Rd. Donc —5B 64
Ravine, The. S5 —6M 93
Raw Green. —5E 34
Raw La. S'ton —4J 99
Rawlins Ct. Coal A —6K 135
Rawmarsh. —9M 77
Rawmarsh Hill. P'gte —1M 95
Rawmarsh Ho. P'gte —1M 95
(off Rawmarsh Hill)
Rawmarsh Leisure Cen. —1N 95
Rawmarsh Rd. Roth —6K 95
Rawmarsh Shop. Cen. Rawm —9M 77
Rawson Clo. Donc —6J 65
Rawson Rd. Roth —6L 95
Rawson Rd. Tick —6C 100
Rawsons Bank. E'fld —5J 93
Rawson Spring Av. S6 —2E 108
Rawson Spring Rd. S6 —2E 108
Rawson Spring Way. S6 —2E 108
Rawson St. S6 —5F 108
Raybould Rd. Roth —4F 94
Ray Ga. New M —1H 31
Rayls Ri. Tod —6L 127
Rayls Rd. Tod —6L 127
Raymond Av. Grim —2G 39
Raymond Rd. B'ley —8L 37
Raymond Rd. Donc —1K 63
Raymoth La. Work —3A 142
Raynald Rd. S2 —2A 124
Raynor Sike La. Whar S —5J 91
Rayton Ct. Birc —9K 101
Rayton La. Work —7E 142
Rayton Spur. Work —7E 142
Reader Cres. Swint —2C 78
Reading Room La. Wort —3M 73
Reaper Cres. High G —8F 74
Reasbeck Ter. B'ley —3G 37
Reasby Av. Rav —5J 97
Reaton M. B'ley —5C 36
Reavill Clo. Dinn —1D 128
Rebecca M. B'ley —8G 36
Rebecca Row. B'ley —8G 36
Recreation Av. Thur —6L 113
Recreation La. New R —5H 83
Recreation Rd. Wath D —8M 59
Recreation Rd. W'land —4F 42
Rectory Clo. Car —8L 17
Rectory Clo. Eck —6L 137
Rectory Clo. S'bri —5E 72
Rectory Clo. Thurn —8A 40
Rectory Clo. Womb —5D 58
Rectory Dri. Whis —4B 112
Rectory Gdns. Donc —3B 64
Rectory Gdns. H'hill —4K 139
Rectory Gdns. Kil —4C 138
Rectory Gdns. Old E —7E 80
Rectory Gdns. Tod —7L 127
Rectory Gth. Hems —2K 19
Rectory La. Finn —3F 84
Rectory La. Thurn —8A 40
Rectory M. Spro —7F 62
Rectory Rd. Kil —5C 138
Rectory St. Rawm —1M 95
Rectory Way. B'ley —5L 37
Redbourne Rd. Ben —7M 43
Redbrook. —4C 36
Redbrook Bus. Pk. B'ley —3C 36
Redbrook Ct. B'ley —4D 36
Redbrook Cft. Owl —8G 125
Redbrook Gro. Owl —8G 125
Redbrook Rd. B'ley —4B 36
Redbrook Vw. B'ley —4D 36
Redbrook Wlk. B'ley —4D 36
Redcar Clo. Den M —4K 79
Redcar Rd. S10 —9D 108
Redcliffe Clo. B'ley —4C 36
Red Dike La. Tick —2J 99
Redfearn St. B'ley —6G 37
Redfern Av. Wat —1K 137
Redfern Ct. Wat —1K 137
Redfern Dri. Wat —1K 137
Red Fern Gro. S'bri —6D 72
Redfern Gro. Wat —1K 137
Redgrave Pl. Flan —7G 97
Redhall Clo. Kirk S —4K 45
Red Hill. S1 —9G 109 (2D 4)
Red Hill. Kiv P —9L 127
Redhill Av. B'ley —9K 37
Redhill Ct. Wadw —7M 81
Red Hill La. Hick —9H 41
Redholme. S10 —1N 121
Redhouse Cvn. Pk. Hat W —6H 47
Red Ho. La. Adw S —1D 42
Red Ho. La. Pick —3B 42
(in two parts)
Redland Cres. Thorne —9L 11
Redland Gro. M'well —7C 16
Redland La. S7 —8E 122
Redland Way. Maltby —7C 98
Red La. S10 —2D 122
Red La. Work —9D 130
Red Lion Yd. Roth —7K 95
(off Effingham St.)
Redmarsh Av. Rawm —7L 77
Redmires Rd. S10 —4B 120
Redmires Way. S10 —2H 121
Red Oak La. S6 —5L 107
Red Quarry La. Dinn & Gild —3H 129
Redrock Rd. Roth —2N 111
Redscope Cres. Roth —3D 94
Redscope Rd. Roth —4D 94
Redthorne Way. Shaf —6B 18
Redthorn Rd. S13 —3F 124
Redthorpe Crest. B'ley —4B 36
Redwing Clo. Gate —4N 141
Redwood Av. Kil —5B 138
Redwood Av. Roy —6K 17
Redwood Clo. Hoy —1L 75
Redwood Dri. Maltby —8A 98
Redwood Glen. C'town —1G 93
Reed Clo. D'fld —2G 58
Reedham Dri. Braml —8K 97
Reedholme La. Moor —1K 11
Reedholme La. Thorne —2G 10
(in two parts)

Regency Ter.—Rockliffe Av.

Regency Ter. C'town —9H 75
(off Greenhead Gdns.)
Regent Av. Arm —2M 65
Regent Ct. S1 —3C 4
Regent Ct. S6 —4E 108
Regent Ct. B'ley —4D 36
Regent Ct. Donc —4B 64
Regent Cres. B'ley —1G 36
Regent Cres. S Hien —4E 18
Regent Dri. Crow —8N 29
Regent Gdns. B'ley —5F 36
Regent Gro. Donc —2K 63
Regent Gro. New R —6K 83
Regent Ho. B'ley —7G 36
Regent Sq. Donc —4B 64
Regent St. S1 —9G 108 (3C 4)
Regent St. B'ley —6F 36
Regent St. Donc —8L 63
Regent St. Hems —2J 19
Regent St. Hoy —1H 75
Regent St. Roth —7F 94
Regent St. S Elm —6D 20
Regent St. S Hien —4E 18
Regent St. S. B'ley —6G 36
Regents Way. Ast —4D 126
Regent Ter. S3 —9G 108 (3C 4)
Regent Ter. Donc —4B 64
Regina Cres. Brie —7E 18
Regina Cres. Have —1C 18
Reginald Rd. B'ley —9L 37
Reginald Rd. Womb —5F 58
Reinshaw Hall Mus. & Craft Cen. —8M 137
Rembrandt Dri. Dron —9F 134
Remington Av. S5 —6G 92
Remington Dri. S5 —6G 93
Remington Rd. S5 —6G 92
Remount Rd. Roth —3D 94
Remount Way. Roth —3D 94
Remple Av. Hat W —2J 47
Remple Comn. Rd. Hat W —4H 47
Remple Hole Rd. Hat W —3H 47
Remple La. Hat W —2J 47
Renald La. H'swne —1A 54
Renathorpe Rd. S5 —7L 93
Rencliffe Av. Roth —1M 111
Reneville Clo. Roth —9L 95
Reneville Ct. S5 —5H 93
Reneville Ct. Roth —9K 95
Reneville Cres. S5 —5H 93
Reneville Dri. S5 —5H 93
Reneville Rd. Roth —9K 95
Reney Av. S8 —4E 134
Reney Cres. S8 —4E 134
Reney Dri. S8 —4E 134
Reney Rd. S8 —3F 134
Reney Wlk. S8 —4E 134
Renishaw Av. Roth —2A 112
Renishaw Hall Gardens. —8M 137
Renishaw Hall Mus. & Craft Cen. —8M 137
Renishaw Pk. Golf Course. —8N 137
Renshaw Clo. High G —6D 74
Renshaw Rd. S11 —5B 122
Renville Clo. Rawm —7L 77
Renway Rd. Roth —1N 111
Repton Pl. Dron W —9D 134
Repton Rd. Skell —9F 22
Reresby Cres. Whis —2B 112
Reresby Dri. Whis —2B 112
Reresby Rd. Thry —3F 96
Reresby Rd. Whis —2A 112
Reresby Wlk. Den M —2L 79
Reservoir Rd. S10 —9D 108
Reservoir Rd. Ulley —8B 112
Retail World. P'gte —3M 95
Retford Rd. S13 —2H 125
Retford Rd. Blyth —9L 117
Retford Rd. Work —8E 142
Retford Wlk. Ross —5L 83
Revel Gth. Denb D —3K 33
Revell Clo. Roth —6C 96
Revill Clo. Maltby —7D 98
Revill La. Woodh —5J 125
Rex Av. S7 —7C 122
Reynard La. S6 —7K 107
Reynolds Clo. Dron —9F 134
Reynolds Clo. Flan —7G 97
Rhodes Av. Roth —3D 94
Rhodes Dri. Whis —2B 112
Rhodesia. —5L 141
Rhodesia Ct. Donc —7G 65
Rhodes St. S2 —9K 109 (4J 5)
Rhodes Ter. B'ley —8H 37
Ribble Cft. C'town —8H 75
Ribblesdale. Work —3D 142
Ribblesdale Dri. S12 —1F 136
Ribble Way. S5 —1K 109
Riber Av. B'ley —1H 37
Riber Clo. S6 —6M 107
Ribston Ct. S9 —7A 110
Ribston M. S9 —8B 110
Ribston Pl. S9 —8B 110
Ribston Rd. S9 —8A 110
Ribston Wlk. S9 —8B 110
Richard Av. B'ley —2H 37
Richard La. New R —5H 83
Richard Rd. B'ley —2H 37
Richard Rd. Dart —9M 15
Richard Rd. Roth —8L 95
Richards Ct. S2 —5J 123
Richardson Wlk. Womb —3B 58
Richards Rd. S2 —4H 123
(in two parts)
Richard St. B'ley —7E 36
Richards Way. Rawm —8N 77
Rich Farm Clo. Ark —5A 44
Richmond. —4D 124
Richmond Av. S13 —3E 124
Richmond Av. Dart —1M 35
Richmond Ct. S13 —4D 124
Richmond Dri. Ask —1N 23
Richmond Dri. Carl L —5C 130
Richmond Farm M. S13 —4D 124
Richmond Gro. S13 —3E 124
Richmond Hall Av. S13 —3D 124
Richmond Hall Cres. S13 —4D 124
Richmond Hall Dri. S13 —3D 124
Richmond Hall Rd. S13 —3D 124
Richmond Hall Way. S13 —4D 124
Richmond Hill Ho. S13 —4D 124
Richmond Hill Rd. S13 —4E 124
Richmond Hill Rd. Donc —5J 63
Richmond La. Baw —7B 102
Richmond Park. —7D 94
Richmond Pk. Av. S13 —1E 124
Richmond Pk. Av. Roth —7D 94
Richmond Pk. Clo. S13 —2E 124
Richmond Pk. Cres. S13 —1E 124
Richmond Pk. Cft. S13 —1E 124
Richmond Pk. Dri. S13 —2E 124
Richmond Pk. Gro. S13 —2E 124
Richmond Pk. Ri. S13 —1D 124
Richmond Pk. Rd. S13 —2E 124
Richmond Pk. Vw. S13 —2E 124
Richmond Pk. Way. S13 —2E 124
Richmond Pl. S13 —4D 124
Richmond Rd. S13 —5C 124
Richmond Rd. Donc —9H 43
Richmond Rd. Moor —6M 11
Richmond Rd. Roth —7E 94
Richmond Rd. Thurn —8B 40
Richmond Rd. Upt —2F 20
Richmond Rd. Work —9D 142
Richmond St. S3 —6J 109
Richmond St. B'ley —7E 36
Richworth Rd. S13 —3F 124
Ricknald Clo. Aug —2C 126
Ridal Av. S'bri —4C 72
Ridal Clo. S'bri —4C 72
Ridal Cft. S'bri —4C 72
Riddell Av. L'gld —9B 116
Riddings Clo. S2 —4A 124
Riddings Clo. Hems —4K 19
Riddings Clo. Thur —6L 113
Rider Rd. S6 —4D 108
Ridge Balk La. W'land —3D 42
Ridge Ct. S10 —1L 121
Ridge Ct. Roth —6M 95
Ridgehill Av. S12 —5A 124
Ridgehill Gro. S12 —6B 124
Ridge Rd. High —6F 42
Ridge Rd. Mar L —8E 136
Ridge Rd. Roth —6L 95
Ridgestone Av. Hems —2L 19
Ridge, The. S10 —2L 121
Ridge, The. W'land —4D 42
Ridge Vw. Clo. S9 —1A 110
Ridge Vw. Dri. S9 —1A 110
Ridgewalk Way. Wors —1G 56
Ridgeway. —2E 136
Ridgeway. Dron —7L 135
Ridgeway. Roth —6B 96
Ridgeway. Work —4D 142
Ridgeway Clo. H'by —8M 97
Ridgeway Clo. Roth —6C 96
Ridgeway Cottage Industry Cen. —2E 136
Ridgeway Cres. S12 —6A 124
Ridgeway Cres. B'ley —8K 17
Ridgeway Dri. S12 —5A 124
Ridgeway Moor. —3E 136
Ridgeway Moor. S12 —4E 136
Ridgeway Moor Farm Ct. S12 —4E 136
Ridgeway Rd. S12 —5A 124
Ridgeway Rd. B'wth —4J 111
Ridgewood Av. E'thpe —7J 45
Ridgill Av. Skell —8E 22
Ridgway Av. D'fld —1G 58
Riding Clo. Donc —9L 65
Riding Clo. Flan —8F 96
Riding La. Baw —1C 102
Ridings Av. B'ley —3J 37
Ridings La. T'bri —1G 30
Ridings, The. B'ley —3J 37
Ridingwood Ri. Clayt W —7A 14
Rig Clo. Roth —4F 94
Rig Dri. Swint —3N 77
Riggs High Rd. S6 —7G 107
Riggs Low Rd. S6 —7H 107
Rig La. Rawm —8J 77
Riley Av. Donc —9K 63
Riley Rd. Wath D —1M 77
Rill Ct. Hems —2K 19
Rimington Rd. Womb —4D 58
Rimini Ri. D'fld —2E 58
Ringinglow. —7J 121
Ringinglow Rd. Hath —8B 120
Ringstead Av. S10 —1N 121
Ringstead Cres. S10 —1N 121
Ringstone Gro. Brie —6G 19
Ringway. Bol D —5A 60
Ringwood. Work —4D 142
Ringwood Cres. Soth —9N 125
Ringwood Dri. Soth —9N 125
Ringwood Gro. Soth —9N 125
Ringwood La. S6 —4F 106
Ringwood Rd. Soth —9N 125
Ringwood Way. Hems —2L 19
Ripley Gro. B'ley —4C 36
Ripley St. S6 —5D 108
Ripon Av. Donc —1C 64
Ripon St. S9 —7N 109
(in two parts)
Ripon Way. Swal —4B 126
Rippon Ct. Rawm —7M 77
Rippon Cres. S6 —4C 108
Rippon Rd. S6 —4C 108
Risedale Rd. Gold —3E 60
Rise, The. Ans —6C 128
Rise, The. Swint —4A 78
Rising St. S3 —6J 109
Rivelin Bank. S6 —5C 108
Rivelin Ct. S6 —9K 107
Rivelin Glen. S6 —8N 107
Rivelin Glen Cotts. S6 —8N 107
Rivelin Nature Trail. —8A 108
Rivelin Pk. Ct. S6 —6B 108
Rivelin Pk. Cres. S6 —6B 108
Rivelin Pk. Dri. S6 —6A 108
Rivelin Pk. Rd. S6 —7B 108
Rivelin Rd. S6 —6B 108
Rivelin St. S6 —6C 108
Rivelin Ter. S6 —6B 108
Rivelin Valley Rd. S6 —9J 107
River Ct. S17 —3B 134
(off Ladies Spring Gro.)
Riverdale Av. S10 —3B 122
Riverdale Dri. S10 —3B 122
Riverdale M. S10 —3A 122
Riverdale Rd. S10 —2B 122
Riverdale Rd. Donc —8J 43
Riverhead. Spro —6F 62
River La. Fish —2D 26
River La. Misson —3L 103
Riverside. Clayt W —7A 14
Riverside Clo. S6 —4A 108
Riverside Clo. D'fld —2J 59
Riverside Ct. S9 —5N 109
Riverside Ct. Dinn —9A 114
Riverside Ct. Holmf —6A 30
Riverside Ct. Mexb —2H 79
Riverside Dri. Spro —7G 63
Riverside Gdns. Auc —8B 66
Riverside Gdns. Bol D —6C 60
Riverside M. S6 —4D 108
(off Langsett Rd.)
Riverside Pk. S2 —2J 123 (7G 5)
Riverside Pk. B'wte —1K 25
Riverside Precinct. Roth —7K 95
(off Corporation St.)
Riverside Way. Roth —8J 95
River Ter. S6 —4D 108
River Valley Vw. Denb D —2K 33
(off Miller Hill)
River Vw. Rd. O'bri —6M 91
River Way. Auc —8B 66
Riviera Mt. Donc —2M 63
Riviera Pde. Donc —2M 63
Rix Rd. Kiln —6C 78
Roache Dri. Gold —3B 60
Roach Rd. S11 —4D 122
Roaine Dri. Holmf —4F 30
Robert Av. B'ley —6L 37
Robert La. Holmf —1G 31
Robert Rd. S8 —3G 135
Roberts Av. Con —5B 80
Robertshaw Cres. Deep —5F 72
Robertson Dri. S6 —6B 108
Robertson Rd. S6 —7B 108
Robertson Sq. Stain —5A 26
Roberts Rd. Donc —6M 63
Roberts Rd. Edl'tn —5G 80
Roberts St. Cud —1B 38
Roberts St. Womb —5C 58
Robert St. Roth —7H 95
Robey St. S4 —3L 109
Robinbrook La. S12 —2C 136
Robinets Rd. Roth —2G 95
Robin Hood Av. Roy —5L 17
Robin Hood Chase. S6 —5L 107
Robin Hood Cres. E'thpe —7K 45
Robin Hood Golf Course. —6J 23
Robin Hood Rd. S9 —9A 94
Robin Hood Rd. E'thpe —7K 45
Robin Hood's Well. —6D 132
Robin La. Beig —6M 125
Robin La. Hems —4F 18
Robin La. Roy —5L 17
Robin Pl. Ast —5D 126
Robins Clo. Ast —4D 126
Robinson Dri. Work —9B 142
Robinson Rd. S2 —1K 123 (5K 5)
Robinson's Sq. Birdw —8F 56
Robinson St. Roth —9K 95
Robinson Way. Kil —4B 138
Rob Royd. Dod —1A 56
Rob Royd. Wors —2D 56
Rob Royd La. B'ley —2E 56
(in two parts)
Roche. W'fld —2L 137
(off Shortbrook Dri.)
Roche Abbey. —4G 115
(remains of)
Roche Clo. B'ley —5J 37
Roche End. Tod —6K 127
Rocher Av. Gren —6F 92
Rocher Clo. Gren —6F 92
Rocher Gro. Gren —6F 92
Rocher La. Bols —2E 90
Rochester Clo. S10 —2J 121
Rochester Clo. Work —3D 142
Rochester Dri. S10 —2J 121
Rochester Rd. S10 —2J 121
Rochester Rd. Ans —8B 128
Rochester Rd. B'ley —4J 37
Rochester Row. Donc —2H 63
Rockcliffe Dri. Wadw —7M 81
Rockcliffe Houses. Rawm —1M 95
(off Rockcliffe Rd.)
Rockcliffe Rd. Rawm —1M 95
Rockfield Dri. W'sett —8J 129
Rockingham. —2B 76
(Elsecar)
Rockingham. —2F 94
(Wingfield)
Rockingham. W'fld —2L 137
(off Shortbrook Dri.)
Rockingham Bus. Pk. Birdw —9G 57
Rockingham Clo. S1 —6E 4
Rockingham Clo. Birdw —9G 56
Rockingham Clo. Dron W —9D 134
Rockingham Ct. Swint —3A 78
Rockingham Ga. S1 —1H 123 (5E 4)
Rockingham Ho. Donc —5N 63
(off Elsworth Clo.)
Rockingham Ho. Rawm —8N 77
Rockingham La. S1 —9H 109 (4E 4)
Rockingham Mausoleum, The. —7G 77
Rockingham M. Birdw —9F 56
Rockingham Rd. Dod —1B 56
Rockingham Rd. Donc —2B 64
Rockingham Rd. Rawm —8N 77
Rockingham Rd. Swint —4N 77
Rockingham Row. Birdw —9G 56
Rockingham St. S1 —9G 109 (3D 4)
Rockingham St. B'ley —4F 36
Rockingham St. Birdw —9G 56
Rockingham St. Hoy —9J 57
Rockingham Way. S1 —1H 123 (5E 4)
Rockingham Way. Roth —2F 94
Rockland Dri. Thry —3D 96
(off Doncaster Rd.)
Rockland Vs. Thry —3D 96
Rocklea Clo. Swint —4B 78
Rockley Av. Birdw —7F 56
Rockley Av. Womb —6B 58
Rockley Cres. Birdw —8F 56
Rockley La. H'lme —6K 23
Rockley La. Wors —4D 56
Rockley Meadows. B'ley —9D 36
Rockley Nook. Donc —9E 44
Rockley Rd. S6 —2C 108
Rockleys. Dod —1B 56
Rockley Vw. Tank —9E 56
Rockliffe Av. Donc —9J 63

Rock Mt.—Rushley Rd.

Rock Mt. *Hoy* —9N **57**
Rockmount Rd. *S9* —9B **94**
Rock Pl. *Deep* —5F **72**
Rockside Rd. *Thurls* —4K **53**
Rock St. *S3* —7H **109**
Rock St. *B'ley* —6E **36**
Rock Ter. *Con* —5N **79**
Rockwood Clo. *C'town* —9F **74**
Rockwood Clo. *Dart* —8A **16**
Rockwood Ri. *Denb D* —1K **33**
Roddis Clo. *Dinn* —2B **128**
Roden Way. *Rawm* —6J **77**
Rodes Av. *Gt Hou* —6L **39**
Rodger Rd. *S13* —4K **125**
Rodger St. *Roth* —6H **95**
Rodman Dri. *S13* —3K **125**
Rodman St. *S13* —3K **125**
Rod Moor Rd. *Dron W* —6C **134**
Rodney Hill. *S6* —4M **107**
Rodwell Clo. *Tree* —8L **111**
Roebuck Hill. *Jump* —7N **57**
Roebuck Rd. *S6* —8E **108** (1A **4**)
Roebuck St. *Womb* —5E **58**
Roebuck Way. *Work* —9L **143**
Roeburn Clo. *M'well* —7B **16**
Roe Cft. Clo. *Spro* —5F **62**
Roehampton Ri. *B'ley* —8A **38**
Roehampton Ri. *B'wth* —3G **110**
Roehampton Ri. *Donc* —2H **63**
Roe La. *S3* —4J **109**
Roe La. *Eve* —9L **103**
Roewood Ct. S3 —4J ***109***
(off Orphanage Rd.)
Roger La. *S6* —1M **105**
Roger Rd. *B'ley* —6M **37**
Rojean Rd. *Gren* —5E **92**
Rokeby Dri. *S5* —7H **93**
Rokeby Rd. *S5* —7H **93**
Rolleston Av. *Maltby* —9C **98**
Rollestone. —7L 123
Rolleston Rd. *S5* —9K **93**
Rolleston Rd. *Carc* —9F **22**
Rollin Dri. *S6* —3C **108**
Rolling Dales Clo. *Maltby* —7C **98**
Rolls Cres. *Rawm* —6J **77**
Roman Bank La. *Oldc* —9N **117**
Roman Ct. *Roth* —7E **94**
Roman Cres. *B'wth* —2J **111**
Roman Cres. *Rawm* —8L **77**
Romandale Gdns. *S2* —2C **124**
Roman Ridge. *Donc* —9J **43**
Roman Ridge Rd. *S9* —1B **110**
Roman Rd. *Dart* —1M **35**
Roman Rd. *Donc* —5B **64**
Roman St. *Thurn* —7D **40**
Roman Terrace. —1D 78
Romney Clo. *Flan* —7G **96**
Romney Dri. *Dron* —9F **134**
Romney Gdns. *S2* —5J **123**
Romsdal Rd. *S10* —8C **108**
Romwood Av. *Swint* —3N **77**
Ronald Rd. *S9* —8C **110**
Ronald Rd. *Donc* —8L **63**
Ronksley Cres. *S5* —7L **93**
Ronksley Rd. *S5* —7L **93**
Rookdale Clo. *B'ley* —4C **36**
Rookery Bank. *Deep* —6H **73**
Rookery Chase. *Deep* —6H **73**
Rookery Clo. *Deep* —6H **73**
Rookery Clo. *Kiv P* —8H **127**
Rookery Dell. *Deep* —6H **73**
Rookery Ri. *Deep* —7H **73**
Rookery Rd. *Swint* —4A **78**
Rookery, The. *Deep* —6H **73**
Rookery Va. *Deep* —6H **73**
Rookery Way. *T'land* —9J **55**
Rookhill. *Wors* —2K **57**
Roper Hill. *S10* —4F **120**
Roper Ho. La. *T'land* —9G **54**
Roper La. *T'land* —8H **55**
Rope Wlk. *Thorne* —2J **27**
Rosamond Av. *S17* —4B **134**
Rosamond Clo. *S17* —4B **134**
Rosamond Ct. *S17* —4B **134**
Rosamond Dri. *S17* —4B **134**
Rosamond Glade. *S17* —4B **134**
Rosamond Pl. *S17* —4B **134**
Rosa Rd. *S10* —8D **108**
Roscoe Bank. *S6* —8M **107**
Roscoe Ct. *S6* —6A **108**
Roscoe Dri. *S6* —7A **108**
Roscoe Mt. *S6* —7A **108**
Roscoe Rd. *S3* —7G **108**
Roscoe Vw. *S6* —8M **107**
Rose Av. *Beig* —8M **125**
Rose Av. *D'fld* —9F **38**
Rose Av. *Donc* —7M **63**
Rose Av. *Upt* —2E **20**
Roseberry Av. *Hat* —1D **46**
Roseberry Clo. *Hoy* —2M **75**
Rosebery St. *B'ley* —8L **37**
Rosebery St. *Roth* —7G **94**
Rosebery Ter. *B'ley* —8G **37**
Rose Clo. *B'wth* —5K **111**
Rose Clo. *Upt* —2F **20**
Rose Cottage. *Barn D* —9J **25**
Rose Ct. *Bal* —7L **63**
Rose Ct. *Wick* —9F **96**
Rose Cres. *Donc* —9J **43**
Rose Cres. *Rawm* —8A **78**
Rosedale. *Work* —2D **142**
Rosedale Av. *Rawm* —8M **77**
Rosedale Clo. *Ast* —3D **126**
Rosedale Clo. *Upt* —2G **21**
Rosedale Gdns. *S11* —3E **122**
Rosedale Gdns. *B'ley* —7D **36**
Rosedale Rd. *S11* —3E **122**
Rosedale Rd. *Ast* —3C **126**
Rosedale Rd. *Ben* —6L **43**
Rosedale Rd. *Donc* —9H **43**
Rosedale Way. *S'side* —7H **97**
Rose Dri. *Wick* —8H **97**
Rose Gth. Av. *Ast* —3C **126**
Rosegarth Av. *Holmf* —1G **30**
Rosegarth Clo. *Donc* —9K **43**
Rose Greave. *Gold* —2C **60**
Rose Gro. *Arm* —1K **65**
Rose Gro. *Upt* —2F **20**
Rose Gro. *Womb* —3B **58**
Rose Hill. *Donc* —6F **64**
Rose Hill. *Mosb* —2H **137**
Rosehill. *Rawm* —7M **77**
Rosehill Av. *Hems* —3J **19**
Rose Hill Av. *Mosb* —2H **137**
Rosehill Av. *Rawm* —7N **77**
Rose Hill Cemetery & Crematorium. *Donc* —6H **65**
Rose Hill Clo. *Mosb* —2H **137**
Rose Hill Clo. *P'stne* —5N **53**
Rosehill Cotts. *Harl* —5M **75**
Rosehill Ct. *B'ley* —6F **36**
Rose Hill Ct. *Donc* —5F **64**
Rose Hill Dri. *Dod* —9A **36**
Rose Hill Dri. *Mosb* —2H **137**
Rose Hill M. *Mosb* —2H **137**
Rose Hill Ri. *Donc* —6F **64**
Rosehill Rd. *Rawm* —8M **77**
Rose Ho. *Arm* —1K **65**
Rose La. *Ask* —3J **23**
Rose La. *Lghtn* —6N **113**
Rose La. *Tick* —2D **100**
Roselle St. *S6* —4D **108**
Rosemary Ct. S6 —7D ***108***
(off Bank Ho. Rd.)
Rosemary Ct. S10 —6D ***108***
(off Heavygate Rd.)
Rosemary Gro. *Cad* —1B **80**
Rosemary Rd. *Beig* —7M **125**
Rosemary Rd. *Wick* —8F **96**
Rose Pl. *Womb* —3C **58**
Rose Tree Av. *Cud* —2C **38**
Rose Tree Ct. *Cud* —1B **38**
Rose Way. *Kil* —5C **138**
Rosewell Ct. *Roth* —5A **96**
Rosewood Clo. *Work* —1A **142**
Rosewood Dri. *Barn D* —1H **45**
Roslin Rd. *S10* —9D **108**
Rosser Av. *S12* —9N **123**
Rossetti Gdns. *Work* —7F **142**
Rossetti Mt. *Flan* —7G **96**
Rossington. —5K 83
Rossington Ho. Donc —6N ***63***
(off Elsworth Clo.)
Rossington Rd. *S11* —3D **122**
Rossington St. *Den M* —2L **79**
Rossiter Rd. *Roth* —2J **95**
Rosslyn Av. *Ast* —3D **126**
Rosslyn Cres. *Ben* —6M **43**
Rossmoor Clo. *Auc* —8C **66**
Ross St. *S9* —8D **110**
Rosston Rd. *Maltby* —8F **98**
Rostholme. —6L 43
Rostholme Sq. *Ben* —6M **43**
Roston Clo. *Dron W* —9E **134**
Rotcher Rd. *Holmf* —3E **30**
Rothay Clo. *Dron W* —9F **134**
Rothay Rd. *S4* —3N **109**
Rothbury Clo. *Soth* —9N **125**
Rothbury Ct. *Soth* —9N **125**
Rothbury Way. *B'wth* —3J **111**
Rother Ct. *P'gte* —3L **95**
Rother Cres. *Tree* —8L **111**
Rother Cft. *Hoy* —9M **57**
Rotherham. —7K 95
Rotherham Baulk. *Carl L* —4A **130**
Rotherham Baulk. *Gild* —4K **129**
Rotherham Cemetery & Crematorium. *Roth* —7C **96**
Rotherham Central Library & Arts Cen. —6L 95
Rotherham Clo. *Kil* —2E **138**
Rotherham Gateway. *Cat* —6H **111**
Rotherham Golf Course. —9E 78
Rotherham La. *Lghtn* —7A **114**
Rotherham Rd. *S13* —1H **125**
Rotherham Rd. *B'ley* —2H **37**
Rotherham Rd. *Beig* —7N **125**
Rotherham Rd. *Cat* —6K **111**
Rotherham Rd. *Dinn* —1A **128**
Rotherham Rd. *Eck & Half* —6L **137**
Rotherham Rd. *Gt Hou & L Hou* —6L **39**
Rotherham Rd. *Kil* —3E **138**
Rotherham Rd. *Kil & Blbgh* —6F **138**
Rotherham Rd. *Maltby* —8A **98**
Rotherham Rd. *P'gte* —4L **95**
Rotherham Rd. *Swal* —4B **126**
Rotherham Rd. *Tick* —7B **100**
Rotherham Rd. *Wath D* —9H **59**
Rotherham Rd. N. *Half* —3M **137**
Rotherham St. *S9* —5A **110**
Rotherham United F.C. —7H 95
Rotherhill Clo. *Roth* —6N **95**
Rothermoor Av. *Kiv P* —9H **127**
Rother Rd. *Roth* —1K **111**
Rotherside Rd. *Eck* —6M **137**
Rotherstoke Clo. *Roth* —9L **95**
Rother St. *Bram* —7G **59**
Rother Ter. *Roth* —1K **111**
Rothervale Clo. *Beig* —7N **125**
Rother Valley Country Pk. —9C 126
Rother Valley Country Pk. Vis. Cen. & Pk. Office. —9B 126
Rother Valley Golf Cen. —9D 126
Rother Valley Way. *H'brk* —2A **138**
Rother Vw. Rd. *Roth* —1K **111**
Rother Way. *H'by* —7M **97**
Rotherway. *Roth* —4L **111**
Rotherwood Av. *S13* —3K **125**
Rotherwood Clo. *Donc* —1H **63**
Rotherwood Cres. *Thur* —6K **113**
Rotherwood Rd. *Kil* —3D **138**
Rothesay Clo. *Cusw* —2K **63**
Rotunda Bus. Cen. *C'town* —7H **75**
Roughbirchworth. —7C 54
Roughbirchworth La. *Oxs* —7B **54**
Rough La. *Gren* —4C **92**
Rough La. *Wort* —5L **73**
Roughwood Grn. *Roth* —2G **94**
Roughwood Rd. *Roth* —3E **94**
Roughwood Way. *Roth* —3E **94**
Round Clo. Rd. *Hade E* —2E **50**
Roundel St. *S9* —7N **109**
Round Grn. La. *S'bgh* —3C **56**
Round Hill. *Dart* —8B **16**
Round Hill Ct. *Donc* —7E **64**
Roundwood Ct. *Wors* —3H **57**
Roundwood Golf Course. —1A 96
Roundwood Gro. *Rawm* —9N **77**
Roundwood Way. *D'fld* —1F **58**
Rowan Clo. *Auc* —2C **84**
Rowan Clo. *B'ley* —9G **37**
Rowan Clo. *C'town* —1H **93**
Rowan Clo. *Gold* —2B **60**
Rowan Clo. *Moor* —7L **11**
Rowan Ct. *Donc* —1F **64**
Rowan Cres. *Work* —9B **142**
Rowan Dri. *B'ley* —5C **36**
Rowan Dri. *Braml* —8H **97**
Rowan Gth. *Donc* —1L **63**
Rowan Mt. *Donc* —1E **64**
Rowan Ri. *Maltby* —8B **98**
Rowan Rd. *Eck* —9J **137**
Rowan Tree Clo. *Kil* —5B **138**
Rowan Tree Dell. *S17* —7N **133**
Rowan Tree Rd. *Kil* —4A **138**
Rowborn Dri. *O'bri* —9A **92**
Rowdale Cres. *S12* —6D **124**
Rowe Clo. *S Elm* —5F **20**
Rowell La. *S6* —4K **107**
Rowena Av. *E'thpe* —7J **45**
Rowena Dri. *Donc* —1H **63**
Rowena Dri. *Thur* —5K **113**
Rowena Rd. *Con* —4N **79**
Rowernfields. *Dinn* —4F **128**
Row Gate. *Up Cum* —1A **32**
Rowgate. *Up Cum* —2D **32**
Rowland Pl. *Donc* —5N **63**
Rowland Rd. *S2* —3H **123**
Rowland Rd. *B'ley* —5D **36**
Rowlands Av. *Upt* —2F **20**
Rowland St. *S3* —7H **109**
Rowland St. *Roy* —5L **17**
Rowley La. *S Elm* —8F **20**
Rowms La. *Swint* —3D **78**
Rowsley St. *S2* —2J **123** (7G **5**)
Row, The. *Cant* —6L **65**
Roxby Clo. *Donc* —9G **64**
Roxton Av. *S8* —2G **134**
Roxton Rd. *S8* —1F **134**
Royal Av. *Donc* —3B **64**
Royal Ct. *Bar G* —2N **35**
Royal Ct. *Hoy* —9N **57**
Royal Cres. *Work* —4B **142**
Royale Clo. *Eck* —7L **137**
Royal St. *B'ley* —7F **36**
Royalty La. *Ark* —1E **44**
Royd. —7G 72
Royd Av. *Cud* —2B **38**
Royd Av. *M'well* —8C **16**
Royd Av. *Mill G* —4G **53**
Royd Clo. *Wors* —3G **57**
Roydfield Clo. *Wat* —9K **125**
Roydfield Dri. *Wat* —9K **125**
Roydfield Gro. *Wat* —9K **125**
Royd Fld. La. *P'stne* —7N **53**
Royd La. *Deep* —7F **72**
Royd La. *Hghm* —5L **35**
(in two parts)
Royd La. *Holmf* —6B **30**
Royd La. *Mill G* —3G **52**
Royd Moor. —1A 20
Royd Moor Ct. *Thurls* —3K **53**
Royd Moor La. *Hems* —1M **19**
(in two parts)
Royd Moor Rd. *Thurls* —2G **52**
Royd Mt. *Holmf* —4E **30**
Royds Av. *New M* —2H **31**
Royds Av. *Whis* —2B **112**
Royds Clo. *New M* —2H **31**
Royds Clo. Cres. *Thry* —3D **96**
Royds Cres. *Rhod* —5L **141**
Royds Dri. *New M* —2H **31**
Royds La. *S4* —6M **109**
Royds La. *Else* —1C **76**
Royds Moor. —3D 112
Royds Moor Hill. *Whis* —3E **112**
Royds Pk. *Denb D* —2K **33**
Royds, The. *Clayt W* —6C **14**
Royds, The. *Holmf* —4E **30**
Royd, The. *Deep* —7F **72**
Royd Vw. *Brie* —6G **19**
Roy Kilner Rd. *Womb* —3B **58**
(in two parts)
Royles Clo. *S Kirk* —7B **20**
Royston. —6K 17
Royston Av. *Donc* —9L **43**
Royston Av. *Owl* —9G **124**
Royston Clo. *Owl* —9G **124**
Royston Cotts. *Hoy* —9L **57**
Royston Cft. *Owl* —9G **124**
Royston Gro. Owl —9G ***124***
(off Royston Clo.)
Royston Hill. *Hoy* —9L **57**
Royston La. *Roy & B'ley* —7K **17**
Royston Leisure Cen. —5K 17
Royston Rd. *Cud* —8A **18**
Rubens Clo. *Dron* —9G **134**
Rubens Row. *S2* —2K **5**
Rud Broom Clo. *P'stne* —5L **53**
Rud Broom La. *P'stne* —4L **53**
Ruddle La. *Mickle* —3B **98**
Ruddle Mill La. *S'ton* —4G **99**
Rudgate La. *Syke* —3E **10**
Rudyard M. *S6* —4D **108**
Rudyard Rd. *S6* —4D **108**
Rufford Av. *B'ley* —9H **17**
Rufford Clo. *Ryh* —1A **18**
Rufford Ct. *Soth* —9N **125**
Rufford Ri. *Gold* —3B **60**
Rufford Ri. *Soth* —9N **125**
Rufford Rd. *Donc* —6C **64**
Rufford St. *Work* —9D **142**
Rufus La. *New R* —5G **83**
Rugby St. *S3* —6H **109**
Rugged Butts La. *Misson* —9H **85**
Rundle Dri. *S7* —4F **122**
Rundle Rd. *S7* —4F **122**
Rundle Rd. *S'bri* —5D **72**
Runnymede Rd. *Donc* —3E **64**
Rupert Rd. *S7* —6F **122**
Rural Cres. *Bran* —7N **65**
Rural La. *S6* —2A **108**
Ruscombe Pl. *B'ley* —8K **17**
Rushby St. *S4* —3L **109**
Rushdale Av. *S8* —6H **123**
Rushdale Mt. *S8* —6H **123**
Rushdale Rd. *S8* —6H **123**
Rushdale Ter. *S8* —6H **123**
Rushey Clo. *Rawm* —6L **77**
Rushey Clo. *Work* —8E **142**
Rushleigh Ct. *S17* —3M **133**
Rushley Av. *S17* —2M **133**
Rushley Clo. *S17* —2M **133**
Rushley Clo. *Auc* —9C **66**
Rushley Dri. *S17* —2M **133**
Rushley Rd. *S17* —2M **133**

St Ronan's Rd.—Seaton Pl.

St Ronan's Rd. S7—4G 122
St Sepulchre Ga. Donc—4N 63
St Sepulchre Ga. W. Donc—5N 63
St Stephens Dri. Ast—3C 126
St Stephen's Rd. S3—8F 108 (1B 4)
St Stephen's Rd. Roth—6L 95
St Stephen's Wlk. S3—8F 108 (2A 4)
St Stephens Wlk. Donc—2J 63
St Thomas a Beckets Church. —2D 134
St Thomas' Ct. Donc—9G 64
St Thomas Rd. S10—9C 108
St Thomas's Clo. Donc—9J 63
St Thomas's Rd. B'ley—4B 36
St Thomas St. S1—9G 109 (3D 4)
St Ursula's Rd. Donc—5D 64
St Veronica Rd. Deep—6H 73
St Vincent Av. Donc—3B 64
St Vincent Av. W'land—2D 42
St Vincent Rd. Donc—3B 64
St Vincent's Av. Bran—8M 65
St Wandrilles Clo. E'fld—4J 93
St Wilfrids Ct. Donc—7H 65
(off Masham Rd.)
St Wilfrid's Rd. S2—3H 123
St Wilfrid's Rd. Donc—6F 64
St Withold Av. Thur—6K 113
Salcombe Clo. M'well—9D 16
Salcombe Gro. Baw—5B 102
Sale Hill. S10—1C 122
Salerno Way. D'fld—1E 58
Sales La. Syke—5N 9
Sale St. Hoy—1H 75
Salisbury Rd. S10—8C 108
Salisbury Rd. Donc—6L 63
Salisbury Rd. Maltby—7D 98
Salisbury St. B'ley—5E 36
Salisbury Wlk. Carl L—4B 130
Salmon St. S11—3G 123
Salt Box Gro. Gren—5D 92
Salt Box La. Gren—6D 92
Saltergate La. Bam—9E 118
Salter Hill La. P'stne—9A 54
Salter Oak Cft. B'ley—8K 17
Saltersbrook. Gold—2C 60
Saltersbrook Flats. Gold—2C 60
Saltersbrook Rd. D'fld—9F 38
Salters Way. P'stne—5N 53
Salt Hill. Firb—6L 115
Salt Hill Rd. Firb—8N 115
Samson St. S2—1K 123 (5K 5)
Samuel Clo. S2—4L 123
Samuel Dri. S2—4L 123
Samuel Pl. S2—3L 123
Samuel Rd. S2—4L 123
Samuel Rd. B'ley—5C 36
Samuel Sq. B'ley—5C 36
Samuel St. Donc—9K 63
Sanctuary Fields. Ans—4B 128
Sandall Beat La. Donc—1G 65
Sandall Beat Rd. Donc—4E 64
Sandall Beat Wood. (Nature Reserve) —3H 65
Sandall Carr Rd. K Ind—5H 45
Sandall La. K Ind—3G 45
(in two parts)
Sandall Pk. Dri. Donc—9F 44
Sandall Ri. Donc—1E 64
Sandall Stones Rd. K Ind—5G 45
(in two parts)
Sandall Vw. Dinn—9A 114
Sandal Rd. Con—5M 79
Sandalwood Clo. Donc—8F 44
Sandalwood Ri. Swint—6C 78
Sandbeck Clo. B'ley—5G 36
Sandbeck Ct. Den M—3L 79
Sandbeck Ct. Ross—6K 83
Sandbeck Ho. Donc—5N 63
(off Grove Pl.)
Sandbeck La. Maltby & Tick—1K 115
(in two parts)
Sandbeck Pl. S11—3E 122
Sandbeck Rd. Donc—5C 64
Sandbeck Way. H'by—8M 97
Sandbed Rd. S3—5F 108
Sandbergh Rd. Roth—3E 94
Sandby Ct. S14—9M 123
Sandby Cft. S14—9M 123
Sandby Dri. S14—9M 123
Sandcliffe Rd. Donc—1E 64
Sandcroft Clo. Hoy—1K 75
Sandeby Dri. Rav—6J 97
Sanderson St. S9—5N 109
Sandford Ct. B'ley—7E 36
Sandford Ct. Donc—8L 63
Sandford Gro. Rd. S7—6F 122
Sandford Rd. Donc—9L 63
Sandford Rd. S Elm—4F 20
Sandhill. —7A 78
(Rawmarsh)
Sandhill. —7M 39
(Thurnscoe)
Sandhill Clo. Rawm—7A 78
Sandhill Ct. Gt Hou—7M 39
Sandhill Golf Course. —8K 39
Sandhill Gro. Grim—8G 18
Sandhill Ri. Auc—8B 66
Sandhill Rd. Rawm—7A 78
Sandhill St. Work—7B 142
Sandhurst Pl. S10—8D 108
Sandhurst Rd. Cant—8K 65
Sandiron Ho. S7—1C 134
Sand La. Upt—2G 20
Sandmartins. Gate—3N 141
Sandon Vw. S10—6B 4
Sandown Clo. Eck—7H 137
Sandown Gdns. Donc—5G 65
Sandown Rd. Mexb—9G 60
Sandpiper Rd. Thpe H—8N 75
Sandpit Hill. Bran—7M 65
Sandringham Av. Whis—3A 112
Sandringham Clo. Thurls—3K 53
Sandringham Ct. Birc—8K 101
Sandringham Cres. Work—3B 142
Sandringham Pl. S10—3G 121
Sandringham Pl. Rav—5J 97
Sandringham Rd. S9—9A 94
Sandringham Rd. Donc—4D 64
Sandrock Dri. Donc—8H 65
Sandrock Rd. Harw—8J 101
Sands Clo. S14—7M 123
Sands, The. S6—8C 90
Sandstone Av. S9—2N 109
Sandstone Clo. S9—1A 110
Sandstone Dri. S9—2N 109
Sandstone Rd. S9—2N 109
Sandtoft. —3H 49
Sandtoft Rd. Belt—4L 49
Sandtoft Rd. Hat—9J 27
Sandtoft Transport Cen. —3J 49
Sandwith Rd. Tod—6K 127
Sandy Acres Clo. Wat—1M 137
Sandy Acres Dri. Wat—1M 137
Sandybridge La. S Hien—4A 18
Sandybridge La. Ind. Est. Shaf —5B 18
Sandycroft Cres. Donc—8J 63
Sandyfields Vw. Carc—8F 22
Sandy Flat La. Wick—3F 112
Sandygate. —1M 121
Sandy Ga. Schol—4G 30
Sandygate. Wath D—9M 59
(in two parts)
Sandygate Ct. S10—1M 121
Sandygate Cres. Wath D—2M 77
Sandygate Grange Dri. S10—1N 121
Sandygate Gro. S10—1M 121
Sandygate La. S10—1N 121
Sandygate La. B'ley—8M 37
Sandygate La. Hems—2J 19
Sandygate Pk. S10—1L 121
Sandygate Pk. Cres. S10—1M 121
Sandygate Pk. Rd. S10—1M 121
Sandygate Rd. S10—1M 121
Sandy La. Braml—1K 113
Sandy La. Burn—1D 92
Sandy La. Donc—6D 64
Sandy La. Thur—5L 113
Sandy La. Womb—5M 57
Sandy La. Work—6N 141
Sandy La. Ind. Est. Work—6A 142
Sandymount. Harw—8K 101
Sandymount E. Harw—9K 101
Sandymount Rd. Wath D—1N 77
Sandymount W. Harw—9K 101
Sankey Sq. Gold—2C 60
Sarah St. Mexb—2F 78
Sarah St. Roth—7H 95
Sark Rd. S2—4H 123
Sarrius Ct. Cant—7H 65
Saundby Clo. Donc—8F 64
Saunderson Rd. P'stne—3L 53
Saunders Pl. S2—9M 109
Saunders Rd. S2—9M 109
Saunder's Row. Womb—5C 58
Savage La. S17—3M 133
Savile St. S4—7K 109
Savile St. E. S4—7L 109
Savile Wlk. Brie—6H 19
Saville Ct. Hoy—1J 75
Saville Hall La. Dod—1A 56
Saville La. Thurls—4K 53
Saville Rd. Dod—1A 56
Saville Rd. Wath D—9L 59
Saville Rd. Whis—3A 112
Saville St. Cud—1B 38
Saville St. Dalt—4B 96
Saville St. Scis—8A 14
Saville Ter. B'ley—8F 36
Sawdon Rd. S11—2F 122
Sawn Moor Av. Thur—6L 113
Sawn Moor Rd. Thur—7L 113
Sawston Clo. Donc—2L 81
Saxon Av. S Kirk—7M 19
Saxon Clo. Upt—2K 21
Saxon Cres. Wors—2H 57
Saxon Gro. S Kirk—8N 19
Saxonlea Av. S2—2C 124
Saxonlea Ct. S2—2C 124
Saxonlea Cres. S2—2C 124
Saxonlea Dri. S2—2B 124
Saxon Mt. S Kirk—7M 19
Saxon Rd. S8—5H 123
Saxon Rd. Kiv P—9L 127
Saxon Rd. Roth—7D 94
Saxon Row. Con—5C 80
Saxon St. Cud—2B 38
Saxon St. Thurn—8D 40
Saxon Way. Harw—9J 101
Saxton Av. Donc—7F 64
Saxton Clo. Else—9B 58
Saxton Clo. Work—8A 142
Saxton Dri. Roth—3M 111
Sayers Clo. H'ton—5H 61
Scafell Pl. Ans—5D 128
Scaftworth. —9F 102
Scaftworth Clo. Donc—8F 64
Scaly Ga. Holmf & Cumb—6L 31
Scaly Ga. New M—3L 31
Scammadine Clo. B'wth—4K 111
Scamming La. Lghtn—7D 114
Scampton Lodge. S5—2J 109
Scarborough Clo. Ans—4C 128
Scarborough Clo. Tick—6D 100
Scarborough La. New R—5G 83
Scarborough Rd. S9—7C 110
Scarborough Rd. Wick—8G 96
Scarbrough Cres. Maltby—9E 98
Scarbrough Farm Ct. Maltby—8D 98
Scar End La. Holmf & Cumb—4L 31
Scarfield Clo. B'ley—8N 37
Scarfold. Holmf—3E 30
Scargill Cft. S3—8H 109 (2F 5)
Scar Hole La. Holmf & Cumb—4K 31
Scar La. Ard—8N 37
Scarlett Oak Mdw. S6—6L 107
Scarll Rd. Donc—6L 63
Scarsdale Clo. Dron—9J 135
Scarsdale Cross. Dron—9J 135
Scarsdale Rd. S8—8G 123
Scarsdale Rd. Dron—9H 135
Scarsdale St. Dinn—2E 128
Scarth Av. Donc—7M 63
Scawcett. —9K 49
Scawcett La. Epw—7H 49
Scawsby. —1H 63
Scawsby La. Scaw—8F 42
Scawthorpe. —8J 43
Scawthorpe Av. Donc—8H 43
Scawthorpe Cotts. Scawt—8G 43
Sceptone Gro. Shaf—6C 18
Sceptre Gro. New R—7H 83
Schofield Dri. D'fld—1G 59
Schofield Pl. D'fld—1G 58
Schofield Rd. D'fld—1G 58
Schofield Rd. Deep—5F 72
Schofield St. Mexb—1E 78
Schole Av. P'stne—4M 53
Schole Hill La. P'stne—5L 53
(in two parts)
Scholes. —5H 31
(Holmfirth)
Scholes. —2B 94
(Rockingham)
Scholes Fld. Clo. Scho—3C 94
Scholes Grn. Scho—1C 94
Scholes La. Scho—2A 94
Scholes Moor Rd. Schol—8F 30
Scholes Ri. E'fld—5J 93
Scholes Rd. Jack B—4J 31
Scholes Vw. E'fld—4J 93
Scholes Vw. Hoy—1M 75
Scholes Vw. Jump—8N 57
Scholey Av. W'sett—8J 129
Scholey Rd. Wick—8G 96
Scholey St. S3—7J 109 (1H 5)
Scholfield Cres. Maltby—9F 98
School Av. Half—3L 137
School Clo. Half—3M 137
School Clo. Wal—8G 126
School Ct. Donc—3A 64
(off Dockin Hill Rd.)
Schoolfield Dri. Rawm—7M 77
School Grn. La. S10—4K 121
School Gro. Ast—4D 126
School Hill. Cud—1B 38
School Hill. Whis—3B 112
School La. S2—9K 109 (4K 5)
School La. S6—9C 90
(New Rd.)
School La. S6—7L 107
(Oldfield Rd.)
School La. S8—3G 134
(Greenhill Main Rd.)
School La. S8—1K 135
(Norton La.)
School La. Auc—9C 66
School La. Cant—7L 65
School La. Denb D—2K 33
School La. Dron—9H 135
School La. Gren—4D 92
School La. Mar L—7E 136
School La. P'gte—2L 95
School La. S'ton—5J 99
School La. Thry—2E 96
School La. Whar S—4K 91
School La. Clo. S8—1K 135
School Rd. S10—9C 108
School Rd. Beig—8N 125
School Rd. High G—7F 74
School Rd. L'gld—9B 116
School Rd. Lghtn—8B 114
School Rd. Thur—6L 113
School Rd. Wal—9F 126
School St. B'ley—5E 36
School St. Bol D—5B 60
School St. Cud—9B 18
School St. D'fld—1H 59
School St. Dart—8N 15
School St. Dinn—2D 128
School St. Eck—7K 137
School St. Gt Hou—6K 39
(in two parts)
School St. H'fld—8C 58
School St. Holmf—3E 30
School St. M'well—8D 16
School St. Mosb—3K 137
School St. S'foot—8L 37
School St. Swal—4B 126
School St. Thry—3D 96
School St. Thurn—8C 40
School St. Upt—1J 21
School St. Womb—4D 58
School Ter. Con—4N 79
School Wlk. Baw—6C 102
School Wlk. Den M—2L 79
School Wlk. Maltby—8D 98
School Wlk. Old E—7E 80
Scissett. —8A 14
Scofton. —4L 143
Scorah's La. Swint—3N 77
Scorcher Hills La. Burg—4B 22
Scotch Spring La. S'ton—6J 99
Scotia Clo. S2—3N 123
Scotia Dri. S2—3N 123
Scotland St. S3—8G 109 (1D 4)
Scot La. Baw—6C 102
Scot La. Donc—4A 64
Scott Av. Barn—5H 61
Scott Av. Con—4M 79
Scott Clo. Thur—6K 113
Scott Clo. Work—6F 142
Scott Cres. E'thpe—5H 45
Scott Hill. Clayt W—6B 14
Scott Hill. Spro—7F 62
Scott Rd. S4—4J 109
Scott's Cotts. Clayt W—6B 14
Scott St. S4—4M 109
Scott Wlk. Maltby—7B 98
Scott Way. C'town—1G 93
Scout Dike. —1L 53
Scovell Av. Rawm—7K 77
Scovell Ho. Rawm—7K 77
Scowerdons Clo. S12—6F 124
Scowerdons Dri. S12—6F 124
Scraith Wood Dri. S5—2E 108
Scratta La. Thor S & Darf—7F 140
Scrooby Clo. Harw—9K 101
Scrooby Dri. Roth—2J 95
Scrooby La. P'gte—2K 95
Scrooby Pl. Roth—2J 95
Scrooby Rd. Harw & Birc—1J 117
(in two parts)
Scrooby St. Roth—2J 95
Scunthorpe Rd. Crow—9H 29
Sea Breeze Ter. S13—3D 124
Seabrook Rd. S2—1L 123
Sea Dike Bank Rd. Thorne—4H 27
Seagrave Av. S12—7B 124
Seagrave Cres. S12—8A 124
Seagrave Dri. S12—7B 124
Seagrave Rd. S12—7A 124
Searby Rd. Braml—6J 97
Seaton Clo. S2—1N 123
Seaton Cres. S2—1N 123
Seaton Gdns. New R—7J 83
Seaton Pl. S2—1N 123

Seaton Way—Sike La.

Seaton Way. *S2* —1N **123**
Sebastian Vw. *B'wth* —2J **111**
Seckar La. *Wool* —1B **16**
Second Av. *Donc F* —2D **84**
Second Av. *S Kirk* —8M **19**
Second Av. *Upt* —1F **20**
Second Av. *W'land* —4G **42**
Second La. *Ans* —8C **128**
Second La. *Wick* —2H **113**
Second Sq. *Stain* —5A **26**
Sedan St. *S4* —5K **109**
Sedge Clo. *Braml* —9K **97**
Sedgefield Way. *Mexb* —9G **60**
Sedgley Rd. *S6* —4E **108**
Sefton Ct. *S10* —4N **121**
Sefton Rd. *S10* —4M **121**
Selborne Rd. *S10* —1B **122**
Selborne St. *Roth* —5L **95**
Selbourne Clo. *Bar G* —3N **35**
Selby Clo. *Swal* —4B **126**
Selby Rd. *S4* —3L **109**
Selby Rd. *Ask & Balne* —1L **23**
(in two parts)
Selby Rd. *B'ley* —1G **36**
Selby Rd. *Donc* —2D **64**
Selby Rd. *Syke & Thorne* —1F **10**
Selby Rd. *Thorne* —5G **10**
(in two parts)
Selhurst Cres. *Donc* —8H **65**
*Selig Pde. S12 —9C **124***
(off White La.)
Selkirk Av. *Warm* —9H **63**
Selkirk Rd. *Donc* —1F **64**
Sellars Rd. *Roth* —4E **94**
Sellars Row. *High G* —6E **74**
Sellers St. *S8* —4G **123**
Selly Oak Gro. *S8* —4K **135**
Selly Oak Rd. *S8* —4K **135**
Selwood Flats. *Roth* —6M **95**
Selwyn St. *Roth* —5L **95**
Senior Rd. *S9* —8D **110**
Senior Rd. *Donc* —5L **63**
Seniors Pl. *C'town* —8H **75**
Sennen Cft. *B'ley* —5J **37**
Serlby. —4N 117
Serlby Dri. *H'hill* —5L **139**
*Serlby Ho. Donc —5N **63***
(off St James St.)
Serlby La. *H'hill* —4K **139**
Serlby Pk. Golf Course. —6N 117
Serlby Rd. *Sty* —2G **117**
Serpentine Wlk. *S8* —2H **135**
Setcup La. *Eck* —8J **137**
Seth Ter. *B'ley* —8H **37**
Set La. *S6* —8B **90**
Sevenairs Rd. *Beig* —8L **125**
Sevenfields Ct. *S6* —3B **108**
Sevenfields La. *S6* —3B **108**
Seven Yards Rd. *Bran* —5N **65**
Severn Ct. *S10* —9E **108**
Severn Rd. *S10* —9E **108**
Severnside Dri. *S13* —4G **124**
Severnside Gdns. *S13* —4G **124**
Severnside Pl. *S13* —4G **124**
Severnside Wlk. *S13* —4G **125**
Sewage Cotts. *Roth* —4N **95**
Sewell Rd. *Half* —4M **137**
Sexton Dri. *Braml* —9J **97**
Seymore Rd. *Ast* —5C **126**
Seymour Rd. *Maltby* —8F **98**
Shackleton Rd. *Donc* —7G **44**
Shackleton Vw. *P'stne* —5N **53**
Shady Side. *Donc* —6L **63**
(in three parts)
Shaftesbury Av. *Donc* —4E **64**
Shaftesbury Dri. *Hoy* —1L **75**
Shaftesbury Ho. *Donc* —2F **64**
Shaftesbury Sq. *Roth* —6L **95**
Shaftesbury St. *B'ley* —8M **37**
Shaftholme. —3A 44
Shaftholme La. *Ark* —2M **43**
Shaftholme Rd. *Ark* —5A **44**
(in two parts)
Shafton. —6C 18
Shafton Hall Dri. *Shaf* —6B **18**
Shafton Rd. *Roth* —2A **112**
Shafton Two Gates. —7D 18
Shaftsbury Av. *W'land* —2D **42**
Shakespeare Av. *Cam* —9G **6**
Shakespeare Av. *Donc* —3K **63**
Shakespeare Dri. *Dinn* —3E **128**
Shakespeare Rd. *Ben* —7M **43**
Shakespeare Rd. *Roth* —5M **95**
Shakespeare Rd. *Wath D* —8K **59**
Shakespeare St. *Work* —6E **142**
Shaldon Gro. *Ast* —4C **126**
Shalesmoor. *S3* —7G **109** (1D **4**)
Shambles St. *B'ley* —7F **36**
Shardlow Gdns. *Donc* —9J **65**
Sharlston Gdns. *Ross* —5L **83**
Sharman Clo. *App* —9A **136**
Sharman Wlk. *App* —9A **136**
Sharpe Av. *S8* —2F **134**
Sharpfield Av. *Rawm* —6L **77**
Sharp Royd Nook. *S'bri* —1D **72**
Sharrard Clo. *S12* —6B **124**
Sharrard Dri. *S12* —6B **124**
Sharrard Gro. *S12* —5B **124**
Sharrard Rd. *S12* —6B **124**
Sharrow. —4E 122
Sharrow General Cemetery. —3F 122
Sharrow Head. —3F 122
Sharrow La. *S11* —3F **122**
Sharrow Mt. *S11* —4E **122**
Sharrow St. *S11* —3G **123**
Sharrow Vale. —3E 122
Sharrow Va. Rd. *S11* —3D **122**
Sharrow Vw. *S7* —3F **122**
Shatton. —9D 118
Shatton La. *Bam* —9C **118**
Shaw Clo. *S Elm* —5F **20**
Shaw Ct. *Arm* —2M **65**
Shawfield Av. *Holmf* —4B **30**
Shawfield Clo. *Barn D* —2K **45**
Shawfield Rd. *B'ley* —1L **37**
Shaw Lands. —7E 36
Shaw La. *B'ley* —7D **36**
Shaw La. *Car* —8L **17**
Shaw La. *Donc* —8G **44**
Shaw La. *Fenw* —5D **8**
Shaw La. *Holmf* —4B **30**
Shaw La. *M'well* —7D **16**
Shaw La. *Mid* —3G **71**
Shaw La. Ind. Est. *Donc* —8H **45**
Shaw Rd. *E'wd T* —5N **95**
Shaw Rd. *Edl'tn* —3G **80**
Shawsfield Rd. *Roth* —1M **111**
Shaw St. *B'ley* —7E **36**
Shaw St. *Coal A* —6K **135**
*Shaw St. Work —7B **142***
(off Gladstone St.)
Shaw Wood Way. *Donc* —9G **44**
Shay House. —5D 72
Shay Ho. La. *S'bri* —6D **72**
Shay Rd. *S'bri* —5D **72**
Shay, The. *Donc* —8H **65**
Sheaf Bank. *S2* —4H **123**
Sheaf Clo. *Con* —5B **80**
Sheaf Ct. *B'ley* —9L **37**
Sheaf Cres. *Bol D* —6C **60**
Sheaf Gdns. *S2* —2J **123** (7G **5**)
Sheaf Gdns. Ter. *S2* —2J **123** (7G **5**)
Sheaf Pl. *Work* —3B **142**
Sheaf Sq. *S1* —1J **123** (5G **5**)
Sheaf St. *S1* —9J **109** (5H **5**)
Sheardown St. *Donc* —5M **63**
Sheards Clo. *Dron W* —8G **134**
Sheards Dri. *Dron W* —9F **134**
Sheards Way. *Dron W* —9G **134**
Shearman Av. *Roth* —3D **94**
Shearwood Rd. *S10* —9E **108** (4A **4**)
Shed La. *S'bgh* —4A **56**
Sheep Bri. La. *Ross* —5K **83**
Sheep Cote La. *Hat* —4E **46**
Sheepcote Rd. *Kil* —4B **138**
Sheep Cote Rd. *Roth* —1C **112**
Sheep Dike La. *Morth* —4H **113**
Sheep Dip La. *D'cft* —1C **46**
Sheephill Rd. *S11* —8J **121**
Sheep La. *Donc* —6A **62**
Sheepwalk La. *Upt* —1K **21**
(in two parts)
Sheepwash La. *Tick* —4F **100**
Sheerien Clo. *B'ley* —9F **16**
Sheffield. —9H 109 (3F 5)
Sheffield Airport Bus. Pk. *S9* —5D **110**
(Europa Link)
Sheffield Airport Bus. Pk. *S9* —6E **110**
(Letsby Av.)
Sheffield Arena. —5B 110
Sheffield Botanical Gardens. —2D 122
Sheffield Bus Mus. —3C 110
Sheffield City Mus. & Mappin Art Gallery. —9E 108
Sheffield Eagles R.L.F.C. —5A 110
Sheffield Ice Sports Cen. —2J 123 (7H 5)
Sheffield La. *Cat* —7J **111**
Sheffield Lane Top. —9K 93
Sheffield Park. —2M 123
Sheffield Parkway. *S2 & S9* —8K **109** (2J **5**)
Sheffield Rd. *S9 & Roth* —3C **110**
Sheffield Rd. *S12* —9F **124**
Sheffield Rd. *S13 & Swal* —3L **125**
Sheffield Rd. *Ans* —6B **128**
Sheffield Rd. *B'ley* —8G **37**
Sheffield Rd. *Birdw* —6F **56**
Sheffield Rd. *Blyth* —9K **117**
Sheffield Rd. *Con* —6L **79**
Sheffield Rd. *Dron* —7G **135**
(in two parts)
Sheffield Rd. *Hoy* —1H **75**
Sheffield Rd. *Kil* —3A **138**
Sheffield Rd. *New M* —2J **31**
Sheffield Rd. *P'stne & Oxs* —4A **54**
Sheffield Rd. *Tod* —4H **127**
Sheffield Rd. *Warm* —2F **80**
Sheffield Rd. *Woodh* —5G **124**
Sheffield St Marie's R.C. Cathedral. —9H 109 (3F 5)
Sheffield St Peter & St Paul's Cathedral. —8H 109 (2F 5)
Sheffield Ski Village. —5G 109
Sheffield Technology Pk. *S9* —6A **110**
Sheffield Tigers Rugby Ground. —1L 133
Sheffield Transport Dept. Golf Course. —3G 135
Sheffield United F.C. —2H 123
Sheffield Wednesday F.C. —2D 108
Sheldon Av. *Con* —5B **80**
Sheldon La. *S6* —6L **107**
Sheldon Rd. *S7* —5F **122**
Sheldon Rd. *S'bri* —5E **72**
Sheldon Row. *S3* —8J **109** (1H **5**)
Sheldon St. *S2* —2H **123** (7E **4**)
Sheldrake Clo. *Thpe H* —8N **75**
Shelley Av. *Donc* —9M **63**
Shelley Clo. *P'stne* —3N **53**
Shelley Dri. *Arm* —1M **65**
Shelley Dri. *B'ley* —5H **37**
Shelley Dri. *Dinn* —3F **128**
Shelley Dri. *Roth* —8A **96**
Shelley Gro. *Donc* —4K **63**
Shelley Ri. *Adw S* —3E **42**
Shelley Rd. *Roth* —7A **96**
Shelley St. *Work* —7D **142**
Shelley Way. *Wath D* —8J **59**
Shelley Woodhouse La. *Shell* —1H **33**
Shenley Clo. *D'cft* —2C **46**
Shenstone Dri. *Roth* —9A **96**
Shenstone Rd. *S6* —2D **108**
Shenstone Rd. *Roth* —9A **96**
Shepcote La. *S9* —5C **110**
Shepcote Way. *S9* —5C **110**
Shephard's Clo. *Den M* —3L **79**
Shepherd Dri. *High G* —8F **74**
Shepherd La. *Thurn* —9C **40**
Shepherd's Av. *Work* —5C **142**
Shepherds Cft. *Blax* —9H **67**
Shepherd St. *S3* —8G **109** (1D **4**)
Shepherd Wheel. —4A 122
(Water Wheel)
Shepley. —1C 32
Shepley Cft. *High G* —8F **74**
Sheppard Rd. *Donc* —8L **63**
Shepperson Rd. *S6* —3C **108**
Sherbourne Av. *Braml* —1K **113**
Sherburn Clo. *Skell* —7C **22**
Sherburn Ga. *C'town* —8G **75**
Sherburn Rd. *B'ley* —1F **36**
Sherde Rd. *S6* —7F **108**
Sheridan Av. *Donc* —9N **63**
Sheridan Ct. *B'ley* —5J **37**
Sheridan Dri. *Roth* —7B **96**
Sheridan Rd. *Barn D* —9J **25**
Sheringham Clo. *High G* —7E **74**
*Sheringham Gdns. High G —7E **74***
(off Sheringham Clo.)
Sherwood Av. *Ask* —2J **23**
Sherwood Av. *Con* —5M **79**
Sherwood Av. *Donc* —1H **63**
Sherwood Av. *E'thpe* —6J **45**
Sherwood Chase. *S17* —5N **133**
Sherwood Clo. *Cam* —9G **6**
Sherwood Cres. *Blyth* —1K **131**
Sherwood Cres. *Roth* —7L **95**
Sherwood Dri. *Donc* —1J **81**
Sherwood Dri. *Skell* —7C **22**
Sherwood Glen. *S7* —1C **134**
Sherwood Pl. *Dron W* —9E **134**
Sherwood Rd. *Dron W* —9E **134**
Sherwood Rd. *Harw* —6K **83**
Sherwood Rd. *Kil* —3D **138**
Sherwood Rd. *New R* —8J **101**
Sherwood Rd. *Work* —6C **142**
Sherwood St. *B'ley* —7G **37**
Sherwood Way. *Cud* —8A **18**
Shetland Gdns. *Donc* —2E **64**
Shield Av. *Wors* —2H **57**
Shildon Gro. *Moor* —7N **11**
Shining Cliff Ct. *Baw* —5B **102**
Shinwell Dri. *Upt* —1J **21**
Shipcroft Clo. *Womb* —5E **58**
Ship Hill. *Roth* —7K **95**
Shipman Balk. *Maltby* —9C **80**
Shipman Ct. *Mosb* —3K **137**
Shipton St. *S6* —7F **108**
Shirburn Gdns. *Donc* —6J **65**
Shirebrook Rd. *S8* —5H **123**
Shirecliffe. —2F 108
Shirecliffe Clo. *S3* —4J **109**
Shirecliffe La. *S3* —5H **109**
Shirecliffe Rd. *S5* —2H **109**
Shire Clo. *Carl L* —4D **130**
Shiregreen. —7M 93
Shiregreen La. *S5* —9M **93**
Shiregreen Ter. *S5* —8L **93**
Shirehall Cres. *S5* —6L **93**
Shirehall Rd. *S5* —7L **93**
Shire Oak Dri. *Else* —1B **76**
Shireoaks. —3K 141
Shireoaks Bus. Cen. *S'oaks* —3L **141**
Shireoaks Comn. *S'oaks* —4J **141**
(in two parts)
Shireoaks Rd. *Dron* —8K **135**
Shireoaks Rd. *S'oaks* —4J **141**
Shireoaks Row. *S'oaks* —4J **141**
Shires Clo. *Spro* —6F **62**
Shirland Av. *B'ley* —2H **37**
Shirland Clo. *S9* —6N **109**
Shirland Ct. *S9* —7B **110**
Shirland La. *S9* —6N **109**
Shirland M. *S9* —7A **110**
Shirland Pl. *S9* —7B **110**
Shirley La. *H'lme* —4N **23**
Shirley Rd. *S3* —5J **109**
Shirley Rd. *Donc* —6L **63**
Shooters Hill Dri. *Ross* —6L **83**
Shop. Mall. *S'bri* —5E **72**
Shore Ct. *S10* —1B **122**
Shore Hall La. *Mill G* —5H **53**
Shoreham Av. *Roth* —3N **111**
Shoreham Dri. *Roth* —3M **111**
Shoreham Rd. *Roth* —3M **111**
Shoreham St. *S1 & S2* —3H **123** (7F **5**)
(in two parts)
Shore La. *S10* —1B **122**
Shorland Dri. *Tree* —8M **111**
Shortbrook Bank. *W'fld* —2L **137**
Shortbrook Clo. *W'fld* —2L **137**
Shortbrook Cft. *W'fld* —2L **137**
Shortbrook Dri. *W'fld* —2L **137**
Shortbrook Rd. *W'fld* —2L **137**
*Shortbrook Wlk. W'fld —2M **137***
(off Eastcroft Way)
Shortbrook Way. *W'fld* —2L **137**
Shortfield Ct. *B'ley* —9F **16**
Short Ga. *Wadw* —8K **81**
Short La. *S6* —7F **106**
Short La. *Donc* —8E **64**
Shortridge St. *S9* —6N **109**
Short Rd. *Donc* —3F **64**
Short Row. *B'ley* —3G **37**
Shorts La. *S17* —4K **133**
Short St. *Hoy* —1J **75**
Short Wood Clo. *Birdw* —6G **57**
Shortwood La. *Clayt* —4N **39**
Shortwood Vs. *Hoy* —8H **57**
Shotton Wlk. *Donc* —5N **63**
Shrewsbury Almshouses. *S2* —1K **123** (5K **5**)
Shrewsbury Clo. *Mexb* —1E **78**
Shrewsbury Clo. *P'stne* —4N **53**
Shrewsbury Rd. *S2* —1J **123** (6H **5**)
Shrewsbury Rd. *Birc* —9L **101**
Shrewsbury Rd. *P'stne* —4N **53**
Shrewsbury Rd. *Work* —8E **142**
Shrewsbury Ter. *S17* —6M **133**
Shrewsbury Ter. *Roth* —7F **94**
Shroggs Head Clo. *D'fld* —1H **59**
Shrogs Wood Rd. *Roth* —1C **112**
Shubert Clo. *S13* —3H **125**
Shude Hill. *S1* —8J **109** (2H **5**)
(Broad St.)
Shude Hill. *S1* —3H **5**
(Commercial St.)
Shuttle Clo. *Ross* —6L **83**
Shuttleworth Clo. *Ross* —6K **83**
Sibbering Row. *Deep* —6H **73**
Sicey Av. *S5* —9L **93**
Sicey La. *S5* —7L **93**
Sicklebrook La. *Coal A* —6M **135**
Sickleholme. *Bam* —9E **118**
Sickleholme Golf Course. —9E 118
Sidcop Rd. *Cud* —8A **18**
(in two parts)
Siddall St. *S1* —9G **108** (3C **4**)
Sidings Ct. *Donc* —7B **64**
Sidney Rd. *Donc* —3E **64**
Sidney St. *S1* —1H **123** (6F **5**)
Sidney St. *Swint* —3C **78**
Sidons Clo. *Roth* —3E **94**
Siemens Clo. *S9* —2E **110**
Siena Clo. *D'fld* —1E **58**
Sike Clo. *Dart* —8L **15**
Sike La. *P'stne* —6K **53**
Sike La. *Tot* —4G **31**

South Pde. *Thorne* —3K **27**
(in two parts)
South Pde. *Work* —6C **142**
South Pl. *B'ley* —5C **36**
South Pl. *Womb* —4B **58**
S. Precipitator Rd. *Barn D* —9G **24**
South Rd. *S6* —6D **108**
South Rd. *Barn D* —9G **24**
South Rd. *Dod* —9A **36**
South Rd. *High G* —7E **74**
South Rd. *Moor* —7M **11**
South Rd. *Roth* —6E **94**
Southsea Rd. *S13* —5G **124**
South St. *S2* —9K **109** (3J **5**)
South St. *B'ley* —7E **36**
South St. *D'fld* —2G **59**
South St. *Dinn* —2D **128**
South St. *Dod* —1A **56**
South St. *Donc* —6A **64**
South St. *Greasb* —2J **95**
South St. *Have* —1D **18**
South St. *Hems* —3L **19**
South St. *High* —6F **42**
South St. *Holmf* —2G **31**
South St. *Mosb* —4K **137**
South St. *Rawm* —8N **77**
South St. *Roth* —8E **94**
(in three parts)
South St. *Thur* —5L **113**
South Ter. *Kiv P* —8E **126**
*South Ter. Roth —7K **95***
(off Moorgate St.)
S. Vale Dri. *Thry* —3E **96**
South Vw. *Aus* —4E **102**
South Vw. *Bam* —7E **118**
South Vw. *Cra M* —8L **55**
South Vw. *D'fld* —2G **58**
South Vw. *Edl'tn* —5E **80**
South Vw. *Grim* —2F **38**
South Vw. *H'brk* —3N **137**
South Vw. *Jack B* —5K **31**
South Vw. *Kiv P* —9J **127**
South Vw. *Work* —5C **142**
S. View Clo. *S6* —3N **107**
S. View Cres. *S7* —4G **122**
S. View Ri. *S6* —3N **107**
S. View Rd. *S7* —3G **122**
S. View Rd. *Hoy* —1L **75**
S. View Ter. *Cat* —7J **111**
Southwell Clo. *Work* —8D **142**
Southwell Ri. *Mexb* —9G **61**
Southwell Rd. *S4* —3N **109**
Southwell Rd. *Donc* —1C **64**
Southwell Rd. *Rawm* —8A **78**
Southwell St. *B'ley* —6E **36**
Southwood Dri. *Thorne* —4K **27**
South Yorkshire Mus. of Life. —3H 63
(Cusworth Hall)
South Yorkshire Railway. —9B 94
S. Yorkshire (Redbrook) Ind. Est. *B'ley* —3B **36**
Spa Brook Clo. *S12* —7F **124**
Spa Brook Dri. *S12* —6F **124**
(in two parts)
Spa Houses. —7N 111
Spa La. *S13* —6J **125**
Spa La. Cft. *S13* —5J **125**
Spalton Rd. *P'gte* —1M **95**
Spansyke St. *Donc* —5M **63**
Spa Pool Rd. *Ask* —1L **23**
Sparken Clo. *Work* —9B **142**
Sparken Dale. *Work* —9B **142**
Sparken Hill. *Work* —9C **142**
Sparkfields. *M'well* —9C **16**
Spark La. *Bar G & M'well* —1B **36**
Spartan Vw. *Maltby* —6B **98**
Spa Ter. *Ask* —1L **23**
Spa Vw. Av. *S12* —8F **124**
Spa Vw. Dri. *S12* —8F **124**
Spa Vw. Pl. *S12* —8F **124**
Spa Vw. Rd. *S12* —8F **124**
Spa Vw. Ter. *S12* —8F **124**
Spa Vw. Way. *S12* —8F **124**
Spa Well Cres. *Tree* —7L **111**
Spa Well Gro. *Brie* —6G **18**
Spa Well Ter. *B'ley* —6G **37**
Speedwell Pl. *Work* —6B **142**
Speeton Rd. *S6* —5D **108**
Spencer Av. *Donc* —3B **64**
Spencer Ct. *Whis* —3C **112**
Spencer Dri. *Rav* —6J **97**
Spencer Grn. *Whis* —3C **112**
Spencer La. *Barn D* —7J **25**
Spencer Rd. *S2* —4H **123**
Spencer St. *B'ley* —8F **36**
Spencer St. *Mexb* —2D **78**
Spennithorne Rd. *Skell* —7D **22**
Spenser Rd. *Roth* —8A **96**
Spey Clo. *M'well* —1D **36**
Spey Dri. *Auc* —8C **66**
Spicer Ho. La. *P'stne* —8D **32**
Spilsby Clo. *Donc* —9K **65**
Spink Hall. —6D 72
Spink Hall Clo. *S'bri* —6E **72**
Spink Hall La. *S'bri* —6D **72**
Spinkhill. —8C 138
Spinkhill Av. *S13* —3C **124**
Spinkhill Dri. *S13* —3D **124**
Spinkhill La. *Spin* —9N **137**
Spinkhill Rd. *S13* —4C **124**
Spinkhill Rd. *Kil* —7C **138**
*Spinners Wlk. Roth —8L **95***
(off Warwick St.)
Spinney Clo. *Roth* —1N **111**
Spinneyfield. *Roth* —2N **111**
Spinney Hill. *Spro* —7F **62**
Spinney, The. *Barn D* —2K **45**
Spinney, The. *Donc* —1K **81**
Spinney Wlk. *Thorne* —2M **27**
Spitalfields. *S3* —7J **109**
Spitalfields. *Blyth* —1L **131**
Spital Gro. *Ross* —7K **83**
Spital Hill. *S4* —7K **109**
Spital La. *S3* —7K **109**
Spital Rd. *Blyth* —1L **131**
Spital St. *S3 & S4* —7J **109**
Spittlerush La. *Nor* —6E **6**
Spofforth Rd. *S9* —7A **110**
Spooner Dri. *Kil* —4B **138**
Spooner Rd. *S10* —1D **122**
Spoon Glade. *S6* —6L **107**
Spoonhill Rd. *S6* —6A **108**
Spoon La. *S6* —6J **107**
Spoon M. *S6* —6L **107**
Spoon Oak Lea. *S6* —6L **107**
Spoon Way. *S6* —6L **107**
Spotswood Clo. *S14* —7M **123**
Spotswood Dri. *S14* —6M **123**
Spotswood Mt. *S14* —7L **123**
Spotswood Pl. *S14* —7L **123**
Spotswood Rd. *S14* —7L **123**
Spout Copse. *S6* —6K **107**
Spout La. *S6* —5K **107**
Spout Spinney. *S6* —6K **107**
Springbank. *D'fld* —2H **59**
Springbank Clo. *B'ley* —9K **17**
Springbank Clo. *Blax* —9G **67**
Spring Bank Cft. *Holmf* —4B **30**
Spring Bank Rd. *Con* —6N **79**
Spring Clo. *Whis* —3B **112**
Spring Clo. Dell. *S14* —7N **123**
Spring Clo. Dri. *S14* —7N **123**
Spring Clo. Mt. *S14* —7N **123**
Spring Clo. Vw. *S14* —7M **123**
Spring Cres. *Spro* —6F **62**
Spring Cft. *Roth* —4F **94**
Springcroft Dri. *Donc* —8J **43**
Spring Dri. *Bram* —7G **58**
Springfield. *Bol D* —5N **59**
Springfield Av. *S7* —6D **122**
Springfield Av. *Clayt W* —7A **14**
Springfield Av. *Hat* —1E **46**
Springfield Av. *Hems* —3L **19**
Springfield Clo. *S7* —7D **122**
Springfield Clo. *Arm* —2M **65**
Springfield Clo. *Clayt W* —7A **14**
Springfield Clo. *D'fld* —2H **59**
Springfield Clo. *Eck* —7J **137**
Springfield Clo. *Roth* —4K **95**
Springfield Clo. *W'sett* —7J **129**
Springfield Ct. *Donc* —2J **63**
Springfield Cres. *D'fld* —2H **59**
Springfield Cres. *Hoy* —1K **75**
Springfield Cres. *Kir Sm* —5C **6**
Springfield Dri. *Birds* —4D **32**
Springfield Dri. *Thry* —3F **96**
Springfield Glen. *S7* —7C **122**
Springfield Mt. *S Elm* —9D **20**
Springfield Path. *Mexb* —2F **78**
Springfield Pl. *B'ley* —7E **36**
Springfield Rd. *S7* —7C **122**
Springfield Rd. *Edl'tn* —4G **81**
Springfield Rd. *Grim* —1F **38**
Springfield Rd. *Hoy* —1J **75**
Springfield Rd. *Kiln* —7D **78**
Springfield Rd. *Wick* —8F **96**
Springfields. *B'ley* —4B **36**
Springfield St. *B'ley* —7D **36**
Springfield Ter. *Ans* —4A **128**
Springfield Ter. *B'ley* —7E **36**
Springfield Way. *Burn* —9E **74**
Spring Garden Rd. *Mess* —9M **13**
Spring Gdns. *B'ley* —4K **37**
Spring Gdns. *Baw* —5C **102**
Spring Gdns. *Cant* —6M **65**
Spring Gdns. *Donc* —4N **63**
Spring Gdns. *Hoy* —9M **57**
Spring Gdns. *U'thng* —3C **30**
Spring Gro. *B'ley* —8L **17**
Spring Gro. *Clayt W* —7A **14**
Spring Gro. Gdns. *Whar S* —4K **91**
Spring Hill. *S10* —8D **108**
Springhill Av. *Bram* —7G **58**
Spring Hill Clo. *Spro* —6F **62**
Spring Hill Rd. *S10* —8D **108**
Spring Ho. Rd. *S10* —8D **108**
Springhouses. *Denb D* —3J **33**
Spring La. *S2* —3M **123**
Spring La. *B'ley* —9L **17**
Spring La. *Holmb* —6B **30**
Spring La. *Holmf* —4C **30**
Spring La. *New C* —5D **16**
Spring La. *New M* —3J **31**
Spring La. *S'oaks* —4K **141**
Spring La. *Spro* —3F **62**
Spring Ram Bus. Pk. *Dart* —7L **15**
Springs Leisure Cen., The. —5N 123
Springs Rd. *Misson & Finn* —7M **85**
Springstone Av. *Hems* —2L **19**
Spring St. *S3* —8H **109** (1F **5**)
Spring St. *B'ley* —8F **36**
Spring St. *Roth* —6L **95**
Spring Ter. *S Elm* —7E **20**
Spring Vale. —4A 54
Spring Va. Av. *Wors* —3G **57**
Springvale Clo. *Maltby* —7D **98**
Springvale Clo. *Wick* —2H **113**
Springvale Gro. *P'stne* —4A **54**
Springvale Ri. *Hems* —1K **19**
Springvale Rd. *S6 & S10* —8C **108**
Springvale Rd. *Gt Hou* —6L **39**
Springvale Rd. *Grim* —3F **38**
Springvale Rd. *S Kirk* —6B **20**
Springvale Wlk. *S6* —7E **108**
Spring Vw. Rd. *S10* —8D **108**
Springville Gdns. *Upt* —2G **20**
*Spring Wlk. Roth —6L **95***
(off Wharncliffe Hill)
Spring Wlk. *Womb* —3B **58**
Spring Wlk. *Work* —9B **142**
Spring Water Av. *S12* —8G **124**
Spring Water Clo. *S12* —8F **124**
Spring Water Dri. *S12* —8G **124**
Spring Well. *Beig* —7L **125**
Springwell Av. *Beig* —7L **125**
Springwell Clo. *Maltby* —7F **98**
Springwell Cres. *Beig* —7L **125**
Springwell Dri. *Beig* —7L **125**
Springwell Gdns. *Bal* —9K **63**
Springwell Gro. *Beig* —7L **125**
Springwell La. *Donc & Wadw* —9K **63**
(in two parts)
Springwood. *S5* —2F **108**
Springwood Av. *Aug* —2B **126**
Springwood Clo. *Bran* —8M **65**
Springwood Clo. *T'land* —9J **55**
Springwood Gro. *Thurn* —9B **40**
*Springwood Ho. Donc —5N **63***
(off Elsworth Clo.)
Springwood La. *High G* —7D **74**
Springwood Rd. *S8* —5H **123**
Springwood Rd. *Donc* —8J **43**
Springwood Rd. *Holmf* —1G **31**
Springwood Rd. *Hoy* —1K **75**
Springwood Vw. *P'stne* —4B **54**
Sprotbrough. —6F 62
Sprotbrough Flash Nature Reserve. —9E 62
Sprotbrough La. *Marr* —9B **42**
Sprotbrough Park. —6G 63
Sprotbrough Rd. *Donc* —4K **63**
Spruce Av. *Roy* —6J **17**
Spruce Av. *Wick* —8H **97**
Spruce Ct. *Work* —8M **141**
Spruce Cres. *Auc* —3C **84**
Spruce Ri. *Kil* —5B **138**
Spry La. *Clayt* —4N **39**
Spur Cres. *Work* —9E **142**
Spurley Hey Gro. *S'bri* —6E **72**
Spurr La. *S2* —5K **123**
Spurr St. *S2* —3J **123**
Square E., The. *S'side* —6H **97**
Square Fld. *Holmf* —4E **30**
Square, The. *B'ley* —8E **36**
Square, The. *Grim* —2H **39**
Square, The. *Harl* —5L **75**
Square, The. *Wal* —9G **127**
Square W., The. *S'side* —6G **97**
Squirrel Cft. *Roth* —1F **94**
Stable Clo. *Work* —3D **142**
Stables La. *Barn* —3H **61**
Stables, The. *Swint* —3A **78**
Stacey Bank. *S6* —2H **107**
Stacey Cres. *Grim* —1F **38**
Stacey Dri. *Thry* —2E **96**
Stacey La. *S6* —3H **107**
Stackyard, The. *B'ley* —8B **38**
Stacye Av. *Woodh* —5K **125**
Stacye Ri. *Woodh* —5K **125**
Stadium Clo. *Work* —4N **141**
Stadium Ct. *P'gte* —3L **95**
Stadium Way. *S9* —7N **109**
Stadium Way. *P'gte* —4M **95**
Stadium Way. *S Elm* —4G **20**
Stafford Clo. *Dron W* —8D **134**
Stafford Cres. *Roth* —3M **111**
Stafford Dri. *Roth* —3M **111**
Stafford La. *S2* —1L **123** (6K **5**)
*Stafford M. S2 —1L **123***
(off Stafford La.)
Stafford Pl. *Den M* —3L **79**
Stafford Rd. *S2* —1L **123** (5K **5**)
Stafford Rd. *W'land* —4G **42**
Staffordshire Clo. *Maltby* —8F **98**
Stafford St. *S2* —1K **123** (4J **5**)
Stafford Way. *Burn* —9G **74**
Stag Clo. *Roth* —1B **112**
Stag Cres. *Roth* —1B **112**
Stag La. *Roth* —1A **112**
Stainborough. —3A 56
Stainborough Clo. *Dod* —1A **56**
Stainborough La. *Hood G* —5N **55**
Stainborough Rd. *Dod* —1A **56**
Stainborough Vw. *Tank* —9E **56**
Stainborough Vw. *Wors* —2G **57**
Staincross. —7B 16
Staincross Comn. *M'well* —7C **16**
Staindrop Clo. *C'town* —8G **75**
Staindrop Vw. *C'town* —8H **75**
Stainforth. —6A 26
Stainforth Moor Rd. *Hat W* —3K **47**
Stainforth Rd. *Barn D* —1J **45**
Stainley Clo. *B'ley* —4C **36**
Stainmore Av. *Soth* —9N **125**
Stainmore Clo. *Silk* —8H **35**
Stainton. —5J 99
Stainton Clo. *B'ley* —2F **36**
Stainton La. *S'ton* —6F **98**
Stainton La. *Tick* —3J **99**
Stainton Rd. *S11* —3C **122**
Stainton St. *Den M* —3L **79**
Stairfoot. —8M 37
Stairfoot Ind. Est. *B'ley* —9M **37**
Stair Rd. *S4* —4K **109**
Staithes Wlk. *Den M* —2M **79**
Stake Hill Rd. *S6* —3N **105**
Stake La. Bank. *Holmf* —3F **30**
Stalker Lees Rd. *S11* —3E **122**
Stalker Wlk. *S11* —2F **122**
Stalley Royd La. *Holmf* —4K **31**
Stambers Clo. *W'sett* —8J **129**
Stamford St. *S9* —5N **109**
Stamford Way. *M'well* —7C **16**
Stanage Ri. *S12* —6E **124**
Stanbury Clo. *B'ley* —4C **36**
Stancil La. *Tick* —1D **100**
Stancil La. *Wadw* —7D **82**
Standhill Cres. *B'ley* —1F **36**
Standish Av. *S5* —4H **109**
Standish Bank. *S5* —4H **109**
Standish Clo. *S5* —3H **109**
Standish Cres. *S Kirk* —5B **20**
Standish Dri. *S5* —3H **109**
Standish Gdns. *S5* —4H **109**
Standish Rd. *S5* —3H **109**
Standish Way. *S5* —4H **109**
Standon Cres. *S9* —8A **94**
Standon Dri. *S9* —8A **94**
Standon Rd. *S9* —8A **94**
Staneford Ct. *Wat* —1K **137**
Stanford Clo. *Maltby* —9G **98**
Stanford Rd. *Dron W* —9D **134**
Stanhope Av. *Caw* —3H **35**
Stanhope Gdns. *B'ley* —5D **36**
Stanhope Rd. *S12* —6C **124**
Stanhope Rd. *Donc* —2B **64**
Stanhope St. *B'ley* —7E **36**
Stanhope St. *Scis* —8A **14**
Stanhurst La. *Hat* —7J **27**
Staniforth Av. *Eck* —7H **137**
Staniforth Cres. *Tod* —6K **127**
Staniforth Rd. *S9* —7N **109**
*Stanley Ct. Maltby —8B **98***
(off Stanley Ter.)
Stanley Gdns. *Donc* —6M **63**
Stanley Gdns. *Stain* —6A **26**
Stanley Gro. *Ast* —3D **126**
(in two parts)
Stanley Gro. *D'cft* —8C **26**
Stanley La. *S3* —7J **109** (1H **5**)
Stanley Rd. *S8* —6J **123**
Stanley Rd. *B'ley* —8M **37**
Stanley Rd. *C'town* —8E **74**
Stanley Rd. *Donc* —9H **43**
Stanley Rd. *Stain* —6A **26**
Stanley Rd. *S'bri* —6E **72**

Stanley Sq.—Stubbin

Stanley Sq. *Kirk S* —4J **45**
Stanley St. *S3* —7J **109** (1G **5**)
Stanley St. *B'ley* —7E **36**
Stanley St. *Cud* —3C **38**
Stanley St. *Holmb* —6B **30**
Stanley St. *Kil* —3C **138**
Stanley St. *Roth* —7K **95**
Stanley St. *Work* —5B **142**
Stanley Ter. *Maltby* —8B **98**
Stanley Vs. *Thorne* —1K **27**
Stannington. —6L 107
Stannington Glen. *S6* —6N **107**
Stannington Ri. *S6* —5B **108**
Stannington Rd. *S6* —6K **107**
Stannington Vw. Rd. *S10* —8B **108**
Stanton Cres. *S12* —7D **124**
Stan Valley. *L Sme* —4C **6**
Stanwell Av. *S9* —9A **94**
Stanwell Clo. *S9* —9A **94**
Stanwell La. *Moorh* —8K **21**
(in two parts)
Stanwell St. *S9* —9A **94**
Stanwell Wlk. *S9* —9A **94**
Stanwood Av. *S6* —6A **108**
Stanwood Cres. *S6* —6A **108**
Stanwood Dri. *S6* —6A **108**
Stanwood M. *S6* —6A **108**
Stanwood Rd. *S6* —6A **108**
Staple Grn. *Thry* —3F **96**
Stapleton Rd. *Warm* —1H **81**
(in two parts)
Starkbridge La. *Syke* —4L **9**
Star La. *B'ley* —7F **36**
Star La. *Con* —4A **80**
Starling Gro. *Gate* —4N **141**
Starling Ho. Hems —3K 19
(off Lilley St.)
Starling Mead. *S2* —1L **123**
Starnhill Clo. *E'fld* —4K **93**
Statham Ct. *Work* —5E **142**
Station App. Donc —4N 63
(off Factory La.)
Station Clo. *Blax* —2F **84**
Station Cotts. *Dart* —8N **15**
Station Ct. *Donc* —4N **63**
Station Ct. *Fen Br* —6B **14**
Station La. *S9* —2A **110**
Station La. *App* —9A **136**
Station La. *Blax* —2G **84**
Station La. *O'bri* —6M **91**
Station Rd. *S9* —8C **110**
Station Rd. *Adw S* —9H **23**
Station Rd. *Ark* —7A **44**
Station Rd. *Ask* —1L **23**
Station Rd. *Bam* —8E **118**
Station Rd. *Barn D* —2J **45**
Station Rd. *B'ley* —6E **36**
Station Rd. *Baw* —6C **102**
(in two parts)
Station Rd. *Blax* —2G **84**
(in two parts)
Station Rd. *Bol D* —5B **60**
Station Rd. *Cat* —6J **111**
Station Rd. *C'town* —9J **75**
Station Rd. *Con* —3A **80**
Station Rd. *Dart* —8N **15**
Station Rd. *Deep* —5H **73**
Station Rd. *Dinn* —9A **114**
Station Rd. *Dod* —9N **35**
Station Rd. *D'cft* —8C **26**
Station Rd. *E'fld* —4K **93**
Station Rd. *Eck* —7L **137**
Station Rd. *Hems* —6F **20**
Station Rd. *Holmf* —3E **30**
Station Rd. *Kil* —4A **138**
Station Rd. *Kiv P* —9J **127**
Station Rd. *Lund* —3N **37**
Station Rd. *Mexb* —2F **78**
(in two parts)
Station Rd. *Misson* —2K **103**
Station Rd. *Mosb & Half* —3K **137**
Station Rd. *Nor* —7J **7**
Station Rd. *Ross* —5K **83**
Station Rd. *Roth* —7H **95**
Station Rd. *Roy* —4J **17**
Station Rd. *S Elm* —2L **19**
Station Rd. *Spin* —8C **138**
Station Rd. *Stain* —7A **26**
Station Rd. *Thurn* —8C **40**
Station Rd. *Tree* —8L **111**
Station Rd. *Wath D* —8M **59**
Station Rd. *Womb* —4E **58**
(in two parts)
Station Rd. *Woodh* —5J **125**
Station Rd. *Wors* —3K **57**
Station Rd. Ind. Est. *Womb* —3E **58**
Station St. *Swint* —3C **78**
Station Ter. *Roy* —5M **17**
Station Way. *Dinn* —9A **114**
Station Yd. *Baw* —5C **102**
Staton Av. *Beig* —7N **125**
Statutes, The. *Roth* —7K **95**
Staunton Rd. *Donc* —8K **65**
Staveley La. *Eck & Stav* —8L **137**
Staveley Rd. *S8* —4H **123**
Staveley St. *Edl'tn* —3F **80**
Steade Rd. *S7* —4G **122**
Steadfield Rd. *Hoy* —2J **75**
Steadfolds Clo. *Thur* —6M **113**
Steadfolds Gdns. *Thur* —6M **113**
Steadfolds La. *Thur* —5L **113**
Steadfolds Ri. *Thur* —6M **113**
Steadlands, The. *Rawm* —7K **77**
Stead La. *Hoy* —1J **75**
Stead St. *Eck* —7K **137**
Steed Ct. Bus. Pk. *Upt* —1H **21**
Steel Bank. —7D 108
Steel City Plaza. *S1* —3E **4**
Steele St. *Hoy* —1H **75**
Steel Hill. *Gren* —6D **92**
Steelhouse La. *S3* —8H **109** (1F **5**)
Steel Rd. *S11* —3D **122**
Steel St. *Roth* —8G **94**
Steep La. *H'swne* —3B **54**
Steetley La. *Whitw* —8G **141**
Steeton Ct. *B'ley* —9A **58**
Stemp St. *S11* —3G **122**
Stenson Ct. *Donc* —7L **63**
Stenton Rd. *S8* —3G **135**
Stentons Ter. *Mexb* —2G **78**
Stephen Dri. *S10* —9A **108**
Stephen Dri. *Gren* —5C **92**
Stephen Hill. —9A 108
Stephen Hill. *S10* —9A **108**
Stephen Hill Rd. *S10* —9A **108**
Stephen La. *Gren* —5C **92**
Stephenson Hall. *S10* —2D **122**
Stephenson Pl. *Swint* —2C **78**
Stepney Row. *S2* —2K **5**
Stepney St. *S2* —8K **109** (2J **5**)
Stepping La. *Gren* —4C **92**
Sterndale Rd. *S7* —8D **122**
Steven Clo. *C'town* —1G **93**
Steven Cres. *C'town* —9G **75**
Steven Pl. *C'town* —1G **93**
Stevenson Dri. *Hghm* —4N **35**
Stevenson Dri. *Roth* —8A **96**
Stevenson Rd. *S9* —6M **109**
Stevenson Rd. *Donc* —9M **63**
Stevenson Rd. *Work* —6E **142**
Stevenson Way. *S9* —6N **109**
Stevens Rd. *Donc* —6M **63**
Steventon Rd. *Thry* —3F **96**
Steward Ga. *Bam* —5D **118**
Steward's Ings La. *Syke & Thorne* —8F **10**
Stewart Clo. *Carl L* —5B **130**
Stewart Rd. *S11* —3E **122**
Stewart Rd. *Carl L* —5B **130**
Stewarts Rd. *Rawm* —8A **78**
Stewart St. *Donc* —5N **63**
Sticking Hill. —8E 60
Sticking La. *Adw D* —8C **60**
Stillwell Gdns. *Work* —2B **142**
Stirling Av. *Baw* —5C **102**
Stirling Clo. *Else* —9A **58**
Stirling Clo. *Work* —2B **142**
Stirling Dri. *Carl L* —5B **130**
Stirling St. *Donc* —5N **63**
Stirling Way. *S2* —3A **124**
Stockarth Clo. *O'bri* —9A **92**
Stockarth La. *O'bri* —8N **91**
Stockbridge. —6N 43
Stockbridge Av. *Donc* —9L **43**
Stockbridge Cvn. Site. *Ben* —7N **43**
Stockbridge La. *Ben* —7N **43**
Stockbridge La. *Carc* —6J **23**
Stockil Rd. *Donc* —5B **64**
Stockingate. *S Kirk* —8N **19**
Stock Rd. *S2* —2M **123**
Stocksbridge. —5E 72
Stocksbridge & District Golf Course. —7F 72
Stocks Grn. Ct. *S17* —6M **133**
Stocks Grn. Dri. *S17* —6M **133**
Stocks Hill. *E'fld* —4H **93**
Stocks Hill Clo. *B'ley* —8K **17**
Stock's La. *B'ley* —6D **36**
Stocks La. *Mid* —2F **70**
Stock's La. *Rawm* —9M **77**
Stockton Clo. *S3* —7J **109**
Stockwell Av. *Kiv P* —1H **139**
Stockwell La. *Wal* —1G **138**
Stocthorn Gap. *Whar S* —3L **91**
Stoddart Way. *P'gte* —3M **95**
Stoke St. *S9* —7M **109**
Stoket La. *Ulley* —7E **112**
Stokewell Rd. *Wath D* —8J **59**
Stone. —4J 115
Stoneacre Av. *S12* —8H **125**
Stoneacre Clo. *S12* —8H **125**
Stoneacre Dri. *S12* —9H **125**
Stoneacre Ri. *S12* —8H **125**
Stonebridge La. *Gt Hou* —7L **39**
Stonecliffe Clo. *S2* —2A **124**
Stonecliffe Dri. *S'bri* —7D **72**
Stonecliffe Pl. *S2* —2A **124**
Stonecliffe Rd. *S2* —2A **124**
Stonecliffe Wlk. *S2* —2B **124**
Stonecliff Wlk. *Den M* —2M **79**
Stone Clo. *Coal A* —7K **135**
Stone Clo. *Kiv P* —9K **127**
Stone Clo. *Rav* —6J **97**
Stone Clo. Av. *Donc* —5M **63**
Stone Cotts. *Toll B* —3K **43**
Stone Ct. *S Hien* —4E **18**
Stone Cres. *Wick* —8G **96**
Stonecrest. *T'land* —8H **55**
Stonecroft Ct. *Silk C* —2H **55**
Stonecroft Gdns. *Shep* —1C **32**
Stonecroft Rd. *S17* —5A **134**
Stone Cross Dri. *Spro* —5F **62**
Stonecross Gdns. *Donc* —7K **65**
Stone Delf. *S10* —2L **121**
Stone Font Gro. *Donc* —8J **65**
Stonegarth Clo. *Cud* —2B **38**
Stonegate. *Thorne* —2K **27**
Stonegate Clo. *Blax* —9G **67**
Stonegravels Cft. *Half* —4L **137**
Stonegravels Way. *Half* —4M **137**
Stone Gro. *S10* —9E **108**
Stone Hill. —1J 47
Stone Hill. *Hat W* —2J **47**
Stonehill Clo. *Hoy* —8K **57**
Stone Hill Dri. *Swal* —4C **126**
Stonehill Ri. *Cud* —2B **38**
Stonehill Ri. *Donc* —8J **43**
Stonehill Ri. *P'stne* —6M **53**
Stone Hill Rd. *Hat W* —1J **47**
Stone La. *S13* —6G **124**
Stonelea Clo. *Silk* —8H **35**
Stone Lea Gro. *S Elm* —7F **20**
Stone Leigh. *Tank* —1E **74**
Stoneleigh Clo. *Dinn* —4F **128**
Stoneleigh Cft. *B'ley* —9G **37**
Stoneley Clo. *S12* —1B **136**
Stoneley Cres. *S12* —1B **136**
Stoneley Dell. *S12* —1B **136**
Stoneley Dri. *S12* —1B **136**
Stonelow Ct. Dron —8J 135
(off Stonelow Rd.)
Stonelow Cres. *Dron* —8K **135**
Stonelow Grn. *Dron* —8J **135**
Stonelow Rd. *Dron* —8J **135**
Stonely Brook. *Rav* —7J **97**
Stone Moor Rd. *S'bri & Bols* —6C **72**
Stone Pk. Clo. *Maltby* —8F **98**
Stone Riding. *Edl'tn* —7H **81**
Stone Ridings. *Edl'tn* —5E **80**
Stone Rd. *Coal A* —6K **135**
Stone Row Ct. *Tank* —2E **74**
Stonerow Way. *P'gte* —4L **95**
Stonesdale Clo. *Mosb* —3K **137**
Stones Inge. *High G* —7E **74**
Stone St. *B'ley* —4F **36**
Stone St. *Mosb* —3K **137**
Stonewood Ct. *S10* —1M **121**
Stonewood Gro. *S10* —1M **121**
Stonewood Gro. *Hoy* —2M **75**
Stoney Bank Dri. *Kiv P* —9K **127**
Stoney Bank La. *New M* —1G **31**
Stoneybrook Clo. *Bret* —1H **15**
Stoney Ga. *High G* —6E **74**
Stoney La. *Tick* —7C **100**
Stoney Royd. *B'ley* —8G **16**
Stoney Wlk. *S6* —5D **108**
Stoney Well La. *Maltby* —9J **99**
Stony Cft. La. *Burg* —6E **22**
Stony Cft. La. *Mid* —3K **71**
Stonyford Rd. *Womb* —3F **58**
Stony Ga. *Holmf* —6C **30**
Stony La. *S6* —1H **107**
Stony La. *B'wte & Syke* —8L **9**
Stony La. *Clayt W* —9A **14**
Stony La. *Fish* —2C **26**
Stony La. *O'bri* —6K **91**
Stony La. *Syke* —8M **9**
Stony La. *Tick* —3B **100**
Stony Ridge Rd. *S17* —6D **132**
Stoops La. *Donc* —8E **64**
(in two parts)
Stoops Rd. *Donc* —8G **64**
Stoors Wood Vw. *Cud* —4D **38**
Stopes Rd. *S6* —6H **107**
Store St. *S2* —2J **123** (7G **5**)
Storey's Ga. *Womb* —4B **58**
Storey St. *Swint* —3B **78**
Storrs. —5J 107
Storrs Bri. La. *S6* —3J **107**
Storrs Carr. *S6* —4H **107**
Storrs Grn. *S6* —4H **107**
Storrs Hall Rd. *S6* —6C **108**
Storrs La. *S6* —5J **107**
Storrs La. *H'lme* —5N **23**
Storrs La. *Oxs* —4E **54**
Storrs La. *Wort* —4C **74**
Storrs Mill La. *Cud* —6E **38**
Storth Av. *S10* —3N **121**
Storth La. *S10* —2N **121**
Storth La. *Kiv P* —8G **127**
Storth La. *Whar S* —3J **91**
Stortholme M. *S10* —2N **121**
Storth Pk. *S10* —4M **121**
Storthwood Ct. *S10* —2N **121**
Stotfold Dri. *Thurn* —8B **40**
Stotfold Rd. *Clayt* —5C **40**
Stothard Ct. *S10* —8C **108**
Stothard Rd. *S10* —8C **108**
Stottercliffe Rd. *Thurls & P'stne* —4L **53**
(in three parts)
Stour La. *S6* —2A **108**
Stovin Dri. *S9* —6B **110**
Stovin Gdns. *S9* —6B **110**
(in two parts)
Stovin Way. *S9* —5B **110**
Stow Bri. La. *Whis* —6D **112**
Stowe Av. *S7* —7D **122**
Stradbroke Av. *S13* —4D **124**
Stradbroke Clo. *S13* —4E **124**
Stradbroke Cres. *S13* —4E **124**
Stradbroke Dri. *S13* —4E **124**
Stradbroke Pl. *S13* —4E **124**
Stradbroke Rd. *S13* —4D **124**
Stradbroke Wlk. *S13* —4D **124**
Stradbroke Way. *S13* —4E **124**
Strafford Av. *Else* —9A **58**
Strafford Av. *Wors* —1G **56**
Strafford Gro. *Birdw* —9G **56**
Strafford Ind. Est. *Dod* —2B **56**
Strafford Pl. *Thpe H* —9M **75**
Strafford Rd. *Donc* —2B **64**
Strafford Rd. *Roth* —3E **94**
Strafford St. *Dart* —9L **15**
Strafford Wlk. *Dod* —1A **56**
Strafforth Ho. Den M —3K 79
(off Ravenscar Clo.)
Straight La. *Gold* —2D **60**
Straight La. *S'brke* —6M **21**
(in two parts)
Straight Riding. *Edl'tn* —6G **81**
Strait La. *Wath D* —9L **59**
Stratford Rd. *S10* —2M **121**
Stratford Way. *Braml* —9K **97**
Strathavon Rd. *Carl L* —5C **130**
Strathmore Ct. *Birc* —8K **101**
Strathmore Dri. *Carl L* —5C **130**
Strathmore Gdns. *S Elm* —5G **20**
Strathmore Gro. *Wath D* —9M **59**
Strathmore Rd. *Donc* —4D **64**
Strathtay Rd. *S11* —4C **122**
Strauss Cres. *Maltby* —9F **98**
Strawberry Av. *S5* —7J **93**
Strawberry Gdns. *Roy* —5K **17**
Strawberry Lee La. *S17* —5K **133**
Straw La. *S6* —7F **108**
Streatfield Cres. *New R* —6H **83**
Street. —4E 76
Street Balk. *Clayt* —6D **40**
Street Farm Clo. *H'hill* —4K **139**
Streetfield Cres. *Mosb* —4K **137**
Streetfield La. *Half* —4L **137**
Streetfields. *Half* —4L **137**
Street La. *Hoot P* —6L **41**
Street La. *W'wth* —4D **76**
Strelley Av. *S8* —1F **134**
Strelley Rd. *S8* —1F **134**
Strelley Rd. *B'ley* —9F **16**
Stretfield Rd. *Bradw* —9A **118**
Stretton Clo. *Donc* —7K **65**
Stretton Rd. *S11* —4D **122**
Stretton Rd. *B'ley* —3H **37**
Strickland Rd. *Upt* —1J **21**
Strines. —2H 105
Strines Ho. S10 —2H 121
(off Holyrood Av.)
Strines Moor Rd. *Hade E* —9G **30**
Stringer La. *Syke* —5L **9**
Stringers Cft. *Whis* —3C **112**
Stripe Rd. *Ross & New R* —5K **83**
Stripe Rd. *Tick* —6H **101**
Struan Rd. *S7* —6D **122**
Strunns La. *Syke* —7C **10**
Strutt Rd. *S3* —5H **109**
Stuart Gro. *C'town* —1J **93**
Stuart Rd. *C'town* —1J **93**
Stuart St. *Thurn* —8D **40**
Stubbin. —5G 72

Stubbin Clo.—Taylor's Ct.

Stubbin Clo. Rawm —7K 77
Stubbing. —1L 107
Stubbing Ct. Work —7A 142
Stubbing Ho. La. S6 —6B 92
Stubbing La. Work —6N 141
Stubbing La. Worr —1L 107
Stubbin La. S5 —9K 93
Stubbin La. Emley —2L 33
Stubbin La. Holmb —5A 30
Stubbin La. Rawm —6J 77
(in two parts)
Stubbin Rd. Rawm —7H 77
Stubbins Hill. Edl'tn —4F 80
Stubbins Riding. Edl'tn —5G 80
Stubbs Cres. Roth —4F 94
Stubbs La. Nor —5H 7
Stubbs Rd. Nor —5E 6
Stubbs Rd. Womb —5C 58
Stubbs Wlk. Roth —4F 94
Stubley Clo. Dron W —7F 134
Stubley Cft. Dron W —8E 134
Stubley Dri. Dron W —8F 134
Stubley Hollow. Dron —8F 134
Stubley La. Dron —8E 134
Stubley Pl. Dron —8F 134
Studfield Cres. S6 —4A 108
Studfield Dri. S6 —3A 108
Studfield Gro. S6 —4A 108
Studfield Hill. —4A 108
Studfield Hill. S6 —4N 107
Studfield Ri. S6 —3A 108
Studfield Rd. S6 —3A 108
Studley Ct. S9 —8C 110
Studmoor Rd. Roth —3D 94
Studmoor Wlk. Roth —3D 94
Stump Cross. —4D 76
Stump Cross Gdns. Bol D —5A 60
Stump Cross La. Tick —1N 115
(in two parts)
Stump Cross Rd. Wath D —1L 77
Stumperlowe. —3M 121
Stumperlowe Av. S10 —3N 121
Stumperlowe Clo. S10 —3N 121
Stumperlowe Cres. Rd. S10 —3M 121
Stumperlowe Cft. S10 —2M 121
Stumperlowe Hall Chase. S10 —2M 121
Stumperlowe Hall Rd. S10 —3M 121
Stumperlowe La. S10 —3M 121
Stumperlowe Mans. S10 —3M 121
Stumperlowe Pk. Rd. S10 —3M 121
Stumperlowe Vw. S10 —2M 121
Stupton Rd. S9 —2A 110
Sturge Cft. S2 —5J 123
Sturton Clo. Donc —9F 64
Sturton Cft. Dalt —4D 96
Sturton Rd. S4 —4K 109
Stygate La. Nor —8G 6
Styrrup. —2G 117
Styrrup La. Harw —3C 116
Styrrup Rd. Oldc —6D 116
Sudbury Dri. Ast —4D 126
Sudbury St. S3 —7G 108 (1C 4)
Sude Hill. New M —2J 31
Sude Hill Ter. New M —2K 31
Suffolk Av. Birc —9N 101
Suffolk Clo. Ans —5C 128
Suffolk Gro. Birc —9N 101
Suffolk La. S2 —1J 123 (6H 5)
Suffolk Rd. S2 —1J 123 (5G 5)
Suffolk Rd. Birc —9M 101
Suffolk Rd. Donc —9M 63
Suffolk Vw. Den M —4L 79
Sugworth. —5K 105
Sugworth Rd. S6 —6J 105
Sulby Gro. B'ley —1L 57
Sullivan Gro. S Kirk —8A 20
Summerdale Rd. Cud —2A 38
Summerfield. —1D 122
Summerfield. S10 —1D 122
Summerfield. Roth —7L 95
Summerfield Rd. Dron —7J 135
Summerfields Dri. Blax —9G 67
Summerfield St. S11 —2F 122 (7B 4)
Summer La. S17 —6M 133
Summer La. B'ley —6D 36
Summer La. Emley —3A 14
Summer La. Roy —5J 17
Summer La. Womb —4B 58
Summerley. —8M 135
Summerley Lwr. Rd. App —8M 135
Summerley Rd. App —8M 135
Summer Rd. Roy —5J 17
Summer St. S3 —8F 108 (2A 4)
Summer St. B'ley —6E 36
(in two parts)
Summervale. Holmf —2E 30
Summerwood La. Dron —7G 134
Summerwood Pl. Dron —8G 134
Sumner Rd. Roth —5M 95
Sunbury Ct. S10 —1D 122
Sunderland Gro. Tick —6E 100
Sunderland Pl. Tick —6E 100
Sunderland St. S11 —2F 122
Sunderland St. Tick —6D 100
Sunderland Ter. B'ley —8H 37
Sundew Cft. High G —6E 74
Sundew Gdns. High G —6E 74
Sundown Pl. S13 —3F 124
Sundown Rd. S13 —3F 124
Sunfield Av. Work —6D 142
Sunlea Flats. Roth —6M 95
(off St Leonard's Rd.)
Sunningdale Av. Dart —8B 16
Sunningdale Clo. Donc —9L 65
Sunningdale Clo. Swint —5C 78
Sunningdale Dri. Cud —9C 18
Sunningdale Mt. S11 —6C 122
Sunningdale Rd. Dinn —3D 128
Sunningdale Rd. Donc —2D 64
Sunningdale Rd. Hat W —2H 47
Sunny Av. S Elm —7G 20
Sunny Av. Upt —2F 20
Sunny Bank. S10 —2F 122 (7B 4)
Sunnybank. Denb D —3J 33
Sunny Bank. E'thpe —7K 45
Sunny Bank. High G —7E 74
Sunny Bank. Jump —8N 57
Sunny Bank. Ryh —1A 18
Sunny Bank. Work —6C 142
Sunnybank Cres. B'wth —4J 111
Sunny Bank Dri. Cud —3B 38
Sunny Bank Ri. Else —9A 58
Sunny Bank Rd. Bols —8E 72
Sunny Bank Rd. Silk —8H 35
Sunny Bar. Donc —4A 64
Sunnybrook Clo. Hoy —2M 75
Sunnyfields. —9H 43
Sunnymead. Scis —7A 14
Sunnymede. Work —4D 142
Sunnymede Av. Ask —1M 23
Sunnymede Cres. Ask —1M 23
Sunnymede Ter. Ask —1M 23
Sunnyside. —6H 45
(Kirk Sandall)
Sunnyside. —7H 97
(Rotherham)
Sunnyside. —4C 142
(Worksop)
Sunnyside. Bran —7A 66
Sunnyside. E'thpe —5H 45
Sunnyside Clo. Ans —5C 128
Sunnyvale Av. S17 —6M 133
Sunnyvale Mt. S Elm —6D 20
Sunnyvale Rd. S17 —6M 133
Sunny Vw. Cvn. Pk. A'ley —2K 81
Sunrise Mnr. Hoy —8M 57
Surbiton St. S9 —4B 110
Surrey Clo. B'ley —9G 36
Surrey La. S1 —1J 123 (4G 5)
(in two parts)
Surrey Pl. S1 —9J 109 (4G 5)
Surrey St. S1 —9H 109 (4F 5)
Surrey St. Donc —8M 63
Surtees Clo. Maltby —6C 98
Sussex Clo. Hems —1K 19
Sussex Gdns. Den M —3L 79
Sussex Rd. S4 —7K 109 (1K 5)
Sussex Rd. C'town —9H 75
Sussex St. S4 —7K 109 (1J 5)
Sussex St. Donc —8M 63
Suthard Cross Rd. S10 —8C 108
Sutherland Clo. Cost —3C 130
Sutherland Ho. Donc —1D 64
Sutherland Rd. S4 —6K 109
Sutherland St. S4 —6L 109
Sutton. —4J 23
Sutton Av. B'ley —9G 16
Suttonfield Rd. Sutton —2G 23
(in two parts)
Sutton Rd. Cam —1G 22
Sutton Rd. Kirk S —3K 45
Sutton Rd. Sutton & Ask —4J 23
(in two parts)
Sutton St. S3 —9F 108 (3B 4)
Sutton St. Donc —6L 63
Suzanne Cres. S Elm —6D 20
Swaith Av. Donc —9K 43
Swaithe. —2M 57
Swaithedale. Wors —2K 57
Swaithe Vw. Wors —2L 57
Swale Clo. Bol D —5C 60
Swale Ct. Roth —2M 111
Swaledale. Work —3D 142
Swaledale Dri. Womb —4E 58
Swaledale Rd. S7 —6E 122
Swale Dri. C'town —9F 74
Swale Gdns. S9 —8C 110
Swale Rd. Roth —2G 94
Swallow Clo. Birdw —7G 56
Swallow Clo. Dart —9M 15
Swallow Ct. Ross —5K 83
Swallow Gro. Gate —3A 142
Swallow Hill. —1B 36
Swallow Hill Rd. Bar G —1B 36
Swallow La. Ast —5D 126
Swallownest. —4B 126
Swallownest Ct. Swal —3B 126
Swallowood Ct. Bram —9F 58
Swallow's La. Mosb —2J 137
Swallow Wood Clo. Tree —8L 111
Swallow Wood Ct. S13 —5G 125
Swallow Wood Rd. Swal —5A 126
(Chesterfield Rd.)
Swallow Wood Rd. Swal —4N 125
(Haigh Moor Way)
Swamp Wlk. S6 —5E 108
Swan Bank La. Holmf —4E 30
Swanbourne Pl. S5 —9K 93
Swanbourne Rd. S5 —8K 93
Swan Ct. Gate —3N 141
Swanee Rd. B'ley —9J 37
Swanland Clo. Thorne —4M 27
Swanland Ct. Thorne —4L 27
Swannington Clo. Donc —8L 65
Swan Rd. Ast —5D 126
Swan Skye Dri. Nor —7J 7
Swan St. Baw —7C 102
Swan St. Ben —7M 43
Swan St. Roth —8K 95
Swarcliffe Rd. S9 —7A 110
Sweeney Ho. S'bri —5C 72
Sweep La. Holmf —5F 30
Sweet La. Wadw —7N 81
Sweyn Cft. Wors —2H 57
Swifte Rd. Roth —1N 111
Swift Ri. Thpe H —8A 76
Swift Rd. Gren —5E 92
Swift St. B'ley —5E 36
Swift Way. S2 —2M 123
Swinburne Av. Adw S —3E 42
Swinburne Av. Donc —9M 63
Swinburne Clo. Barn D —9J 25
Swinburne Pl. Roth —8A 96
Swinburne Rd. Roth —8A 96
Swinden La. Mid —9N 51
Swinnock La. Whar S —3H 91
Swinston Hill Gdns. Dinn —3E 128
Swinston Hill Rd. Dinn —3D 128
Swinton. —3C 78
Swinton Bridge. —3E 78
Swinton Meadows Bus. Pk. Swint —3E 78
Swinton Meadows Ind. Est. Swint —3E 78
Swinton Rd. Mexb —2E 78
(in two parts)
Swinton St. S3 —7H 109
Swithen Farm. Haigh —6K 15
Sycamore Av. Arm —9M 45
Sycamore Av. Cud —1B 38
Sycamore Av. Dron —7H 135
Sycamore Av. Grim —3H 39
Sycamore Av. Kiv P —9G 127
Sycamore Av. Wick —8H 97
Sycamore Cen. E'wd T —4A 96
Sycamore Clo. Work —9B 142
Sycamore Ct. Bret —1H 15
Sycamore Ct. Mexb —1D 78
Sycamore Cres. Baw —6B 102
Sycamore Cres. Wath D —1N 77
Sycamore Cft. Holmf —4J 31
(off Lea Gdns.)
Sycamore Dri. Auc —1C 84
Sycamore Dri. Kil —5B 138
Sycamore Dri. Roy —6H 17
Sycamore Dri. Thur —5L 113
Sycamore Farm Clo. Wick —1G 113
Sycamore Flats. Wath D —1M 77
(off Burman Rd.)
Sycamore Grn. Lwr C —1H 33
Sycamore Gro. Con —5M 79
Sycamore Gro. Donc —7J 65
Sycamore Ho. Rd. S5 —7M 93
Sycamore La. Blyth —2N 131
Sycamore La. Bret —1H 15
Sycamore La. Holmf —1G 31
Sycamore La. H'swne —1C 54
Sycamore Ri. Holmf —1H 31
Sycamore Rd. Barn D —1J 45
Sycamore Rd. Carl L —4B 130
Sycamore Rd. E'wd T —4A 96
Sycamore Rd. E'fld —5J 93
Sycamore Rd. Hems —3J 19
Sycamore Rd. Mexb —1D 78
Sycamore Rd. S'bri —6C 72
Sycamores, The. Scawt —8H 43
Sycamore St. B'ley —6D 36
Sycamore St. Beig —7M 125
Sycamore St. Mosb —2J 137
Sycamore Vw. Spro —6H 63
Sycamore Wlk. P'stne —4N 53
Sycamore Wlk. Thurn —8C 40
Syday La. Spin —9C 138
(in two parts)
Sydney Rd. S6 —8E 108
Sydney Ter. B'ley —8G 37
Sykehouse. —4L 9
Sykehouse La. S6 —4F 106
Sykehouse Rd. Syke —3N 9
Sykes Av. B'ley —6E 36
Sykes Ct. Swint —5C 78
Sykes St. King —9E 36
Sylvan Clo. Maltby —7F 98
Sylvester Av. Donc —6N 63
Sylvester Gdns. S1 —1H 123 (6F 5)
Sylvester St. S1 —1H 123 (7E 4)
Sylvestria Ct. Ross —5K 83
Sylvia Clo. S13 —4K 125
Symes Gdns. Donc —6J 65
Symonds Av. Rawm —6J 77
Symons Cres. S5 —9G 93

Tadcaster Clo. Den M —4K 79
Tadcaster Cres. S8 —7G 122
Tadcaster Rd. S8 —7G 122
Tadcaster Way. S8 —7G 122
Taggs Knoll. Bam —7E 118
Taining La. Fish —2B 26
Tait Av. Edl'tn —6F 80
Talbot Av. Barn D —1J 45
Talbot Circ. Barn D —1K 45
Talbot Cres. S2 —1K 123 (5J 5)
Talbot Gdns. S2 —1K 123 (5J 5)
Talbot Pl. S2 —1K 123 (5K 5)
Talbot Rd. S2 —1K 123 (4K 5)
Talbot Rd. Birc —9L 101
Talbot Rd. P'stne —3M 53
Talbot Rd. Swint —3E 78
Talbot Rd. Work —8D 142
Talbot St. S2 —1K 123 (5J 5)
Talmont Rd. S11 —5C 122
Tamar Clo. Hghm —5N 35
Tanfield Clo. Roy —5H 17
Tanfield Rd. S6 —3E 108
Tanfield Way. Wick —9G 96
Tankersley. —2G 75
Tankersley La. Hoy —2G 75
Tankersley Pk. Golf Course. —4F 74
Tank Row. B'ley —7L 37
Tannery Clo. S13 —5H 125
Tannery St. S13 —5H 125
Tan Pit Clo. Clayt —4C 40
Tan Pit La. Clayt —4C 40
Tan Pit La. Gold —4C 60
Tanpit La. Nor —5H 7
Tansley Dri. S9 —9B 94
Tansley St. S9 —9B 94
Tanyard. Dod —1N 55
Tanyard Cft. Brie —6G 19
Taplin Rd. S6 —4C 108
Tapton. S10 —9D 108
Tapton Bank. S10 —1B 122
Tapton Ct. S10 —1C 122
Tapton Cres. Rd. S10 —1B 122
Tapton Hill. —1B 122
Tapton Hill Rd. S10 —9B 108
Tapton Ho. Rd. S10 —1C 122
Tapton M. S10 —9C 108
Tapton Mt. Clo. S10 —1C 122
Tapton Pk. Gdns. S10 —2B 122
Tapton Pk. Mt. S10 —2B 122
Tapton Pk. Rd. S10 —2A 122
Taptonville Cres. S10 —1D 122
Taptonville Rd. S10 —9D 108
Tapton Wlk. S10 —1C 122
Tarleton Clo. Kirk S —4K 45
Tasker Rd. S10 —8C 108
Tasman Gro. Maltby —7C 98
Tatenhill Gdns. Donc —8K 65
Taunton Av. S9 —1B 110
Taunton Gdns. Mexb —9H 61
Taunton Gro. S9 —9B 94
Taverner Clo. High G —5E 74
Taverner Cft. High G —6F 74
Taverner Way. High G —6E 74
Tavistock Rd. S7 —5G 122
Tavy Clo. Bar G —3N 35
Tay Clo. Dron W —8E 134
Taylor Cres. Grim —2H 39
Taylor Cres. W'sett —8J 129
Taylor Dri. W'sett —8J 129
Taylor Hill. Caw —4G 35
Taylor Row. B'ley —8G 37
Taylor Row. Wath D —2K 77
Taylor's Clo. P'gte —3L 95
Taylor's Ct. P'gte —3M 95

Taylor's La.—Top La.

Taylor's La. P'gte —3L 95
Taylor St. Con —4B 80
Tay St. S6 —8E 108 (1A 4)
Teague Pl. Work —7A 142
Teal Ct. Gate —3A 142
Teapot Corner. Clayt —4C 40
Tedgness Rd. Grin —8A 132
Teesdale Rd. S12 —2F 136
Teesdale Rd. Roth —2F 94
Teeside Clo. Donc —2H 63
Telford Rd. Donc —2L 63
Telson Clo. Swint —3N 77
Temperance St. Swint —3C 78
Tempest Av. D'fld —9G 38
Tempest Rd. S Kirk —5B 20
Templar Clo. Thur —6J 113
Templeborough. —1F 110
Templeborough Enterprise Pk. Roth —9J 95
Temple Cres. Braml —9J 97
Temple Gdns. Donc —8K 65
Templestowe Ga. Con —4C 80
Temple Way. B'ley —5L 37
Ten Acre Rd. Roth —5F 94
Tenby Gdns. Donc —8L 63
Tenby Gro. Work —8D 142
Ten Lands La. Ryh —2N 17
Tennyson Av. Arm —1L 65
Tennyson Av. Cam —9G 6
Tennyson Av. Donc —3K 63
Tennyson Av. Mexb —9G 60
Tennyson Av. Thorne —2L 27
Tennyson Clo. Dinn —3E 128
Tennyson Clo. P'stne —3N 53
Tennyson Dri. Work —6E 142
Tennyson Ri. Wath D —7J 59
Tennyson Rd. S6 —6E 108
Tennyson Rd. B'ley —4J 37
Tennyson Rd. Ben —7M 43
Tennyson Rd. Maltby —9E 98
Tennyson Rd. Roth —8N 95
Ten Pound Wlk. Donc —7N 63
Ten Row. Birds —4D 32
Tenter Balk La. Adw S —3E 42
Tenterden Rd. S5 —9N 93
Tenter Hill. Holmf —4K 31
Tenter Hill. Thurls —3K 53
Tenter Hill Rd. New M —1H 31
Tenter Ho. Ct. Denb D —3L 33
Tenter La. P'stne —9C 54
Tenter La. Warm —9G 62
Tenter Rd. Warm —9G 63
Tenters Grn. Wors —3G 57
Tenter St. S1 —8H 109 (2E 4)
Tenter St. Roth —6J 95
Terminus Rd. S7 —8D 122
Terrace Rd. P'gte —1M 95
Terrace, The. S5 —1M 109
Terrace Wlk. S11 —3D 122
Terrey Rd. S17 —5N 133
Terry St. S9 —4B 110
Tetney Rd. S10 —1A 122
Tewitt Rd. Toll B —4L 43
Teynham Dri. S5 —2G 108
Teynham Rd. S5 —2F 108
Thackeray Av. Rawm —7A 78
Thackeray Clo. Work —6E 142
Thacker La. Fish —2B 26
Thames St. Roth —6J 95
Thatch Pl. Roth —2G 95
Theaker La. Aus —9F 102
Thealby Gdns. Donc —8F 64
(in three parts)
Thellusson Av. Donc —1G 63
Theobald Av. Donc —6C 64
Theobald Clo. Donc —6B 64
Theodore Rd. Ask —2J 23
Thicket Dri. Maltby —7F 98
Thicket La. P'stne —7A 54
Thicket La. Wors —3K 57
Thickwoods La. Mid —2D 70
Thievesdale Av. Work —3C 142
Thievesdale Clo. Work —3D 142
Thievesdale La. Work —3C 142
Third Av. Donc F —2D 84
Third Av. Upt —1F 20
Third Av. W'land —4G 42
Third Sq. Stain —5A 26
Thirlmere Ct. Mexb —9J 61
Thirlmere Dri. Ans —5D 128
Thirlmere Dri. Dron —8H 135
Thirlmere Gdns. Kirk S —5J 45
Thirlmere Rd. S8 —6F 122
Thirlmere Rd. B'ley —7H 37
Thirlwall Av. Con —4M 79
Thirlwell Rd. S8 —5H 123
Thirsk Clo. Den M —4K 79
Thistle Dri. Upt —2E 20
Thomas Rd. Stain —6B 26
Thomas St. S1 —1G 123 (5D 4)
(in two parts)
Thomas St. B'ley —8G 36
Thomas St. D'fld —2H 59
Thomas St. Edl'tn —5F 80
Thomas St. Hems —3L 19
Thomas St. Kiln —7E 78
Thomas St. Kiv P —9J 127
Thomas St. Swint —2C 78
Thomas St. Wors —2H 57
Thomas Way. S Elm —5F 20
Thompson Av. Edl'tn —4F 80
Thompson Av. Harw —8J 101
Thompson Clo. Maltby —6C 98
Thompson Clo. Rawm —6J 77
Thompson Clo. Wath D —9M 59
Thompson Dri. Hat —1D 46
Thompson Dri. Swint —5B 78
Thompson Gdns. High G —6D 74
Thompson Hill. High G —7D 74
Thompson Ho. Grn. S6 —9L 89
Thompson Nook. Hat —9D 26
Thompson Rd. S11 —2E 122
Thompson Rd. Womb —5D 58
Thompson Ter. Ask —1L 23
Thomson Av. Donc —8K 63
Thongsbridge Mills. Holmf —1F 30
Thoresby Av. B'ley —5K 37
Thoresby Av. Donc —6C 64
Thoresby Clo. Ast —4E 126
Thoresby Rd. S6 —5D 108
Thornborough Clo. S2 —4K 123
Thornborough Pl. S2 —4K 123
Thornborough Rd. S2 —4J 123
Thornbridge Av. S12 —8D 124
Thornbridge Clo. S12 —8D 124
Thornbridge Cres. S12 —8E 124
Thornbridge Dri. S12 —8D 124
Thornbridge Gro. S12 —8D 124
Thornbridge La. S12 —8E 124
Thornbridge Pl. S12 —8D 124
Thornbridge Ri. S12 —8E 124
Thornbridge Rd. S12 —9D 124
Thornbridge Way. S12 —8E 124
Thornbrook Clo. C'town —9J 75
Thornbrook Gdns. C'town —8J 75
Thornbrook M. C'town —8H 75
Thornbury Hill La. Firb —5N 115
Thorncliffe Clo. Swal —5A 126
Thorncliffe Gdns. Auc —8C 66
Thorncliffe Ind. Est. C'town —6G 75
Thorncliffe La. C'town —7G 74
Thorncliffe La. Emley —2A 14
Thorncliffe Pk. Est. C'town —7H 75
Thorncliffe Rd. C'town —6H 75
Thorncliffe Vw. C'town —7G 75
Thorncliffe Vs. C'town —7G 74
Thorncliffe Way. Tank —1F 74
Thorndale Ri. B'wth —4K 111
Thorne. —2K 27
Thorne & Dikesmarsh Rd. Thorne —7J 11
Thorne Clo. B'ley —1F 36
Thorne Clo. Harw —9G 101
Thorne End Rd. M'well —7C 16
Thorne Golf Course. —3H 27
Thornely Av. Dod —8A 36
Thorne Rd. S7 —6F 122
Thorne Rd. Aus —9E 84
Thorne Rd. Baw —5D 102
Thorne Rd. Blax —9G 66
Thorne Rd. Donc —4A 64
Thorne Rd. E'thpe —7H 45
Thorne Rd. Hat —9G 26
Thorne Rd. Sandt —3H 49
Thorne Rd. Stain —5B 26
Thorne Sports Cen. —2L 27
Thorne Waste Drain Rd. Thorne —8B 12
Thorn Gth. Donc —1L 63
Thornham Clo. Arm —2L 65
Thornham La. Arm —1B 66
Thorn Hill. —6J 95
Thornhill Av. B'wth —5H 111
Thornhill Av. Donc —1E 64
Thornhill Edge. Roth —6J 95
Thornhill La. Bam —7A 118
Thornhill Pl. Wath D —9L 59
Thornhill Rd. Harw —9G 101
Thorn Ho. La. Whar S —2H 91
Thorn La. Donc —6G 44
Thornlea Ct. Edl'tn —5E 80
Thornley Cotts. Dod —9A 36
Thornley Sq. Dod —9A 36
Thornley Sq. Thurn —8A 40
Thornley Vs. Birdw —8F 56
Thorn Rd. Kiln —5C 78
Thornseat. —8M 89
Thornseat Rd. S6 —8K 89
Thornsett Ct. S11 —3F 122
Thornsett Gdns. S17 —3A 134
Thornsett Rd. S7 —3F 122
Thornton Clo. Hems —4K 19
Thornton Ct. Upt —1J 21
Thornton Dale. Work —3E 142
Thorntondale Rd. Donc —9H 43
Thornton Pl. Dron W —9D 134
Thornton Rd. B'ley —9K 37
Thornton St. Roth —8E 94
Thornton Ter. B'ley —9K 37
Thornton Ter. Roth —8E 94
Thorntree Clo. Thpe H —1N 93
Thorntree La. B'ley —5E 36
Thorntree Rd. Thpe H —2N 93
Thornwell Gro. Cud —2A 38
Thornwell La. Thpe H —8N 75
Thorogate. Rawm —7L 77
Thorold Pl. Kirk S —3J 45
Thorp Av. Holmf —4F 30
Thorp Clo. S2 —3H 123
Thorpe Av. Coal A —6K 135
Thorpe Bank. Barn D —7F 24
(in two parts)
Thorpe Bridle Rd. Kiv S —2B 140
Thorpe Common. —2N 93
Thorpe Dri. Wat —1L 137
Thorpefield Clo. Thpe H —9N 75
Thorpefield Dri. Thpe H —9N 75
Thorpe Grange La. H'lme —5A 24
Thorpe Grn. Wat —1K 137
Thorpehall Rd. Kirk S —5K 45
(in two parts)
Thorpe Hesley. —9N 75
Thorpe Ho. Av. S8 —7J 123
Thorpe Ho. Ri. S8 —7H 123
Thorpe Ho. Rd. S8 —7H 123
Thorpe in Balne. —7E 24
Thorpe La. Ask —8D 24
Thorpe La. Denb D —1K 33
Thorpe La. Spro —6F 62
Thorpe La. Thor S & S'oaks —4G 140
Thorpe Marsh. —9F 24
Thorpe Marsh Nature Reserve. —1C 44
Thorpe Mere Rd. Ark —1D 44
Thorpe Mere Vw. Ark —9D 24
Thorpe Rd. H'hill —3K 139
Thorpe Salvin. —3C 140
Thorpes Av. Denb D —1K 33
Thorpe St. Thpe H —9M 75
Three Hills Clo. Thry —2E 96
Three Nooks La. Cud —8B 18
Threshfield Way. S12 —8H 125
Threshold La. Syke —7D 10
Thrislington Sq. Moor —6M 11
Throapham. —9D 114
Thrush Av. B'wth —4K 111
Thrush St. S6 —6C 108
Thruxton Clo. Cud —1C 38
Thrybergh. —2E 96
Thrybergh Country Pk. & Reservoir. —9G 78
Thrybergh Country Pk. Vis. Cen. —9F 78
Thrybergh Ct. Den M —3N 79
Thrybergh Hall Rd. Rawm —8A 78
Thrybergh La. Thry —2F 96
Thrybergh Sports Cen. —3E 96
Thundercliffe Rd. Roth —6B 94
Thurcroft. —5K 113
Thurcroft Ho. Donc —5N 63
(off St James St.)
Thurcroft Ind. Est. Thur —4K 113
Thurgoland. —8H 55
Thurgoland Bank. T'land —7F 54
Thurgoland Hall La. T'land —8H 55
Thurlstone. —3K 53
Thurlstone Rd. P'stne —4L 53
Thurnscoe. —8B 40
Thurnscoe Bri. La. Thurn —1C 60
Thurnscoe East. —8D 40
Thurnscoe La. Gt Hou —7L 39
Thurnscoe La. Bus. Pk. Thurn —9D 40
Thurnscoe Rd. Bol D —5B 60
Thurstan Av. S8 —2F 134
Tiber Vw. B'wth —3J 111
Tickhill. —6D 100
Tickhill Bk. La. Tick —3J 99
Tickhill Castle. —7D 100
Tickhill Rd. Baw —6C 102
Tickhill Rd. Donc —8L 63
(in two parts)
Tickhill Rd. Harw —7H 101
Tickhill Rd. Maltby & Tick —8F 98
Tickhill Sq. Den M —3L 79
Tickhill St. Den M —2L 79
Tickhill Way. Ross —6L 83
Tideswell Rd. S5 —1K 109
Tideworth Hague La. Syke —4A 10
Tideworth La. Syke —4A 10
Tiercel M. Dinn —2C 128
Tilford Rd. S13 —5J 125
Tillotson Clo. S8 —5H 123
Tillotson Ri. S8 —5H 123
Tillotson Rd. S8 —5H 123
Tilts. —1N 43
Tiltshills. —1M 43
Tiltshills La. Ben —1L 43
Tilts La. Ben —1N 43
(in two parts)
Timothy Wood Av. Birdw —7G 56
Tingle Bri. Av. H'fld —8C 58
Tingle Bri. Cres. H'fld —8C 58
Tingle Bri. La. H'fld —8C 58
Tingle Clo. H'fld —8C 58
Tinker Bottom. S6 —3B 106
Tinker La. S6 & S10 —7C 108
Tinker La. Hoy —9H 57
Tinker Rd. Rawm —8N 77
Tinker's Hill. Carl L —6D 130
Tinsley. —2E 110
Tinsley Ind. Est. S9 —6C 110
Tinsley Pk. Clo. S9 —5C 110
Tinsley Pk. (Public) Golf Course. —7F 110
Tinsley Pk. Rd. S9 —6B 110
(in two parts)
Tinsley Rd. Hoy —8L 57
Tipping La. Emley —2A 14
Tippit La. Cud —3C 38
Tipsey Ct. M'well —8E 16
Tipsey Hill. M'well —8E 16
Tipton St. S9 —1A 110
Tithe Barn Av. S13 —4H 125
Tithe Barn Clo. S13 —4J 125
Tithe Barn Ct. Adw D —7E 60
Tithe Barn La. S13 —5H 125
Tithebarn La. Thorne —2L 27
Tithe Barn Way. S13 —4H 125
Tithe Laithe. Hoy —9M 57
Tithes La. Tick —6D 100
Titterton Clo. S9 —6A 110
Titterton St. S9 —6A 110
Tiverton Clo. Swint —4C 78
Tivy Dale. —4G 34
Tivy Dale. Caw —4G 34
Tivy Dale Clo. Caw —4G 34
Tivy Dale Dri. Caw —4G 34
Tivydale Dri. Dart —1N 35
Toadham La. Balne —1B 8
Toad Holes La. Ross —3J 83
Toad La. Bram M —7J 113
Toad's Mouth. —4C 132
Toby Wood La. Denb D —4G 32
Tockwith Rd. S9 —7B 110
Todmorden Clo. Den M —3K 79
Todwick. —6K 127
Todwick Grange. Tod —4K 127
Todwick Ho. Gdns. Tod —5K 127
Todwick Rd. S8 —8F 122
Todwick Rd. Ast —3M 127
Todwick Rd. Ind. Est. Dinn —2N 127
Toecroft La. Spro —6D 62
Tofield Rd. Wadw —6L 81
Toft Hill La. Misson —6K 103
Tofts. —8L 107
Tofts La. S6 —8L 107
Tofts La. P'stne —1B 72
Toftstead. Arm —2L 65
Toftwood Av. S10 —8B 108
Toftwood Rd. S10 —8C 108
Togo Bldgs. Thurn —9B 40
Togo St. Thurn —9B 40
Toll Bar. —4L 43
Toll Bar Av. S12 —6M 123
Toll Bar Clo. S12 —6M 123
Tollbar Clo. Oxs —7D 54
Toll Bar Dri. S12 —6N 123
Toll Bar Rd. S12 —6M 123
Toll Bar Rd. Roth —8D 96
Toll Bar Rd. Swint —4A 78
Tollgate Ct. S3 —5J 109
Toll Ho. Mead. Mosb —3K 137
Tollsby La. Hat —1D 46
Tombridge Cres. Kins —1G 19
Tom La. S10 —2M 121
Tomlinson Rd. Else —9N 57
Tom Wood Ash La. Upt —2J 21
Tooker Rd. Roth —8L 95
Topcliffe Rd. B'ley —3H 37
Top Farm Ct. Baw —6C 102
(off Top St.)
Top Fld. La. Roth —5C 96
Top Fold. Ard —8A 38
Top Fold Cotts. Old De —4H 79
Top Hall Rd. Donc —9J 65
Topham. —3K 9
Topham Ferry La. Syke —3K 9
Top Ho. Ct. Kir Sm —4B 6
Top La. B'wte —3K 25
Top La. Bret —1F 14
Top La. Clayt —4A 40

Top La. *Donc* —8E **64**
Top La. *S'ton* —5G **98**
Top Orchard. *Ryh* —1B **18**
Toppham Dri. *S8* —4G **134**
Toppham Rd. *S8* —4G **135**
Toppham Way. *S8* —4G **134**
Top Rd. *Barn D* —1J **45**
Top Rd. *Lwr C* —1H **33**
Top Rd. *Misson* —2K **103**
Top Rd. *Worr* —8M **91**
Top Row. *Dart* —6N **15**
Top Side. *Gren* —4C **92**
Tops, The. *Rawm & P'gte* —8J **77**
(in two parts)
Top St. *Baw* —6C **102**
Top St. *Hems* —2J **19**
Top Ter. S10 —9D **108**
(off Parker's La.)
Top Tree Way. *Thry* —2E **96**
Top Vw. Cres. *Edl'tn* —6F **80**
Top Warren. *C'town* —6J **75**
Torbay Rd. *S4* —5L **109**
Tor Clo. *B'ley* —3J **37**
Torksey Clo. *Donc* —1H **83**
Torksey Rd. *S5* —9L **93**
Torksey Rd. W. *S5* —9L **93**
Torne Clo. *Donc* —9K **65**
Torne Vw. *Auc* —7C **66**
Torrington Clo. *Adw S* —2E **42**
Torry Ct. *S13* —5J **125**
Tortmayns. *Tod* —6K **127**
Torver Dri. *Bol D* —6B **60**
Tor Way. *B'wth* —4K **111**
Tor Wood Dri. *S8* —3F **134**
Totley. —6M **133**
Totley Brook. —5N 133
Totley Brook Clo. *S17* —5M **133**
Totley Brook Cft. *S17* —5M **133**
Totley Brook Glen. *S17* —4M **133**
Totley Brook Gro. *S17* —5M **133**
Totley Brook Rd. *S17* —5M **133**
Totley Brook Way. *S17* —5M **133**
Totley Clo. *B'ley* —1J **37**
Totley Grange Clo. *S17* —6M **133**
Totley Grange Dri. *S17* —6M **133**
Totley Grange Rd. *S17* —6M **133**
Totley Hall Cft. *S17* —7M **133**
Totley Hall Dri. *S17* —6M **133**
Totley Hall La. *S17* —6M **133**
Totley Hall Mead. *S17* —7M **133**
Totley La. *S17* —6B **134**
(Longford Rd.)
Totley La. *S17* —6A **134**
(Mickley La., in two parts)
Totley Rise. —5A 134
Totties. —3H **31**
Totties La. *New M* —3H **31**
Tourist Info. Cen. —7G **36**
(Barnsley)
Tourist Info. Cen. —4A **64**
(Doncaster)
Tourist Info. Cen. —3E **30**
(Holmfirth)
Tourist Info. Cen. —6L **95**
(Rotherham)
Tourist Info. Cen. —9H **109** (4G **5**)
(Sheffield)
Tourist Info. Cen. —7C **142**
(Worksop)
Towcester Way. *Mexb* —9H **61**
Tower Av. *Upt* —1F **20**
Tower Clo. *S2* —3K **123**
Tower Clo. *Scawt* —7H **43**
Tower Dri. *S2* —3K **123**
Tower St. *B'ley* —9F **36**
Town Edge Cotts. *S6* —8D **90**
Town End. —1G 30
(Holmfirth)
Town End. —7N 107
(Stannington)
Town End. —6H 73
(Stocksbridge)
Town End. *App* —9A **136**
Town End. *Donc* —3M **63**
Town End Av. *Ast* —3D **126**
Townend Av. *Dalt* —4D **96**
Town End Av. *Holmf* —1G **30**
Townend Clo. *Holmf* —1G **30**
Town End Cres. *Holmf* —1G **30**
Town End Ind. Est. *Donc* —3L **63**
Townend La. *Deep* —7G **73**
Town End Rd. *E'fld* —5G **93**
Town End Rd. *Holmf* —2F **30**
Townend St. *S10* —7D **108**
Townfield La. *Bam* —9B **118**
Town Fld. La. *Whar S* —2H **91**
Town Fields Av. *E'fld* —5K **93**
Town Fld. Vs. *Donc* —4B **64**
Town Ga. *Hep* —6J **31**

Town Ga. *Holmf* —3E **30**
Towngate. *M'well* —8C **16**
Town Ga. *N'thng* —1D **30**
Town Ga. *N'thng* —1D **30**
Towngate. *Silk* —8H **35**
Towngate. *Thurls* —3K **53**
Town Ga. *U'thng* —3B **30**
Towngate Gro. *Worr* —8M **91**
Towngate Rd. *Worr* —8L **91**
Town Hall St. *Holmf* —3E **30**
Townhead. —3L 133
(Dore)
Townhead. —5K 51
(Sheffield)
Town Head. —1A 108
(Worrall)
Townhead La. *Bam* —7C **118**
Townhead Rd. *S17* —3L **133**
Townhead St. *S1* —9H **109** (3E **4**)
Town Ing Rd. *Fish* —1E **26**
Town La. *Roth* —3D **94**
Town Moor Av. *Donc* —3C **64**
Town St. *S9* —1D **110**
Town St. *Hems* —2J **19**
Town St. *Roth* —6K **95**
Town Vw. Av. *Scaw* —8F **42**
Town Wells Ct. *Ans* —6B **128**
Toyne St. *S10* —8C **108**
Traditional Heritage Mus. —3D **122**
Trafalgar Ct. *S1* —1G **123** (5D **4**)
Trafalgar Ho. *Carc* —8G **23**
Trafalgar Rd. *S6* —9D **92**
Trafalgar St. *S1* —9G **109** (4D **4**)
Trafalgar St. *Carc* —8G **22**
Trafalgar Way. *Carc* —8G **22**
Trafford Ct. *Donc* —4N **63**
Trafford Rd. *Nor* —7H **7**
Trafford Way. *Donc* —4N **63**
Tranker La. *S'oaks* —3L **141**
Tranmoor Av. *Donc* —8H **65**
Tranmoor Ct. *Hoy* —1J **75**
Tranmoor La. *Arm* —2L **65**
(in two parts)
Travis Gro. *Thorne* —2M **27**
Travis Av. *Thorne* —2L **27**
Travis Clo. *Thorne* —2L **27**
Travis Gdns. *Donc* —6K **63**
(in three parts)
Travis Pl. *S10* —1F **122** (6B **4**)
Tredis Clo. *B'ley* —5J **37**
Treecrest Ri. *B'ley* —4F **36**
Treefield Clo. *Roth* —2G **95**
Treelands. *B'ley* —5C **36**
Tree La. *Wort* —8A **74**
Tree Root Wlk. *S10* —9E **108**
Treeton. —8L 111
Treeton Enterprise Cen. *Tree* —9M **111**
Treeton Ho. Donc —5N **63**
(off St James St.)
Treeton La. *Aug* —9B **112**
Treeton La. *Cat* —7K **111**
Treetown Cres. *Tree* —7L **111**
Treherne Rd. *Roth* —8M **95**
Trelawney Wlk. *Wors* —2G **57**
Trent Clo. *Edl'tn* —3G **80**
Trent Gdns. *Kirk S* —3J **45**
Trent Gro. *Dron* —7J **135**
Trentham Clo. *B'wth* —4K **111**
Trenton Clo. *Woodh* —5K **125**
Trenton Ri. *Woodh* —5K **125**
Trent St. *S9* —6M **109**
Trent St. *Work* —6B **142**
Trent Ter. *Con* —3A **80**
Trent Vs. *Kiv P* —9J **127**
Treswell Cres. *S6* —4D **108**
Trewan Ct. *B'ley* —5J **37**
Trickett Rd. *S6* —5D **108**
Trickett Rd. *High G* —6D **74**
Trigg Ter. *Hems* —2K **19**
Trigot Ct. *S Kirk* —6B **20**
Trinity Ct. *S Elm* —5F **20**
Trinity Dri. *Denb D* —3J **33**
Trinity Meadows. *T'land* —8H **55**
Trinity Rd. *Kiv P* —9L **127**
Trinity St. *S3* —8H **109** (1E **4**)
Trinity Way. *S Elm* —5F **20**
Trippet Ct. *S10* —3A **122**
Trippet La. *S1* —9G **109** (3D **4**)
Tristford Clo. *Cat* —6K **111**
Troon Rd. *Hat* —1E **46**
Troon Wlk. *Dinn* —3D **128**
Trouble Wood La. *S6* —9E **90**
Trough Dri. *Thry* —3F **96**
Trough La. *S Elm* —6H **21**
Troutbeck Clo. *Thurn* —9B **40**
Troutbeck Rd. *S7* —7F **122**

Troutbeck Way. *New R* —7H **83**
Troway. —6B 136
Trowell Way. *B'ley* —9G **17**
Trueman Ct. *Work* —5E **142**
Trueman Grn. *Maltby* —7C **98**
Trueman Ter. *B'ley* —6M **37**
Trueman Way. *S Elm* —5F **20**
Truman Gro. *Deep* —5H **73**
Truman St. *Ben* —7L **43**
Trumfleet. —5F 24
Trumfleet La. *Moss* —9E **8**
Trundle La. *Fish* —1A **26**
Truro Av. *Donc* —8E **44**
Truro Ct. *B'ley* —5J **37**
Truswell Av. *S10* —8B **108**
Truswell Rd. *S10* —9B **108**
Tuby's Cvn. Site. *Stain* —7A **26**
Tudor Ct. *Barn D* —2J **45**
Tudor Ct. *S Elm* —6E **20**
Tudor Rd. *Donc* —3D **64**
Tudor Rd. *W'land* —5G **42**
Tudor Sq. *S1* —9J **109** (4G **5**)
Tudor St. *New R* —6J **83**
Tudor St. *Thurn* —8D **40**
Tudor Way. *Wors* —2H **57**
Tudworth Fld. Rd. *Hat* —7K **27**
Tudworth Rd. *Hat* —9J **27**
Tudworth Rd. *Thorne* —5J **27**
Tuffolds Clo. *S2* —4A **124**
Tulip Tree Clo. *Beig* —6N **125**
Tullibardine Rd. *S11* —5C **122**
Tulyar Clo. *New R* —7J **83**
Tumbling La. *B'ley* —2N **37**
Tummon Rd. *S2* —1M **123**
Tummon St. *Roth* —7H **95**
Tune St. *B'ley* —8H **37**
Tune St. *Womb* —5C **58**
Tun La. *S Hien* —3D **18**
Tunwell Av. *S5* —6J **93**
Tunwell Dri. *S5* —6J **93**
Tunwell Greave. *S5* —6J **93**
Tunwell Rd. *Maltby* —3A **114**
Tup La. *Have* —1C **18**
Turf Moor Rd. *Hat W* —3K **47**
Turie Av. *S5* —7H **93**
Turie Cres. *S5* —7H **93**
Turnberry. *Work* —5E **142**
Turnberry Ct. *Ben* —8L **43**
Turnberry Gro. *Cud* —9C **18**
Turnberry Way. *Dinn* —4D **128**
Turner Av. *Womb* —4B **58**
Turner Bus. Pk. *S13* —1E **124**
Turner Clo. *Dron* —9G **134**
Turner Clo. *P'gte* —1N **95**
Turner Dri. *Work* —6C **142**
Turner La. *Whis* —3A **112**
Turner Mus. of Glass. —3C **4**
Turner Rd. *Work* —6B **142**
Turner Rd. Ind. Est. *Work* —6B **142**
Turner's Clo. *Jump* —8N **57**
Turners La. *S10* —1D **122**
Turner St. *S2* —1J **123** (5G **5**)
Turner St. *Gt Hou* —7L **39**
Turnesc Gro. *Thurn* —9C **40**
Turnpike Cft. *Gren* —4D **92**
Turnshaw Av. *Aug* —2B **126**
Turnshaw Rd. *Ulley* —2D **126**
Turvill Syke Rd. *Syke* —3M **9**
Tutbury Gdns. *Donc* —8K **65**
Tuxford Cres. *B'ley* —6L **37**
Tween Woods La. *Wadw* —5K **81**
Twelve Lands Clo. *Tank* —1F **74**
Twelve O'Clock Ct. *S4* —7K **109**
Twenty Lands, The. *Tree* —9L **111**
Twentywell Ct. S17 —3B **134**
(off Ladies Spring Ct.)
Twentywell Dri. *S17* —4C **134**
Twentywell La. *S17* —3B **134**
Twentywell Ri. *S17* —4C **134**
Twentywell Rd. *S17* —5C **134**
Twentywell Vw. *S17* —5C **134**
Twibell St. *B'ley* —5H **37**
Twickenham Clo. *Half* —4L **137**
Twickenham Ct. *Half* —4L **137**
Twickenham Cres. *Half* —4L **137**
Twickenham Glade. *Half* —4L **137**
Twickenham Glen. *Half* —5M **137**
Twickenham Gro. *Half* —4L **137**
Twitchill Dri. *S13* —5H **125**
Two Acres. *Blyth* —1L **131**
Two Gates Way. *Shaf* —7C **18**
Twyford Clo. *Swint* —3N **77**
Tyas Pl. *Mexb* —1H **79**
Tyas Rd. *S5* —6H **93**
Tye Rd. *Beig* —8N **125**
Tyers Hill. —7D 38
Tylden Rd. *Rhod* —5L **141**
Tylden Way. *Rhod* —5L **141**
Tyler St. *S9* —2B **110**

Tyler Way. *S9* —1B **110**
Tylney Rd. *S2* —1L **123**
Tynedale Ct. *Kirk S* —4K **45**
Tynker Av. *Beig* —8N **125**
Tyzack Rd. *S8* —9F **122**

Ughill. —3B 106
Ughill Rd. *S6* —2B **106**
Uldale Wlk. *Carc* —8G **23**
Ulley. —8D 112
Ulley Beeches. *Thur* —9G **113**
Ulley Country Pk. —9B **112**
Ulley Country Pk. Vis. Cen. —9B **112**
Ulley Cres. *S13* —4B **124**
Ulley La. *Ast* —2D **126**
Ulley La. *Aug* —1C **126**
Ulley Rd. *S13* —4B **124**
Ulley Vw. *Aug* —1C **126**
Ulley Water Activities Cen. —8B **112**
Ullswater Av. *Half* —4L **137**
Ullswater Clo. *Ans* —4C **128**
Ullswater Clo. *Bol D* —6B **60**
Ullswater Clo. *Dron W* —8F **134**
Ullswater Clo. *Half* —4L **137**
Ullswater Dri. *Dron W* —9F **134**
Ullswater Pk. *Dron W* —8F **134**
Ullswater Pl. *Dron W* —8F **134**
Ullswater Rd. *B'ley* —8B **38**
Ullswater Rd. *Mexb* —9J **61**
Ullswater Wlk. *Donc* —9G **43**
Ulrica Dri. *Thur* —6K **113**
Ulverston Av. *Ask* —1N **23**
Ulverston Rd. *S8* —7F **122**
Under Bank. —4F 30
(Holmfirth)
Underbank. —6K 107
(Stannington)
Underbank Ho. *S10* —2H **121**
Underbank La. *S'bri* —3A **72**
Underbank Old Rd. *Holmf* —4F **30**
Underbank Outdoor Activities Cen.
—3N **71**
Undercliffe Rd. *S6* —7A **108**
Undergate Rd. *Dinn* —1C **128**
Underhill. *Wors* —3J **57**
Underhill La. *S6* —8C **92**
Under Tofts. —8M 107
Underwood Av. *Wors* —1J **57**
Underwood Gdns. *Work* —7N **141**
Underwood Rd. *S8* —7G **122**
Union Ct. *B'ley* —8G **37**
Union La. *S1* —1H **123** (6E **4**)
(in two parts)
Union Rd. *S11* —5E **122**
Union Rd. *Thorne* —2J **27**
Union St. *S1* —1H **123** (5F **5**)
Union St. *B'ley* —8G **36**
Union St. *Donc* —5N **63**
Union St. *H'hill* —3K **139**
Union St. *Hems* —3L **19**
Union St. *Roth* —7H **95**
Unity Pl. *Roth* —7K **95**
Universal Clo. *N Ans* —3N **127**
Universal Cres. *N Ans* —3N **127**
Unsliven Rd. *S'bri* —3A **72**
Unstone Dronfield By-Pass. *Dron*
—9G **134**
Unstone St. *S2* —2H **123** (7E **4**)
Unwin Cres. *P'stne* —5N **53**
Unwin St. *P'stne* —5N **53**
Uplands Av. *Dart* —9L **15**
Uplands Rd. *Arm* —1M **65**
Uplands Way. *Rawm* —8L **77**
Up. Albert Rd. *S8* —7H **123**
Up. Allen St. *S3* —8G **108** (2C **4**)
Up. Ash Gro. *S Elm* —6F **20**
Up. Bank End Rd. *Holmf* —5F **30**
Upper Bradway. —5C 134
Up. Castle Folds. *S1* —2H **5**
Up. Clara St. *Roth* —7F **94**
Up. Cliffe Rd. *Dod* —8N **35**
Upper Common. —9B 14
Upper Comn. La. *Clayt W* —9B **14**
Upper Crabtree. —3K 109
Upper Cudworth. —8C 18
Upper Cumberworth. —2F 32
Upper Denby. —5J 33
Upperfield Clo. *Maltby* —7D **98**
Up. Field La. *H Hoy* —8E **14**
Upperfield Rd. *Maltby* —7C **98**
Upper Folderings. *Dod* —9A **36**
Up. Forest Rd. *B'ley* —9G **16**
Upper Gate. —7K 107
Upper Ga. *Hep* —6J **31**
Uppergate Rd. *S6* —7K **107**
Up. Hanover St. *S3* —1F **122** (5B **4**)
(in two parts)
Upper Haugh. —7K 77

Up. High Royds. *Dart* —9B **16**
Upper Ho. Fold. *Up Den* —5J **33**
Up. House Rd. *Holmf* —8G **31**
Upper Hoyland. —8K 57
Up. Hoyland Rd. *Hoy* —7J **57**
Up. Kenyon St. *Thorne* —1K **27**
Upper La. *Emley* —3A **14**
Up. Ley Ct. *C'town* —1H **93**
Up. Ley Dell. *C'town* —9H **75**
Up. Lunns Clo. *Roy* —6M **17**
Up. Maythorn La. *Holmf* —8A **32**
Up. Meadows. *U'thng* —3B **30**
Upper Midhope. —2G 70
Upper Millgate. *Roth* —7K **95**
Up. New St. *B'ley* —8G **36**
Up. Putting Mill. *Denb D* —1L **33**
Up. Rye Clo. *Whis* —3C **112**
Up. School La. *Dron* —9J **135**
Up. Sheffield Rd. *B'tley* —9H **75**
Upper Swithen. —6K 15
Upper Tankersley. —3F 74
Upperthong. —3B 30
Upperthong La. *Holmf* —3B **30**
Upperthorpe. —5C 138
(Killamarsh)
Upperthorpe. —7F 108 (1B 4)
(Sheffield)
Upperthorpe. *S6* —7E **108**
(in two parts)
Upperthorpe Glen. *S6* —7E **108**
Upperthorpe Rd. *S6* —7F **108** (1C **4**)
Upperthorpe Rd. *Kil* —5C **138**
Upperthorpe Vs. *Kil* —5C **138**
Up. Valley Rd. *S8* —6H **123**
Upper Whiston. —5C 112
Up. Whiston La. *Whis* —5B **112**
Upperwood Rd. *D'fld* —1E **58**
Up. Wortley Rd. *Thpe H & Roth* —1M **93**
Upton. —1J 21
Upton Beacon. —2F 20
Upton Clo. *Maltby* —6C **98**
Upton Clo. *Womb* —3B **58**
Upwell Hill. *S4* —3M **109**
Upwell La. *S4* —3M **109**
Upwell St. *S4* —3M **109**
Upwood Rd. *S6* —3C **108**
Urban Rd. *Donc* —6L **63**
Urch Clo. *Con* —5A **80**
Utah Ter. *S12* —8J **125**
Uttley Clo. *S9* —6B **110**
Uttley Cft. *S9* —6B **110**
Uttley Dri. *S9* —6B **110**
Uttoxeter Av. *Mexb* —9H **61**

Vaal St. *B'ley* —8J **37**
Vainor Rd. *S6* —2B **108**
Vale Av. *Thry* —3E **96**
Vale Clo. *Dron* —9J **135**
Vale Cres. *Thry* —3E **96**
Vale Gro. *S6* —4N **107**
Valentine Clo. *S5* —8K **93**
Valentine Cres. *S5* —8K **93**
(in two parts)
Valentine Rd. *S5* —8K **93**
Vale Rd. *S3* —5G **108**
Vale Rd. *Thry* —3E **96**
Valestone Av. *Hems* —2L **19**
Valetta Ho. P'gte —1M **95**
(off Netherfield La.)
Vale Vw. *Oxs* —7D **54**
Valiant Gdns. *Spro* —4J **63**
Valley Av. *S Elm* —6G **21**
Valley Dri. *Bran* —7N **65**
Valley Dri. *Kil* —3C **138**
Valley Dri. *Wath D* —9L **59**
Valley Pk. Ind. Est. *Womb* —6G **59**
Valley Rd. *S8* —5H **123**
Valley Rd. *S12* —8J **125**
Valley Rd. *High G* —8F **74**
Valley Rd. *Kil* —3C **138**
Valley Rd. *M'well* —8B **16**
Valley Rd. *Swint* —4A **78**
Valley Rd. *Womb* —3E **58**
Valley Rd. *Work* —3B **142**
Valley St. *S Elm* —7E **20**
Valley Vw. *S Elm* —6G **21**
Valley Vw. Clo. *Eck* —8J **137**
Valley Way. *Hoy* —9M **57**
Valley Way. *Womb* —5E **58**
Vancouver Dri. *Bol D* —5A **60**
Varley Gdns. *Flan* —7G **97**
Varney Rd. *Wath D* —1L **77**
Varsity Clo. *Lind* —9J **47**
Vaughan Av. *Donc* —3A **64**
Vaughan Rd. *B'ley* —5C **36**
Vaughan Rd. *Cam* —9H **7**
Vaughan Ter. *Gt Hou* —6L **39**
Vaughton Hill. *Deep* —6H **73**

Vauxhall Clo. *S9* —9B **94**
Vauxhall Rd. *S9* —9B **94**
Velvet Wood Clo. *B'ley* —5B **36**
Venetian Cres. *D'fld* —2F **58**
Ventnor Clo. *Donc* —8K **63**
Ventnor Ct. *S7* —3G **122**
Ventnor Pl. *S7* —3G **122**
Venus Ct. *B'wth* —2J **111**
Verdant Way. *S5* —8L **93**
Verdon St. *S3* —6J **109**
Verelst Av. *Ast* —2C **126**
Vere Rd. *S6* —2D **108**
Verger Clo. *Ross* —5K **83**
Vermuyden Rd. *Moor* —7M **11**
Vermuyden Vs. *Sandt* —3H **49**
Vernon Clo. *B'ley* —9G **37**
Vernon Cres. *Wors* —2G **56**
Vernon Delph. *S10* —9A **108**
Vernon Dri. *Laught* —9H **75**
Vernon Rd. *S17* —4N **133**
Vernon Rd. *Roth* —1A **112**
Vernon Rd. *Wors* —2G **57**
Vernon St. *B'ley* —6G **37**
Vernon St. *Birdw* —9G **56**
Vernon St. *Hoy* —1K **75**
Vernon St. N. *B'ley* —6G **37**
Vernon Ter. *S10* —1B **122**
Vernon Way. *B'ley* —5C **36**
Vernon Way. *Maltby* —7C **98**
Verona Ri. *D'fld* —2G **58**
Vesey St. *Rawm* —1M **95**
Vessey Rd. *Work* —3B **142**
Vicarage Clo. *Ben* —8K **65**
Vicarage Clo. *Gren* —5D **92**
Vicarage Clo. *Hoy* —9M **57**
Vicarage Clo. *Mexb* —2H **79**
Vicarage Clo. *Roth* —5C **96**
Vicarage Clo. *S Kirk* —6B **20**
Vicarage Cres. *Gren* —5D **92**
Vicarage Dri. *Wadw* —7M **81**
Vicarage Farm Ct. *Silk* —8J **35**
Vicarage La. *S17* —3M **133**
Vicarage La. *Roth* —7K **95**
Vicarage La. *Roy* —6K **17**
Vicarage Rd. *S9* —5N **109**
Vicarage Rd. *Gren* —5D **92**
Vicarage Wlk. *P'stne* —4N **53**
Vicarage Way. *Ark* —6B **44**
Vicar Cres. *D'fld* —2H **59**
Vicar La. *S1* —9H **109** (3F **5**)
Vicar La. *Misson* —2L **103**
Vicar La. *Woodh* —4H **125**
Vicar Rd. *D'fld* —2H **59**
Vicar Rd. *Wath D* —8L **59**
Vicar's Wlk. *Crow* —8M **29**
Vicar's Wlk. *Work* —8C **142**
Vickers Av. *S Elm* —8D **20**
Vickers Dri. *S5* —1L **109**
Vickers Rd. *S5* —1L **109**
Vickers Rd. *High G* —7E **74**
Victoria. —9M 31
(Hepworth)
Victoria. —4D 30
(Holmfirth)
Victoria Av. *B'ley* —6F **36**
Victoria Av. *Hat* —9D **26**
Victoria Av. *Roth* —7M **95**
Victoria Clo. *Kiv P* —9K **127**
Victoria Clo. *Stain* —7B **26**
Victoria Clo. *S'bri* —5D **72**
Victoria Ct. *S11* —5E **122**
Victoria Ct. *Ben* —5M **43**
Victoria Ct. *Kiv P* —9K **127**
Victoria Ct. *Upt* —2F **20**
Victoria Cres. *B'ley* —6E **36**
Victoria Cres. *Birdw* —8F **56**
Victoria Cres. W. *B'ley* —6E **36**
Victoria Hall. *S1* —9G **109** (4D **4**)
Victoria Ho. *S3* —4C **4**
Victoria Jubilee Mus. —3G **35**
Victoria La. *New R* —5H **83**
Victoria M. *Kiln* —7D **78**
Victorian Cres. *Donc* —3C **64**
Victoria Quays. *S2* —8K **109** (2J **5**)
Victoria Rd. *S10* —2F **122** (7A **4**)
Victoria Rd. *Adw S* —2H **43**
Victoria Rd. *Ask* —3K **23**
Victoria Rd. *Bam* —8E **118**
Victoria Rd. *B'ley* —6F **36**
Victoria Rd. *Beig* —7M **125**
Victoria Rd. *Ben* —6M **43**
Victoria Rd. *Donc* —7M **63**
Victoria Rd. *Edl'tn* —3F **80**
Victoria Rd. *Mexb* —1F **78**
Victoria Rd. *Nor* —7G **6**
Victoria Rd. *P'gte* —1M **95**
(in two parts)
Victoria Rd. *Roy* —5L **17**
Victoria Rd. *S'bri* —5D **72**

Victoria Rd. *Wath D* —8K **59**
Victoria Rd. *Womb* —4D **58**
Victoria Rd. *Work* —8C **142**
Victoria Springs. *Holmf* —4C **30**
Victoria Sq. *Work* —7C **142**
Victoria Sta. Rd. *S4* —8J **109** (2H **5**)
Victoria St. *S3* —9G **108** (4C **4**)
Victoria St. *B'ley* —6F **36**
Victoria St. *Cat* —6K **111**
Victoria St. *Clayt W* —7A **14**
Victoria St. *Cud* —1B **38**
Victoria St. *D'fld* —1H **59**
Victoria St. *Dinn* —2E **128**
Victoria St. *Dron* —8G **135**
Victoria St. *Gold* —2D **60**
Victoria St. *Hems* —3L **19**
Victoria St. *Holmf* —3E **30**
Victoria St. *Hoy* —9N **57**
Victoria St. *Kiln* —7D **78**
Victoria St. *Maltby* —1E **114**
Victoria St. *Mexb* —1D **78**
Victoria St. *P'stne* —4N **53**
Victoria St. *Roth* —7H **95**
(in two parts)
Victoria St. *S'foot* —8L **37**
Victoria St. *S'bri* —5D **72**
Victoria Ter. *B'ley* —8H **37**
Victoria Ter. *Clayt W* —7B **14**
Victoria Vs. S6 —7F **108**
(off Blake Gro. Rd.)
Victoria Way. *Maltby* —7B **98**
Victor Rd. *S17* —3A **134**
Victor Rd. *S Kirk* —7B **20**
Victor St. *S6* —5E **108**
Victor St. *Carc* —9F **22**
Victor St. *S Elm* —7E **20**
Victor Ter. *B'ley* —8H **37**
Viewland Clo. *Cud* —3C **38**
Viewlands. *Silk C* —2J **55**
Viewlands Clo. *Braml* —9K **97**
Viewlands Clo. *P'stne* —2N **53**
View La. *S2* —4M **109**
View Rd. *Roth* —5N **95**
View Rd. *Thurls* —3K **53**
Viewtree Clo. *Harl* —5L **75**
Vikinglea Clo. *S2* —3B **124**
Vikinglea Dri. *S2* —3B **124**
(in two parts)
Vikinglea Glade. *S2* —2B **124**
Vikinglea Rd. *S2* —2B **124**
Viking Way. *Kiv P* —8L **127**
Villa Gdns. *Toll B* —3L **43**
Village St. *Adw S* —2F **42**
Village St. *Donc* —2H **63**
Villa Pk. Rd. *Donc* —7H **65**
Villa Rd. *W'land* —3F **42**
Villiers Clo. *S2* —5M **123**
Villiers Dri. *S2* —5M **123**
Vincent Ho. *S1* —8G **109** (2D **4**)
Vincent St. *S7* —3G **123**
Vincent Rd. *B'ley* —5N **37**
Vincent Rd. *Rav* —6J **97**
Vincent Ter. *Thurn* —9E **40**
Vine Clo. *B'ley* —4K **37**
Vine Clo. *Roth* —7J **95**
Vine Rd. *Tick* —6F **100**
Vinery Clo. *Clayt W* —7B **14**
Vineyard Clo. *Tick* —5C **100**
Vineyard La. *Tick* —5C **100**
Viola Bank. *S'bri* —5D **72**
Violet Av. *Beig* —8L **125**
Violet Av. *Edl'tn* —5F **80**
Violet Bank Rd. *S7* —5F **122**
Violet Farm Ct. *Brie* —7G **18**
Vissett Clo. *Hems* —3H **19**
Vissett La. *Hems* —3G **19**
Vivian Rd. *S5* —2L **109**
Vizard Rd. *Hoy* —9A **58**
Voce Ct. Work —4E **142**
(off Larwood)
Vulcan Ho. *Roth* —6N **95**
Vulcan Pl. *Work* —7C **142**
Vulcan St. *S9* —2B **110**
(Meadowhall Dri.)
Vulcan St. *S9* —2C **110**
(Meadhall Way)
Vulcan Way. *Hat W* —7J **47**

Wadbrough Rd. *S11* —2E **122**
Waddington Rd. *B'ley* —6C **36**
Waddington Ter. *Mexb* —2G **78**
Waddington Way. *Roth* —4N **95**
Wade Clo. *Roth* —9M **95**
Wade Mdw. *S6* —3B **108**
Wade St. *S4* —3M **109**
Wade St. *B'ley* —6C **36**
Wadman Rd. *Schol* —5H **31**
Wadsley. —2B 108

Wadsley La. *S6* —2B **108**
Wadsley Pk. Cres. *S6* —3B **108**
Wadsworth Av. *S12* —6C **124**
Wadsworth Clo. *S12* —5D **124**
Wadsworth Dri. *S12* —6D **124**
(in two parts)
Wadsworth Dri. *Rawm* —6J **77**
Wadsworth Rd. *S12* —6C **124**
Wadsworth Rd. *Braml* —9J **97**
Wadworth. —7M 81
Wadworth Av. *Ross* —5L **83**
Wadworth Clo. *Barn* —4H **61**
Wadworth Hall. *Wadw* —7M **81**
Wadworth Hall La. *Wadw* —7L **81**
Wadworth Hill. *Wadw* —7M **81**
Wadworth Riding. *Edl'tn* —4H **81**
Wadworth Ri. *Dalt* —4D **96**
Wadworth St. *Den M* —3M **79**
Wager La. *Brie* —6G **18**
Wagg La. *S10* —5F **120**
Waggon La. *Upt* —2G **21**
Waggons Way. *Stain* —7B **26**
Wagon Rd. *Roth* —3H **95**
Wain Ct. *Work* —3E **142**
Waingate. *S3* —8J **109** (2G **5**)
Wainscot Pl. *Skell* —7E **22**
Wainscott Clo. *B'ley* —3K **37**
Wainwright Av. *S13* —3D **124**
Wainwright Av. *Womb* —4B **58**
Wainwright Cres. *S13* —3C **124**
Wainwright Pl. *Womb* —4B **58**
Wainwright Rd. *Donc* —5B **64**
Wainwright Rd. *Roth* —4F **94**
Wakefield Rd. *Clayt W* —7A **14**
Wakefield Rd. *Denb D* —3H **33**
Wakefield Rd. *Kins* —1J **19**
Wakefield Rd. *M'well & B'ley* —6D **16**
Wakefield Rd. *S Elm & Ham* —5K **21**
Wake Rd. *S7* —4F **122**
Walbank Rd. *Arm* —1M **65**
Walbert Av. *Thurn* —9B **40**
Walbrook. *Wors* —3J **57**
Walden Av. *Donc* —7J **43**
Walden Rd. *S2* —4J **123**
Walden Stubbs. —4J 7
Walden Stubbs Rd. *Nor* —6H **7**
Walders Av. *S6* —2B **108**
Walders La. *Bols* —8E **72**
Wales. —9G 126
Wales Bar. —8E 126
Wales Ct. *Wal* —7G **127**
Walesmoor Av. *Kiv P* —9G **127**
Wales Pl. *S6* —6E **108**
Wales Rd. *Kiv P* —9G **127**
Waleswood. —8C 126
Waleswood Ind. Est. *Wal B* —7E **126**
Waleswood Rd. *Swal* —6B **126**
Waleswood Rd. *Wal B* —7E **126**
Waleswood Vw. *Ast* —5C **126**
Waleswood Vs. *Kiv P* —8E **126**
Walford Rd. *Kil* —4B **138**
Walker Clo. *Gren* —5D **92**
Walker Edge. *Bols* —2C **90**
Walker La. *Roth* —6L **95**
Walker Pl. Roth —6L **95**
(off Drummond St.)
Walker Rd. *Roth* —4F **94**
Walker Rd. *Tank* —1G **74**
Walker's La. *Kil* —4C **138**
Walkers Ter. *B'ley* —3K **37**
Walker St. *S3* —7J **109** (1H **5**)
Walker St. *Rawm* —8A **78**
Walker St. *Swint* —3D **78**
Walker Vw. *Rawm* —8A **78**
Walkley. —6D 108
Walkley Bank. —7C 108
Walkley Bank Clo. *S6* —5D **108**
Walkley Bank Rd. *S6* —6B **108**
Walkley Cres. Rd. *S6* —6C **108**
Walkley La. *S6* —4D **108**
Walkley Rd. *S6* —6D **108**
Walkley St. *S6* —6D **108**
Walkley Ter. *S6* —6B **108**
Walk, The. *Birdw* —9F **56**
Walk, The. *Roth* —6A **96**
Wallace Rd. *S3* —5G **108**
Wallace Rd. *Donc* —9J **63**
Walled Garden, The. *Wool* —2B **16**
Waller Rd. *S6* —6B **108**
Wallingbrook Ri. *Work* —8M **141**
Walling Clo. *S9* —2B **110**
Walling Rd. *S9* —2B **110**
Wallingwells. —6N 129
Wallingwells La. *Gild* —5K **129**
Wallingwells La. *Wall* —6N **129**
Wall Nook La. *Cumb* —2A **32**
Wallroyds. *Denb D* —3H **33**
Walls La. *Blbgh* —9K **139**

Well Vw. Rd.—Wharncliffe St.

Well Vw. Rd. *Roth* —5D 94
Wellway, The. *S'side* —6G 97
Wellwyn Ct. *S12* —7B 124
Welney Pl. *S6* —9D 92
Welton Clo. *Donc* —9F 64
Welwyn Clo. *S12* —7B 124
Welwyn Rd. *S12* —7B 124
Wembley Av. *Con* —4M 79
Wembley Clo. *Donc* —2F 64
Wembley Rd. *L'gld* —9C 116
Wembley Rd. *Moor* —7M 11
Wenchirst La. *Fish* —7C 10
(in two parts)
Wendan Rd. *Thorne* —4K 27
Wendel Gro. *Else* —9B 58
Wenlock St. *S13* —2F 124
Wensley Clo. *S4* —3M 109
Wensley Ct. *S4* —2M 109
Wensley Ct. *B'ley* —1F 36
Wensley Ct. *Roth* —2M 111
Wensley Cres. *Donc* —8J 65
Wensley Cft. *S4* —2M 109
Wensleydale. *Work* —3E 142
Wensleydale Dri. *B'wth* —5K 111
Wensleydale Rd. *Donc* —9H 43
Wensleydale Rd. *Roth* —2F 94
Wensley Dri. *S4* —2M 109
Wensley Gdns. *S4* —2M 109
Wensley Grn. *S4* —2M 109
Wensley Rd. *B'ley* —1F 36
Wensley St. *S4* —2M 109
Wensley St. *Thurn* —8A 40
Wentdale. *L Sme* —4C 6
Went Edge Rd. *Kir Sm* —4A 6
Wentworth. —5A 76
Wentworth Av. *S11* —9A 122
Wentworth Av. *Ast* —5E 126
Wentworth Castle. —4A 56
Wentworth Clo. *Thpe H* —9M 75
Wentworth Clo. *Wool* —2A 16
Wentworth Ct. *Baw* —7C 102
Wentworth Ct. *Roth* —1H 95
Wentworth Cres. *M'well* —9E 16
Wentworth Cres. *P'stne* —4N 53
Wentworth Dri. *M'well* —9D 16
Wentworth Dri. *Rawm* —1M 95
Wentworth Dri. *S Kirk* —6B 20
Wentworth Gdns. *Swint* —5B 78
Wentworth Ho. Donc —5N 63
(off St James St.)
Wentworth Ind. Pk. *Tank* —2E 74
Wentworth Meadows. *P'stne* —3N 53
Wentworth M. *P'stne* —4N 53
Wentworth Pl. *Scho* —3C 94
Wentworth Rd. *Bla H* —6L 57
Wentworth Rd. *Dart* —9M 15
Wentworth Rd. *Donc* —2B 64
Wentworth Rd. *Dron W* —9D 134
Wentworth Rd. *Else* —2A 76
Wentworth Rd. *Jump* —8A 58
Wentworth Rd. *M'well* —9D 16
Wentworth Rd. *P'stne* —3M 53
(in two parts)
Wentworth Rd. *Rawm & Swint* —5J 77
Wentworth Rd. *Thpe H* —9N 75
Wentworth St. *B'ley* —5F 36
Wentworth St. *Birdw* —8F 56
Wentworth Vw. *Hoy* —1M 75
(Millhouses St.)
Wentworth Vw. *Hoy* —1K 75
(Willow Clo.)
Wentworth Vw. *Womb* —6D 58
Wentworth Way. *Dinn* —4D 128
Wentworth Way. *Dod* —1A 56
Wentworth Way. *Tank* —2E 74
Wentworth Woodhouse. —6C 76
Wescoe Av. *Gt Hou* —7L 39
Wesley Av. *Swal* —3C 126
Wesley Ct. *Thpe H* —9N 75
Wesley La. *S10* —9C 108
Wesley Pl. *Ans* —7B 128
Wesley Rd. *High G* —7D 74
(in two parts)
Wesley Rd. *Kiv P* —8J 127
Wesley St. *B'ley* —7G 36
Wesley St. *S Elm* —7D 20
Wesley Ter. *Denb D* —2J 33
Wessenden Clo. *B'ley* —7B 36
Wessex Clo. *Work* —4D 142
Wessex Gdns. *S17* —5M 133
Wessex Rd. *Work* —4D 142
West Av. *Bal* —8L 63
West Av. *Bol D* —6A 60
West Av. *Rawm* —8M 77
West Av. *Roy* —5L 17
West Av. *S Elm* —5G 20
West Av. *Stain* —5B 26
West Av. *Upt* —2F 20
West Av. *Womb* —4B 58
West Av. *W'land* —3D 42
West Bank. *Stain* —4N 25
Westbank Clo. *Coal A* —6J 135
Westbank Ct. *Coal A* —6K 135
Westbank Dri. *Ans* —7A 128
W. Bank La. *S1* —9H 109 (3E 4)
W. Bank Ri. *Ans* —7B 128
West Bar. *S3* —8H 109 (1F 5)
Westbar Grn. *S1* —8H 109 (2F 5)
West Barrier. —2D 84
W. Bawtry Rd. *B'wth & Roth* —3K 111
Westbourne Dri. *Crow* —9M 29
Westbourne Gdns. *Donc* —1K 81
Westbourne Gro. *B'ley* —5E 36
Westbourne Rd. *S10* —2D 122
Westbourne Ter. *B'ley* —7D 36
West Bretton. —1H 15
Westbrook Bank. *S11* —3E 122
Westbrook Rd. *C'town* —9H 75
Westbury Av. *C'town* —1J 93
Westbury Clo. *B'ley* —4C 36
Westbury St. *S9* —7N 109
Westby Clo. *Rav* —5K 97
Westby Cres. *Whis* —3A 112
Westby Wlk. *Braml* —8K 97
W. Carr Rd. *Dinn* —2B 128
West Circuit. *Barn D* —9F 24
West Clo. *Roth* —5E 94
West Cres. *Oxs* —5C 54
West Cres. *S'bri* —5C 72
Westcroft Cres. *W'fld* —2L 137
Westcroft Dri. *W'fld* —3L 137
Westcroft Gdns. *W'fld* —2L 137
Westcroft Glen. *W'fld* —3L 137
Westcroft Gro. *W'fld* —3L 137
Westcroft Rd. *Hems* —2K 19
W. Don St. *S6* —6F 108
West End. —3F 46
West End. *N'thng* —1D 30
West End. *Stain* —5N 25
W. End Av. *Donc* —9L 43
West End Av. *Holmf* —2G 30
W. End Av. *Mill G* —4G 53
W. End Av. *Roy* —6H 17
W. End Ct. *Ross* —6L 83
W. End Cres. *Roy* —6H 17
Westend La. *Balne* —1A 8
W. End La. *New R* —5F 82
W. End Rd. *Epw* —8M 49
W. End Rd. *Nor* —7G 6
W. End Rd. *Wath D* —8H 59
W. End Vw. *Eck* —8J 137
Westerdale. *Work* —2D 142
Westerdale Rd. *Donc* —9H 43
Western Av. *Dinn* —3D 128
Western Bank. *S10* —9E 108 (3A 4)
Western Clo. *Dinn* —3D 128
Western Rd. *S10* —8C 108
Western Rd. *Roth* —6N 95
Western St. *B'ley* —6E 36
Western Ter. *Womb* —4C 58
Western Wlk. *Baw* —5C 102
Westerton Dri. *Braml* —9L 97
Westfield. —9G 58
(Brampton)
Westfield. —2L 137
(Mosborough)
Westfield Av. *S12* —8J 125
Westfield Av. *Aug* —2B 126
Westfield Av. *Thurls* —3K 53
Westfield Bungalows. *S Elm* —7E 20
(in two parts)
Westfield Cen. *W'fld* —2L 137
Westfield Clo. *Tick* —6C 100
Westfield Craft Pk. *P'gte* —1L 95
Westfield Cres. *Ask* —1M 23
Westfield Cres. *Mosb* —2J 137
Westfield Cres. *Ryh* —1A 18
Westfield Cres. *Thurn* —8A 40
Westfield Dri. *Work* —5D 142
Westfield Enterprise Cen. *S Elm* —6F 20
Westfield Gro. *S12* —8H 125
Westfield Gro. *P'stne* —7G 33
Westfield Ho. *S1* —4D 4
Westfield La. *Barn* —4F 60
Westfield La. *B'ley* —3M 35
Westfield La. *B'wte* —9M 9
West Fld. La. *Holmf* —3F 30
Westfield La. *Kir Sm* —7C 6
Westfield La. *Mid H* —9E 136
Westfield La. *S Elm* —8E 20
Westfield La. *Thurls* —3J 53
(in two parts)
Westfield Northway. *W'fld* —2L 137
(in two parts)
Westfield Rd. *Arm* —1K 65
Westfield Rd. *B'wte* —1L 25
Westfield Rd. *Braml* —8J 97
Westfield Rd. *Bram & Bram B* —9G 58
Westfield Rd. *Donc* —7M 63
Westfield Rd. *Hat* —9E 26
Westfield Rd. *Hems* —2J 19
Westfield Rd. *Kil* —5B 138
Westfield Rd. *P'gte* —2L 95
Westfield Rd. *Tick* —6C 100
Westfields. *Roy* —5H 17
Westfields. *Wors* —3H 57
Westfield Southway. *W'fld* —2L 137
Westfield St. *B'ley* —7E 36
Westfield Ter. *S1* —9G 109 (4D 4)
Westfield Vs. *Hat* —9E 26
Westgarth Clo. *Dinn* —2D 128
Westgate. —4N 49
Westgate. *B'ley* —7F 36
Westgate. *Hems* —2J 19
West Ga. *Holmf* —8D 30
West Ga. *Mexb* —1H 79
Westgate. *Monk B* —4J 37
Westgate. *P'stne* —5N 53
Westgate. *Roth* —7K 95
West Ga. *Tick* —7C 100
Westgate. *Work* —8B 142
Westgate Rd. *Belt* —5N 49
Westgate Vw. *Work* —8B 142
West Green. —2N 37
W. Green Dri. *Kirk S* —4H 45
West Gro. *Donc* —2D 64
West Gro. *Roy* —5H 17
W. Hall Fold. *W'wth* —5A 76
West Haven. *Cud* —3C 38
West Hill. *Roth* —7C 94
Westhill La. *S3* —9G 108 (4C 4)
Westholme Rd. *Donc* —6M 63
West Ho. *S8* —7H 123
W. Kirk La. *L Hou* —9L 39
W. Laith Ga. *Donc* —4N 63
Westland Clo. *W'fld* —1L 137
Westland Gdns. *W'fld* —1K 137
Westland Gro. *W'fld* —2L 137
Westland Rd. *W'fld* —2L 137
West La. *S6* —2H 107
(Loxley Rd.)
West La. *S6* —3B 106
(Wet Shaw La.)
West La. *Aug* —2A 126
West La. *Maltby* —3N 113
West La. *Syke* —6J 9
W. Lees Rd. *Barn* —7E 118
West Mall. *Cry P* —9L 125
West Mall. Donc —4N 63
(off French Ga.)
West Melton. —8K 59
Westminster Av. *S10* —2K 121
Westminster Clo. *S10* —2K 121
Westminster Clo. *Braml* —9K 97
Westminster Clo. *Work* —3D 142
Westminster Cres. *S10* —2K 121
Westminster Cres. *Donc* —2E 64
Westminster Dri. *D'ville* —4A 46
Westminster Ho. *Donc* —2F 64
Westmoor Clo. *Gold* —2B 60
W. Moor Cres. *B'ley* —7B 36
W. Moor La. *Arm* —9N 45
(in two parts)
W. Moor La. *Bol D & H'ton* —5E 60
W. Moor Link. *E'thpe* —7H 45
W. Moor Pk. *Arm* —9A 46
Westmoreland St. *S6* —7F 108
Westmorland Ct. *Birc* —9N 101
Westmorland Ho. *Birc* —9N 101
Westmorland La. *Den M* —3L 79
Westmorland St. *Donc* —9K 63
Westmorland Way. *Spro* —6E 62
W. Mount Av. *Wath D* —7J 59
Westnall Ho. O'bri —6M 91
(off Glossop Row)
Westnall Rd. *S5* —6L 93
Westnall Ter. *S5* —6L 93
Westoff La. *S Hien* —1C 18
Westongales Way. *Ben* —8L 43
Weston Rd. *Donc* —9L 63
Weston St. *S3* —8F 108 (2A 4)
Westover Rd. *S10* —1N 121
W. Park Dri. *Swal* —4A 126
West Pinfold. *Roy* —6K 17
Westpit Hill. *Bram B* —8G 59
West Pl. *Ben* —7M 43
West Quadrant. *S5* —1L 109
West Rd. *B'ley* —6C 36
West Rd. *Mexb* —1E 78
West Rd. *Moor* —7M 11
W. Service Rd. *Barn D* —9F 24
Westside Grange. *Bal* —7K 63
West St. *S1* —9G 108 (4C 4)
West St. *Ans* —7B 128
West St. *Beig* —8M 125
West St. *Con* —4A 80
West St. *D'fld* —2G 58
West St. *Donc* —4N 63
West St. *Dron* —8G 135
West St. *Eck* —8J 137
West St. *Gold* —1D 60
West St. *Harw* —8K 101
West St. *Have* —1C 18
West St. *Hems* —2J 19
West St. *Hoy* —9K 57
West St. *Mexb* —2F 78
West St. *Misson* —3K 103
West St. *Roy* —5L 17
West St. *S Elm* —5G 20
West St. *S Hien* —4E 18
West St. *S Kirk* —7M 19
(in two parts)
West St. *Thorne* —3K 27
West St. *Thur* —5L 113
West St. *Wath D* —9L 59
(in two parts)
West St. *Womb* —4C 58
West St. *Work* —8B 142
West St. *Wors* —3H 57
West St. La. *S1* —9H 109 (3E 4)
W. Terrace St. *Crow* —8M 29
Westthorpe. —5C 138
Westthorpe Fields Rd. *Kil* —6B 138
Westthorpe Grn. *Kil* —6C 138
Westthorpe Rd. *Kil* —5C 138
W. Vale Gro. *Thry* —3E 96
West Vw. *B'ley* —9F 36
West Vw. *Cost* —3C 130
West Vw. *Cud* —3C 38
West Vw. *Wors* —3J 57
W. View Clo. *S17* —4A 134
W. View Cres. *Gold* —3B 60
W. View La. *S17* —4A 134
W. View Rd. *Mexb* —2F 78
W. View Rd. *Roth* —7C 94
W. View Ter. Wors —3J 57
(off Ashwood Clo.)
Westville Rd. *B'ley* —5E 36
West Way. *B'ley* —7F 36
Westway. *Work* —3D 142
Westwell Pl. *Mosb* —4K 137
Westwick Cres. *S8* —3E 134
Westwick Gro. *S8* —3F 134
Westwick Rd. *S8* —4E 134
Westwood. —6E 74
Westwood. *High G* —5E 74
Westwood Country Pk. —5E 74
Westwood Ct. *B'ley* —6F 36
Westwood Ct. *High G* —6E 74
Westwood Dri. *Work* —7M 141
W. Wood Est. *Baw* —7A 102
Westwood Ind. Est. *Arm* —2M 65
Westwood La. *Wort* —2C 74
Westwood New Rd. *High G & Tank* —7C 74
Westwood Rd. *S11* —3A 122
Westwood Rd. *Baw* —7B 102
Westwood Rd. *High G* —6E 74
Wetherby Clo. *Donc* —2H 63
Wetherby Ct. *S9* —8C 110
Wetherby Dri. *Mexb* —9G 61
Wetherby Dri. *Swal* —4B 126
Wet Moor La. *Wath D* —8K 59
(in two parts)
Wet Shaw La. *S6* —3N 105
Whaley Rd. *B'ley* —3A 36
Whams Rd. *Mill G* —4B 52
Wharf Clo. *Swint* —3D 78
Wharfedale. *Work* —2D 142
Wharfedale Dri. *C'town* —9F 74
Wharfedale Rd. *B'ley* —6C 36
Wharf Rd. *S9* —1D 110
Wharf Rd. *Crow* —9M 29
Wharf Rd. *Donc* —2A 64
Wharf Rd. *Kiln* —7D 78
Wharf St. *S2* —8K 109 (2H 5)
Wharf St. *B'ley* —5H 37
Wharf St. *Baw* —6C 102
Wharf St. *Swint* —3D 78
Wharncliffe. *Dod* —1B 56
Wharncliffe Av. *Ast* —3D 126
Wharncliffe Av. *Wath D* —9M 59
Wharncliffe Av. *Whar S* —2K 91
Wharncliffe Clo. *Hoy* —2L 75
Wharncliffe Clo. *Rawm* —6K 77
Wharncliffe Ct. *Tank* —1D 74
Wharncliffe Crags. —7K 73
Wharncliffe Hill. *Roth* —6L 95
Wharncliffe Ind. Complex. *Deep* —5J 73
Wharncliffe Rd. *S10* —1F 122 (6B 4)
Wharncliffe Rd. *High G* —7E 74
Wharncliffe Side. —4K 91
Wharncliffe St. *B'ley* —7E 36
Wharncliffe St. *Car* —9L 17
Wharncliffe St. *Donc* —5L 63
Wharncliffe St. *Roth* —6L 95

Wharton Av.—Wiltshire Rd.

Wharton Av. Swal —2C 126
Wheat Acre La. Tick —4B 100
Wheatacre Rd. S'bri —5E 72
Wheata Dri. S5 —6J 93
Wheata Pl. S5 —6H 93
Wheata Rd. S5 —7H 93
Wheat Cft. Con —4C 80
Wheat Cft. Work —3E 142
Wheatcroft Rd. Rawm —8A 78
(in two parts)
Wheatfield Clo. Barn D —2K 45
Wheatfield Cres. S5 —7L 93
Wheatfield Dri. Thurn —9C 40
Wheatfield Dri. Tick —5E 100
Wheatfields. Thorne —2K 27
Wheathill St. Roth —8K 95
Wheat Holme La. Ark —1N 43
(in two parts)
Wheatley. —1C 64
Wheatley Cen., The. Donc —8E 44
Wheatley Clo. B'ley —4G 36
Wheatley Golf Course. —1G 64
Wheatley Gro. S13 —2E 124
Wheatley Hall Rd. Donc —1B 64
Wheatley Hill La. Clayt W —9A 14
Wheatley Hills. —1G 64
Wheatley La. Donc —3B 64
Wheatley Park. —9E 44
Wheatley Pk. Rd. Ben —6L 43
Wheatley Pl. Den M —3L 79
Wheatley Ri. M'well —7C 16
Wheatley Rd. B'ley —9M 37
Wheatley Rd. Kiln —7D 78
Wheatley Rd. Roth —4E 94
Wheatley St. Den M —3L 79
Wheats La. S1 —2F 5
Wheeldon St. S1 —9G 108 (3C 4)
Wheel La. Gren —5E 92
Wheel La. O'bri —6K 91
Wheel, The. E'fld —5F 92
Wheldrake Rd. S5 —2L 109
Whernside Av. C'town —8G 74
Whinacre Clo. S8 —4J 135
Whinacre Pl. S8 —4H 135
Whinacre Wlk. S8 —4H 135
Whinby Cft. Dod —9A 36
Whinby Rd. Dod —8M 35
Whin Clo. Hems —4K 19
Whin Covert La. Darr —8C 6
Whinfell Clo. Adw S —2F 42
Whinfell Ct. S11 —9N 121
(in three parts)
Whin Gdns. Thurn —7C 40
Whin Hill Rd. Donc —7G 64
Whin La. Silk —9F 34
Whinmoor Clo. Silk —7H 35
Whinmoor Ct. Silk —7H 35
Whinmoor Dri. Silk —7H 35
Whin Moor La. Silk —8E 34
Whinmoor Rd. S5 —1N 109
Whinmoor Rd. High G —7D 74
Whinmoor Vw. Silk —7H 35
Whinmoor Way. Silk —8H 35
Whinney Hill. —3D 96
Whinny Haugh La. Tick —8E 100
Whinside Cres. Thurn —7B 40
Whins, The. Rawm —8J 77
Whiphill Clo. Donc —8H 65
Whiphill La. Arm —2M 65
(in two parts)
Whiphill Top La. Bran —6A 66
Whirlow. —9N 121
Whirlow Ct. Rd. S11 —9A 122
Whirlowdale Clo. S11 —9N 121
Whirlowdale Cres. S7 —8C 122
Whirlowdale Ri. S11 —9A 122
Whirlowdale Rd. S11 & S7 —9N 121
Whirlow Farm M. S11 —8N 121
Whirlow Grange Av. S11 —9N 121
Whirlow Grange Dri. S11 —9N 121
Whirlow Grn. S11 —9N 121
Whirlow Gro. S11 —9A 122
Whirlow La. S11 —8N 121
Whirlow M. S11 —8A 122
Whirlow Pk. Rd. S11 —9A 122
Whisperwood Dri. Bal —2M 81
Whiston. —3A 112
Whiston Brook Vw. Whis —3B 112
Whiston Grange. Roth —3N 111
Whiston Grn. Whis —4A 112
Whiston Gro. Roth —9M 95
Whiston Va. Whis —4A 112
Whitaker Clo. Ross —7J 83
Whitaker Sq. New R —6H 83
Whitbeck Clo. Wadw —7M 81
Whitbourne Clo. B'ley —3G 37
Whitburn Rd. Donc —5B 64
Whitby Rd. S9 —7C 110
Whitby Rd. Harw —8K 101
Whitby Rd. New R —6H 83
Whitcomb Dri. New R —7J 83
White Apron St. S Kirk —7A 20
White Av. L'gld —9B 116
White Clo. S Kirk —7A 20
White Clo. La. Denb D —2K 33
White Cft. S1 —8H 109 (2D 4)
Whitecroft Cres. B'wth —4J 111
White Cross Av. Cud —3B 38
White Cross Ct. Cud —3C 38
White Cross Gdns. S Hien —2D 18
White Cross La. Wadw —5L 81
(in two parts)
White Cross La. Wors —2L 57
White Cross Mt. Cud —3C 38
White Cross Ri. Wors —2L 57
White Cross Rd. Cud —3B 38
White Ga. Ans —5D 128
White Ga. Rd. Holmb —7B 30
Whitegate Wlk. Roth —2E 94
Whitehall Rd. Roth —1F 94
Whitehall Way. Roth —2G 94
White Hart Fold. N Elm —3G 20
White Hart Yd. Work —8B 142
(off Bridge St.)
Whitehead Av. Deep —5F 72
Whitehead Clo. Dinn —2C 128
White Hill Av. B'ley —7B 36
Whitehill Av. B'wth —4J 111
Whitehill Dri. B'wth —5J 111
White Hill Gro. B'ley —7C 36
Whitehill La. B'wth —3J 111
Whitehill Rd. B'wth —4H 111
White Hill Ter. B'ley —7B 36
White Ho. Clo. Hat —1C 46
White Ho. Clo. Stain —4A 26
Whitehouse Ct. Birc —9M 101
White Ho. Dri. Birc —9M 101
Whitehouse La. S6 —6F 108
Whitehouse Rd. S6 —6E 108
White Ho. Rd. Birc —9M 101
White Ho. Vw. Barn D —9H 25
White La. S12 —8A 124
White La. C'town —7J 75
White La. Hoot P —4K 41
White La. Thorne —2H 27
Whitelea Gro. Mexb —2E 78
Whitelea Gro. Trad. Est. Mexb —2E 78
White Lee La. Bols —2D 90
Whitelee Rd. Swint & Mexb —3D 78
White Ley Bank. New M —1L 31
Whiteley La. S10 —4L 121
White Ley Rd. Kir Sm & Nor —1B 22
Whiteleys Av. Rawm —7L 77
Whiteley Wood Clo. S11 —4A 122
Whiteley Wood Green. —5K 121
Whiteley Wood Rd. S11 —5M 121
Whiteley Woods. —4A 122
Whitelow La. S17 —2H 133
White Rose Ct. Ben —7N 43
White Rose Ho. Roth —8K 95
White Rose Way. Donc —6A 64
White's La. S2 —9L 109
White Thorns Clo. S8 —4J 135
White Thorns Dri. S8 —5J 135
White Thorns Vw. S8 —4J 135
White Towers Cvn. Site. Donc —1H 65
Whitewater La. Harw —4F 116
(in two parts)
Whiteways Clo. S4 —4L 109
Whiteways Dri. S4 —4L 109
Whiteways Gro. S4 —4L 109
Whiteways Rd. S4 —4L 109
White Wells Gdns. Schol —5H 31
White Wells Rd. Schol —5H 31
Whitewood Clo. Roy —7J 17
Whitfield Gdns. W'sett —7H 129
Whitfield Rd. S10 —4L 121
Whitfield Rd. Rawm —7K 77
Whitham Rd. S10 —1D 122
Whiting St. S8 —5H 123
Whitley. —3G 92
Whitley Carr. Gren —3F 92
Whitley La. Gren & E'fld —4E 92
Whitley Rd. Mill G —9B 32
Whitley Vw. E'fld —3J 93
Whitley Vw. Rd. Roth —8B 94
Whitney Clo. Donc —1J 81
Whitsun Dale. Work —3E 142
Whittier Rd. Donc —9L 63
Whittington St. Donc —2A 64
Whitton Clo. Donc —9F 64
(in three parts)
Whitwell Cres. S'bri —5D 72
Whitwell La. S'bri —6C 72
Whitwell Rd. Thor S —8E 140
Whitwell St. S9 —8D 110
Whitwell Vw. Ross —5L 83
Whitworth Ct. Donc F —3D 84
Whitworth Cft. S10 —1A 122
Whitworth La. S9 —5A 110
Whitworth Rd. S10 —2N 121
Whitworth's Ter. Thurn —8D 40
(off Clarke St.)
Whitworth St. Gold —2D 60
Whitworth Way. Wath D —8L 59
Whybourne Gro. Roth —8L 95
Whybourne Ter. Roth —7L 95
Whyn Vw. Thurn —8B 40
Wickelden Ga. Holmf —5H 31
Wicker. S3 —8J 109 (1H 5)
Wicker La. S3 —8J 109 (1G 5)
Wickersley. —9G 97
Wickersley Rd. Roth —9N 95
Wickett Hern Rd. Arm —1M 65
(in two parts)
Wicket Way. Edl'tn —3G 81
Wickfield Clo. S12 —6F 124
Wickfield Dri. S12 —6F 124
Wickfield Gro. S12 —7E 124
Wickfield Pl. S12 —6E 124
Wickfield Rd. S12 —7F 124
Wickins La. Holmf —2A 30
Wicklow Rd. Donc —2D 64
Widdop Clo. S13 —3D 124
Widdop Cft. S13 —3D 124
Widford Grn. D'cft —2C 46
Wigfield Dri. Wors —2G 56
Wigfield Farm. —3F 56
Wigfull Rd. S11 —2D 122
Wignall Av. Wick —9E 96
Wigthorpe. —8D 130
Wigthorpe La. Wig —7D 130
Wike Ga. Clo. Thorne —3M 27
Wike Ga. Gro. Thorne —3M 27
Wike Ga. Rd. Thorne —2M 27
Wike Rd. B'ley —6M 37
Wike Well End. —4L 27
Wilberforce Rd. Ans —6B 128
Wilberforce Rd. Donc —7G 45
Wilbrook Ri. B'ley —4B 36
Wilby La. B'ley —8H 37
Wilcox Clo. S6 —8E 92
Wilcox Grn. Roth —1G 94
Wilcox Rd. S6 —8D 92
Wild Av. Rawm —7J 77
Wildene Dri. Mexb —9F 60
Wilder M. Roth —6F 94
Wildflower Clo. New R —7H 83
Wilding Clo. Roth —5E 94
Wilding Way. Roth —5E 94
Wildspur Gro. New M —4J 31
Wilford Rd. B'ley —8F 16
Wilfred Clo. S9 —7A 110
Wilfred Dri. S9 —7A 110
Wilfred St. Roth —7K 95
Wilfred Ter. B'ley —8F 36
Wilfrid Rd. S9 —7A 110
Wilkinson Av. Moor —8L 11
Wilkinson Av. New R —6K 83
Wilkinson La. S10 —9F 108 (4B 4)
(in two parts)
Wilkinson Rd. Else —1A 76
Wilkinson St. S10 —9F 108 (4A 4)
(in two parts)
Wilkinson St. B'ley —8G 37
Willan Dri. Cat —7J 111
Willbury Dri. S12 —5A 124
Willey St. S3 —8J 109 (1H 5)
William Bradford Clo. Aus —4E 102
William Clo. Mosb —4K 137
William Cres. Mosb —3K 137
William La. New R —4G 83
William Nuttall Cottage Homes. Donc —5C 64
Williamson Rd. S11 —4E 122
Williams Rd. Donc —1K 63
Williams St. L'gld —9B 116
Williams St. P'gte —1N 95
William St. S10 —1F 122 (6B 4)
William St. Eck —7K 137
William St. Gold —2B 60
William St. Roth —7L 95
William St. Swint —3D 78
William St. Wath D —9M 59
William St. Womb —4C 58
William St. Wors —2H 57
Willingham Clo. Soth —1N 137
Willingham Gdns. Soth —1N 137
Willington Rd. S5 —9K 93
Willington Rd. Skell —8E 22
Willis Rd. S6 —3C 108
Willman Rd. B'ley —5N 37
Willoughby St. S4 —2M 109
Willow Av. Carl L —4B 130
Willow Av. Donc —7J 65
Willow Av. Rawm —9N 77
Willow Av. Thorne —9K 11
Willow Bank. B'ley —3E 36
(in two parts)
Willow Beck. Notton —3H 17
Willow Beck. Roth —5A 96
Willow Bri. Cvn. Site. Donc —2M 63
Willow Bri. La. Moss & B'wte —3F 24
Willowbridge Rd. L Sme —6D 6
Willowbrook. Skell —7D 22
Willow Brook Rd. Dart —9B 16
Willow Clo. Ans —8B 128
Willow Clo. B'wth —5K 111
Willow Clo. Cud —1B 38
Willow Clo. Flan —7H 97
Willow Clo. Hoy —1K 75
Willow Clo. Work —9B 142
Willow Ct. D'fld —2G 58
Willow Ct. Rawm —8N 77
Willow Ct. Wath D —1L 77
Willow Ct. Wick —9G 96
Willow Cres. Auc —2B 84
Willow Cres. Braith —3E 98
Willow Cres. C'town —1H 93
Willow Cres. Thorne —9K 11
Willowcroft. Bol D —6A 60
Willowdale Clo. Spro —7G 63
Willow Dene Rd. Grim —1G 39
Willow Dri. S9 —9E 110
Willow Dri. Edl'tn —3G 80
Willow Dri. Flan —7H 97
Willow Dri. Hems —4K 19
Willow Dri. Mexb —1E 78
Willow Gth. Rawm —8N 77
Willow Gth. S Elm —7G 20
Willowgarth Av. B'wth —4J 111
Willowgarth Clo. Ryh —1A 18
Willow Gth. La. Ask —9M 7
Willow Glen. Bran —7A 66
Willow Gro. Ast —3E 126
Willow Gro. Thorne —8L 11
Willow La. Bol D —6C 60
Willow La. Oxs —5D 54
Willow La. Ross —5K 83
Willowlees Ct. Donc —8H 65
Willow Pl. Braith —3E 98
Willow Rd. Arm —9M 45
Willow Rd. Cam —9H 7
Willow Rd. Kil —5B 138
Willow Rd. Maltby —8B 98
Willow Rd. S'bri —7D 72
Willow Rd. Thorne —9K 11
Willow Rd. Thurn —7C 40
Willow Rd. Wath D —2N 77
Willows, The. D'fld —2G 58
Willows, The. Oxs —6D 54
Willows, The. Roth —8M 95
(off Badsley St.)
Willows, The. Roth —3D 94
(Becket Cres.)
Willows, The. Work —8B 142
Willow St. B'ley —8E 36
Willow St. Con —4B 80
Willow Wlk. Ben —5L 43
Wilmington Dri. Donc —8C 64
Wilsden Gro. B'ley —5C 36
Wilshaw Mill Rd. Melt —1A 30
Wilsic Ho. Donc —5N 63
(off St James St.)
Wilsic La. Tick —1M 99
Wilsic Rd. Tick —5C 100
Wilsic Rd. Wadw —9L 81
Wilson Av. P'stne —5N 53
Wilson Av. Rawm —8L 77
Wilson Dri. Dalt —4D 96
Wilson Gro. B'ley —4M 37
Wilson Pl. S8 —5H 123
Wilson Rd. S11 —3D 122
Wilson Rd. Coal A —6K 135
Wilson Rd. Deep —6H 73
Wilson St. S3 —6H 109
Wilson St. Dron —9J 135
Wilson St. Womb —4B 58
Wilson Wlk. Dod —1B 56
Wilstrop Rd. S9 —7B 110
Wilthorpe. —4D 36
Wilthorpe Av. B'ley —4D 36
Wilthorpe Cres. B'ley —4D 36
Wilthorpe Farm Rd. B'ley —4D 36
Wilthorpe Gdns. Owl —8G 124
Wilthorpe Grn. B'ley —4D 36
Wilthorpe La. B'ley —4C 36
(in two parts)
Wilthorpe Rd. B'ley —4B 36
Wilton Clo. Rawm —9M 77
Wilton Ct. Roth —6G 94
Wilton Gdns. Roth —6G 94
Wilton La. Roth —7G 94
Wilton Pl. S10 —1F 122 (6A 4)
Wiltshire Av. Den M —3L 79
Wiltshire Rd. Donc —3F 64

Winberry Av.—Woodseats

Winberry Av. Ans —6C 128
Wincanton Clo. Mexb —9G 61
Winchester Av. S10 —3K 121
Winchester Av. Donc —1D 64
Winchester Clo. Work —3D 142
Winchester Ct. Roth —6L 95
(off Nottingham St.)
Winchester Cres. S10 —3K 121
Winchester Dri. S10 —3K 121
Winchester Flats. D'cft —9C 26
Winchester Ho. Donc —1H 63
Winchester M. Birc —9M 101
Winchester Rd. S10 —3K 121
Winchester Rd. D'cft —9C 26
Winchester Way. B'ley —9A 38
Winchester Way. B'wth —3G 111
Winchester Way. Scaw —1J 63
Winchester Way. S Elm —5F 20
Wincobank. —1N 109
Wincobank Av. S5 —1M 109
Wincobank Clo. S5 —1N 109
Wincobank La. S4 —3N 109
Wincobank Rd. S5 —1N 109
Winco Rd. S4 —3N 109
Winco Wood La. S5 —1N 109
Windam Dri. Barn D —9J 25
Windermere Av. Donc —2F 64
Windermere Av. Dron W —9F 134
Windermere Av. Gold —3D 60
Windermere Av. Harw —9J 101
Windermere Clo. Mexb —9J 61
Windermere Clo. Old S —8E 22
Windermere Clo. Work —2B 142
Windermere Ct. Ans —5C 128
Windermere Cres. Kirk S —4J 45
Windermere Grange. Edl'tn —5F 80
Windermere Rd. S8 —6F 122
Windermere Rd. B'ley —7H 37
Windermere Rd. P'stne —3N 53
Winders Pl. Womb —5D 58
Windgate Hill. Con —3B 80
Windham Clo. B'ley —5G 36
Windhill. —9H 61
Windhill Av. Dart —6B 16
Windhill Av. Mexb —1H 79
Windhill Cres. Dart —6B 16
Windhill Cres. Mexb —9H 61
Windhill Dri. Dart —6B 16
Windhill La. Dart —6B 16
Wind Hill La. S'bri —6L 71
Windhill Mt. Dart —6B 16
Windhill Ter. Mexb —9H 61
Windings, The. Thurn —9E 40
Windlass Clo. Thorne —2J 27
Windle Edgebrook Hill La. Dunf B —9E 50
Windle Rd. Donc —6L 63
Windle Sq. Kirk S —4J 45
Windlestone Sq. Moor —7M 11
Windmill Av. Con —5B 80
Windmill Av. Grim —9F 18
Windmill Balk La. W'land —4E 42
Windmill Ct. Thpe H —2A 94
Windmill Dri. Wadw —8M 81
Windmill Est. Con —5B 80
Windmill Greenway. Half —5L 137
Windmill Hill. —8L 81
Windmill Hill La. C'town —1F 92
Windmill La. S5 —9M 93
Windmill La. Cumb & H Flat —5M 31
Windmill La. Nor —8F 6
Windmill La. Thurls —4K 53
Windmill Rd. Ans —5C 128
Windmill Rd. Womb —5B 58
Windmill Ter. Roy —4J 17
Windmill Vw. Schol —5G 31
Windsor. —3N 29
Windsor Av. Dart —9L 15
Windsor Av. Thurls —3K 53
Windsor Clo. Ask —1N 23
Windsor Clo. Braml —7J 97
Windsor Clo. H'ton —5H 61
Windsor Ct. S11 —7A 122
Windsor Ct. Birc —8L 101
Windsor Ct. D'ville —4A 46
Windsor Ct. Thurn —8D 40
Windsor Cres. B'ley —5J 37
Windsor Cres. Crow —3N 29
Windsor Cres. L Hou —9K 39
Windsor Dri. Barn —4H 61
Windsor Dri. Dod —9A 36
Windsor Dri. Dron W —9D 134
Windsor Dri. Mexb —9H 61
Windsor Gdns. Carl L —5B 130
Windsor La. Crow —4N 29
Windsor Ri. Ast —5D 126
Windsor Rd. S8 —5G 123
Windsor Rd. Carl L —5B 130
Windsor Rd. Con —3N 79
Windsor Rd. Crow —3N 29
Windsor Rd. Donc —3C 64
Windsor Rd. Hems —3M 19
Windsor Rd. Stain —6A 26
Windsor Rd. Thpe H —1N 93
Windsor Rd. Work —3A 142
Windsor Sq. Stain —6A 26
Windsor Sq. Thurn —8D 40
Windsor St. S4 —6L 109
(in two parts)
Windsor St. Hoy —8L 57
Windsor St. S Elm —7G 20
Windsor St. Thurn —8D 40
Windsor Wlk. Ans —8A 128
Windsor Wlk. Donc —1J 63
Windy Bank. S6 —7N 89
Windy Ho. La. S2 —4N 123
(in two parts)
Windy Ridge. Aug —2B 126
Windyridge. Eve —9L 103
Winfield Rd. Wath D —1M 77
Wingerworth Av. S8 —2E 134
Wingfield. —3F 94
Wingfield Av. Work —4C 142
Wingfield Clo. Dron W —9D 134
Wingfield Clo. Roth —2G 95
Wingfield Ct. Roth —3F 94
Wingfield Cres. S12 —6C 124
Wingfield Rd. B'ley —2H 37
Wingfield Rd. Roth —2F 94
Winholme. Arm —1L 65
Winifred St. Rhod —6L 141
Winifred St. Roth —7J 95
Winkley Ter. S5 —8M 93
Winlea Av. Roth —9D 96
Winmarith Ct. Roy —6J 17
Winn Clo. S6 —1C 108
Winn Dri. S6 —1C 108
Winnery Clo. Tick —5D 100
Winney Bank La. Holmf —3F 30
Winney Hill. H'hill —5K 139
Winney La. H'hill —8K 139
Winn Gdns. S6 —1C 108
(in four parts)
Winn Gro. S6 —9B 92
Winnipeg Rd. Ben —7M 43
Winsford Rd. S6 —8D 92
Winster Clo. Birdw —7G 56
Winster Gro. Work —2C 142
Winster Rd. S6 —3D 108
Winston Av. S'bri —4B 72
Winter Av. B'ley —6D 36
Winter Av. Roy —4K 17
Winter Hill La. Roth —6E 94
Winterhill Rd. Roth —7D 94
Winter Rd. B'ley —6D 36
Wintersett Clo. Ryh —1A 18
Wintersett Dri. Donc —7E 64
Winter St. S3 —8F 108 (2A 4)
Winter Ter. B'ley —6D 36
Winterton Clo. Donc —9G 64
Winterton Gdns. S12 —8J 125
Winterwell Rd. Wath D —8J 59
(in two parts)
Winton Clo. B'ley —9H 37
Winton Rd. Donc —3E 64
Wiseton Rd. S11 —3D 122
Wisewood. —3B 108
Wisewood Av. S6 —4B 108
Wisewood La. S6 —4B 108
Wisewood Pl. S6 —4B 108
Wisewood Rd. S6 —4B 108
Witham Ct. Hghm —5N 35
Withens Av. S6 —2C 108
Withens Ct. M'well —8B 16
Withyside. Denb D —2K 33
Witmore St. S Elm —6F 20
Witney St. S8 —3H 123
Wittsend Pk. Cvn. Site. Ark —5B 44
Wivelsfield Rd. Donc —8J 63
Woburn Clo. Donc —1J 81
Woburn Pl. S11 —9A 122
Woburn Pl. Dod —1A 56
Wolds Clo. Crow —8N 29
Wolfe Dri. S6 —8E 92
Wolfe Rd. S6 —8E 92
Wolfstones Rd. Holmf —1A 30
Wollaton Av. S17 —5B 134
Wollaton Clo. B'ley —9F 16
Wollaton Dri. S17 —5B 134
Wollaton Rd. S17 —6A 134
Wolseley Rd. S8 —4H 123
Wolsey Av. Donc —4D 64
Wolverley Rd. S13 —5G 124
Wombwell. —4D 58
Wombwell Av. Wath D —1L 77
Wombwell (Hillies) Golf Course. —6D 58
Wombwell La. B'ley & Womb —9M 37
Wombwell La. Hoy —5L 57
Wombwell Rd. Hoy —8M 57
Wong La. Tick —7C 100
Wood Acres. B'ley —4B 36
Woodall. —4H 139
Woodall La. H'hill —4H 139
Woodall Rd. Kil —5E 138
Woodall Rd. Roth —8B 96
Woodall Rd. S. Roth —9B 96
Woodbank Ct. S17 —3B 134
(off Ladies Spring Gro.)
Woodbank Cres. S8 —6G 122
Woodbank Rd. S6 —9G 107
Woodbine Rd. S9 —5N 109
Woodbine Ter. Clayt W —6B 14
Woodbourne Gdns. Tank —1F 74
Woodbourn Hill. S9 —7N 109
Woodbourn Rd. S9 —8N 109
Woodburn Ct. Roth —6H 95
(off Park St.)
Woodburn Dri. C'town —9J 75
Woodbury Clo. S9 —8A 94
Woodbury Rd. S9 —8A 94
Wood Carr La. Belt —4M 49
Woodchurch Vw. T'bri —1F 30
Wood Cliffe. S10 —5K 121
Wood Clo. C'town —1K 93
Wood Clo. Rav —5H 97
Wood Clo. Rawm —7L 77
Woodcock Clo. Roth —3F 94
Woodcock Pl. S2 —9L 109
Woodcock Rd. Hoy —1M 75
Woodcock Way. Adw S —1F 42
Woodcock Way. S Elm —5F 20
Wood Cft. Roth —4F 94
Woodcross Av. Donc —8K 65
Wooddle Hole La. Kir Sm —8A 6
Wood End. Gren —3F 92
Wood End Av. P'stne —6M 53
Woodend Clo. S6 —5B 108
Woodend Dri. S6 —5B 108
Wood End La. Shep —1N 31
Woodfall La. S6 —9C 90
Woodfarm Av. S6 —6A 108
Woodfarm Clo. S6 —6N 107
Woodfarm Dri. S6 —6N 107
Woodfarm Pl. S6 —6N 107
Woodfield Av. Mexb —1G 78
Woodfield Clo. D'fld —1G 58
Woodfield Link Rd. Bal —2M 81
Woodfield Rd. S10 —7C 108
Woodfield Rd. Arm —2M 65
Woodfield Rd. Donc —8L 63
(in two parts)
Woodfield Rd. Wath D —9H 59
Woodfield Rd. Went & Cam —1A 22
Wood Fields. Braml —9K 97
Woodfield Vs. Roth —9L 95
Wood Fold. S3 —5H 109
Woodfoot Rd. Roth —3M 111
Woodford Rd. Barn D —9J 25
Woodgarth Ct. Cam —1G 23
Woodgrove Rd. S9 —9B 94
Woodgrove Rd. Roth —6B 96
Woodhall Clo. D'fld —1G 58
Woodhall Flats. D'fld —1G 58
Woodhall Ri. Swint —4C 78
Woodhall Rd. D'fld —1G 58
Woodhead Dri. Bla H —6L 57
Woodhead La. Hoy —5M 57
Woodhead Rd. S2 —3H 123
Woodhead Rd. Gren —1B 92
Woodhead Rd. Holmb & Holmf —6A 30
Woodhead Rd. Wort —4M 73
Wood Hill. —4L 109
Woodholm Pl. S11 —6C 122
Woodholm Rd. S11 —6C 122
Woodhouse. —5H 125
(Hackenthorpe)
Woodhouse. —5M 141
(Shireoaks)
Woodhouse Av. Beig —7M 125
Woodhouse Clo. Rawm —6K 77
Woodhouse Ct. Beig —7L 125
Woodhouse Cres. Beig —7M 125
Woodhouse Fld. La. Hat —3N 25
Woodhouse Gdns. S13 —5J 125
Woodhouse Green. —3A 26
Woodhouse Grn. Thur —5K 113
(in two parts)
Woodhouse Grn. Rd. B'wte —2N 25
Woodhouse La. Baw —2B 102
Woodhouse La. Beig —6L 125
Woodhouse La. Carl L —3D 130
Woodhouse La. Emley —2B 14
Woodhouse La. Hat —4C 46
Woodhouse La. Holmb —7B 30
Wood Ho. La. Wadw —7K 81
Woodhouse La. Wool —3B 16
Woodhouse Mill. —3K 125
Woodhouse Rd. S12 —5B 124
Woodhouse Rd. Donc —1B 64
Woodhouse Rd. Hoy —1L 75
Woodhouse Washlands Nature Reserve. —4M 125
Woodlaithes. —6G 96
Woodlaithes Rd. S'side —6H 97
Woodland Av. Ans —6C 128
Woodland Av. Crow —7M 29
Woodland Av. Work —9E 142
Woodland Clo. Cat —7J 111
Woodland Clo. Wick —1H 113
Woodland Dri. S12 —9B 124
Woodland Dri. Ans —6C 128
Woodland Dri. B'ley —8C 36
Woodland Dri. Work —4B 142
Woodland Gdns. Maltby —8F 98
Woodland Gro. Wath D —2M 77
Woodland Pl. S17 —5A 134
Woodland Ri. Silk C —2J 55
Woodland Rd. S8 —8J 123
Woodland Rd. Wath D —2M 77
Woodlands. —4E 42
Woodlands Av. Beig —6M 125
Woodlands Clo. Denb D —2K 33
Woodlands Clo. Swal —2C 126
Woodlands Cres. Hems —1L 19
Woodlands Cres. Swint —4N 77
Woodlands East. —4G 43
Woodlands Ri. Cam —9G 6
Woodlands Rd. Hoy —7M 57
Woodlands Rd. W'land —4F 42
Woodlands Ter. Edl'tn —5F 80
Woodlands, The. S10 —1B 122
Woodlands, The. Arm —9M 45
Woodlands, The. Blyth —6L 117
Woodlands Vw. Gt Hou —6L 39
Woodlands Vw. Hoy —8M 57
Woodlands Vw. Womb —7A 58
Woodlands Vw. W'land —4E 42
Woodlands Way. Den M —3L 79
Woodland Ter. Grim —3H 39
Woodland View. —6A 108
Woodland Vw. S12 —9B 124
Woodland Vw. S17 —3B 134
Woodland Vw. Cud —3B 38
Woodland Vw. Mexb —2H 79
Woodland Vw. Silk C —2J 55
Woodland Vw. Rd. S6 —6B 108
Woodland Vs. Grim —2H 39
Woodland Vs. Tank —1F 74
Woodland Way. Roth —8B 96
Woodland Way. Upt —1J 21
Wood La. S6 —6N 107
Wood La. S12 —8N 123
Wood La. B'ley —7H 17
Wood La. Bram M —7H 113
Wood La. Car —8K 17
Wood La. Cat —5G 111
Wood La. Denb D —2H 33
(in two parts)
Wood La. Fish & Thorne —1D 26
(in three parts)
Wood La. Holmf —2E 30
Wood La. Old E —7F 80
Wood La. Roth —1K 111
(in two parts)
Wood La. Roy —7F 16
Wood La. S'ton —4J 99
Wood La. Syke —8A 10
Wood La. Tree —8M 111
Wood La. Wadw —4J 81
Wood La. Wick —1H 113
(in three parts)
Wood La. Clo. S6 —6N 107
Woodlea. S Elm —7E 20
Woodlea Gdns. Donc —8J 65
Woodlea Gro. Arm —1L 65
Woodlea Way. Donc —9F 44
Wood Lee. —1E 114
Woodleys Av. Rawm —6L 77
Woodman Dri. Swint —4N 77
Wood Moor Rd. Hems —2M 19
Woodmoor St. B'ley —9L 17
Wood Nook. Gren —4D 92
Woodnook Gro. Mar L —8E 136
Wood Pk. Vw. B'ley —8G 16
Woodpecker Clo. Ast —5D 126
Woodpecker Clo. Work —1A 142
Wood Rd. S6 —4C 108
Wood Rd. Roth —4F 94
Woodrove Av. S13 —3B 124
Woodrove Clo. S13 —4B 124
Wood Royd. —6G 73
Woodroyd Av. B'ley —8K 17
Woodroyd Clo. B'ley —8K 17
Woodroyd Hill La. Hep —9M 31
Wood Royd Rd. Deep —5G 72
Wood Seats. —2E 92
Woodseats. Gren —2E 92

HOSPITALS and HOSPICES
covered by this atlas
with their map square reference

N.B. Where Hospitals and Hospices are not named on the map, the reference
given is for the road in which they are situated.

BARNSLEY DISTRICT GENERAL HOSPITAL —5D **36**
Pogmoor Rd.
BARNSLEY
South Yorkshire
S75 2EP
Tel: 01226 730000

BARNSLEY HOSPICE —5B **36**
104 Church St.
Gawber
BARNSLEY
South Yorkshire
S75 2RL
Tel: 01226 244244

BASSETLAW DISTRICT GENERAL HOSPITAL —5D **142**
Kilton Hill
WORKSOP
Nottinghamshire
S81 0BD
Tel: 01909 500990

BEIGHTON HOSPITAL —8L **125**
Seveairs Rd.
Beighton
SHEFFIELD
S20 1NZ
Tel: 0114 2716500

BIRKDALE CLINIC —7M **95**
Clifton La.
ROTHERHAM
South Yorkshire
S65 2AJ
Tel: 01709 828928

CHARLES CLIFFORD DENTAL HOSPITAL —9E **108**
76 Wellesley Rd.
SHEFFIELD
S10 2SZ
Tel: 0114 2717800

CLAREMONT HOSPITAL —1M **121**
401 Sandygate Rd.
SHEFFIELD
S10 5UB
Tel: 0114 2630330

DONCASTER GATE HOSPITAL —7L **95**
Doncaster Ga.
ROTHERHAM
South Yorkshire
S65 1DW
Tel: 01709 820000

DONCASTER ROYAL INFIRMARY —2C **64**
Thorne Rd.
DONCASTER
South Yorkshire
DN2 5LT
Tel: 01302 366666

HOLME VALLEY MEMORIAL HOSPITAL —1E **30**
Huddersfield Rd.
Holmfirth
HUDDERSFIELD
HD9 3TS
Tel: 01484 681711

KENDRAY HOSPITAL —8K **37**
Doncaster Rd.
BARNSLEY
South Yorkshire
S70 3RD
Tel: 01226 777811

KERESFORTH CENTRE —8D **36**
Keresforth Clo.
BARNSLEY
South Yorkshire
S70 6RS
Tel: 01226 777865

LOVERSALL HOSPITAL —1N **81**
Weston Rd.
DONCASTER
South Yorkshire
DN4 8NX
Tel: 01302 796000

MALTBY HOSTEL —7D **98**
130 Braithwell Rd.
Maltby
ROTHERHAM
South Yorkshire
S65 4LP
Tel: 01709 790097

MICHAEL CARLISLE CENTRE —4E **122**
Osborne Rd.
SHEFFIELD
S11 9BF
Tel: 0114 2716310

MONTAGU HOSPITAL —9F **60**
Adwick Rd.
MEXBOROUGH
South Yorkshire
S64 0AZ
Tel: 01709 585171

MOUNT VERNON HOSPITAL —1G **57**
Mt. Vernon Rd.
BARNSLEY
South Yorkshire
S70 4DP
Tel: 01226 777835

NORTHERN GENERAL HOSPITAL —3K **109**
Herries Rd.
SHEFFIELD
S5 7AU
Tel: 0114 2434343

PARK HILL HOSPITAL —2C **64**
Doncaster Royal Infirmary
Thorne Rd.
DONCASTER
South Yorkshire
DN2 5TH
Tel: 01302 730300

ROTHERHAM DISTRICT GENERAL HOSPITAL —2M **111**
Moorgate Rd.
ROTHERHAM
South Yorkshire
S60 2UD
Tel: 01709 820000

ROTHERHAM HOSPICE, THE —8N **95**
Broom Rd.
ROTHERHAM
South Yorkshire
S60 2SW
Tel: 01709 829900

ROYAL HALLAMSHIRE HOSPITAL —1E **122**
Glossop Rd.
SHEFFIELD
S10 2JF
Tel: 0114 2711900

ST CATHERINE'S HOSPITAL —1M **81**
Tickhill Rd.
DONCASTER
South Yorkshire
DN4 8QN
Tel: 01302 796000

ST JOHN'S HOSPICE —9L **63**
Weston Rd.
DONCASTER
South Yorkshire
DN4 8JS
Tel: 01302 311611

ST LUKE'S DAY HOSPICE —8L **125**
Beighton Hospital, Sevenairs Rd.
Beighton
SHEFFIELD
S20 1NZ
Tel: 0114 2716524

ST LUKE'S HOSPICE —8A **122**
Lit. Common La.
SHEFFIELD
S11 9NE
Tel: 0114 2369911

SHEFFIELD CHILDREN'S HOSPITAL —9E **108** (4A **4**)
Western Bank
SHEFFIELD
S10 2TH
Tel: 014 2717000

SHIRLE HILL HOSPITAL —4E **122**
6A Cherry Tree Rd.
SHEFFIELD
S11 9AA
Tel: 0114 2716860

SOUTHMOOR HOSPITAL —3K **19**
Southmoor Rd., Hemsworth
PONTEFRACT
West Yorkshire
WF9 4LU
Tel: 01977 465630

THORNBURY BMI HOSPITAL —2B **122**
312 Fulwood Rd.
SHEFFIELD
S10 3BR
Tel: 0114 2661133

TICKHILL ROAD HOSPITAL —1M **81**
Tickhill Rd., DONCASTER
South Yorkshire
DN4 8QL
Tel: 01302 796000

WATHWOOD HOSPITAL —3M **77**
Gipsy Grn. La.
Wath-Upon-Dearne
ROTHERHAM
South Yorkshire
S63 7TQ
Tel: 01709 873106

WESTON PARK HOSPITAL —9E **108**
Whitham Rd., SHEFFIELD
S10 2SJ
Tel: 0114 2265000

WHEATA DAY HOSPICE —6H **93**
Wheata Pl., SHEFFIELD
S5 9DZ
Tel: 0114 2571744

RAIL, ELSECAR STEAM RAILWAY, KIRKLEES LIGHT RAILWAY AND SUPERTRAM

with their map square reference

Adwick Station. Rail —2G **43**
Arbourthorne Road Stop. ST —4L **123**
Arena Stop. ST —5B **76**
Attercliffe Stop. ST —6N **109**

Bamford Stop. ST —9E **118**
Bamforth Street Stop. ST —5E **108**
Barnsley Station. Rail —6G **36**
Beighton Stop. ST —9M **125**
Bentley Station. Rail —8L **43**
Birley Lane Stop. ST —9E **124**
Birley Moor Road Stop. ST —8F **124**
Bolton-on-Dearne Station. Rail —5C **60**

Carbrook Stop. ST —3C **110**
Castle Square Stop. ST —9J **109** (2G **5**)
Cathedral Stop. ST —9H **109** (3F **5**)
Chapeltown Station. Rail —9H **75**
City Hall Stop. ST —9H **109** (3E **4**)
Clayton West Station. KLR —6B **14**
Conisbrough Station. Rail —3N **79**
Cricket Inn Road Stop. ST —8L **109**
Crystal Peaks Stop. ST —9K **125**

Darnall Station. Rail —8C **110**
Darton Station. Rail —8N **15**
Denby Dale Station. Rail —2H **33**
Dodworth Station. Rail —9N **35**
Doncaster Station. Rail —4N **63**
Donetsk Way Stop. ST —9J **125**
Don Valley Stop. ST —5B **110**
Dore Station. Rail —3B **134**
Drake House Lane Stop. ST —9M **125**
Dronfield Station. Rail —9H **135**

Elm Tree Stop. ST —5A **124**
Elsecar Station. Rail —1A **76**

Fitzalan Square Stop. ST —9J **109** (2H **5**)

Gleadless Townend Stop. ST —8A **124**
Goldthorpe Station. Rail —2C **60**
Granville Road Stop. ST —2K **123** (7H **5**)

Hackenthorpe Stop. ST —8G **125**
Halfway Stop. ST —3M **137**
Hatfield & Stainforth Station. Rail —7B **26**
Hemingfield Halt Station. ESR —9C **58**
Herdings Park Stop. ST —9M **123**
Herdings Stop. ST —8N **123**
Hillsborough Park Stop. ST —4D **108**
Hillsborough Stop. ST —4D **108**
Hollinsend Stop. ST —6A **124**
Hyde Park Stop. ST —8L **109** (2K **5**)

Infirmary Road Stop. ST —7G **108**

Kirk Sandall Station. Rail —4H **45**
Kiveton Bridge Station. Rail —9J **127**
Kiveton Park Station. Rail —1N **139**

Langsett Stop. ST —6F **108**
Leighton Road Stop. ST —8N **123**
Leppings Lane Stop. ST —3D **108**

Malin Bridge Stop. ST —5C **108**
Manor Top Stop. ST —5A **124**
Meadowhall Interchange Stop. ST
—1C **110**
Meadowhall South Stop. ST —2D **110**
Meadowhall Station. Rail —1B **110**
Mexborough Station. Rail —2F **78**
Moorthorpe Station. Rail —6D **20**
Moss Way Stop. ST —8K **125**

Netherthorpe Road Stop. ST
—8F **108** (2B **4**)
Nunnery Square Stop. ST —8M **109**

Park Grange Stop. ST —3K **123**
Penistone Station. Rail —4A **54**
Ponds Forge Stop. ST —9J **109** (2H **5**)
Primrose View Stop. ST —6F **108**

Rockingham Station. ESR —2B **76**
Rotherham Central Station. Rail —7K **95**

Shalesmoor Stop. ST —7G **109**
Sheffield College, The Stop. ST —2K **123** (6H **5**)
Sheffield Hallam University Stop. ST —9J **109** (4H **5**)
Sheffield Station. Rail —1J **123** (5H **5**)
Sheffield Station Stop. ST —9J **109** (5H **5**)
Shireoaks Station. Rail —3J **141**
Silkstone Common Station. Rail —2H **55**
South Elmsall Station. Rail —6F **20**
Spring Lane Stop. ST —3M **123**
Swinton Station. Rail —4D **78**

Thorne North Station. Rail —1J **27**
Thorne South Station. Rail —4L **27**
Thurnscoe Station. Rail —8C **40**
Tinsley Stop. ST —2D **110**

University of Sheffield Stop. ST —9F **108** (4B **4**)

Valley Centretainment Stop. ST —4C **110**

Waterthorpe Stop. ST —1M **137**
Westfield Stop. ST —2M **137**
West Street Stop. ST —9G **109** (4D **4**)
White Lane Stop. ST —8B **124**
Wombwell Station. Rail —5B **58**
Woodbourn Road Stop. ST —7N **109**
Woodhouse Station. Rail —4K **125**
Worksop Station. Rail —6B **142**